SCIENCE FICTION

Herausgegeben
von Wolfgang Jeschke

LEWIS SHINER

VERLASSENE STÄDTE DES HERZENS

Roman

Deutsche Erstausgabe

Science Fiction

WILHELM HEYNE VERLAG
MÜNCHEN

HEYNE SCIENCE FICTION & FANTASY
Band 06/4768

Titel der amerikanischen Originalausgabe
DESERTED CITIES OF THE HEART
Deutsche Übersetzung von Irene Bonhorst
Das Umschlagbild zeichnete Bob Hickson

Redaktion: Wolfgang Jeschke

Das Motiv auf der Titelseite und den Zwischentiteln stammt von
einem in Texcoco, Mexiko, gefundenen Lehmstempel. Es sind Blumen.
Aus ›Design Motifs of Ancient Mexico‹, hrsg. von Jorge Enciso,
1947 und 1953 publiziert von Dover Publications, Inc.
Teile des Romans erschienen in anderer Form als Vorabdrucke
in ›The Fiction Magazine‹ (›Americans‹), ›Omni‹ (›Rebels‹ und
›Deserted Cities of the Heart‹) und ›Isaac Asimov's Science
Fiction Magazine‹ (›Cabracan‹)
Printed in Germany 1991
Umschlaggestaltung: Atelier Ingrid Schütz, München
Satz: Schaber, Wels
Druck und Bindung: Elsnerdruck, Berlin

ISBN 3-453-04481-9

Für Neal Barrett jr.,
Freund und Guru

Mein Dank gebührt folgenden Personen: meinem Vater, Joel L. Shiner, für seinen Rat und das Material über die Maya; Ed Jones vom Austin Helicopter Training für seine Flugstunden, die wertvollen Informationen und die Vermittlung seiner Erfahrung; meiner Agentin, Martha Millard, und meiner Lektorin, Shawna McCarthy, die von Anfang an an dieses Buch geglaubt haben; sowie vielen anderen, die Ideen eingebracht und mich ermutigt haben, unter anderen Ellen Datlow, Gardner Dozois, Pat Murphy, Chris Priest, Rick Shanon, Edith Shiner, Bud Simsons und Bruce und Nanca Sterling.

Viele der Ereignisse in diesem Roman entsprechen den Tatsachen — das Erdbeben in Mexiko Stadt, die Unruhen von 1986, das Abholzen des Waldes von Nahá und so weiter. In einigen Fällen wurden allerdings die Daten und sogar die Schauplätze der Ereignisse zugunsten der Dramaturgie geändert.

E·I·N·S

Plötzlich lichtete sich der Pfad, und Carmichael trat aus dem Dschungel. Das grüne Zwielicht, das die ganze Zeit über geherrscht hatte, wurde abgelöst von der grellen Nachmittagssonne. Der zerlumpte Junge, der ihn geführt hatte, rannte aufgeregt voraus und ließ Carmichael blinzelnd am Rand des Rebellenlagers stehen. Er versuchte mit fuchtelnden Händen, die Wolke von weißen Fliegen, die seinen Kopf umschwirrten, zu vertreiben, und bemühte sich, harmlos auszusehen.

Man erwartete ihn offenbar nicht. Ein Jugendlicher in einer orangefarbenen Hose und einem karierten Hemd pinkelte an einen Baum. Als er Carmichael sah, zog er seinen Reißverschluß hoch und vollführte hastige kleine Halbverbeugungen, wobei er verlegen grinste. Ein anderer schlug rhythmisch auf einen Marmeladeneimer; er unterbrach ein schleifendes, krächzendes Synchronband mitten im Echo.

Die plötzliche Stille veranlaßte die anderen, sich umzudrehen und zu schauen. Carmichael lächelte und hielt die Hände weit weg von seinem Körper. *»Periodista«*, sagte er. Um Himmels willen, nicht schießen, ich könnte von der *New York Times* sein.

Von seinem Standpunkt aus konnte er vielleicht dreißig oder vierzig Guerillas sehen. Die meisten von ihnen waren einheitlich mit Blue Jeans und Khakihemd bekleidet. Es gab etliche Cowboyhüte aus Stroh und Arbeitskappen. Einige wenige trugen geschnürte Kampfstiefel aus Leder, wesentlich mehr hatten knöchelhohe oder flache Turnschuhe an. Die übrigen liefen in Strandsandalen aus Gummi oder barfuß herum.

Die Lichtung war ein Durcheinander aus grünen Segeltuchzelten, Schlafsäcken, gelben Armeedecken, über Stangen geworfen, und Blechdosen. Die Dosen waren in geleertem Zustand um die Zelte herum aufgeschichtet oder gefüllt mit Wasser und Bohnen oder Körnern, die fürs Abendessen eingeweicht wurden. Ein Collie mit geflecktem gelben Fell und einer Schramme über einem Auge kam und beschnupperte seine Fußknöchel.

»Carla hat gesagt, sie würde ein Interview geben«, erklärte er ihnen. Sein Spanisch war nicht besonders, es klang sehr nach California High School, aber er war seit über einem Monat in Mexiko und wußte, daß sie ihn verstanden, wenn sie wollten. Eine Frau in einem gestreiften Trägerkleid schaute ihn aus dem Schatten eines Baumes heraus an; beide Träger waren heruntergeschoben, und an jeder Brust hielt sie ein Baby. Schließlich trat ein Mann in mittleren Jahren mit einer flachen Fidelistenmütze und graudurchsetztem Bart ein paar Schritte auf ihn zu.

»*Cómo te llamas?*«

»Carmichael. John Carmichael. Ich arbeite für *Rolling Stone.* Die Zeitschrift.« Er nahm eine Karte aus der Vordertasche seiner Wandershorts.

»Ich habe davon gehört.«

»Hör zu, Carla hat mir ausrichten lassen, daß sie mit mir sprechen würde. Sie hat einen *correo* geschickt.« Er sah sich nach dem Jungen um, aber er war spurlos verschwunden. Der Junge war ein Fall für sich. Vor wenigen Monaten hatte er erlebt, wie ein halbes Dutzend Männer von der Guardia seine Mutter vergewaltigt hatten. Zumindest hatte Carmichael es so verstanden. Der Junge war erst acht Jahre alt und hatte nicht so ganz begriffen, was vor sich ging. Aber sie töteten sie, nachdem sie mit ihr fertig waren, und jetzt hatte der Junge nur noch den einen Wunsch, nämlich alt genug zu sein, um ein Gewehr in die Hand zu bekommen. Was in einem Jahr oder noch früher der Fall sein würde, je nach dem, wie verzweifelt sie wären.

Der Mann kaute eine Weile auf der Innenseite seiner Wange herum. Er schien nicht so sehr zu zögern, als vielmehr nervös zu sein. Er wirkte irgendwie gehetzt, was Carmichael ebenfalls nervös machte. »Okay, ich werde mit ihr reden. Ich heiße Faustino.«

Carmichael gab ihm die Hand, die Finger nach oben, auf die Art, wie es innerhalb der Bewegung üblich war. »*Cubano?*« fragte er.

Faustino dachte wieder nach. »Ja«, antwortete er schließlich.

Carmichael nickte, um zu zeigen, daß das für ihn in Ordnung war. Vielleicht war es ein Test. Die Rebellen taten gern so, als gäbe es keine Kubaner oder Nicaraguaner in Mexiko, aber Reagan tat ja seinerseits gern so, als gäbe es hier auch keine US-Truppen.

Carmichael wollte einfach nur ein Interview. Er hatte nicht daran geglaubt, daß er tatsächlich so weit kommen würde, und wenn die Sache jetzt noch schieflaufen würde, müßte es ihm das Herz brechen.

»Komm mit!« sagte Faustino. Sie gingen am Rande der Lichtung entlang hügelaufwärts. Durch eine Baumgruppe hindurch beobachtete Carmichael einen Ausbilder in Jeans und Khakihemd mit sechs jungen Mädchen. Der Ausbilder versuchte ihnen beizubringen, zu einer Linie zu rennen, sich flach auf den Bauch zu werfen und zu schießen. Sie mußten das Handhaben der Gewehre pantomimisch darstellen und kicherten ständig.

Faustino führte ihn auf den Kamm des Hügels, und Carmichael konnte das nächste Tal und die Berge im Süden sehen, direkt hinter der Grenze nach Guatemala. Die Berge waren von dem violetten Braun alter, verblaßter Fotos, die Farbe der unwirklich, unberührbaren Dinge. Es war fast Mittag, doch immer noch hüllten ziehende Wolkenfetzen die höchsten Gipfel ein.

»Schön, was?« sagte Faustino.

Carmichael nickte. Er hätte gern ein Foto gemacht, aber es wäre ein verfrühtes Risiko gewesen, jetzt schon die Kamera herauszuholen. Vielleicht später, wenn sich Carla als zugänglich erwiesen hatte.

Carla saß allein ein paar Meter entfernt und las. Carmichael erkannte sie von den wenigen Fotos, die in die

Vereinigten Staaten gelangt waren. Sie war klein, nach Hollywood-Maßstäben ein wenig zu dick und pausbakkig, aber nicht unattraktiv. Sie hatte die längliche Nase, die hohe Stirn und die rötliche Haut, die ihre Maya-Abstammung verrieten. Er blinzelte und erkannte, daß sie den Roman *Quetzalcoatl* des Expräsidenten Portillo las.

»Warte hier«, sagte Faustino und ging zu ihr hinüber. Carmichael konnte nicht hören, was sie sprachen. Faustino gab ihr die Karte, und sie stand auf und wischte den Schmutz vom Hosenboden ihrer Jeans. Dann blickten sie beide prüfend zum Himmel hoch, und Carmichaels Nervosität war wieder da.

Sie gaben sich die Hand, und Carmichael stellte sich noch einmal vor. »Ich verstehe nicht«, sagte sie. »Bist du von einer Rock-and-Roll-Band?«

»Von einer Zeitschrift«, sagte Faustino. »Sehr beliebt. Es gibt sie in allen Supermärkten der Vereinigten Staaten.«

»Soll das aus unserer Revolution werden? Sollen wir im Supermarkt verkauft werden?«

Offenbar merkte Faustino nicht, daß sie Spaß machte. Bevor er wieder das Wort ergreifen konnte, sagte Carmichael: »*Rolling Stones* verkauft nur erstklassige Revolutionen. Die nicaraguanische, die südafrikanische, die argentinische …«

»Du hast einen Artikel über meinen Mann geschrieben«, sagte sie. Wenigstens runzelte sie jetzt nicht mehr die Stirn.

»Er stammte nicht von mir persönlich, aber stimmt, wir haben einen gebracht.« Ihr Mann, Acuario, war damals im Dezember in Mexiko ermordet worden, während einer Art von Gipfelkonferenz der Rebellen. Sie hatte während der folgenden Woge von Ausschreitungen seine Guerillagruppe übernommen.

Carmichael nahm seinen Rucksack ab und holte einen Kassettenrecorder heraus. »Ich hatte Angst, ich könnte zu spät kommen. Seit Tagen kommen im Radio nur noch Berichte, daß du umgebracht worden seist.«

»Nein«, sagte sie sanft. »Du kommst noch rechtzeitig. Wollen wir uns nicht hinsetzen? Das Ganze wird noch qualvoll genug werden.«

Sie war eine großartige Interviewpartnerin. Carmichael hätte sie am liebsten umarmt. Während der verschiedenen Busfahrten und der langen Wanderung hierher hatte er sich die Story ausgemalt, wie sie ihm vorschwebte. Nicht nur den gedruckten Lauftext, sondern den ganzen Artikel samt Titelzeile, die über zwei Seiten lief, die Fotos dazwischen, viel weiße Fläche. Auch die Geschichte selbst. Sie würde nicht nur die Vorgänge in Mexiko erläutern, sondern die in der ganzen Welt, würde das ganze Jahrzehnt durchleuchten. Mexiko als Mikrokosmos für den Kampf der Visionäre der Dritten Welt gegen ein überholtes industrielles System. Sie konnten nicht verlieren. Während sie sprach, nahm die Sache in seinem Geist Form an, rundete sich zur Vollendung ab.

Faustino verfocht die Linie der Partei in seinem harten kubanischen Spanisch, das so leicht zu verstehen war wie Englisch. Die Genossen im gemeinsamen Kampf, das Schicksal Lateinamerikas, diese Dinge.

Carla wollte Veränderung mit aller Macht. Carmichael mußte sie immer wieder bremsen und sie bitten, ein Wort oder einen Satz zu wiederholen, die er nicht mitbekommen hatte. Sie sprach den Slang von Veracruz, das mexikanische Äquivalent zum Südstaatenakzent, nuschelnd und durchsetzt mit Ausdrücken aus der Karibik.

Sie war in einem Dorf namens Boca del Río aufgewachsen, südlich von Veracruz, wo das Wasser in der Bucht ständig einen Ölschimmer hat. Gerade als sie sich für die Schule zu interessieren begann, mußte sie sie verlassen, um mit ihrem Vater auf dem Fischmarkt in der Stadt zu arbeiten, wo sie dann vor der Spielhalle auf der anderen Straßenseite wartete, während er das bißchen, das sie am Morgen verdient hatten, verschleuderte.

Manchmal schlenderte sie hinüber zu *Las Portales,* zu der Reihe von Straßencafés auf der Plaza de Armas, wo die Touristen aus den USA und Deutschland und Mexico City saßen und Bier tranken und den Marimba-Trios zuschauten: ein Mann auf jeder Seite eines hölzernen Xylophons, der dritte mit seinem fischförmigen *Guiro,* alle bekleidet mit weißen oder gelben oder hellblauen Guayaberahemden; sie spielten zwei oder drei Songs und wanderten dann weiter zum nächsten Café. Die Touristen waren blaß und betrunken und unterhielten sich laut in Sprachen, die sie niemals zu lernen wünschte.

Acuaria war Student an der *Universidad Veracruzana.* Auch er trank in den Cafés von *Las Portales,* doch er tat es, um den Feind zu beobachten. Acuaria war in einer Studiengruppe mit einem Priester namens Pater Antonio, der ihn sowohl mit Teilhard de Chardin als auch mit Karl Marx bekanntgemacht hatte. Nachdem er das erstemal mit Carla gesprochen hatte, betrachtete er es als seine heilige Pflicht, ihr Bewußtsein zu erweitern.

Er erklärte ihr, warum sie instinktiv die Nordamerikaner haßte, lehrte sie den Marxismus-Leninismus und, so vermutete Carmichael, bumste ihr in einem Neunzig-Peso-Zimmer im Hotel Santillana gegenüber des Fischmarkts das Gehirn aus dem Leib.

Als Acuario vom College geworfen wurde, nahm er Carla mit sich auf Wanderschaft. Eine Zeitlang war das Zentrum der Aktion Villahermosa, wo versucht wurde, die Ölgesellschaften der Gringos in die Knie zu zwingen. Dann erschoß ein mit Acuario befreundeter Medizinstudent mit einer gestohlenen Pistole einen Bullen, und sie mußten sich in den Bergen verkriechen.

Carmichael mochte sie wirklich gern. Er konnte Acuarios Geist zwischen den Zeilen ihrer Erzählung spüren, doch Carla selbst war die handfeste Wirklichkeit. Eine Heldin der Arbeiterklasse, das ewige Opfer, und vor allem eine unverbesserliche Idealistin.

»Acuario glaubte an all diesen Hippie-Quatsch«, sagte sie. »Verstehst du? Daß wir der Beginn eines neuen Zeitalters sind. Ein Wendepunkt und all das. Er strebte eine neue Welt an, in der jeder zu essen und Kleider zum Anziehen hatte und es Schulen für jedermann gab und jeder denken durfte, was er wollte. Er war viel besser als ich. Ich bin einfach nur ärmlich und verbittert aufgewachsen und habe beobachtet, wie die Politiker immer fetter wurden auf Kosten von Menschen wie meinem Vater und mir. Ich hätte gern so einen fetten Kerl erschossen. Doch wenn mir Acuario seine Standpunkte darlegte, dann glaubte ich auch daran.«

»Das ist wahnsinnig gut«, sagte Carmichael. »Wie ist es mit Fotos? Darf ich ein Foto von dir machen?«

»Ich weiß nicht«, sagte sie. »Ich bin kein Somoza. Ich möchte nicht, daß mein Bild überall erscheint. Ich möchte keinen Persönlichkeitskult. Was meinst du, Faustino?«

Faustino hob die Schultern. »Ich glaube, es kann nicht schaden. Sollen die Nordamerikaner doch sehen, was wir sind: einfache Leute, in einen großen Kampf verwickelt.«

»Okay, aber frage jeden einzelnen, bevor du ein Foto von ihm machst. Einige haben Familien, die die Guardia drankriegen kann, verstehst du?«

»Natürlich. Das ist wirklich wahnsinnig gut!« sagte Carmichael. Er holte die Nikon aus dem Rucksack und wählte die purpurfarbenen Berge als Hintergrund für seine Aufnahmen von ihr.

Er machte einen phantastischen Schnappschuß von dem *correo,* dem Jungen, der ihm die Nachricht übermittelt und ihn heraufgeführt hatte. Der Kleine forderte Carmichael auf, ihn El Tigre zu nennen. Der Jaguar. Sie alle hatten diese Leidenschaft für Decknamen, diesen kleinen Hauch von Glanz, den sie sich leisten konnten. Jemand lieh dem Jungen für die Aufnahme eine M 16, und kurz bevor Carmichael den Auslöser drückte, warf er sich in die Brust und setzte ein wildentschlossenes Gesicht auf. Die Nikon hatte einen motorbetriebenen Transport, und deshalb erwischte er ihn auch, als er hinterher wieder in sich zusammensackte. Es gab einen Jugendlichen, der sich Rigoberto nannte, nach dem Mann, der Tacho Somoza senior getötet hatte. Er hatte immer einen Beutel von Pepsiflaschen bei sich, den er überall mit hinschleppte in der Hoffnung, irgendwo genügend Benzin aufzutreiben, um Molotow-Cocktails machen zu können.

Es gab eine Frau Mitte der Dreißig, die sie La Pequena nannten, die Kleine. Sie war klein und dünn, doch Carmichael spürte eine gewisse Ironie in dem Namen. Sie war vor Abschluß der High School verheiratet gewesen und hatte ausgetrocknete, rissige Hände von den vielen Jahren, die sie am Spülbecken verbracht hatte. Als ihr Mann eines Tages nicht von der Arbeit nach Hause kam, begann sie Fragen zu stellen. Sie stellte sie zwei Jahre lang, bis hinauf zu Präsident de la Madrid. »Wenn ich ihn das nächstemal sehe«, erkärte sie Carmichael, »werde ich das hier dabeihaben.« Sie deutete auf ein Gewehr, das sie gerade reinigte und dessen Teile auf einer schwarzen Plastiktüte ausgebreitet lagen.

Es gab einen jungen Mann etwas über Zwanzig mit viel afrikanischem Blut in den Adern. Er hatte eine tiefbraune Haut und dünne Kräusellocken, die er zu einer Reggae-Frisur züchtete. Sie nannten ihn Righteous, den Redlichen. Er war derjenige mit dem Marmeladeneimer und dem Synchronband. Sein Veracruz-Slang war nicht zu enträtseln, und Carmichael konnte nur lächeln und nicken und ein Foto von ihm machen und weitergehen.

Es gab einen achtundsechzigjährigen Mann mit kleinen Inseln eines Schnauzbarts im zerknitterten Gesicht.

Sie nannten ihn Abuelo, Großvater. Er hatte sich ihnen angeschlossen, nachdem seine Enkelin von der Armee ermordet worden war.

»Wie alt war sie?« fragte Carmichael. Er hatte den Recorder wieder angeschaltet.

»Siebzehn. Was geschieht jetzt mit ihren Kindern? Drei Mädchen und zwei Jungen, die keine Mutter mehr haben?«

Carmichael nickte und dachte, du lieber Gott! Fünf Kinder mit siebzehn. Gerade hatte er geglaubt, sich an eine bestimmte Richtlinie halten zu können, da tauchte so etwas auf und versetzte ihm einen Schlag ins Gesicht. Es war etwas von der Art, das sich jeder politischen Lösung entzog. Was sollte man tun, wenn es überall im Land Siebzehnjährige mit fünf Kindern gab? Wie sollte man sie alle ernähren? Wo sollte man sie unterbringen?

Langsam, dachte er. Man führe einen Krieg und bringe sie alle um.

Zwei Männer kamen aus dem Dschungel gerannt. Jedem hingen drei oder vier Gewehre über den Schultern, und zwischen sich trugen sie eine zusammengelegte Armeedecke wie eine Bahre. Sie breiteten die Decke in der Mitte des Lagers aus. Darin befanden sich noch ein halbes Dutzend Gewehre und mit Reißverschlüssen versehene Beutel voller Munition.

Die Gewehre waren FAL belgischer Herkunft. Sie waren sauber und sahen sehr brauchbar aus, mit polierten Griffen und kurzen, glatten Magazinen direkt vor den Abzugbügeln. Bei vollautomatischem Betrieb konnten sie etwa zehn Runden pro Sekunde ausstoßen. Carmichael hatte in L.A. einige Tage in der Bücherei verbracht und alles mögliche über Waffen gelesen, von Kleinfeuerwaffen bis zum Kampfhubschrauber des Typs Mi-24 Hind. Vermutlich hatte Castro im Jahr 1959 Tausende von FAL von Batista geerbt. Danach bekam er Kalaschnikows aus Rußland und brauchte sie nicht mehr.

Sie tauchten anschließend überall in Lateinamerika auf, wo es Schwierigkeiten gab.

Es war wie Weihnachten. Carmichael schoß rasch ein paar Fotos und ging dann schnell aus dem Weg, als sich das ganze Lager um die Waffen versammelte. Ein untersetzter, dicklicher Mann zwängte sich durch die Menge und fing an, die Namen der Auserwählten aufzurufen. Er kannte sie auswendig.

»Wer ist das?« fragte Carmichael den alten Mann.

»Leutnant Ramos.«

»Ach ja? Und wer ist das?«

Der alte Mann starrte eine Weile in die Ferne zu den Bergen. »Er kommt aus Mexiko.« Damit war Mexico City gemeint. »Er gehört zur FPML. *›Enlace‹ con este Raul Venceremos.*« Eine Liaison. Der alte Mann grinste hämisch, als er die Worte aussprach. Die FPML, die Volksfront für ein Freies Mexiko, war die stimmgewaltigste der zahlreichen Rebellengruppen. Ihr Anführer hatte sich selbst den Namen Raul Venceremos gegeben. Der zweite Name bedeutete ›Wir werden siegen‹. Das war ein Ausspruch, den Ché oft getan hatte. Venceremos hatte sich seine Liebe zu Uniformen bewahrt, als er der Guardia entsagte.

»Es gibt einen Radiosender«, fuhr der alte Mann fort. »Radio Venceremos.«

»Sí.« Carmichael nickte. *»Lo conozco.«* Daher kamen immer noch die einzigen zuverlässigen Informationen, die man aus El Salvador bekommen konnte.

Der alte Mann zuckte die Achseln. »Er nennt sich nach einem Radiosender. Was muß das für ein Mann sein?«

»Abuelo!« rief Ramos.

»Entschuldige mich.«

Carmichael beobachtete, wie der alte Mann eine einläufige .22er gegen eine FAL eintauschte, die so nagelneu war, daß der Kolben noch von Öl klebte. Als er zurückkam, lächelte er so breit, daß Carmichael all seine fünf Zähne sehen konnte. »Hier ist meine ›Liaison‹.« Der Alte schwenkte glücklich das Gewehr.

Als die FAL ausgegeben waren, verteilte Ramos die zurückgegebenen Waffen. Der Junge mit der orangefarbenen Hose bekam die .22er des Alten. Der Kolben war mit silberfarbenem Leitungsdraht umwickelt, aber der Junge schritt stolz damit von dannen. Ein Gewehr, egal was für ein Gewehr, machte einen echten Soldaten aus.

Carmichael verschoß noch einen Film und ging zu Carla, um ihr auf Wiedersehen zu sagen. Er gab ihr die Hand und sagte: »Ich muß mich mit der Story auf den Weg machen.« Wenn er sich beeilen würde, könnte er es noch zurück bis zu der Farm schaffen, wo er und El Tigre die Nacht zuvor verbracht hatten. Er wollte bei Einbruch der Dunkelheit den Dschungel hinter sich gelassen haben.

»Ich verstehe«, sagte Carla. Sie war unruhig geworden, und Carmichael merkte deutlich, daß sie froh war, ihn loszuwerden. »Wir möchten die Revolution in alle Supermärkte bringen, solang sie noch frisch ist. Ich werde dir einen *correo* mitgeben.«

»Das brauchst du nicht«, sagte Carmichael. »Ich komme auch so zurecht.«

Er winkte vom Rand des Lagers, und Carla und der Alte und einige der anderen winkten zurück. Faustino stand mit verschränkten Armen da, als ob er für ein Denkmal in der Innenstadt von Havanna posierte.

Ungefähr zehn Minuten nachdem er das Lager verlassen hatte, konnte Carmichael es nicht mehr aushalten; er setzte sich hin, um sich einige Aufzeichnungen zu machen. Seine Hand wurde von einem leichten, schnellen Zittern geschüttelt. Er kramte einen Joint aus seinem Rucksack und zündete ihn an. Während ihm der Joint im Mundwinkel hing, füllte er drei Seiten eines gelblichen Notizpapiers mit seinen grobumrissenen Eindrücken.

»Gottverdammt!« murmelte er. Es war gutes Material. Es war das Material für eine Karriere. Es war die Art von Material, das von AP und UPI und der gottverdammten *New York Times* übernommen wurde. Wenn er wieder in Villahermosa wäre, würde er sich ein paar Drinks genehmigen.

Er hörte die Flugzeuge erst, als sie direkt über ihm waren.

Sie deckten ein komplettes Geräuschspektrum ab, vom hohen Sirren der Turbinen bis zum Dröhnen der Motoren, mit dem Rattern der Maschinengewehre irgendwo dazwischen.

Der Krach kam in Wellen und hämmerte auf ihn ein, bis seine Ohren klingelten. Orangefarbene Leuchtspurgeschosse zeichneten punktierte Linien vom Himmel zum Rebellenlager.

Die gemischte Wirkung des Joints und dieser Plötzlichkeit hatte seinen Geist benebelt. Es dauerte eine Weile, bis die Botschaft zu ihm durchdrang. Die Flugzeuge griffen Carlas Truppe an.

Er sprang hoch und blickte sich aufgeschreckt um. Ein zerrissener Kondensstreifen sproß aus einem der Flugzeuge. Ein Blitz zuckte am Horizont auf, und ein paar Sekunden später bebte der Boden. Schließlich erreichte ihn der Schall, ein langes, schrilles Schreien und dann ein Donnern.

Nach Carmichaels Schätzung waren es vier Flugzeuge. Sie bewegten sich in immer neuen Anläufen über den Himmel, wie Spielzeug in der Hand eines unsichtbaren Riesenkindes, und es war schwer, sie mit den Augen zu verfolgen. Er wußte jedoch, daß es italienische SF 260 waren. Typ Warrior, Krieger. Die mexikanische Regierung hatte mit geliehenem amerikanischen Geld ein Dutzend davon gekauft für den speziellen Zweck, sie gegen die Guerillas einzusetzen.

Der Boden bebte, und Carmichael wurde sich bewußt, daß er noch immer auf dem Weg stand, voll der

Sicht ausgesetzt. Er schlug sich geduckt in die Büsche, ohne bei dem Lärm der Flugzeuge das Rascheln der Blätter und Knacken der Zweige zu hören. Er kauerte sich hinter etwas, das wie eine Eiche aussah, und im gleichen Moment kam eine Horde Rebellen auf dem Pfad angerannt, die Gesichter leer vor Entsetzen.

Jemand schrie. Eine Kugel schlug direkt über Carmichaels Kopf ein, und Bruchstücke der Rinde rieselten auf ihn herab. Das bloßliegende weiße Fleisch des Baumes hatte die Form eines ausgefransten Pfeils, der auf ihn zeigte. Spurfeuer erleuchteten den Wald wie dämonische Glühwürmchen. Er hatte nicht gewußt, wie wirkungsvoll die Kugel eines .50er Kalibers war. Sie waren wie kleine Meteoren. Die Erde stob auf, wo sie einschlugen.

Er rollte sich zu einer Kugel zusammen und drückte sich dicht an den Baumstamm, die Knie an die Stirn gepreßt, und starrte aus umgekehrter Perspektive hinauf zu dem Geriesel von Zweigen und Blättern, das sich träge wie in Zeitlupe aus den Bäumen herabsenkte. Das Rauschgift oder die Angst hatte einen Schalter in seinem Kopf umgelegt. Die Zeit war aus den Fugen geraten.

Die Kugeln fielen um ihn herum wie ein langsamer Metallregen. Die Luft wurde milchig weiß. Ein dichter Nebel aus Staub und Humus und Holzsplittern und grünen, zerfetzten Blättern hüllten ihn in einen reglosen Kokon. Der Klang der Flugzeuge und der Geschosse hatte sich verflochten zu einem Rauschen wie von einem Wasserfall.

Dann verwandelten sich die Gewehrkugeln in Wasser und liefen ihm den Rücken hinunter und bildeten Pfützen in seinem Haar.

Er setzte sich auf. Die Flugzeuge waren verschwunden, und das Platschen in den Bäumen stammte vom Regen. Seinen Notizblock hielt er in der einen Hand, seinen Rucksack in der anderen. Er legte den Block weg und richtete sich taumelnd auf; plötzlich tat ihm die Blase so weh, daß es ihm gleichgültig war, ob die Flugzeuge zurückkamen.

Er mußte zu der Lichtung zurückgehen. Er hatte eigentlich keine andere Wahl. Die Story hatte sich sozusagen unter seinen Händen verändert, und er mußte sie überarbeiten.

Zunächst glaubte er nicht, daß noch jemand am Leben sein könnte. Der Boden dampfte von WP, Weißphosphor-Raketen, und die Bäume waren zerborsten und geschwärzt. Der Regen verwandelte sich auf den Körpern zu Dampf, und der Dampf hatte den scharfen, ätzenden Säuregeruch, der Carmichael an seine Dunkelkammer in L.A. erinnerte, jedoch gemischt mit dem Gestank von Kordit und verbranntem Fleisch und nasser Asche.

Ihm war nicht bewußt, wie schwindelig ihm war, bis er taumelte und fast in Ohnmacht gefallen wäre. Er griff nach einem Baum, und die Rinde fühlte sich bei der Berührung noch immer heiß an. Er atmete durch den Mund und schluckte die Galle hinunter, die ihm in der Kehle hochstieg, während er seine Kamera herausholte. Seine Finger waren so steif, daß er zwei Minuten brauchte, um einen neuen Film einzulegen.

Er fing an, Aufnahmen zu machen. Das meiste war so abscheulich, daß es niemals gedruckt werden würde. Abgetrennte Gliedmaßen, ein abgerissener Unterleib in Jeans, purpurrot getränkt von Blut; bis auf den Schädelknochen verbrannte Gesichter; geschwärzte, rauchende Leiber. Er fotografierte einige der Verbrennungen, denn er wußte, daß die Regierung den Einsatz von Phosphor abstreiten würde, und er wollte Beweise haben.

Er machte Weitwinkelaufnahmen, auf denen die grauenvollen Einzelheiten nicht allzu deutlich zu sehen waren. Dann widmete er sich den Gesichtern, wobei er mit denen anfing, die noch verhältnismäßig vollständig waren. Er suchte Carla oder Faustino und fand statt dessen Abuelo, den alten Mann. Er stellte die Schärfe ein und war gerade im Begriff, den Auslöser zu bedienen, als der alte Mann ein Auge öffnete.

Carmichael senkte die Kamera. Der Alte hatte einen Bauchschuß. Überall war Blut. Seine Haut sah ebenso dunkel und wächsern aus wie die der Leichen. Der Regen tropfte wie Tränen von seinem Gesicht ab. Die beiden starrten einander ungefähr zehn Jahre lang an, dann schloß der Alte das Auge wieder.

Carmichael legte die Kamera aus der Hand. Jemand stöhnte, dann wurde das Stöhnen zu einem Schreien. Ein ganzer Stapel von Körpern zuckte und bebte.

Ich befinde mich in der Hölle, dachte Carmichael. Eins der Geschosse hat mich getroffen, und ich habe es gar nicht bemerkt, und jetzt bin ich tot und in der Hölle.

Etwas kroch unter dem bebenden Stapel von Körpern hervor. Es war Carla. Die Körper über ihr hatten sie gegen die Raketen geschützt, doch sie war ziemlich schlimm angeschossen. Ihr linker Fuß war nur noch ein blutiger Matsch, dessen Anblick Carmichael Schmerzen bereitete. Wieviel von dem übrigen Blut an ihr tatsächlich von ihr selbst stammte, wußte er nicht.

Er packte sie unter den Armen und zog sie heraus. Das konnte ihr auch nicht mehr schaden, als wenn sie selbst weiterhin mühsam herausgekrabbelt wäre. Sie sackte in seinen Händen schlaff in sich zusammen, und er legte sie ausgestreckt auf einige Fetzen der Zeltplanen.

»Du bist zurückgekommen.«

Carmichael stand zu schnell auf und war erneut nahe daran, ohnmächtig zu werden. Faustino starrte ihn an, bleich und zitternd, und hielt sich am Kolben seines Gewehrs fest.

»Ja«, sagte Carmichael. »Bist du in Ordnung?«

»Ein paar Kratzer«, sagte Faustino. Die rechte Hüftpartie seiner Jeans war völlig verkohlt, und sein Hemd hing in Fetzen an ihm. Er bekam eine Glatze, stellte Carmichael absurderweise fest. Jetzt, nachdem er die Mütze nicht mehr aufhatte, sah er weniger einschüchternd aus. Er kniete sich neben Carla nieder und tat dies und das, was sehr professionell aussah, indem er eins ihrer Augenlider zurückschob und ihren Puls am Hals fühlte.

»Ist sonst noch jemand davongekommen?« fragte Carmichael.

»Einige sind in den Wald geflohen. Wir haben für solche Fälle wie diesen einen Treffpunkt vereinbart. Ich werde sie heute nacht suchen.« Er kauerte sich auf die Fersen. »Wir müssen sie hier rausbringen. Es gibt einen Arzt in Usumacinta, der auf unserer Seite steht. Du mußt mir helfen, sie dorthin zu tragen.«

»Ich?« sagte Carmichael.

Der Regen ließ etwas nach, während sie aus einer der Planen eine notdürftige Bahre herstellten. Carmichael wollte wegsehen, als Faustino Carlas Jeans und Hemd aufschnitt, aber irgendwie konnte er es nicht. Sie trug eine fleckige Baumwollunterhose und einen starren Büstenhalter im Stil der fünfziger Jahre. Sie hatte Schußwunden im rechten Arm sowie dem linken Fuß und Schenkel davongetragen. Faustino spülte sie aus, spritzte etwas Betadin hinein und wickelte Verbände darum.

Noch drei weitere waren am Leben, aber keiner von ihnen konnte laufen. Faustino verabreichte ihnen Morphium. »Ich werde das Rote Kreuz benachrichtigen, sobald wir nach Usumacinta kommen. Vielleicht können dessen Helfer schneller hier sein als die Guardia.«

Faustino verbarg die meisten der unbeschädigten Waffen in einem Baum in einiger Entfernung von der Lichtung. Er warf sich drei FAL über die Schulter und füllte einen Rucksack mit Munition. Carmichael merkte, wie er zusammenzuckte, als einer der Gewehrkolben seine Hüfte berührte.

»Falls du auch eine tragen möchtest …«, bot Faustino an.

Carmichael schüttelte den Kopf.

Während des ganzen Weges den Berg hinunter fragte sich Carmichael, was, zum Teufel, er eigentlich tat. Er wollte sich einreden, es sei für seine Story. Seine hübsche, abgerundete, vollkommene Story, die plötzlich explodiert war und sich über die Landschaft verstreut hatte. Wenn er bei Carla blieb, konnte er dem Ganzen vielleicht wieder einen Sinn geben.

Die Wahrheit, so argwöhnte er, war die, daß er keine andere Wahl gehabt hatte. Es gab einfach keine Möglichkeit, Faustino jetzt im Stich zu lassen und sich trotzdem wie ein menschliches Wesen fühlen zu können.

Als die Sonne unterging, war er darüber hinaus, noch irgend etwas zu denken. Er konnte nichts mehr sehen, und er stolperte über Steine und Zweige, die auf dem Weg lagen. Doch nichts davon konnte Faustino etwas anhaben, der ihn mit den Griffen der Tragbahre stetig weiterzog.

Sie legten kurz nach Einbruch der Dunkelheit eine Rast ein. Carmichael nahm zwei Beutel Studentenfutter aus seinem Rucksack und reichte einen Faustino.

»Was ist das?«

»Trockenfrüchte und Nüsse. Schmeckt gut.«

Nach wenigen Sekunden kam der Beutel zurück zu ihm. »Tierfutter«, sagte Faustino.

Tier? dachte Carmichael. Was bildest du Scheißer dir eigentlich ein, wer *du* bist, daß du mich als Tier bezeichnest? Er merkte, wie ihm Hitze ins Gesicht stieg. Er hätte Faustino gern angebrüllt, aber er hatte nicht die Kraft dazu.

Carla gab Laute von sich. Ihr Kopf lag dicht bei der Stelle, wo Carmichael saß. »Ölt sie«, sagte sie. »Immer gut ölen. Ihr müßt …« Carmichael strich ihr die Haare aus der Stirn, wobei er in der Dunkelheit tastend vorging. Er konnte ihre Augen erst sehen, als sie sie öffnete und sie schwach schimmerten.

»Flugzeuge ...«, sagte sie.

»Sind weg«, erklärte Carmichael.

»Wie viele ... übrig ...?«

»Das wissen wir noch nicht, Faustino ist hier. Schlaf jetzt wieder.«

Ihr Atem veränderte sich, und ihre Augen verschwanden wieder. Carmichael sagte: »Gibt es noch Morphium?«

»Nein«, antwortete Faustino.

»Sah aus wie Mondschein«, sagte Carla, »nach dem Einschlag der Geschosse.«

»Sprich nicht!« sagte Faustino.

»Habe Männer im Dschungel gesehen. Maya. Drei, sie haben mich angeschaut. Nur der in der Mitte war kein Maya. Er war Nordamerikaner. Kukulcán. Es war Kukulcán. Sie verbrannten etwas in einem Topf, etwas Übelriechendes. Sie hatten Federn, grüne Federn im Haar ...«

Richtig, dachte Carmichael. Kukulcán war der Name der Maya für Quetzalcoatl, den großen weißen Gott. Er hatte eine Neuigkeit für sie. Es gab keine großen weißen Götter mehr. Sie würden nicht zu ihrer Rettung kommen, nicht in diesem Jahr, nicht in diesem Jahrhundert.

»Ich war dabei«, sagte Faustino. »Es waren keine Indianer dort. Es war ein Traum. So etwas wie eine Vision.« Carla antwortete nicht. »Sie schläft«, sagte Faustino schließlich.

Carmichael sagte: »Ich glaube, sie stirbt.«

»Sie stirbt nicht. Sie trifft sich nächste Woche mit Raul Venceremos. Sie wird nicht sterben.«

Carmichael nickte, dann wurde ihm klar, daß Faustino ihn ja nicht sehen konnte. »Okay«, sagte er. Das Studentenfutter hatte den Schmerz in seinem Magen etwas gelindert, nicht aber den in seiner Schulter und im Hals. Seine Füße waren geschwollen und eng an das Leder seiner Füße gepreßt, und seine nackten Beine und Arme juckten vor Moskitostichen. Faustino gab ihm etwas Wasser zu trinken, und vorübergehend fühlte er sich besser. Dann fiel ihm ein, daß er von dem Wasser wahrscheinlich die Ruhr bekommen würde, und er verspürte eine große Müdigkeit.

»Los, weiter!« sagte Faustino und bückte sich, um seine Seite der Bahre aufzunehmen.

Am Fuße des Hügels tauchten Lichter aus dem Nichts auf und nagelten sie auf der Stelle fest. »Bitte«, sagte Carmichael blinzelnd. Er konnte sich nicht die Hand vors Gesicht halten, ohne die Bahre abzusetzen. »Nicht schießen!« Er konnte nicht glauben, daß er so weit gekommen war, so lange überlebt hatte, nur um jetzt auf diese Weise zu sterben. »Ich bin Amerikaner.«

»Somos todos Americanos«, erwiderte eine Stimme.

»Nordamerikaner«, berichtigte sich Carmichael. »Journalist.«

»Cálmate«, sagte Faustino. »Das sind *compas, companeros,* verstehst du? Sie gehören zu uns.«

»Oh!« Jemand nahm ihm das Ende der Tragbahre aus der Hand, und sofort fuhr ihm ein Krampf in die Arme und zuckte auf der Spur des Schmerzes bis nach hinten in seine Schulterblätter.

»Man wird einen Platz zum Schlafen für dich finden«, sagte Faustino. Es entstand eine merkwürdige Stille. »Wir danken dir für deine Hilfe.«

»Das war gar nichts«, sagte Carmichael.

»Das stimmt«, sagte Faustino. »Doch wenn du nicht geholfen hättest, wäre es weniger als nichts gewesen.«

Ein Junge führte ihn zu einer Hütte am Rande der Stadt. Es hätte el Tigre sein können, doch er sagte nichts, und es war zu dunkel und Carmichael war zu müde, um sicher zu sein.

Man wies ihm eine Hängematte zu. Er war ziemlich

sicher, daß jemand auf dem Boden schlafen würde, um sie ihm zu überlassen. In diesem Moment war es ihm gleichgültig.

Mitten in der Nacht wachte er einmal auf, überzeugt, daß er einen Schuß gehört hatte. Er lauschte, doch er hörte nur das Schnarchen eines Fremden auf der anderen Seite des Raums.

Das galt nicht dir, redete er sich ein. Irgend jemandem mochte es gegolten haben, aber bestimmt nicht dir.

WIEDER EIN SCHUSS. Thomas' Büro lag im rückwärtigen Teil des Gebäudekomplexes, gut eine halbe Meile von der Straße entfernt, und die Gewehre hörten sich wie Knallfrösche an. Es war das dritte Mal in dieser Woche, daß die Guardia das Feuer auf Demonstranten eröffnet hatte. Bis jetzt waren es nur Warnschüsse, doch der Gedanke daran bereitete Thomas immer noch leichte Übelkeit. Vor zwei Tagen hatte eins der Kinder beim Wegrennen versucht, über den Zaun der Anlage zu klettern und war in dem Stacheldraht obenauf hängengeblieben.

Seine Konzentration war dahin. Er rollte seinen Stuhl vom Computer weg und nahm den Brief wieder auf. Er war auf dem linierten Papier eines Notizblocks geschrieben und lautete: »Komme, um dich zu suchen. Wo versteckst du dich? In Liebe, Lindsey.« Der Umschlag war an ihn gerichtet, per Adresse Anthropologische Fakultät, UT Austin. Mit der Bitte um Weiterleitung. Er war mit der Morgenpost gekommen. Er steckte ihn wieder in den Umschlag und schob den Umschlag in seine Hemdtasche.

Die Schüsse hatten aufgehört und waren von einem anderen Geräusch abgelöst worden, einem Dröhnen, dessen Tonlage ständig anstieg und abfiel. Große Motoren.

Du lieber Gott, dachte Thomas. Panzer!

Sein Intercom summte. »Wach auf, Thomas!« sagte Sarah. »Die sechziger Jahre sind vorbei. Jetzt ist Big Brother hier. Sie kommen rein.«

»Was, zum Teufel, sollen wir tun?«

»Ich weiß nicht, was du tun wirst, ich jedenfalls werde mich flach hinter meinen Schreibtisch legen und einige Mantras herunterleiern.«

Sarah hatte Übergewicht und ging mit Riesenschritten auf die Fünfzig zu. »Das ist wahnsinnig komisch«, sagte Thomas.

»Ich scherze nicht. Hör mal, mach keinen Unsinn, okay? Das da draußen sieht wie die gesamte Mexikanische Nationalgarde aus. Sie *werden* dich töten, okay?«

Thomas stieß den Bildschirm mit dem Fuß zum Fenster hinaus und kroch nach draußen, wobei er mit einer Hand seine Brille festhielt. Geradeaus vor ihm stand der zerfallende Musikpavillon, dessen Wand aus Solarzellen in der Nachmittagssonne glitzerte. Der Geruch von Dünger und feuchter Erde schwebte von den Gärten davor herüber. Links von ihm erstreckten sich über eine Länge von mehreren hundert Metern entlang der Hügel permische Formationen, für Experimente angelegt, sowie landwirtschaftliche Flächen, Tiergehege, Wasserbecken und Ställe.

Rechts von ihm waren die Tore des Vordereingangs und die Guardia.

Thomas beobachtete, wie der Panzer unaufhaltsam über den Zaun fuhr. Es war ein gewaltiger Zaun gewesen, zwei Meter fünfzig hoch und oben mit Stacheldraht versehen, der sie von den Hungrigen und den Armen und den Verzweifelten absonderte. Jetzt knickten die Pfosten wie Zahnstocher um, und die Kettenglieder drückten ihre Metallprofile in den Rasen.

Der Panzer wälzte sich an den Ruinen des Kasinos vorbei und hielt neben dem Brunnen an. Das Kasino war einst das gesellschaftliche Zentrum von Cuernavaca gewesen, damals in den zwanziger und dreißiger Jahren, als diese Anlage noch das Hotel *Casino de la Selva* war. Für den jetzigen Verwendungszweck war eine geodätische Kuppel errichtet worden, bestehend aus einem Aluminiumgerüst und dreieckigen isolierenden Plastikpfannen. Daneben wirkte der Panzer wie ein blutrünstiger Tyrannosaurus.

Thomas schätzte die Zahl der Soldaten auf fünfzig. Sie waren den Mitarbeitern des Projekts im Verhältnis zwei zu eins überlegen. Er rannte um die Rückseite des Hauptgebäudes herum in Richtung Schwimmbecken. Wegen der Luftfeuchtigkeit klebte ihm das Hemd am Rücken, und die Unterhose rutschte ihm zwischen den Beinen zu einem Knäuel zusammen. Hinter dem dunklen Algengrün des Schwimmbeckens lagen die Jai-alai-Spielfelder. Der ständig bekiffte Botaniker von Texas A&M hatte sie vor einem Jahr an einen neuen genverstärkten Kudzu verloren und kämpfte seither darum, sie wiederzubekommen.

»Thomas!« Das war einer der Jungen, die den Sommer hier verbrachten; er befand sich mitten auf der Wasserfläche des gewaltigen Beckens auf einer der Meeresarchen. Er hatte sein Hemd aufgeknöpft und beugte sich aus dem Kran heraus. »Was ist denn los, verdammt?«

»Wir werden überfallen«, brüllte Thomas. »Hau ab und versteck dich in den Hügeln!«

Zwischen dem Wasserbecken und dem hinteren Gästehaus erstreckte sich eine Fläche mit eigens herangeschafftem Sand, mit Sonnenschirmen und Strandklappstühlen. Unkraut übernahm langsam die Vorherrschaft, doch man kam auf diesem Untergrund immer noch nur ziemlich mühsam voran. Bevor Thomas die Sandfläche überqueren konnte, hörte er das Trampeln rennender Füße auf Beton und das unverwechselbare Klacken von Gewehren, die entsichert und an die Schulter gelegt werden.

»Alto!«

Thomas blieb stehen und nahm langsam die Arme hoch.

Die Soldaten führten ihn in den einzigen Raum mit gemauerten Wänden. Die meisten anderen seiner Kollegen waren bereits in der Mitte des Raums versammelt, durch die fünfzehn Meter hohen Decken und die allegorischen Figuren an den Wänden zu Zwergen verkleinert. Die Projektgruppe hatte diesen Raum als Hauptspeisesaal verwendet. Die Soldaten hatten die Tische und Stühle zu einer Seite geschoben, damit sie alle zusammentreiben konnten. Alle paar Sekunden öffneten sich die Türen, und zwei oder drei Leute stolperten aus dem Dickicht herein, gefolgt von Soldaten, die sie schubsten, wenn sie langsamer wurden.

Thomas entdeckte Judy Shapiro, die Direktorin des Projekts. Sie und Bill Geisler waren der Mittelpunkt der Aufmerksamkeit, doch auch sie wußten keine Antworten. Geisler war Shapiros Zimmergenosse und Geliebter. Außerdem war er die einzige Person in der Projektgruppe, der offenbar nichts von ihrer Schwäche für die Werkstudenten beiderlei Geschlechts, je jünger desto besser, ahnte.

Sie waren beide Anfang Dreißig, fünf Jahre jünger als Thomas, beide Veteranen des Neuen Instituts für Alchemie auf Cape Cod und der Lindisfarne-Siedlung in Colorado. Sie waren sonnengebräunt, ernst aussehend und trugen ausgefallene Kleidung. Geisler war Sekretär des Projekts, was bedeutete, daß er Schmiergelder verteilte und Genehmigungen einholte und ganz allgemein versuchte, Shapiros Nachschubverbindung zur Realität aufrechtzuerhalten.

Thomas hatte seinen besonderen Titel. Er war Projekt-Anthropologe. Das besagte nicht viel, außer daß Margaret Mead in der Neuen Alchemie herumzulungern pflegte, so daß Shapiro einen eigenen Anthropologen für sich selbst haben wollte. Man erwartete von ihm, daß er Gutachten über die Schlupfwinkel der Eingeborenen erstellte. Die Tatsache, daß er einen Hubschrauber fliegen konnte und damit das Anheuern eines Piloten von draußen ersparte, hatte ebenfalls einen gewissen Ausschlag gegeben. In der Praxis war es so, daß er, wenn er nicht gerade mit der Scheißarbeit, die man von ihm verlangte, beschäftigt war, über jede Menge Computerzeit verfügte, um an allem möglichen zu arbeiten, das ihm beliebte.

Das war im besonderen die eingehende Auswertung von Ilya Prigogines Schichtstrukturen im Zusammenhang mit dem Untergang des Maya-Reiches, etwa 900 vor Christus. Sein UT-Etat war aufgebraucht gewesen, er hatte ein Angebot zur Mitwirkung an dem Projekt erhalten, und jetzt war er seit zwei Jahren hier, und im Hof stand ein Panzer.

»Ich nehme nicht an, daß *Sie* etwas wissen«, sagte die Shapiro zu Thomas. Er schüttelte den Kopf. »Bleiben Sie in der Nähe. Wir müssen in dieser Angelegenheit eine einheitliche Front bilden.«

Thomas schlenderte davon, fand einen Stuhl und setzte sich. Ein Offizier der Guardia kam herein und blieb eine Weile stehen, die Hände hinter dem Rücken verborgen. Er trug keine Kopfbedeckung, und die Uniform hing ihm locker um die Schultern. Er sah wie ungefähr sechzig aus. Sein Haar war von einem dunklen Schwarz, das Stigma indianischen Bluts. Er war Captain, und Thomas vermutete, daß er es nicht viel weiter bringen würde. Europäische Vorfahren waren in Mexiko immer noch sehr gefragt. Thomas hatte ihn schon früher hier draußen gesehen, wie er Fragen stellte und sich mit der Faust in die linke Hand schlug. Er hieß Espinosa.

»Sind das alle?« wollte er wissen. Sarah, die außer Atem war, kam herüber und stellte sich neben Thomas' Stuhl. Alle anderen stellten sich mehr oder weniger in Reih und Glied auf, mit dem Gesicht zu Espinosa.

»Ich dachte, du wolltest dich hinter deinen Schreibtisch ducken«, sagte Thomas.

»Sie haben mich herausgezerrt«, sagte sie. »Diese Faschisten!«

Espinosa spazierte gemächlich an der Reihe entlang. Er deutete auf Shapiro und Geisler und schließlich auf Thomas. »Sie drei bleiben hier.« Sein Englisch war von einem Akzent gefärbt, aber gut zu verstehen. »Die anderen kehren in die Vereinigten Staaten zurück, in ihre Häuser, zu ihren Familien. Sie werden durchsucht, und Ihre persönlichen Sachen werden ebenfalls durchsucht, aber es wird Ihnen nichts geschehen. Wir werden einen Bus kommen lassen, der Sie nach Mexico City bringen wird, wo Sie in ein Flugzeug steigen können.«

»Warum du?« fragte Sarah.

»Wegen meiner langjährigen Zugehörigkeit, vermute ich.« Shapiro und Geisler waren seit drei Jahren dabei, von Anfang an. Außer Thomas und dem Verwaltungspersonal, wie Sarah, waren alle anderen mehr oder weniger Neulinge.

Thomas stand auf, und Sarah nahm ihn in die Arme. Sie weinte. »Ich möchte nicht weggehen«, sagte sie. »Überall wird Beton sein und Chlor im Wasser. Das Essen wird falsch schmecken, und ich werde Krebs bekommen.«

»Es ist nur für eine gewisse Zeit. Es muß sein. Wir werden die Dinge regeln und alle zurückholen.«

»Verdammt, Thomas, behandle mich nicht wie ein kleines Kind. Es ist vorbei. Die Welt ist nicht reif für uns, deshalb wird man uns zerstören.«

»Sarah ...«

»Bye, Thomas«, sagte sie und trat von ihm zurück. »Friede, Liebe und all diesen gefühlvollen Quatsch!« Sie winkte ihm mit einem Finger zu, dann drehte sie sich um und ließ sich von einem der Soldaten hinausführen.

Es dauerte eine halbe Stunde, bis der Raum geräumt war. Thomas war erstaunt zu beobachten, wie verbissen manche darum kämpften, bleiben zu dürfen. Wer würde sich um den Kompost kümmern? Wer würde den pH-Anteil in den Fischbecken überwachen? Was war, wenn die Blattlaus auftrat, wenn es an Nitrogen mangelte?

Eine der Studentinnen, ein dünnes Mädchen vom UCLA, wollte ausbrechen. Espinosa gab einem seiner Männer ein Zeichen, der ihr kräftig ins Gesicht schlug, ihre Arme nach hinten verdrehte und mit ihr hinausmarschierte.

Espinosa behielt drei Soldaten bei sich zurück. Es waren noch Kinder, dachte Thomas. Die älteren kämpften bestimmt in den östlichen Dschungelgebieten oder den Straßen von Juárez und Zihuatenejo.

»Ich möchte, daß Sie mir die Waffen zeigen«, sagte Espinosa.

Shapiro stieß ein theatralisches Seufzen aus. »Ist das alles? Wieder die Geschichte mit den Waffen? Wir haben keine. Wie oft sollen wir das Ihnen noch erklären?«

»Es ist bekannt, daß Sie die Rebellen unterstützen. Das wissen wir genau, verstehen Sie? Rebellen versammeln sich vor Ihren Toren. Wir suchen weder die Gewehre noch die Handgranaten. Wir suchen das Nervengas. Das Virus.«

»Du lieber Himmel«, sagte Shapiro. »Die Kinder da draußen waren Demonstranten. Sie würden uns ebenso gern verschwinden sehen wie Sie. *Trotz* der Tatsache, daß es vor allem Ihre Regierung war, die uns hergeholt hat.«

»Ich spiele hier keine Spiele«, sagte Espinosa. »Die Rebellen müssen unschädlich gemacht werden. Sie kämpfen gegen rechtmäßig gewählte Politiker. Sie verstoßen gegen das Gesetz.«

Es war ein schlechtes Jahr für die Institutionelle Revolution. Die PRI war jetzt ununterbrochen seit 1949 an der Macht, und abgesehen von ein paar Namensänderungen reichte sie zurück bis ins Jahr 1929. Parteien überdauerten nicht so lange, wenn sie Wahlen verloren. Manchmal mußten sie die Stimmenauszählung so oft wiederholen, bis das gewünschte Ergebnis herauskam.

Die PRI hatte das nach dem 6. Juli in Zihuatenejo und Juárez versucht, und die Leute hatten angefangen, Autos umzuwerfen und Streichhölzer anzuzünden. Das halbe Zihua war bis auf die Grundmauern abgebrannt, bevor die Guardia genügend Menschen erschossen hatte, um die Ruhe wiederherzustellen. Es gab immer noch Gruppen, die die Hauptbrücke zwischen Juárez und El Paso besetzt hielten.

»Okay, wie wir hören, schlagen Sie die richtigen Töne an«, sagte Shapiro. »Was wollen Sie? *La mordida?*«

Thomas zuckte zusammen. Die Korruption war allgegenwärtig in Mexiko, aber es wurde erwartet, daß gewisse Regeln eingehalten wurden. Man feilschte nicht um Bestechungssummen in der Öffentlichkeit.

»Nein, Lady, Ihr Geld will ich nicht. Ich möchte die Sachen sehen, die Sie vor mir versteckt halten. Alles, verstehen Sie? Alles!«

Ein paar Dutzend Soldaten durchsuchten die Hütten des Personals. Thomas hörte, wie Schubladen zugeknallt und Möbelstücke herumgeschoben wurden. Sie zogen sogar einige Matratzen auf den Rasen heraus und schlitzten sie mit Bajonetten auf, um ihre Macht zu demonstrieren.

Thomas empfand Mitleid für Espinosa. Was sollte der alte Mann von den Windmühlen halten, die wie Spielzeug-Raketenträger auf Miniatur-Bohrinseln aussahen? Von den ein Meter fünfzig und zwei Meter hohen, säulenförmigen Fischbecken, auf deren Oberfläche riesige Seerosen schwammen? Von den Glaswänden und Aquarien an der Südseite aller Bungalows?

Das Schlimmste war die Solarwand, Hyazinthentröge im Inneren eines langen, schräggestellten Gewächshauses. Sie erstreckte sich direkt vom Hauptgebäude bis zu dem Brunnen, wo die Guardia ihren Panzer abgestellt hatte. Das Abwasser der Anlage lief durch die Tröge, um Organismen auszurotten, dann hinaus zum Brunnen und einer Reihe von Sandfiltern, um es zu klären und mit Kohlensäure zu versetzen. Aber das Gewächshaus stank nach Scheiße.

Espinosa blieb zögernd an der Tür stehen und rümpfte die Nase.

»Ich bin der gleichen Meinung wie Sie. Aber diese Leute hier scheint der Gestank ihrer eigenen Scheiße nicht zu stören. Das gehört alles dazu, wenn man mit dem Planeten in Harmonie leben will.«

»Verrecken sollst du, Thomas!« sagte Shapiro.

»Diese Leute?« sagte Espinosa. »Sind Sie nicht einer von ihnen?«

»Das ist etwas, das Thomas noch nie gut konnte«, sagte Shaprio. »Sich zu entscheiden. Sich zu etwas zu bekennen.«

»Könnten wir uns vielleicht um ein bißchen weniger Uneinigkeit unter den führenden Mitarbeitern bemühen?« fragte Geisler.

»Ich möchte ins Innere sehen«, sagte Espinosa.

»Warum das denn, um alles in der Welt?« fragte Shapiro.

»Welchen besseren Platz gibt es, um Waffen zu verstecken?«

»Herrje! Nur zu! Fühlen Sie sich wie zu Hause!«

»Sie«, sagte Espinosa und sah Thomas an. »Sie kommen mit!«

Sie gingen hinein. Er atmete durch den Mund. Er hatte das Gefühl, Scheiße auf die Zunge und in die Mundhöhle zu bekommen. Espinosa, der so tat, als ob ihm das nichts ausmachte, wühlte unter den gummiartigen Pflanzen herum und beugte sich vor, um die Halterungen unter den Trögen zu untersuchen.

»Es gibt hier keine Waffen«, sagte Thomas. Seine

Brillengläser waren wegen der Luftfeuchtigkeit beschlagen, und er wischte sie an seinem Hemdzipfel ab.

»Ich möchte Ihnen gern glauben«, sagte Espinosa. Er schob einen seiner Ärmel hoch und tastete in schlammigem Wasser herum. »Vielleicht glaube ich Ihnen sogar. Aber ich traue Ihnen nicht.« Der Schwung seiner Augenbrauen verriet einen gewissen trockenen Humor. »Verstehen Sie?«

»Los requisitos«, sagte Thomas. Formalitäten.

»Claro que sí.« Espinosa trocknete sich den Arm gründlich mit einem Taschentuch ab und ließ das Taschentuch anschließend zu Boden fallen. Es war, als ob sie eine Art von Handel abgeschlossen hätten, obwohl sich Thomas nicht im klaren darüber war, um was es dabei ging.

Sie begaben sich wieder hinaus. Ein Soldat kam mit einer etwa einen Meter langen Marihuanapflanze angerannt, von deren Wurzel noch Erde bröselte. *»Mira, Capitán! Marijuana!«*

»Das ist nicht von uns«, sagte Shapiro. »Verdammt, ich habe allen verboten, so ein Zeug zu nehmen!« Thomas fand ihre schauspielerische Darbietung fast überzeugend.

Espinosa sagte auf spanisch zu dem Soldaten: »Sprich mit dem Sergeant. Frage ihn, ob er in den Zimmern irgendwelche Drogen gefunden hat.« Dann blickte er Shapiro an. »Dafür könnten Sie im Gefängnis landen, Sie alle. Drogenschmuggel und Unterstützung der Rebellen.«

»Ich habe Ihnen bereits gesagt ...«

Geisler legte ihr eine Hand auf den Arm. »Judy, reg dich nicht auf ...«

Espinosa bluffte nicht. Die Pflanze war mehr als ausreichend, um sie alle ins Gefängnis zu stecken. Und wenn ihre Unterlagen verlorengingen und sie Monate oder Jahre dort zubrachten, ja sogar dort starben — nun, so etwas käme nicht zum ersten Mal vor.

Thomas' Haut fühlte sich klamm an. »Hören Sie«, sagte er. »Wir versuchen, Ihnen entgegenzukommen. Wir wußten nichts von dem Marihuana.« Natürlich log er. Die A&M-Gruppe war bekannt für ihren Stoff, eine echte Killermischung. Wenn Espinosa versuchen würde, die Pflanzen zu verbrennen, würde er ganz Cuernavaca in einen Rauschzustand versetzen.

»*Sargento!*« schrie Espinosa. Der Sergeant kam zurückgerannt, mit hochgezogenen Knien im Stil der englischen Armee. »Sperr sie ein!« befahl er auf englisch und wiederholte es auf spanisch.

Der Sergeant sah verwirrt aus. »Wo, Sir?« fragte er auf spanisch. »Alles ist aus Glas.«

»Laß dir etwas einfallen!« sagte Espinosa.

Der Sergeant schloß sie in der Küche ein und postierte Wachen an der Tür. »Es war ohnehin Zeit fürs Abendessen«, bemerkte Thomas. Er machte sich einen Avocado-Sandwich und setzte sich an den fettgetränkten Tisch.

Shapiro schimpfte noch zehn oder fünfzehn Minuten lang herum, wie so etwas überhaupt passieren konnte. Schließlich bekam sie ebenfalls Hunger, und Thomas machte noch einige Sandwiches.

Thomas hatte seit über einem Jahr keine Uhr mehr getragen, doch er hatte ein ausgeprägtes Gefühl für den Lauf des Tages, solang es hell war. Gegen Sonnenuntergang wurden die Ziegen und Hühner und Papageien unruhig und vollführten mehr als ihren üblichen Krach. Seiner Einschätzung nach war es etwa acht Uhr, als sie hörten, wie der Panzer angelassen wurde und wegfuhr. Ein paar Minuten später kam Espinosa herein. Er war etwas in sich zusammengesunken und sah jetzt so alt aus, wie er war.

»Sie können heute nacht in Ihren Betten schlafen wie immer. Die Türen werden bewacht.«

»Möchten Sie etwas zu essen?« fragte Thomas. »Wir müßten es sonst wegwerfen.«

Man sah Espinosa an, daß ihm unbehaglich zumute war. »Wir sehen uns morgen früh hier wieder. Um sieben Uhr.« Dann drehte er sich um und ging wieder hinaus.

Keiner der Bungalows hatte ein Schloß. Thomas wartete, bis es dunkel war, dann öffnete er seine Tür und spähte hinaus. Da standen zwei Wachtposten, keiner älter als achtzehn. Sie waren im Begriff, ihre Waffen zu heben, dann sahen sie die Flaschen in seiner Hand. Er gab jedem von ihnen ein Bier und fragte auf spanisch, ob er sich ein paar Minuten an das Becken setzen dürfe. Er war nur wenige Meter entfernt.

»Wenn Sie versuchen wegzulaufen«, entschuldigte sich einer von ihnen, »dann müssen wir schießen.«

»*Claro!*« sagte Thomas.

Als sie einsahen, daß er nur eine Weile am Wasser sitzen wollte, verschwanden sie in der Dunkelheit und ließen ihn allein.

Das Becken war riesig, das größte, das Thomas je gesehen hatte. Es war der Mittelpunkt des Projekts, nicht nur wegen seiner Lage, sondern auch im übertragenen Sinne. Die Anlage war ein Modell der Welt, und das Becken war ihr Ozean. In ihm waren Spiegelkarpfen ausgesetzt worden, die für eine Imitation der Gezeiten sorgten, wenn sie mit den Schwänzen schlugen. Es enthielt Tilapia anstatt Wale, um die Algen zu vertilgen und das Wasser zu säubern. Weiße Amuren verzehrten die größeren Pflanzen, und die Mitarbeiter des Projekts verzehrten die Tilapia und die Amuren.

Thomas hatte sich so weit in die Metapher vertieft, daß ihm das Plätschern des schlammigen Wassers gegen die Fliesen den Eindruck vermittelte, als lausche er echten Wellen. Es machte seinen Kopf klar, entspannte ihn.

Irgendwann bemerkte er ein orangefarbenes Glühen zu seiner Rechten, an dem flachen Ufer vor dem Hotel. Fast zur gleichen Zeit stieg ihm der Geruch von Zigarettenrauch in die Nase. Es war so lange her, daß Thomas jemanden wirklich Zigaretten hatte rauchen sehen, daß es ihn ein wenig erschreckte.

»Ich glaube«, sagte Espinosa schließlich, »meine Männer haben nicht allzuviel Disziplin.«

»Sie haben mir vertraut«, entgegnete Thomas. »Nehmen Sie es ihnen nicht übel.«

»Ihr haltet viel von Vertrauen, ihr Nordamerikaner. Stimmt's?«

»Wie meinen Sie das?«

»Erzählen Sie mir etwas über Ihre Boote.«

»Sie sprechen von den Meeresarchen?« Eine davon lag am tiefen Ufer vor Anker. Thomas hörte, wie sie leise am Rand des Beckens entlangstreifte. Es war eine bahnbrechende Konstruktion, kraftvoll, leicht, einfach, hergestellt aus Balsaholz und Epoxidharz. Sie war leise und doppelt so schnell wie die benzinbetriebenen Boote, die sie ersetzt hatte, und war weder von Treibstoff noch von Motorreparaturen abhängig.

»Sie werden jetzt an der Südküste eingesetzt, nicht wahr?«

»Es gibt zwei von der Sorte in Zihuatenejo. Die Leute dort unten lieben sie. Sie fangen jetzt doppelt so viele Fische wie früher.«

»Nein«, sagte Espinosa. »Die Rebellen sind inzwischen im Besitz Ihrer Boote. Eins ist gesunken. Mit dem anderen fahren sie in der Bucht herum. Es ist jetzt eine Waffe, verstehen Sie?«

Hirnverbrannte Idioten! dachte Thomas. Sie haben ein Schiff versenkt, das Hunderte von Menschen ihr Leben lang hätte ernähren können. Für die Politik.

»Sie haben zuviel Vertrauen«, fuhr Espinosa fort. »Sie haben Vertrauen zum Geld und zum Gerät, und Sie glauben, alle Menschen sind dumm, die nicht so gut englisch sprechen wie Sie.«

»Nein«, erwiderte Thomas. »Vielleicht habe ich früher einmal so gedacht, bevor ich hierherkam. Aber

Menschen können sich ändern. Menschen können lernen. Diesem Zweck dient dieser Ort hier.«

»Ich würde Ihnen gern glauben.« Die orangefarbene Glut der Zigarette flog über das Becken und verzischte im Wasser. Thomas hörte ein weiteres Platschen, als ein Karpfen danach schnappte. »Aber ich traue Ihnen nicht.«

Thomas ging in sein Zimmer zurück. Die Wachtposten, die Espinosas Tadel gehört hatten, blickten sich nervös um, während er sie aussperrte. Er steckte einen Türstopper in den Rahmen, um die Tür zu verkeilen.

Er wollte nicht mehr an Espinosa denken. Er breitete Lindseys Brief neben sich auf dem Bett aus und versuchte, ihn zu entschlüsseln. Sie hatte unterschrieben »In Liebe« — das mußte etwas bedeuten. Ihm gefiel es zu glauben, daß sie nach all den Jahren eine körperliche Leidenschaft zu ihm entwickelt hatte, die sie nicht mehr verleugnen konnte. Mit keinem der anderen Männer, die sie bisher gehabt hatte, und Gott wußte, daß deren Zahl ausreichend war, hatte es letztendlich geklappt. Jetzt bekäme Thomas seine Chance.

Sie war die Frau seines Bruders, was immer schon ein Problem gewesen war. Obwohl sein Bruder für tot erklärt worden war, nachdem er aus der Psychiatrischen Klinik Timberlawn in Dallas im Jahr 1978 verschwunden war und man nie wieder etwas von ihm gehört hatte. In diesen acht Jahren hatte er Lindsey vielleicht zweimal gesehen und ihr ein paarmal im Jahr geschrieben.

Aber er hatte sie nicht vergessen. Das erstemal hatte er sie gesehen, als sie nach einem von Eddies Konzerten hinter die Bühne kam. Das mußte irgendwann Anfang der siebziger Jahre gewesen sein. Sie machte viel Getue um Eddie. Sie trug ein dünnes weißes Röhrenoberteil ohne Büstenhalter darunter und Lederjeans, dazu Stiefel mit zehn Zentimeter hohen Absätzen und Reißverschlüssen, und ihre Augen waren ringsum mit einem dicken Lidstrich umrahmt. Im Mundwinkel hing ihr eine Zigarette, deren Rauch nicht ganz so intensiv roch wie ihr Parfüm. An ihren Händen klingelten Mengen von Ringen, und ihr Haar war brüchig vom vielen Bleichen.

In seinen Augen war Eddie immer noch ein kleiner Junge, doch als er Lindsey sah, änderte sich das schlagartig. Ihr Eindruck war umwerfend. Ein kleiner Junge wäre nicht mit ihr fertiggeworden.

Das war natürlich Unsinn. Unter der aufreizenden, sexbetonten Oberfläche war sie wie alle anderen auch. Sie sah sich Schnulzen im Fernsehen an, las *Cosmo* und aß Pfirsichhälften aus der Dose, eingepackt in eine Scheibe matschiges Weißbrot. Aber Thomas hatte sie sich als eine Art Sexgöttin eines wilden Stammes eingeprägt, so wie Enten sich ihre Mütter einprägen, und seine Logik der linken Gehirnhälfte versagte in ihrem Fall.

Er erinnerte sich an den Brief, den sie ihm im Frühjahr 1977 geschrieben hatte. Eddie war gerade nach Timberlawn eingeliefert worden, und sie war nach Dallas gekommen, um die Papiere zu unterschreiben. Ihr Brief duftete nach Parfüm, und sie erklärte, wie sehr sie es stets geschätzt habe, daß Thomas immer für sie dagewesen sei. Also fuhr er heißentbrannt die zweihundert Meilen nach Dallas, wo er dann auf einer Couch schlafen durfte. Sie konnte sich nicht überwinden, so sagte sie, Eddie das anzutun. Noch nicht. Sie umarmte ihn, doch sie wollte ihn nicht küssen. Er war während der ganzen Nacht immer wieder aufgewacht und hatte bei jedem Geräusch gehofft, es sei Lindsey, die zu ihm käme, um ihm zu sagen, daß sie es sich anders überlegt hätte, und ihn in ihr duftendes Bett zu führen.

Selbst jetzt noch, da er an sie dachte, wurde sein Glied steif wie ein Holzprügel. Er nahm die Brille ab und zog muffig riechende Vorhänge vor die Fischbehälter, die in die südliche Wand eingebaut waren. »Das sieht jetzt vielleicht häßlich aus«, erklärte er dem Fisch.

»Du willst es bestimmt nicht sehen.« Er masturbierte, wobei er sich Lindsey vorstellte, ausgestreckt auf dem Rücken liegend, die Arme zu ihm emporreckend, die Brüste ein wenig zu den Seiten hin abflachend, der Blick leicht überkreuzt, sich ihm öffnete, und er ... Kinderkram. Dann trank er eine Flasche *agua mineral*, duschte und ging zu Bett.

Espinosa traf sie in der Küche zum Frühstück, *huevos rancheros.* »Das ist gutes Essen«, sagte er. »Sehr üppig.«

»Danke«, antwortete Shapiro. »Da Sie gestern unsere Küchenhilfe nach Hause geschickt haben, können Sie Ihr Geschirr selbst abwaschen.«

»Vergessen Sie das Geschirr«, sagte Espinosa. Er sah Thomas an. »Heute möchte ich sehen, was Sie mit dem Computer machen.«

»Heute«, sagte Shapiro, »hat Thomas Gartendienst. Es ist niemand hier, mit dem er tauschen könnte.«

»Morgen«, sagte Espinosa, »*gibt* es vielleicht keinen Garten mehr. Heute sehe ich mir den Computer an.«

»Wie es Ihnen beliebt«, sagte Thomas. Er stellte sein und Espinosas Geschirr in ein Spülbecken voll Wasser. Sie gingen in sein Büro, und Thomas schaltete den PC ein. »Wollen Sie meine Sachen sehen oder die des Projekts?« Er war an das Datennetz des Projekts angeschlossen und konnte jedes Monitorprogramm abrufen.

»Ihre«, sagte Espinosa.

Thomas rief mit der entsprechenden Anmeldung sein Landkartenprogramm auf. Plötzlich wurde er sich des offenen Fensters bewußt, des Bildschirms, der draußen auf dem Rasen lag, wo er ihn hingestoßen hatte. Espinosa sagte nichts dazu, also tat er es auch nicht. Doch die Erinnerung an den Panzer, die Gewehre, an die Männer, die die Bungalows durchstöbert hatten, stand fast greifbar und gegenwärtig im Raum.

Eine Grafik lief über die CRT. Sie sah ein wenig wie eine topografische Landkarte aus, die verschiedenen

Regionen waren gegeneinander abgesetzt mit Hilfe von Punkten, Klammern, Pluszeichen, Sternchen und Rechtecken. »Dies ist eine Neigungsflächenanalyse der Maya-Stätten«, erklärte Thomas. Die Worte kamen schnell und schroff aus ihm heraus. »Es ist eine Art Regressionsanalyse, bei der ich die Region als respondierende Oberfläche benutze.«

»Neigungs ... Flächen ... Analyse«, sagte Espinosa. Er sah aus, als ob ihm jemand zu erklären versuchte, warum seine Kinder tot waren. Traurig, ängstlich, unfähig zu verstehen. Thomas erkannte plötzlich den absichtlichen Sadismus in dem, was er tat, indem er Espinosa Begriffe und Techniken um die Ohren haute, die so fremd für ihn sein mußten, wie er sie nur machen konnte. Er drehte sich mit seinem Stuhl um.

»Sehen Sie«, sagte er. »Ich verstehe Ihre Situation. Sie sind nicht gern hier. Die Regierung hat Angst, Sie haben Angst, Sie greifen nach jedem Strohhalm. *Es decir, asirse a un bledo, okay?*«

»Sprechen Sie ruhig englisch, ich verstehe Sie.«

»Vielleicht fürchten Sie sich vor dem Ort. Weil Sie nicht begreifen, was hier vor sich geht. Doch es handelt sich nicht um ein großes Geheimnis. Ich kann Ihnen heute nachmittag zeigen, wie man mit einem Computer umgeht.«

»Mein Sohn benutzt Computer an der Universität in der Stadt. Wir fürchten uns nicht vor Computern.«

»Okay, gut. Was ich jedoch sagen will, ist, daß es nicht das ist, wonach Sie suchen. Hier geht es um die Geschichte des Altertums. Es geht um den Zusammenbruch des Maya-Reiches vor tausend Jahren. Die Grafik zeigt, wann die Städte ausstarben. Wir versuchen immer noch dahinterzukommen, warum das geschah.«

»Vielleicht gab es dort Rebellen«, sagte Espinosa.

»Vielleicht gab es die.« Das war in der Tat eins der Denkmodelle, die er durchleuchtete, und stimmte mit Prigogines Arbeit überein.

»Die dunklen Gebiete, sind das die jüngsten?«

»So könnte man sagen«, antwortete Thomas. »Es werden eine Menge verschiedener Dinge gleichzeitig gezeigt. Bevölkerung, Ökonomie, Beschaffenheit des Landes, Regierung.«

Espinosa nickte. »Mein Sohn studiert ... wie nennt man das? Politische Wissenschaften?«

»Wahrscheinlich eine echt gute Idee«, sagte Thomas.

»Warum interessieren Sie sich so sehr für die Maya? Für etwas, das vor tausend Jahren geschah?«

»Es gibt eine Maya-Ruine mit dem Namen Na Chan. Ich habe meine Dissertation darüber geschrieben. Es wurde ein Buch daraus, *Die Herren des Waldes.*«

»Ach ja. Das Pilzbuch. Gestern habe ich Ihr ... wie nennen Sie das ... Ihren Klappentext gelesen.«

Wunderbar, dachte Thomas. Da haben wir es wieder mal. Das Buch war der ernsthafte Versuch einer Rekonstruktion der Kultur dieses Gebiets. Bestandteil dieser Kultur war ein Pilz, der es einem Schamanen ermöglichte, in die Vergangenheit zu blicken. Jedenfalls glaubten sie das offenbar. Thomas hatte sich endlose Vorhaltungen von seinem Professor anhören müssen, weil er dieses Thema überhaupt angeschnitten hatte. Die Leute im Verlag waren begeistert davon und wollten, daß er es noch weiter aufplusterte. Er könnte der nächste Casteneda sein, sagten sie.

Espinosa ging zu seiner Erleichterung nicht weiter darauf ein. »Sie fliegen den Hubschrauber«, sagte er.

»Das stimmt.«

»Wo haben Sie das gelernt? In Vietnam?«

»Nein«, sagte Thomas, »dort war ich nicht.«

»Warum nicht?«

»Ich ging noch zur Schule.«

»Aber Sie haben es trotzdem gelernt.«

»Wir haben damals einen Hubschrauber benutzt, um nach Na Chan und zurück zu fliegen. Der Pilot hat es mir beigebracht.«

»Das ist nichts, das man in zwei, drei Tagen lernt. Sie mußten ganz wild darauf gewesen sein, es zu lernen.«

Ausführliche Wochenschauberichte über den Niedergang von Saigon kamen ihm in den Sinn, Hubschrauber, die von Gebäudedächern abhoben, Flüchtige, die sich wie Insekten an die Kufen klammerten, das unheimliche Empfinden eines Verlustes, das er beim Zuschauen gespürt hatte. »Es ist schwer zu erklären«, sagte er. »Es ist irgendwie ... Ich weiß, daß wir in Vietnam nichts verloren hatten. Trotzdem habe ich immer noch das Gefühl, etwas verpaßt zu haben, etwas Wichtiges.«

»Vielleicht bekommen Sie jetzt hier ein Vietnam, was? Vielleicht bekommen Sie immer noch eine Chance.«

Einer der Soldaten klopfte an die offene Tür und trat ein. »Da ist eine Frau«, sagte er zu Espinosa auf spanisch. »Eine Gringa, blond. Sie will zu ihm.« Er neigte den Kopf in Thomas' Richtung.

»Lindsey«, sagte Thomas, und in seiner Kehle bildete sich ein Kloß. *»Se llama Lindsey?«*

Der Soldat sah ihn an. *»Sí, verdad.«*

»Okay«, sagte Espinosa. »Durchsuche sie! Aber paß auf, wo du hinfaßt, hast du mich verstanden? Und bring sie zu mir!«

Thomas stand auf, setzte sich wieder hin. Espinosa beobachtete ihn. Das ist das erste Mal, daß einer von uns ihm eine Schwäche gezeigt hat, dachte Thomas. Wir haben uns hier verschanzt wie eine Art blasser fremder Götter, die ihre Gunst wie Almosen verteilten und erwarteten, dafür geliebt zu werden. Kein Wunder, daß sie uns verabscheuen.

»Ihre Freundin?« fragte Espinosa sanft.

»Nein«, sagte Thomas. »Nur ... sie ist nur eine Bekannte.«

»Sí, claro«, sagte Espinosa. »Natürlich.« Auf die gleiche Weise lächelte er wahrscheinlich seinen Sohn an, der die Universität in Mexico City besuchte.

Der Wachtposten führte sie herein, und Thomas stand wieder auf.

»Nichts, Sir«, sagte der Wachtposten auf spanisch, und Espinosa entließ ihn mit einem Nicken.

Ihr Haar war dunkler, fast braun, und einige der langen Strähnen waren weiß geworden. Ihre Augen waren immer noch geschminkt, doch sie sahen weicher aus, eingebettet in ein Geflecht feiner Fältchen, wie sie auch ihre Mundwinkel umgaben. Sonst hatte sie kein Make-up aufgelegt außer einem blassen Lippenstift. Sie hatte nichts mehr zu verbergen. Sie trug ein schlichtes Strickkleid in Marineblau, das locker genug fiel, um den hiesigen Maßstäben von Sittsamkeit zu genügen. Flache Schuhe, keinerlei Schmuck.

Außer ihrem Ehering.

»Du siehst wundervoll aus«, sagte Thomas. »Ich kann es gar nicht glauben, wie gut du aussiehst.«

»Du auch«, sagte Lindsey. Sie hatte Mühe, seinem Blick standzuhalten. Sie hatte die Arme vor der Brust verschränkt und nahm die Hände nicht von den nackten Oberarmen. Thomas merkte, daß sie ihn nicht umarmen würde. Der letzte Rest seiner Wunschbilder zerbröselte und verflog wie Zauberstaub.

Er bot ihr seinen Stuhl an, und sie setzte sich behutsam hin, wobei sie am Saum ihres Kleids zupfte und an ihrer Handtasche herumfingerte. Endlich sah sie Espinosa an und dann Thomas. »Was, um alles in der Welt, geht denn hier vor?«

Thomas zuckte die Achseln. »Noch bis gestern haben wir versucht, die Welt zu retten. Neue Energiequellen, neue Nahrungsspender, neue Zufluchtsstätten, all diese Dinge. Jetzt hat es den Anschein, als hätte die Welt kein Interesse daran, gerettet zu werden.« Er hätte gern eine Reaktion von Espinosa gehabt, doch er bekam keine.

»Stehst du unter Arrest oder so etwas?«

»Offiziell nicht. Nicht in diesem Moment.«

»Darf ich mit ihm sprechen?« fragte Lindsey Espinosa. »Ich meine, unter vier Augen ... es geht um eine persönliche Angelegenheit.«

»Aha«, sagte Espinosa. Er legte sich die Hand ums Kinn und sah weg. Nach kurzer Zeit sagte er: »Wir gehen hinaus. Sie bleiben sitzen und sprechen miteinander, weit genug weg, daß wir Sie nicht hören können. Aber wir können alles sehen.«

»Damit ich ihr keinen Mikrofilm geben kann.«

»Keinen Film, kein Virus, kein Nervengas.« Thomas wußte jetzt nicht mehr, ob er scherzte oder nicht.

»Ich muß ihm ein Foto zeigen«, sagte Lindsey. »Geht das in Ordnung?«

»Zeigen Sie es mir.«

Lindsey reichte ihm einen Schwarzweißabzug im Formal neun mal sechzehn. Espinosa betrachtete ihn eine Zeitlang sehr eingehend, dann drehte er ihn ein paarmal um. Er zuckte die Achseln und gab es an Thomas weiter.

Es zeigte drei Maya-Männer in Tracht, lachend und dunkle, kegelförmige Zigarren rauchend. Es waren Lacandonen aus Nahá. Thomas erkannte sie aufgrund seiner Recherchen, die er für sein Buch betrieben hatte. Ein vierter Mann mit ebenso langem Haar und der gleichen Art von Baumwollgewand sah aus, als ob er versuchte, aus dem Bild zu verschwinden.

Der vierte Mann war sein Bruder Eddie.

Sie saßen auf Klappstühlen am Wasserbecken. Thomas verlagerte sein Gewicht von einer Seite auf die andere und horchte auf den Sand, der unter den Rollen des Stuhls knirschte. »Möchtest du darüber sprechen oder nicht?« fragte Lindsey.

»Klar«, sagte Thomas. »Woher hast du das Foto?«

»Ein junger Reporter namens Carmichael hat es aufgenommen. Er hat einen Auftrag von *Rolling Stone* und sollte versuchen, ein Interview mit den Rebellen zu machen. Während er wartete, machte er eine Reportage über die Lacandonen. Sein Redakteur kannte Eddie aus den siebziger Jahren und erkannte ihn.«

»Wie geht es jetzt weiter?«

»Jetzt geht es so weiter, daß ich hierhergekommen bin und ihn suche. Was sonst?«

Thomas zuckte die Achseln.

»Was hast du denn?« sagte Lindsey. »Wenn es tatsächlich Eddie ist, dann bedeutet das, daß es ihm gutgeht. Er lebt! Er ist dein *Bruder*, verdammt noch mal! Berührt dich das denn nicht?«

»Es berührt mich sehr«, entgegnete Thomas. »Vielleicht mehr als dich. Es berührt mich so sehr, daß ich ihn in Gottes Namen in Ruhe lasse, wenn er das wünscht. Sieh mal, selbst wenn ich von hier weg könnte, selbst wenn wir Espinosa dazu überreden könnten, mich gehen zu lassen, wer sagt uns denn, daß Eddie gefunden werden *will*?«

»Vielleicht leidet er unter Gedächtnisschwund?«

»Gedächtnisschwund! Scheiße! Vielleicht ist es überhaupt nicht Eddie, vielleicht ist es sein böses Zwillings-Ich. Du siehst zu viel fern.«

»Was soll ich deiner Meinung nach tun? Ihn einfach vergessen?«

»*Genau* das solltest du tun. Rings um uns bricht das ganze Land zusammen. Diese Berge da sind voller Rebellen, und die Guardia spielt vollkommen verrückt, so sehr versucht sie, sie aufzuspüren. Wenn du geschnappt wirst, dann brauchst du jemanden, der *dich* rettet!«

»Deshalb möchte ich ja, daß du mitkommst.«

»Du jagst der Vergangenheit hinterher. Eddie hat vor zehn Jahren alle Brücken abgebrochen. Er hat seine Platten gemacht und gesagt, was er zu sagen hatte, und dann ist er ausgestiegen. Er ist fertig. Er hat sich zur Ruhe gesetzt. Wenn er für den Rest seines Lebens Indianer spielen will, dann hat er das Recht dazu.«

»Was ist mit dir? Hast du dich ebenfalls zur Ruhe gesetzt?«

»Nein«, sagte er. »Vielleicht habe ich ein paar Jahre lang dumm herumgestanden und Däumchen gedreht, aber ich glaube nicht, daß ich aufgegeben habe. Noch nicht. Es gibt noch viel zu tun. Es gilt, in den Köpfen der Leute eine Veränderung zu bewirken, in Köpfen wie Espinosas. Vielleicht das nächste Tschernobyl oder Bhopal zu verhindern, bevor wir den ganzen Planeten in die Luft jagen.«

Sie schüttelte den Kopf. »Du erzählst mir, ich lebe in der Vergangenheit, und dann kommst du mit diesem Ganzen Unfug der Woodstock-Generation daher. Du wirst überhaupt nichts verändern, wenn du dich hier draußen versteckst.«

»Wer versteckt sich?« sagte Thomas. »Hier findet jeden Tag die Zukunft statt. Sie haben annähernd eintausend Sensoren über den ganzen Komplex verteilt, die einen zentralen Computer speisen. Sie haben Pläne, ganze Städte mit Solartechnologie auszurüsten, arme Dörfer darin zu unterweisen, Boote wie das da drüben zu bauen ...«

»Hör dir mal selbst zu. Andauernd sagst du ›sie‹. Ich höre jedes Wort, das du sagst, aber ich kaufe es dir nicht ab. Ich glaube, du machst dir selbst etwas vor. Die Leute werden nicht all ihre hübschen Häuser im Landhausstil einreißen und statt dessen in Gewächshäusern wohnen. Die Dinge werden genauso weiterlaufen wie immer.«

Thomas blickte auf seine Turnschuhe hinunter und schlug die Seiten gegeneinander. »Weißt du, was man hier über mich sagt? Man behauptet, ich sei *sanpaku*. Das ist japanisch, glaube ich. Es bedeutet, daß ich am unteren Rand meiner Augen zuviel Weißes sehen lasse. Und das soll wiederum bedeuten, daß ich nicht ganz dicht bin oder so. Nun ja, vielleicht bin ich das. Ich bin achtunddreißig Jahre alt, geschieden, habe keine Kinder, kein Haus, kein Auto, keine Pensionsberechtigung. Es ist Zeit, daß ich anfange, an irgend etwas zu glauben.«

»Thomas ...«

»Nein«, sagte er. »Vielleicht können wir nicht alles von einem Tag auf den anderen verändern, aber wir können einen Anfang machen. Eins nach dem anderen. Die Welt neu einrichten, neu aufbauen. Wenn die Häuser im Landhausstil am Boden liegen, können wir etwas Besseres statt dessen errichten. Auch wenn wir nur das Wissen darüber unter die Leute bringen, dann ist das schon etwas. Zumindest *etwas.*«

Sie beide standen auf. Sie streckte eine Hand aus, und Thomas nahm sie; er hätte sie gern mit den Armen umschlungen, wußte, daß er es tun könnte, daß sie nicht stark genug war, sich dagegen zu wehren.

»Ich wohne im Hotel Capitol«, sagte sie. »Calle Uruguay, in der Nähe des Alameda. Für den Fall, daß du es dir anders überlegst.«

Einmal blieb sie auf der anderen Seite des Beckens stehen und blickte zurück. Thomas setzte sich wieder und starrte ins Wasser. Schließlich entfernte sie sich.

Espinosa saß in dem Stuhl neben ihm, indem auch Lindsey gesessen hatte. »Sie will, daß Sie mit ihr weggehen?«

»Mhm«, sagte Thomas. »Das will sie.«

»Sie ist eine sehr schöne Frau. Sehr gutaussehend.«

Thomas nickte. Er hob einen daumengroßen Zementbrocken auf und schleuderte ihn nach dem nächsten Karpfen. Das Wasser bremste seinen Schwung. Langsam schwebte er an der Nase des Fischs vorbei, der drei Zentimeter zurückgewichen war und ihn beobachtete. Auch du kannst mich mal, dachte Thomas.

»Ich könnte Sie gehenlassen«, sagte Espinosa. »Damit Sie sie begleiten können. Sie brauchen nicht hier zu sein.«

»Darum geht es nicht«, sagte Thomas. Er spürte, daß Espinosa es ernst meinte, und seine Freundlichkeit bereitete ihm Unbehagen.

»Um was geht es dann?«

»Ich weiß es nicht«, sagte Thomas.

»Wir schließen Ihre Anlage«, sagte Espinosa. Sie befanden sich wieder in dem Raum mit den gemauerten Wänden. Espinosa hatte zwei seiner Männer mitgebracht, die sich jedoch die Gewehre über die Schultern gehängt hatten, bewußt aus dem Weg geräumt. »Für zwei Wochen. Dann können Sie wieder aufmachen.«

»Zwei *Wochen?*« sagte Shapiro.

»Was ist mit unseren Leuten?« fragte Geisler. »Bekommen wir unsere Leute zurück?«

Espinosa schüttelte den Kopf. »Die Republik wird jetzt Ihr Partner sein. Wir bringen Leute, die Ihnen helfen können.«

»Großartig«, sagte Shapiro. »Wir sind also verstaatlicht, verdammt!«

»Was für Leute?« fragte Geisler. »Die Armee?«

»Nein. Ich könnte mir denken, daß mein Sohn vielleicht hier arbeiten möchte. Er kann andere von der Universität mitbringen, die ihm helfen.«

»Ihr Sohn?« sagte Shapiro. »Was für ein scheißbescheuerter ...«

»Judy«, unterbrach Thomas sie, »halte wenigstens einmal den Mund.« Er nickte Espinosa zu. »Ich glaube, das ist eine gute Idee. Ich denke, wir können viel voneinander lernen.«

»Thomas ...«, setzte Shapiro an.

»Das ist alles«, sagte Espinosa. »Sie können hier in Cuernavaca bleiben oder nach Mexico City zurückkehren.« Er ging hinüber zu Thomas, der sich auf einen der Plastikstühle gelümmelt hatte.

»Zwei Wochen«, sagte er leise. »Zeit genug, damit Sie das tun können, was Sie tun müssen, und um zurückzukommen.«

»Und wenn ich nicht gehen will?« sagte Thomas.

»Dann, mein Freund, sind Sie dümmer, als ich dachte.« Espinosa lächelte und ging mit seinem Wachtposten davon.

Als Eddie beim Gotteshaus ankam, mußte er davor warten, bis der alte Mann ihn bemerkte. Chan Ma'ax saß da und knetete Sandarak, um daraus *pom* für die Weihrauchschalen zu machen, und tat so, als ob Eddie gar nicht da wäre. Eddie schwitzte, und seine Nerven waren gereizt, doch der alte Mann verlangte Geduld.

Zu ihrer Zeit hatten die Maya die Zyklen des Planeten ergründet und Tempel von solcher Schönheit gebaut, daß Eddies Augen davon brannten. Und nichts hatte überlebt außer einem Dutzend Holzpfähle und ein strohgedecktes Dach und ein verschrumpelter alter Mann, der mit überkreuzten Beinen auf einer Matte saß.

Ein Traktor hustete in der Ferne, dann brach er kreischend ins Gehölz. Hinter dem Gotteshaus spaltete der Pfad der Holzfäller das dichte Grün des Dschungels, in zwei orangefarbenen Fahrspuren stand trübes Wasser. Zu beiden Seiten starrten die blassen Ovale von Mahagonistümpfen wie verängstigte Augen.

Die Luft war stickig und roch nach Herdstellen und Diesel. Sie legte sich schwer auf Eddies Gesicht und Hals; wenn er versuchte, die Hände aneinanderzureiben, klebten sie zusammen, lediglich aufgrund der Luftfeuchtigkeit.

»*Oken*«, sagte der alte Mann endlich. »Komm herein, Eddie!«

Eddie raffte seine Tunika hoch und setzte sich auf einen niedrigen Mahagonihocker. Nach einer Weile sagte der alte Mann: »Ma'ax Garcí hat zwei Tage im Wald verbracht und Kopal für das Feuer in den Götterschalen gesucht. Nichts.« Er breitete die Hände aus, Innenflächen nach unten, dann drehte er sie um und tat so, als ob er darin Kopal suchte. Er bediente sich der Maya-Sprache, doch er sprach so langsam, daß Eddie folgen konnte. Eddie lächelte und nickte, um anzudeuten, daß er verstanden habe.

Der Ma'ax García, den er erwähnte, war ungefähr so

alt wie Eddie, Mitte Dreißig. Er war der älteste Sohn des Chan Ma'ax von dessen zweiter Frau. Er liebte den alten Mann und scheute keine Mühe, ihm zu helfen.

»Sie haben alles Mahagoni weggenommen«, fuhr Chan Ma'ax fort. »Jetzt können wir nicht einmal mehr Kanus bauen. Ich schätze, jetzt müssen wir das dort nehmen und anfangen, es auf dem See zu benutzen.« Er deutete auf ein Zeremonienkanu, das voll beladen war mit Zuckerrohrmark, weißer Rinde und Wasser. Seit dem Vortag gärte die Masse unter einer Abdeckung aus Palmblättern. »Wie soll das weitergehen? Kein *balché* mehr? Das wird wahrhaftig das Ende der Welt sein. Meine Söhne werden alle zu *evangelistas* werden, was?«

Er lachte und entblößte dabei braune Zahnstumpen. Sein Name bedeutete »kleiner Affe«, nach seinem Clan, und im Laufe der Jahre war er immer mehr einem solchen ähnlich geworden: flache Nase, gekrümmter Rükken, verfilztes schwarzes Haar. Als Eddie ihm das erstemal vorgestellt wurde als *t'o'ohil,* »der Große«, hatte er angenommen, daß auch das ein Scherz sein sollte.

Das war lange Zeit her. Jetzt bekam er es mit höllischer Angst zu tun, selbst wenn der alte Mann Faxen machte.

In seinen lichteren Augenblicken sah sich Eddie als Opfer eines modischen Lebensüberdrusses, die richtungsweisende Spitze eines Fin-de-millénaire-Wahnsinns, der in fünfzehn Jahren seinen Höhepunkt haben würde. Während der übrigen Zeit erschien es ihm wie ein Kurzschluß in seiner Begabung, der ihn veranlaßt hatte, aus seiner Karriere auszusteigen, die gerade erst begonnen hatte. Doch das Ganze war an einem Punkt angelangt, wo sich alles abgestanden anhörte, wo er völlig leer auf der Bühne stand und wußte, daß er Scheiße spielte, ohne Kraft und innere Anteilnahme. Und dann hörte er irgendwann mitten in der Nacht Dinge in seinem Kopf, die eher Gefühl als Musik waren und die er niemals in Gitarrengriffen umsetzen konnte.

Also hatte er sich in ein Privatsanatorium zurückgezogen, und als er zu dem Schluß gekommen war, daß man ihm dort nicht helfen konnte, lief er davon. Er bummelte durch Europa, wo er den Eindruck hatte, daß sich alle die massigen, farblosen Gebäude über ihn wälzen wollten. Er versuchte, seine Nerven für Asien oder Nordafrika zu rüsten, doch als es soweit war, stieg er statt dessen in ein Flugzeug nach Mexiko. Und dort geschah es, als er sein letztes Geld verschleuderte, daß er in einem Stapel englischer Bücher bei Sanborn's auf *Die Herren der Wälder* von Thomas Yates stieß. Es handelte von den Ausgrabungen, die sein Bruder in den Ruinen von Na Chan durchgeführt hatte. Er fing in der Metro an, es zu lesen, und blieb die ganze Nacht wach, um es zu Ende zu bringen.

Auf der Rückseite des Umschlags war ein briefmarkengroßes Foto von Thomas. Er sah sonnengebräunt und akademisch aus mit kurzem Haar und schwarzgerahmter Brille; er trug ein nobles Hemd mit Krawatte vor dem Hintergrund einer Bücherwand. Das Foto verriet nichts von dem unheimlichen Mist in dem Buch, in dem er sich über Chan Ma'ax in Nahá ausließ, über einen Studenten, der durch die halluzinogenen Pilze von Na Chan wahnsinnig geworden war, die Beschreibung der Rituale, die sich lasen wie Szenen aus Tarzan-Heften.

Es waren die Pilze, die Eddies Aufmerksamkeit vor allem fesselten. Thomas behauptete, daß die Schamanen, wie Chan Ma'ax, sie benutzten, um sich Visionen von anderen Zeiten zu verschaffen. Die Art, wie er davon sprach, hatte etwas Sehnsüchtiges, das Eddie erkannte. Thomas, der kaum einmal Gras geraucht hatte, der sich höchstens ein paarmal LSD eingeworfen hatte, wollte sie gern selbst nehmen. Eddie spürte das, auch wenn Thomas es niemals über sich bringen würde, das zuzugeben.

Eddies Geist fing Feuer, und er stieg in den nächsten Bus nach Osten.

Er wurde das letzte Glied eines bunt zusammengewürfelten Arbeitstrupps einer Ölgesellschaft. Die Ölmänner stellten sich hinter den Blockwinden auf, um bei der Massenvergewaltigung des mexikanischen Regenwaldes dabei zu sein, und Eddie sah, daß er es gerade noch rechtzeitig geschafft hatte.

Das war vor drei Jahren gewesen. Er hatte nicht erwartet, daß die Lacandonen einen besseren Gitarristen aus ihm machen würden. Er wußte nur, daß LSD und Joga und Makrobiotika es nicht erreicht hatten, und ihm fiel nichts mehr ein, was er noch versuchen könnte.

Und die Lacandonen hatten ihm geöffnet und ihn eingelassen und hinter ihm leise wieder abgeschlossen. Es war, als ob sie ihn bereits von irgendwoher kannten. Sie halfen ihm beim Bau einer Hütte und gaben ihm Schwarze Bohnen und *balché* und ihre scharfen selbstgedrehten Zigaretten und ließen ihn ansonsten in Ruhe. Er kam sich vor wie jemandes geistig zurückgebliebener Bruder, den aufzunehmen sie sich bereit erklärt hatten.

Während der drei Jahre hatte er ein paar Monate mit Nuk zusammengelebt, einer der Töchter von Chan Ma'ax, die ihm von Tag zu Tag fremder wurde; er verbrachte eine Woche oder so mit einem *Evangelista*-Mädchen von der christlichen Seite des Sees, das in einer Glaubenskrise steckte und ihm tiefe Kratzer am Rücken zufügte; und seit ungefähr einem Jahr betrieb er so etwas wie klinischen Sex mit der englischen Ärztin, die alle paar Monate vorbeikam, die ihr ganzes Leben in Mexiko verbracht und niemals Rock and Roll gehört hatte.

Und außer der plötzlichen Erweiterung der Augen der Ärztin, wenn sie kam, dem schnellen »Oh!« ihres scharf eingezogenen Atems, hinterließ er bei keiner von ihnen einen bleibenden Eindruck.

»Hör mal«, sagte Eddie zu Chan Ma'ax; er benutzte schwerfällig die Sprache der Maya. »Irgendwas liegt in der Luft. Es geht nicht nur um das *balché.* Irgendwas braut sich zusammen.«

Das Lächeln im Gesicht des alten Mannes und seine Augen wirkten entfernt und glasig.

Scheiße, dachte Eddie. Er will nicht darüber reden.

Sie waren wie die Japaner. Sie besaßen einen geistigen Vorhang, den sie über sich fallen ließen, um sich von jemandem abzutrennen, der sie beleidigt hatte. »Die Säcke da drüben sind voller Ton. Deshalb hältst du sie feucht. Er ist für neue Gottesgefäße gedacht. Du hast vor, die alten Gefäße zu zerbrechen, nicht wahr?«

Chan Ma'ax sah hinunter auf das Pinienmark. Eddie war nicht mehr da.

Das erlebte er nicht zum erstenmal. Einmal hatte ein Junge namens Chan Zapata, der ziemlich stark angeschlagen war von *aquardiente,* das er aus San Cristóbal mitgebracht hatte, etwas über Chan Ma'ax und die *Haawo',* den Raccoon-Clan, gesagt. Eddie hatte etwas über sie im Buch seines Bruders gelesen. Sie waren angeblich die letzten mit einem brauchbaren Wissen über den Maya-Kalender und die Zeremonien und konnten sogar, so wurde von manchen behauptet, mit den Göttern sprechen. Sie wußten, wo die geheiligten Pilze wuchsen und wie man sie verwendete, um Visionen der Vergangenheit heraufzubeschwören.

Sobald ihm das Wort über die Lippen gekommen war, verstummte Chan Zapata; er war so betreten, daß er nicht einmal das Thema wechseln konnte. Danach war Eddie zu Chan Ma'ax gegangen und anschließend zu den übrigen Dorfbewohnern, doch bei jeder Erwähnung der *Haawo'* wurde er auf der Stelle unsichtbar.

Schließlich hatte ihn der junge Ma'ax García beiseite genommen und ihm erklärt: »Es bringt Unglück, über ... du weißt schon ... zu sprechen. Das, wonach du gefragt hast. Okay? Es bringt bereits Unglück, wenn man nur den Namen ausspricht. Wahrscheinlich handele ich mir auch schon ein bißchen *nauyaca* ein, nur weil ich mit dir jetzt so rede, aber ich mag dich. Ich will nicht, daß du Schwierigkeiten bekommst.«

Eddie verstand einen Wink, damals so gut wie heute.

Er stand auf und sagte: »Okay, Max. Tut mir leid. *No estoy aquí por pendejo.* Ich werde den Mund halten.«

Er wollte sich gerade zum Gehen wenden, als Chan Ma'ax sagte: »Eddie?«

»Hm?«

»Du kommst doch nachher für das *balché* zurück, oder?«

»Das lasse ich mir auf keinen Fall entgehen!«

»Super«, sagte Chan Ma'ax. Es war sein liebstes englisches Wort. Es war gleichbedeutend mit einem Klaps auf Eddies Handgelenk und besagte, daß sie wieder Freunde waren. In der Maya-Sprache sagte er: »Bring deine Gitarre mit. Du kannst uns etwas vorsingen.«

Einen Moment lang verspürte Eddie den Wunsch, dem alten Mann zu sagen, wer er war, daß er nicht bloß irgendein Hanswurst war, der viele Lieder auf der Gitarre spielen konnte. Doch dem alten Mann wäre das gleichgültig. Das spielte keine Rolle im Hinblick darauf, ob Eddie ein *hach winik*, ein wirklicher Mensch war.

Er ging hinaus in die Mitte der Lichtung und ließ sich überschwappen von der Julihitze, die einem den Verstand raubte. Er schloß die Augen und konzentrierte sich auf die Poren seiner Haut, und er spürte, wie ihm der Schweiß überall gleichzeitig ausbrach, in den Kniekehlen und zwischen den Schulterblättern. Dadurch fühlte er sich etwas entgiftet.

Als er die Augen wieder öffnete, waren die Berge vor ihm, unverfälscht, scharfkantig, fast von der gleichen Farbe wie der blasse Himmel dahinter. Einige dünne Wolken hingen reglos über ihren Gipfeln.

Scheiße, dachte er, es war Zeit zum Weiterreisen.

Mit einemmal zeichnete sich alles scharf ab. Er schmeckte den Staub in der Luft, roch den Dschungel, der im Sonnenlicht schmorte, hörte das hohe Schrillen der Zikaden, das sich wie ein Duell von Synthesizern anhörte, und darüber die schwach wahrnehmbaren Stimmen von Frauen auf der anderen Seite der Lichtung.

Vielleicht nach Nepal. Warum nicht? Er dachte an zerklüftete, eisbedeckte Berge, unglaublich grüne Terrassen, die an den Hängen der Täler angelegt waren, Klöster aus verblichenen Steinen, die aus den Felsen wuchsen. Einen Augenblick lang überlagerte ihr Bild die fahlen Braun- und Gelbtöne des Dorfes.

Es wäre nicht einfach. Er hatte die Politik nicht mehr verfolgt, wußte nicht einmal, ob man nach Nepal einreisen durfte. Er würde eine Zeitlang in der wirklichen Welt leben müssen, lange genug, um sich zu orientieren und etwas Geld zusammenzubringen.

Er ging mit dem Gefühl, sich etwas Unvernünftiges und Gefährliches vorgenommen zu haben, zu seiner Hütte zurück. Die Hütte hatte die gleiche übliche Form wie das Gotteshaus, sie war länger als breit, an den Ekken abgerundet und mit einem Dach aus Palmblättern bedeckt. Im Gegensatz zu dem Gotteshaus hatte sie so etwas wie Wände, senkrechte Bambusstäbe, mit Schnur und Verpackungsdraht zusammengebunden.

Er öffnete die Tür, und eine Frauenstimme erklang aus dem Inneren. »*Tal in wilech.*« Ich bin dich besuchen gekommen.

»Nuk?«

»Ja«, sagte sie und wechselte zu Spanisch über. »Ich muß mit dir reden.«

Jetzt sah er sie in der Düsternis. Sie hatte einen Brustkorb wie ein Faß und eine breite Taille, doch nach den hiesigen Maßstäben war sie schön. Sein Blick fand das Rot der ausgefransten Plastikblume, die sie stets im Haar trug.

Eddie schloß die Tür und ließ sich in der Hängematte nieder. Er roch den trockenen, würzigen Duft ihrer Haut und dachte an die Nächte, die sie zusammen verbracht hatten. »*Cómo no?*« sagte er.

»Es geht um meinen Vater.«

»Ich war gerade bei ihm. Er bereitet sich darauf vor, *balché* zu trinken.«

»Ja«, sagte sie. »Sie werden morgen früh *balché* trinken und eine Wallfahrt nach Na Chan unternehmen.«

»Eine Wallfahrt?« wiederholte Eddie verdutzt. Na Chan war nicht einfach nur eine Ruine, die sein Bruder versucht hatte auszugraben. Es war der Ort, an dem die Götter von Chan Ma'ax wohnten. Chan Ma'ax erzählte niemals etwas darüber, was sich dort abspielte. Das ging nur *hach winik* etwas an, nur wirkliche Menschen.

»Er darf nicht gehen. Er ist zu alt, fast achtzig. Die Regierung hat gesagt, daß er sich von dort fernhalten soll. Wenn er geht, wird er, glaube ich, nicht mehr zurückkommen. Du mußt mit ihm reden.«

»Ich weiß nicht, warum du ausgerechnet mich darum bittest«, sagte Eddie. Er hatte nicht die Absicht gehabt, einen verbitterten Ton anzuschlagen, trotzdem hörte es sich so an.

»Er vertraut dir. Er hält dich für einen guten Menschen. Er hört auf dich.«

»Es wäre besser, er würde auf Ma'ax García hören.«

»Ma'ax García hängt zu sehr der Vergangenheit an. Er scheut keine Gefahr.«

Die Vergangenheit. Nuk war stark beeindruckt von Autos und Flugzeugen und tragbaren Stereoanlagen. Sie sprach immer noch von dem Fernsehgerät, das sie vor fünf Jahren in San Cristóbal gesehen hatte. Genauso etwas bin ich für sie, eine weitere Neuheit.

»Falls er sich auf ein Gespräch mit mir einläßt«, sagte Eddie. »Ich werde tun, was ich kann. Ich werde ihm sagen, daß es meiner Meinung nach gefährlich ist. Okay?«

»Danke, Eddie.« Sie beugte sich zu ihm, küßte ihn

flüchtig und rannte durch die Tür hinaus. Ihre Lippen waren weich, und er spürte den Kuß noch lange, nachdem sie gegangen war.

Er stand vor seinem Rasierspiegel und haßte sein Aussehen. Es machte ihn nervös, ungeduldig. Er holte sein Rasiermesser hervor und schnitt sich das schulterlange Haar bis auf knapp zwei Zentimeter über der Kopfhaut ab. Den Hinterkopf mußte er nach Gefühl bearbeiten. Als er fertig war, wusch er sich mit dem Rest seiner festen rosafarbenen Rasierseife und Wasser aus dem Tonkrug in der Ecke.

Über der Hängematte war ein Bambusregal angebracht, und er griff nach hinten hinein, um seine Umhängetasche herauszuholen. Der Reißverschluß ging schwer, weil er so lange nicht betätigt worden war. Er nahm ein Paar Jeans und ein T-Shirt heraus und zog beides an. Die Jeans waren zu weit geworden, doch er schaffte Abhilfe, indem er ein neues Loch in den Gürtel machte.

Selbst die längste Reise beginnt mit einem ersten Schritt, dachte er. Schon jetzt fühlte er sich anders, abgeschnitten vom Herzschlag des Dorfes, nachdem seine Genitalien durch den festen Jeansstoff gepanzert waren. Sonst gab es nichts zu packen.

Er ließ die Tasche im Schmutz des Bodens stehen und nahm seine Gitarre zur Hand. Es war eine mit Naturdarmsaiten bespannte Akustikgitarre, die er für zwanzig Dollar im *mercado* in Mexico City gekauft hatte. Sie war grob gearbeitet und um etwa einen Viertelton verstimmt, doch er hatte versucht, sich von materiellen Werten unabhängig zu machen, und zu jener Zeit hatte er sie genau richtig gefunden. Er brachte sie hinaus und sah Chan Zapata, der in Richtung Gotteshaus unterwegs war.

»He!« sagte Eddie. »Chan Zapata.«

Der Junge drehte sich um und sah Eddie nervös an.

Er war einer der jüngsten Söhne von Chan Ma'ax, erst Anfang Zwanzig. Alle gingen davon aus, daß er einmal Chan Ma'ax Stelle einnehmen würde, wenn die Zeit käme. Er hatte ein ebenmäßiges Gesicht und durchdringende Augen und arbeitete schwer für Chan Ma'ax, wenn er nicht gerade eine Sauftour durch San Cristóbal machte. Er stellte Pfeil und Bogen als Souvenirs her und tauschte sie für Aguardiente und Huren ein, und bei seiner Rückkehr nach Hause war jedesmal seine Frau ausgezogen. Sie pflegte dann eine Woche oder so wegzubleiben, bis er sie überzeugt hatte, daß er es nie mehr tun würde.

Wenn jemand nach Na Chan gehen würde, dann war er es.

»Wie ist das *balché* geworden?« fragte Eddie ihn.

»Gut«, sagte Chan Zapata. »Stark und schwer.« Es war Chan Zapatas Aufgabe, das *balché* vom Zeremonienkanu zum Gotteshaus zu tragen. Er mußte dazu einen großen Tontopf mit den Ausmaßen eines altmodischen Kessels benutzen.

»So, so«, sagte Eddie. »Und morgen gehst du nach Na Chan, ja?«

Eddie hatte angenommen, daß Chan Zapata die Frage einfach ignorieren würde, so wie sein Vater alles ignorierte, das er nicht hören wollte. Statt dessen sah er verärgert aus. »Nein«, sagte Chan Zapata. »Ich nicht.«

»Warum nicht?«

»Weißt du das nicht?« sagte Chan Zapata. »Wirklich nicht?«

»Wirklich nicht«, versicherte ihm Eddie. »Ich weiß es nicht.«

»Dann werde ich es dir auch nicht sagen.« Chan Zapata lächelte wieder, diesmal traurig, und ging davon.

Alle anderen waren vom *milpa,* dem Kornfeld auf der anderen Seite des Sees zurückgekehrt. Etwa fünfzehn Männer saßen oder kauerten in lockerer Ordnung auf dem Boden des Gotteshauses. Eddie nickte ihnen zu und setze sich neben Ma'ax García. Niemand machte eine Bemerkung zu seiner Kleidung. Ma'ax García reichte ihm eine Schale mit dunkelbraunem *balché,* und Eddie nahm sie mit beiden Händen. Es schmeckte ein bißchen wie schwaches Porterbier, ein bißchen wie starkes *pulque.* Eddie trank sie aus, und Ma'ax García reichte sie zum Nachfüllen weiter. Als die Schale wieder zu ihm kam, stellte Eddie sie neben seinen Füßen ab und umklammerte mit beiden Händen den Hals seiner Gitarre.

Chan Zapata schöpfte das *balché* aus einem großen Tontopf, der vor dem Gotteshaus stand. Er wich Eddies Blick aus. Die anderen saßen zu zweit oder dritt zusammen, tranken und schimpften über die christlichen Konvertiten am nördlichen Ufer des Sees, die einen Ausverkauf mit Mahagoni betrieben und alles Geld für sich behalten hatten. Einer der alten Männer fragte Chan Zapata, ob er genügend »Pfeile« für einen Ausflug nach San Cristóbal aufgespart hätte, und alle lachten.

Wenn ich mich purpurrot anmalen würde, dachte Eddie, ob dann wohl jemand etwas sagen würde?

Chan Zapata trug den Topf wieder zum Kanu, um ihn neu zu füllen. Der volle Topf mußte annähernd hundert Pfund wiegen, und er kam taumelnd und mit eingeknickten Knien zurück, wobei seine Arme den vollen Umfang des Topfs umfaßten. Sein Gesichtsausdruck war gequält. Die Götter würden ihm niemals verzeihen, wenn er den Topf fallen ließ. Direkt über den Rand des Daches sah Eddie aufgetürmte schwarze Wolken, die vom Golf herwehten; sie löschten Chan Zapatas Schatten aus und verwandelten den Dschungel hinter ihm in eine Wand aus dunstigem Grün.

Der Regen setzte völlig unvermittelt ein, er fiel wie aus Kübeln und wusch tiefe Mulden in die Erde draußen; die Luft füllte sich mit dem rostigen Geruch von Ozon. Der Himmel zerriß zu einem Netz aus weißen Linien, und der Donner kam danach so schnell und laut, daß einer der alten Männer vor Schreck einen Satz machte.

»Es blitzt«, sagte Chan Ma'ax. Sein Affengesicht furchte sich in lautlosem Lachen. »Nuxi' hat Angst, daß Cabracan aufwacht.« Die anderen lachten, und Chan Ma'ax erklärte Eddie: »Cabracan ist das, was man auf spanisch *temblor* nennt.«

»Erdbeben«, sagte Eddie auf englisch. Das Lächeln des alten Mannes jagte ihm Furcht ein. In Kalifornien hatte es die ganze Woche über Erdbeben gegeben, in der Sierra Nevada, genauso, wie es seit Jahren vorausgesagt worden war. Er hatte es gestern im Radio gehört, zwischen den verfälschten Berichten über den Tod Carlas und die Ausrottung der letzten Guerillas.

»*Ärbem*«, wiederholte Chan Ma'ax. »*Ärbem.*« Er trank sein *balché* aus und zog die verschränkten Beine unter seinen Körper. »Kennst du die Geschichte von Hunahpu und Xbalanque und Cabracan?«

»Nein«, sagte Eddie. Im Gotteshaus wurde es still, und Chan Ma'ax fing an zu erzählen.

»Himmelsherz schickt Hunahpu und Xbalanque, die Zwillinge, aus, um Cabracan umzubringen. Cabracan hat nämlich gesagt: ›Ich bin größer als die Sonne. Ich erschüttere Erde und Himmel, und jedermann verneigt sich vor mir.‹ Das kann Himmelsherz natürlich nicht dulden.

Cabracan wandert übers Land, rüttelt die Berge flach, und von der Arbeit wird er hungrig. Er sieht Hunahpu und Xbalanque und sagt: ›Wer seid ihr?‹

›Niemand‹, sagt Hunahpu. ›Wir sind nur Jäger.‹

›Was habt ihr zu essen dabei?‹

Nun haben Hunahpu und Xbalanque die Vorstellung, daß sie Cabracan an die Erde binden müssen. Sie schießen mit ihren Blasrohren Quetzalvögel von den Zweigen, und der Riese findet das wirklich wundervoll, weil sie nur Luft anstelle von Pfeilen verwenden. Sie kochen die Vögel, und sie reiben einige davon mit Kalk aus der Kalkgrube ein und garen sie, bis sie goldbraun sind und vor Saft tropfen.

Der Riese ißt die Vögel mit dem Kalk daran, und dann macht er sich wieder auf den Weg nach Westen und zerschmettert die Berge. Doch der Kalk macht ihn schwer, und er hat immer mehr Mühe, die Arme oder Beine zu heben.

Andauernd stolpert er und fällt hin. Bald kann er nicht mehr aufstehen und schläft unter den Bergen ein. Hunahpu und Xbalanque tanzen auf dem Boden, der ihn bedeckt, aber sie machen so viel Lärm, daß sie Himmelsherz ärgern. Himmelsherz hätte gern einen ordentlichen Wettkampf gesehen. Er ist enttäuscht, daß seine Zwillinge Cabracan mit einer List geschlagen haben.

Also läßt Himmelsherz Cabracan jedes Jahr während seines Schlafs ein wenig stärker werden. Manchmal hört man, wenn er sich im Schlaf umdreht, und dann wackeln die Berge wie früher. Dann kommt *Ärbem.*«

Chan Ma'ax füllte seine Schale nach, leerte sie in einem Zug und leckte sich über die Lippen. Niemand rührte sich. Sie wußten, daß noch etwas folgen würde, wie das Publikum bei einer Symphonie weiß, wann es nicht zu klatschen hat.

Schließlich sagte Chan Ma'ax: »Wenn man nach Osten geht, zu den alten Städten Chichén Itzá oder Tulúm, kann man das Land sehen, wo Cabracan die Berge zum Einstürzen gebracht hat. Cabracan ist zur Zeit sehr ruhelos, und bald wird er aufwachen und diese Berge zu Bruch rütteln.«

Er sah Eddie an. »Auch wenn du die Kleider eines *hach winik* trägst, wird dich das nicht retten.« Eddie glaubte, im Tonfall des alten Mannes eine Art Lob zu hören, womit er absolut nicht gerechnet hatte. »Hunahpu und Xbalanque werden dich nicht retten. Sie gehören zur Vergangenheit. Wenn Cabracan aufgewacht ist, wird es nur noch die Zukunft geben.«

Das *balché* machte erneut die Runde. Bisher hatte der alte Mann immer Sportgeschichten erzählt, zum Beispiel wie Hunahpu und Xbalanque mit dem König der Unterwelt Fußball spielen. Niemals so etwas.

Und dann fiel Eddie Thomas' Buch ein. Nach dem Maya-Kalender endete zur Zeit gerade ein fünftausendjähriger Zyklus. Angeblich sollte er sich mit irgendeiner Katastrophe schließen, die alles zerstören würde. In dem Buch wurde angenommen, daß es sich um Erdbeben handelt.

Du lieber Gott, dachte Eddie. Er spricht vom Ende der Welt.

»Spiel uns was vor, Eddie«, bat Chan Ma'ax.

»Ja, um Himmels willen«, sagte Nuxi'. »Etwas Fröhliches.«

Eddie nahm die Gitarre zur Hand. Am besten gefielen ihnen die *rancheras,* traditionelle, volkstümliche Sachen wie »Cielito Lindo«, bei denen sie mitsingen konnten, aber alten Rock and Roll mochten sie auch. Er versuchte es mit »Twist and Shout« und anschließend »La Bamba« mit den gleichen Akkorden, aber der Text machte ihn schrecklich traurig. Er hörte auf zu singen und hämmerte nur noch die Akkorde herunter, mit einem so harten Anschlag, daß seine Fingerplättchen brachen und er die Saiten verstimmte.

Sie alle hatten mitgesungen und dazu mit den Händen im Rhythmus auf die Erde geschlagen, doch jetzt hielten sie inne und sahen ihn an. Die Akkorde lösten sich auf in zwei- und dreisaitige Griffe, und aus dem Irgendwo schwebte eine Melodie heran und überrumpelte den überraschten Eddie.

Seine Finger gruben sich in den Gitarrenhals, dehnten und verwischten die Töne; die billigen Saiten rissen die Haut seiner Fingerkuppen auf; die Musik ergoß sich unbeherrscht aus ihm. Er hatte keine Ahnung, wie lange das so ging. Endlich wurden seine Hände selbst langsamer, und die Noten verhallten in der Stille.

Er stand auf. Er atmete keuchend, als ob er schnell gelaufen wäre. Er ging hinaus in den Regen und ließ sich das kühle Wasser übers Gesicht laufen.

Kurz darauf spürte er den Druck des *balché* in der Blase. Er ging ein wenig weiter in den Dschungel und schickte einen starken, klaren Strahl in das Dickicht am Boden. Er war bereits high, nicht in einem verschwimmenden Nebel wie im Alkoholrausch, sondern gestrafft und gebündelt wie ein Laserstrahl.

Als er zurückging, sah er Chan Ma'ax, der sich das Vorderteil seines Umhangs unter dem Kinn festgesteckt hatte und ein benachbartes Gebüsch benutzte. Er holte tief Luft und ließ sie wieder aus. »Hör zu, Max!« sagte er. »Es ist vorbei. Es ist Zeit, daß ich weiterziehe.«

»Okay«, sagte Chan Ma'ax lächelnd.

Ein unbestimmtes Schuldgefühl nagte an ihm, als ob er irgendwo den Wasserhahn hätte laufen lassen. Er fragte sich, ob er sich wie ein Idiot benahm. Zu spät, sagte er sich. Er machte einen weiteren Schritt in Richtung des Gotteshauses.

»Eddie«, sagte der alte Mann. Eddie blieb stehen. Der alte Mann sah ihn über die Schulter an und grinste, als ob er nicht ganz richtig im Kopf wäre. »Ich möchte dir ein Abschiedslied singen.« Er strich seinen Umhang glatt nach unten, drehte sich zu Eddie um und fing an zu singen. Der Text war ein undeutliches Gebrabbel, doch der Klang der Worte und die Melodie ähnelten dem Song »Whatcha Gonna Do«, dem einzigen Hit, der Eddie je gelungen war und der es auf seinem Gipfel gerade in die Top Forty des Jahres 1971 geschafft hatte.

Eddies Zähne klapperten. Das kann nicht wahr sein, dachte er.

»Ich habe so ein kleines Radio, weißt du«, sagte Chan Ma'ax. »Ich lasse es die ganze Zeit laufen. Ich höre dort manchmal verrückte Sachen.« Er wartete ein paar Sekunden lang, dann sagte er: »Ich habe keine Antworten,

Eddie. Ich kenne nur die Wege der Vergangenheit, und diese Wege sind am Ende. Verstehst du?«

Eddie nickte. Er hatte das Gefühl, nicht zum Sprechen in der Lage zu sein.

»Wir machen morgen eine Wallfahrt nach Na Chan. Die letzte. Um Lebewohl zu sagen. Verstehst du?«

Wieder nickte Eddie.

»Möchtest du mitkommen?«

Na Chan, dachte Eddie. Na Chan und die Pilze und die Götter, die sprechen. »Ja«, sagte Eddie aufgewühlt, verängstigt, sich plötzlich des Regens bewußt, der ihm über den Rücken rann und seine Jeans durchnäßte. »Ja, ich möchte mitkommen.«

»*Super*«, sagte Chan Ma'ax und entfernte sich.

Und dann spürte er, so sanft, daß er sich hinterher nicht ganz sicher war, ob es wirklich geschehen war, wie sich der Boden unter seinen Füßen neigte und senkte, wie ein Boot, das über eine Welle schaukelt. Das reichte aus, um die Angst in Entsetzen zu verwandeln. Wenigstens eine Sekunde lang. Um den festen Boden in eine Eierschale zu verwandeln, alles aufzuheben, was er bisher stets als gegeben angenommen hatte.

Am liebsten hätte er sich hinfallen lassen und sich an das regennasse Gras geklammert, doch so etwas tat ein *hach winik* nicht. Er stand da und beobachtete, wie die Regentropfen an einem Bambushalm abperlten. Das letztemal. Um Lebewohl zu sagen.

Jeder Tropfen glitzerte in einem feurigen, kristallenen Licht. Für den Augenblick reichte das.

Das Juárez-Monument war ein Einschnitt im südlichen Rand des Parks. Es gab dort drei gestufte Reihen von weißen Marmorsitzen, die hinterste war von Säulen gesäumt. In der Mitte stand ein Sockel, höher als die Säulen, mit Benito und ein paar Engeln obenauf. Es war das einzige Monument, das Lindsey kannte, auf dem man sitzen konnte. Selbst Benito saß, als ob er vorführen wollte, wie es gemacht wurde.

Sie saß auf der obersten Ebene, mit dem Rücken an eine Säule gelehnt, eine halbbeschriebene Postkarte an ihre Eltern auf dem Schoß.

Wegen der hohen Lage der Stadt war der Morgen kühl, trotzdem spürte sie die Kraft der Sonne im Gesicht und auf den Händen. Sie wartete auf Thomas. Obwohl er ihr tags zuvor gesagt hatte, daß er nicht mitkommen würde. Manchmal kam es ihr so vor, als hätte sie ihr ganzes Leben lang auf dies oder jenes gewartet.

Auf der anderen Seite der Straße stand das Hotel De Prado mit seinem millionenteuren Wandgemälde von Diego Rivera, seinem uniformierten Türsteher und seinen polierten Stufen aus rosafarbenem Granit. Ein paar Blocks weiter links von ihr, zum östlichen Rand des Parks hin, war der Bellas Artes Palace, das wuchtige Opernhaus im neoklassizistischen Stil, das nach und nach unter seinem eigenen Gewicht absackte.

Der größte Teil von Mexico City sackte immer weiter ab. Zur Zeit der Azteken war dies ein See mit einer kleinen Insel in der Mitte gewesen. Die Spanier hatten ihn aufgefüllt, um mehr Platz für ihre Kathedralen und Paläste und Kolonialbauten zu schaffen.

Direkt hinter dem Bellas Artes war der Lateinamerikanische Turm, vierundvierzig Stockwerke hoch, mit einer leuchtenden Zeitanzeige direkt unter der Aussichtsplattform. Letzte Woche, an ihrem ersten Tag in der Stadt, hatte sich Lindsey eine Karte gekauft, um hinaufzufahren. Oben angekommen, sah sie nichts anderes als eine endlose grauweiße Decke aus Smog.

Selbst jetzt, an einem Mittwochmorgen mitten im Zentrum, gab es keinen Anhaltspunkt dafür, daß dies die größte Stadt der Welt war. Niemand wußte mehr, wie groß sie wirklich war. Schätzungen bewegten sich zwischen zwanzig und fünfundzwanzig Millionen. Sie hatte sich zusammen mit den Ansichtskarten einen Stadtführer gekauft, um sich die Zeit während des Wartens damit zu vertreiben, nachdem sie mit ihrem süßen Gebäck und der Milch zum Frühstück fertig war. Der Führer verriet ihr, daß noch im Jahr 1940 die Bevölkerung des ganzen Landes nicht mehr als zwanzig Millionen gezählt hatte. Jeden Tag strömten weitere dreitausend Flüchtlinge in die Stadt, jeden Tag wurden hier weitere zweitausend Kinder geboren.

Ein Mann in einer braunen Kordsamtjacke kam die Stufen zu ihr heraufgestiegen. O nein, dachte sie, nicht schon wieder einer! »Guten Morgen«, sagte er auf englisch und setzte sich neben sie. Er ließ ein paar Zentimeter neutrales Gebiet zwischen ihnen. Sie nickte ihm zu und senkte den Blick auf ihre Postkarte. Sie hielt den Kugelschreiber darüber in der Schwebe, als sei sie gerade im Begriff, etwas zu schreiben.

»Sie sind aus den Vereinigten Staaten?«

Er war vielleicht vierzig Jahre alt, mit straff zurückgekämmtem Haar, und trug ein dünnes gelbes Polyesterhemd unter dem Jackett. »Ja«, sagte sie und widmete sich wieder der Postkarte.

»Ich bin Ihnen lästig, nicht wahr? Entschuldigung.«

Sie gab auf und steckte den Kugelschreiber in die Tasche zurück. »Macht nichts«, sagte sie.

»Ich lerne Englisch im Abendunterricht. Ich übe mich gern. Woher kommen Sie in den Vereinigten Staaten?«

»Aus Kalifornien«, sagte sie. »San Diego.« Dort wohnten ihre Eltern, die wahrscheinlich schon krank vor Sorgen um sie waren. Sie überlegte, ob sie die Postkarte vergessen und sie einfach heute abend anrufen sollte.

»Ist das dort, wo es die Erdbeben gibt?«

»Nein«, antwortete Lindsey, »das ist weiter im Norden.« Dieser Gedanke bereitete ihr immer noch Unbehagen. Sie hatte so lange damit gelebt, Prophezeiungen vom Weltuntergang zu hören, daß ihr die Nachricht gar nicht gefiel, daß sie nun wirklich eintrafen.

»Das ist gut. Ich heiße Ignatio.«

»Lindsey.« Das wäre jetzt der Moment gewesen, in dem sie ihm die Hand hätte geben sollen, doch sie ließ ihn verstreichen.

»Freut mich, Ihre Bekanntschaft zu machen.«

»Davon bin ich überzeugt«, sagte sie. Sie wäre am liebsten aufgestanden und weggegangen, doch dann hätte Thomas nicht gewußt, wo er sie finden könnte. Sie hatte in ihrem Hotel eine Nachricht hinterlassen, daß sie bei der Juarez-Statue sei, falls ein Amerikaner nach ihr fragte.

Er mußte kommen. Er war Steinbock, und sie war Skorpion. Es war starke sexuelle Magie, die ihn zu ihr führen würde.

»Was lesen Sie da?« fragte Ignatio. »Darf ich es sehen?« Lindsey gab ihm das dünne gelbe Buch, Bloomgardens *Kleiner Führer durch Mexico City.*

Bitte, Thomas, dachte sie. Komm und befreie mich aus dieser mißlichen Lage!

Er würde kommen, redete sie sich immer wieder ein. Er begehrte sie. Er hatte sie immer begehrt. Sie wußte es seit jenem Winter in Austin, damals 1972. Damals, als sich Eddie gerade von der Gruppe »Maya« getrennt hatte und er und Lindsey in einer Dreizimmerwohnung in der Nähe der UT wohnten, den ganzen Winter über zusammengekuschelt vor ihrem einzigen offenen Gasheizofen, die Luft flirrend und von beißender Trockenheit, so sehr heizte sie sich an den glühenden Keramikkacheln auf. Zu dritt saßen sie nach dem Abendessen darum herum, zwei- oder dreimal in der Woche, am

Rücken frierend, die Füße zu heiß, Thomas mit seinen Viertelliterflaschen Old Milwaukee, Eddie mit seiner zerschrammten, cremefarbenen Telecaster-Gitarre, die nicht einmal eingesteckt war, während sich seine Hände ruhelos über den Hals bewegten, als ob sie sich vergewissern wollten, ob alle Noten noch an ihrem Platz waren.

Sie erinnerte sich an den Duft von warmem Flanell, wenn sie Thomas beim Gutenachtsagen umarmte, die Art, wie er sie festhielt. Und die Art, wie sie ihm ein wenig entgegenkam, weil er Eddies Bruder war und somit keine Gefahr darstellte. Sie mußte mit jemandem flirten, um nicht verrückt zu werden. Sie wurde im Oktober zwanzig und hatte bereits das Gefühl, daß ihr Leben vorbei sei. Sie hatte es mit Warten auf irgend etwas vergeudet, dabei wußte sie nicht einmal, worauf sie wartete.

Sie pflegte Eddie zu beobachten, der mit Kopfhörern Gitarre spielte, ohne daß sie etwas von der Musik hätte hören können, nur das trockene Klirren der Saiten. Oder sie beobachtete ihn, wie er auf dem billigen Stahlrohrküchenstuhl mit der glattgescheuerten grünen Lehne und Sitzfläche aus Vinyl saß, wobei die Gitarre einfach an ihm hing, seine Stirn auf den Händen ruhte, seine Augen geschlossen waren, doch seine Füße in Socken nervös einen Rhythmus auf dem Boden tippten. Oder sie beobachtete ihn, wie er stundenlang in der Wohnung herumwanderte, durch die beschlagenen Fenster starrte, in das Fernsehgerät glotzte, dessen Ton abgestellt war, jedesmal das Radio ausmachte, wenn sie es angestellt hatte, weil er es nicht ertragen konnte, andere Gitarristen zu hören.

Er arbeitete an seinem Album *Sunsets,* das wußte sie, obwohl er noch monatelang nicht ins Studio gehen würde, obwohl die Platte nicht vor weiteren anderthalb Jahren fertig sein würde. Soweit war die Sache in Ordnung, denn er war der Gitarrist. Er machte sich Sorgen wegen der Platte, weil er sich immer auf die Band und Stews Gesang gestützt hatte und besessen von dem Drang war, diese besser zu machen als alles, was Maya je geschaffen hatte.

All das wäre ganz in Ordnung gewesen, wenn irgend etwas davon noch vorhanden gewesen wäre, doch es war nichts mehr da. Es war nicht nur so, daß er ein Album im Kopf machte, er war wieder mal weggetreten, jagte all dem mystischen Kram nach, den er offenbar einfach nicht lassen konnte. All seine Leidenschaft und sein Geist und seine Energie gingen für dieses gottverdammte Album drauf, und selbst wenn sie sich liebten, war es, als ob er einen Sandwich vertilgen würde, um seinen schlimmsten Appetit zu stillen, damit er sich wieder besser konzentrieren konnte.

Deshalb flirtete sie mit Thomas, denn er schenkte ihr seine ganze ungeteilte Aufmerksamkeit, das zumindest, und da Eddie die ganze Zeit dabei war, war es nie darüber hinausgegangen. Im Frühling war der neue Vertrag mit Epic unter Dach und Fach, und sie waren nach New York gegangen, wo sie sich zum erstenmal ernsthaft überworfen hatten, nur ein paar Wochen lang, doch immerhin war das der Anfang vom Ende.

Falls er kommt — überlegte sie. Wenn er kommt. Wirst du es tun? Wirst du mit ihm ins Bett gehen, weil du weißt, daß du auf diese Weise von ihm bekommst, was du haben willst? Und weil es so lange her ist, seit du das letztemal mit einem Mann geschlafen hast, daß du dich langsam fragst, warum von dem Ganzen eigentlich soviel Aufhebens gemacht wird.

Wirst du es tun?

»Haben Sie all das gesehen?« fragte Ignatio und hielt den Bloomgarden-Führer hoch.

»Einiges«, sagte sie. Der Mann war harmlos, wirklich. Während der letzten Woche waren mindestens zwei Männer mittleren Alters wie er einfach auf sie zugekommen und hatten ein Gespräch mit ihr angefangen. Sie begriff, daß es in Mexiko immer noch üblich war, Fremde anzusprechen. Wahrscheinlich hätte er es mit einem Mädchen von hier nicht gemacht, aber es war bekannt, daß Frauen aus den Vereinigten Staaten keine Moral hatten. Und wenn sie Lust hätte, mit ihm zu gehen und mit ihm zu bumsen, bis er den Verstand verlor, sollte es ihm durchaus recht sein. Und wenn nicht, würde er sich mit einer Unterhaltung begnügen.

Vielleicht wartete er auch nur.

Sie hätte ihm erzählen können, wie sehr sie die Stadt liebte und wie wundervoll das anthropologische Museum war, und wie freundlich ihr alle Menschen begegneten, und er würde lächeln und zufrieden weggehen. Einen Moment lang hätte sie ihm gern den Führer weggenommen und ihn nach der Wirklichkeit gefragt, nach den Siedlungen der *jacales*, den Hütten aus Pappe und flachgedrückten Dosen, die die Städte säumten. Sie hatte alles darüber in der Bibliothek damals in San Diego gelesen. »*Ciudades perdidas*« wurden sie genannt, verlorene Städte. Oder über den Vorort, der Santa Fe hieß, ein paar Kilometer im Westen, ein Inselstamm im Müll, mit einem Müllkönig, der seine Gesandten über eine riesige Fläche mit stinkendem Abfall ausschickte, damit sie nach verdorbenen Nahrungsmitteln suchten, von denen sie sich ernährten, sowie Metallschrott, den sie ihm verkauften.

Und was war mit den Wahlen und den Unruhen? hätte sie ihn gern gefragt. Was war mit dem Colonel drunten in Cuernavaca, der die Arbeit an Thomas' Projekt verhindert hatte? Doch für all das konnte Ignatio nichts. Sie wollte gerade die erwarteten Laute von sich geben, als sie merkte, daß sie seine Aufmerksamkeit verloren hatte. Er sah zu einem verkrüppelten alten Mann hinunter, der über die Stufen auf sie zugehumpelt kam. Lindsey wandte den Blick ab, verlegen und gleichzeitig ein wenig ärgerlich. Überall in der Stadt waren Bettler, selbst hier, mitten im Zentrum, und sie gaben niemals auf. Sie lauerten einem in den Eingängen zur U-Bahn auf, eingehüllt in Tücher, mit leidenden, fliegenbedeckten Kindern. Sie jagten einen mit ihren Schuhputzkisten durch den Park und riefen einem Beleidigungen über den Zustand der Schuhe hinterher, wenn man ihre Dienste ausschlug.

An dem alten Mann war so gut wie nichts Farbiges. Er trug eine weite khakifarbene Hose, deren Flecken sich der Farbe des Straßenpflasters anpaßten, und eine dunkelgraue Jacke mit Reißverschluß. Seine Haut hatte die gleiche Asphaltfarbe. Jedesmal, wenn sie im Park war, hatte sie ihn mindestens einmal weggeschickt. Sie wollte gerade die Hand heben, um ihn zu verscheuchen, als Ignatio ihn heranrief. Das brauche ich nun wirklich nicht! dachte sie.

»*Cómo va?*« fragte Ignatio ihn, und die beiden fingen an, in genuscheltem Spanisch miteinander zu sprechen. Lindsey konnte kein einziges Wort verstehen. Zum hundertsten Mal gelobte sie sich, die Sprache zu lernen. Sie würde gleich am Nachmittag anfangen. Sie hatte sogar ein Spanisch-Lehrbuch und ein spanisch-englisches Wörterbuch auf dem Zimmer. Das waren die Überbleibsel von der Abendschule, aus einer Zeit, als ihr der Besuch der Abendschule als ausgezeichnete Idee vorgekommen war. Sie war nicht weiter als bis zur dritten Woche gekommen.

Der alte Mann setzte sich auf die Stufe unter der ihren und hielt eine Zigarrenkiste im Schoß. Es waren Münzen und ein paar schmutzige Geldscheine in der Kiste und außerdem sorgfältig geordnete Reihen von Kaugummi, eingewickelt in Zellophan, je vier in einer Packung. Es waren Chiclets, die kleinen weißen, mit Zuckerguß überzogenen viereckigen Kaugummis, die Lindsey seit ihrer Kindheit nicht mehr gesehen hatte. Ihre Mutter pflegte ihr Chiclets zu geben, damit ihr beim Autofahren nicht schlecht wurde, dabei machten sie es offenbar nur noch schlimmer. Sie hätte nicht gedacht, daß das Zeug noch hergestellt wurde. Ihr Anblick rief in ihr Erinnerungen wach an die bedrückende Langeweile auf dem Rücksitz und Walt Disneys *Comics and Stories* und den trockenen Geschmack von Erbrochenem hinten in ihrer Kehle.

Ignatio machte eine Handbewegung und zog eine Geldklammer aus seiner vorderen Hosentasche. Der alte Mann gab ihm eins der Päckchen, und Ignatio ließ einen 500 Peso-Schein in die Kiste des Alten fallen. Das entsprach jetzt etwas weniger als einem Dollar. Lindsey konnte sich an Ausflüge nach Tijuana erinnern, die nur ein paar Jahre zurücklagen, da es vierzig Dollar entsprochen hatte.

»Jeder Mensch hat eine Geschichte zu erzählen«, sagte Ignatio. »Vergessen Sie das nicht. Ich hatte früher Angst vor solchen Leuten, doch ich habe gelernt. Jeder hat seine Geschichte, und wenn man ihn danach fragt, wird er sie einem erzählen.«

»Und was hat er Ihnen erzählt?«

»Er war früher ein *chiclero.* Wissen Sie, was das ist?«

»Bedeutet das, daß er Kaugummi verkauft hat?«

»Es bedeutet, daß er Krimineller war. Doch man hat ihn mit einer Machete im Wald ausgesetzt. Wenn so einer jeden Monat mit dem Chicle, dem Saft eines bestimmten Baumes, zurückkehrt, dann bekommt er dafür etwas zu essen und Whiskey. Dann wird das Chicle in die Vereinigten Staaten verkauft, wo man diese Dinger daraus macht.« Er hielt das Päckchen mit Kaugummis hoch.

Sie wagte einen zweiten Blick auf den Mann. Über der Nasenwurzel hatte er eine lange Narbe, die im Bogen unter einem Auge weiter bis zum Ohr verlief. Die Handgelenke, die aus den Ärmeln seiner Jacke hervorkamen, waren dünn wie Hühnerbeine.

»Wie entsetzlich«, sagte sie.

»Er sagt, es ist gar nicht so schlimm. Nach dreißig

Jahren wird man mit einer — *cómo* — einer *promoción* belohnt.« Er hielt die eingewickelten Kaugummis erneut hoch.

»Einer Beförderung.«

»*Sí,* Beförderung.« Jetzt lachten Ignatio und der alte Mann. Der Alte hatte noch zwei Zähne, beide oben, einen vorn und einen hinten an der Seite. Er lachte fast lautlos, obwohl er den Mund dafür weit aufriß. Lindsey hatte das Gefühl, als ob ganz Mexiko sie auslachte, sich über sie lustig machte, weil sie so unwissend und fremd und verwöhnt war. Sie nahm Ignatio ihren Stadtführer aus der Hand und stand auf.

Ihre Wangen fühlten sich sonnenverbrannt an. Sie rannte die Stufen hinunter und mischte sich unter die Menge, die auf der Avenida Juárez auf den Bus wartete.

Die Menge zwang sie, langsamer zu gehen, und sie sah hinunter auf ihre Füße und bahnte sich schiebend einen Weg hindurch. Jemand packte sie am Arm, und sie riß sich los.

»Lindsey!«

Sie drehte sich um. Es war Thomas. Eine alte Frau, eingewickelt in mehrere Schichten schwarzer Baumwolle, hatte sich zwischen sie gedrückt. Thomas sah verletzt und verwirrt aus, als ob sie ihn gebissen hätte. Ein Bus hielt zischend am Bordstein an, und die alte Frau wich schließlich widerwillig aus. Lindsey rannte auf ihn zu und warf die Arme um ihn. Der Bus fauchte und ratterte davon. Thomas roch sauber und behaglich, wie ein altes Bett mit frischen Bezügen.

»Alles in Ordnung mit dir?« fragte er.

»Mhm, alles in Ordnung, es ist nur ... es war ein gespenstischer Morgen. Es ist wie ...« Sie stockte und lauschte, wobei ihr Kopf immer noch an seinem blaugestreiften Hemd lag. »Es gibt keine Vögel. Sonst hört man morgens immer Vögel.«

»Vielleicht hat der Smog sie alle umgebracht. Mein Gott, es ist schlimm hier.«

»Ich bin froh, daß du gekommen bist.« Seine Hände lagen locker und unbeholfen auf ihrem Rücken. Sie wollte ihn nicht loslassen. Endlich zählte sie im stillen bis drei und trat zurück.

»Ich bin hinausgeworfen worden«, sagte er. »Jedenfalls für ein paar Wochen.«

»Das ist lang genug. Ich kann mir nicht vorstellen, daß es länger als einige Tage dauern wird, nur dort hinaufzufliegen und zurück.«

»Man weiß nie.«

»Ich bin sehr froh, daß du da bist. Danke, Thomas. Ich meine es wirklich so.«

»Schon gut. Können wir irgendwo etwas essen? Ich habe den ganzen Morgen in Bussen und Zügen verbracht.«

»Sicher«, sagte sie.

Aus der dunkelgrünen Hecke, die den Gehsteig entlang verlief, erklang ein platschendes Geräusch. Etwas streifte ihr Bein. In nächster Nähe schrie jemand auf. Sie hatte die Absicht, hinunterzuschauen, sah aber stattdessen die schreiende Frau an. Sie war eine Frau mittleren Alters in einer Bluse mit einer kleinen Rüsche am Hals. Die Augen drohten ihr aus dem Kopf zu treten.

Luindsey blickte wieder auf den Gehsteig hinab, wandte sich um und sah eine Ratte in der Größe eines Schuhs, die hinaus auf die Straße huschte. »Oh, mein Gott!« hauchte sie. Eine zweite Ratte machte einen Satz unter einer Parkbank hervor, und gleich darauf, etwa sechs Meter weiter, wieder eine.

Jetzt erklangen überall Schreie. Irgendein bizarrer Selbstmorddrang trieb die Ratten zu Dutzenden auf die Straße, sie prallten gegen Autoreifen, wuselten aufgescheucht über das Pflaster, wurden wahnsinnig durch das Heulen der Autohupen und Quietschen der Bremsen. Der Gestank von Blut und heißem Gummi hing in der leblosen, feuchten Luft. Ihr Magen zitterte.

Eine Schulter rammte sich ihr mit voller Wucht in den

Rücken, und sie drückte sich wieder an Thomas. Menschen rannten im Kreis herum und am Rand der Straße auf und ab, alle brüllten oder stöhnten oder flehten Gott an. Einige blieben auf der Stelle stehen und schwangen ihre Schirme wie Keulen. Männer und Frauen waren auf die Parkbänke geklettert und hielten sich in den Armen.

»Sind sie weg?« flüsterte sie.

»Die meisten«, sagte Thomas. Lindsey blickte wieder auf und sah zwei weitere Ratten, die das Juárez-Monument umkreisten und zwischen Beinen hindurchhuschten, die schwarzen Augen weit aufgerissen vor Angst.

»Woher kommen sie?«

»Sie leben im Park. Sie sind überall, du hast sie nur noch nie zuvor gesehen. Komm, laß uns von hier verschwinden.« Thomas sah ebenfalls etwas mitgenommen aus. Er griff nach ihrer Hand und zog sie fort. Sie schloß die Augen und atmete durch den Mund, doch ihr Magen wollte sich nicht beruhigen. Ihr war schwindelig, sie fühlte sich wie seekrank. Vielleicht lag es an dem süßen Gebäck, dachte sie. Die Luft war dick, reglos, erstikkend.

Über ihren Köpfen ertönte ein Geräusch wie von einer Düse oder wie wenn Luft aus einem Reifen strömte. Der Gehsteig wurde zu Pudding. Thomas wurde von ihr fortgerissen, und sie konnte nirgends mehr Halt finden. Sie begriff nicht, was vor sich ging.

Donner dröhnte in der Ferne. Verwirrt sah sie zu dem wolkenlosen Morgenhimmel auf. Dann fing sie an zu zittern, und es dauerte ein paar Sekunden, bis ihr bewußt wurde, daß der Boden *sie* schüttelte, als ob Hände sie bei den Schultern gepackt hätten und vor und zurück stießen. Sie taumelte einen halben Schritt auf die Straße zu und machte mit wedelnden Armen wieder einen Satz zurück. Über ihr knallten die Stromdrähte wie Peitschen und rissen sich von den Masten los, Funken versprühend und wie Schlangen durch die Luft zischend.

Endlich begriff sie, und sie sprach das Wort laut aus. »Erdbeben.«

Autos wurden zur Seite geschleudert und prallten gegeneinander, als sich die Straße hochwellte wie ein geschüttelter Teppich. Lindseys Zähne schlugen aufeinander. Der Lärm war unglaublich: das Zischen, das Grollen, das Krachen von Autos, das Poltern von Ziegeln und Kacheln auf dem Pflaster des Gehsteigs. Sie fiel auf die Knie, dann auf alle viere, merkte, daß sie um hundertachtzig Grad gedreht worden war, wieder zurück in Richtung des Juárez-Monuments.

Und dann bewegten sich die Säulen.

Sie bogen sich und wackelten, als wären es Stücke einer Schnur, die jemand schüttelte, und keine Sechsmetersäulen aus massivem Marmor. Sie blinzelte und beobachtete erstarrt, wie Wellen über den Platz rollten, Marmorblöcke anderthalb Meter in die Luft hoben und wie eine starke Brandung gegen die Stützpfeiler des Monuments donnerten.

In einer Entfernung von weniger als dreißig Metern spaltete sich ein Baum mit einem solchen Getöse, daß es ihr in den Ohren weh tat, und neigte sich langsam über den Gehsteig, wobei er wie vor Schmerzen stöhnte. Sie hörte Thomas ihren Namen rufen, doch sie konnte ihn nicht sehen. Das Erdbeben schien bereits eine Stunde zu dauern, zwei Stunden, ihr ganzes Leben lang.

Die schlimmsten Geräusche nahmen ab, und sie dachte, sie hörte Schüsse und winzige Glöckchen, die nach jedem Knall klingelten. Als sie aufblickte, sah sie, wie die Fenster des Hotels gegenüber zerbarsten, glitzernd und gewichtslos wie Seifenblasen, und auf sie zuschwebten. Sie duckte sich, als das Glas mit einem schwachen Klirren am Bordstein aufkam, und spürte, wie sich ihr Splitter in den linken Arm und den Hals bohrten.

Wenn es nur aufhören würde, dachte sie. Wenn es doch nur aufhören würde!

Das Hotel Alameda, nicht weit vom Del Prado entfernt, brach mit einem Geräusch zusammen, als ob Spielkarten aneinandergerieben würden, tausendfach verstärkt. Das Zusammenbrechen erzeugte seinerseits neue Stoßwellen, die sich durch den Park fortsetzten, und eine Zeitlang kämpften die beiden Kräfte wie wütende Götter gegeneinander. In diesem Moment wußte Lindsey, daß das Ende der Welt gekommen war, daß es immer so weitergehen würde, und Tränen rannen ihr übers Gesicht und tropften in den Staub und auf die Glassplitter auf dem Gehsteig.

Es endete mit einer einzigen langen, krampfartigen Erschütterung. In der folgenden Stille hörte Lindsey irgendwo in der Ferne eine steckengebliebene Autohupe, leise weinende Stimmen, das Flüstern des Windes in den Büschen. Dann ertönten überall Sirenen.

Sie wandte den Kopf. Thomas hockte wenige Schritte weit entfernt aufgerichtet auf den Fersen. Er wischte seine Brille mit einem Zipfel seines Hemds ab und setzte sie wieder auf. Er schien nichts abbekommen zu haben außer ein paar Kratzern und Schnitten. Sie versuchte aufzustehen, und Thomas sprang auf und versuchte, ihr Halt zu bieten.

Der Boden fühlte sich falsch an. Er bewegte sich nicht mehr, doch er schien auch nicht ganz fest zu sein. Es war nur ihre Willenskraft, die ihn zusammenhielt. Falls sie sich je entspannen würde, dachte sie, würde es wieder losgehen. Es war eine schreckliche Verantwortung. Sie wußte nicht, wie sie jemals wieder in der Lage sein sollte zu schlafen.

»Alles okay?« fragte Thomas.

»Mhm. Bei dir?«

Er nickte. Sie drehte den Kopf so, daß sie das Hotel Alameda sehen konnte. Die Fassade fehlte. Die Zwischendecken waren eine auf die andere gesackt und hatten einen Sandwich aus Matratzen, geblümten Kleidern und roten Plastikabfalleimern zwischen den Betonscheiben ergeben. Verdrehte Eisenstäbe ragten überall heraus. Menschen kletterten über den Schutthügel, warfen Trümmerstücke zur Seite, gruben mit bloßen Händen in den Ruinen.

»Hier können wir nicht bleiben«, sagte Thomas. »Wir sind nur im Weg.«

»Sollten wir nicht ... Ich meine, gibt es keine ... so etwas wie Nachbeben?«

»Ich weiß es nicht«, sagte Thomas. »Ich weiß aber, daß ich jetzt etwas zu trinken gebrauchen könnte.«

»Ich habe eine Flasche in meinem Zimmer.« Sie warf einen Blick zurück auf das Hotel. »Aber ich weiß nicht, ob ich in irgendein Gebäude gehen möchte. Überhaupt jemals wieder.«

»Ist doch gut«, sagte Thomas. »Es ist vorbei.«

Im selben Moment kam das erste Nachbeben, wie zum Hohn. Lindsey hatte das Gefühl, über ein Trampolin zu gehen. Es war so gemächlich und sanft verglichen mit dem eigentlichen Beben, daß sie am liebsten hysterisch losgelacht und nie wieder aufgehört hätte.

Thomas legte ihr den Arm um die Taille und zog sie fest an sich, und sie schmiegten sich beim Gehen dicht aneinander, wie Teenager. Lindsey hatte immer gehört, daß es ungeheuer erregend sei, dem Tode nahe zu kommen. Das stimmte, sie spürte, wie es geschah. Eine Art hohler Schmerz war zwischen ihren Beinen, und sie merkte, wie sich ihre Brustwarzen gegen den Büstenhalter aufrichteten.

Alles um sie herum verschwamm. Sie überquerten die Avenida Juárez, wobei Stücke von zerbrochenem Sicherheitsglas unter ihren Füßen wegrutschten wie Murmeln. Sie blickte nach oben und sah, daß die Uhr im Lateinamerikanischen Turm immer noch lief. Es war erst elf Uhr morgens. Menschen saßen auf dem Gehsteig und weinten. Die Luft roch nach Betonstaub. Grelle Farbflecken erhaschten immer wieder ihre Aufmerksamkeit, doch jedesmal stellte sich heraus, daß es sich um ein Kinder-T-Shirt oder das Titelblatt einer Zeitschrift handelte und doch kein Blut war.

Die Eingangstüren des Hotels Capitol waren von einem Spitzenmuster aus Haarrissen durchzogen. Sie schlossen nicht mehr richtig. Im Innern schien alles in Ordnung zu sein. Die Eingangshalle war ein gekachelter Innenhof, eingekreist von vier Reihen von Zimmern und überdacht von einem staubigen Himmel. Ein Zimmermädchen blickte von einem zerbrochenen Tontopf und den Überresten einer Maispflanze auf und lächelte traurig.

In der Ecke stand der Landschaftsmaler, dem sie jeden Morgen zugeschaut hatte. Er bedeckte täglich eine Leinwand, wobei er stets mit einer Horizontlinie anfing, die er mit einem Bleistift und einem Metallineal quer durch die Mitte des Bildes zog. Dann malte er den oberen Teil mit einem fünf Zentimeter breiten Pinsel. Sie sah die langen Schmierer auf der Leinwand, wo sie mit der bemalten Seite nach unten über die Kacheln gerutscht war. Er besserte den entstandenen Schaden mit methodischer Genauigkeit aus.

Sie benutzten die Treppe und gingen in den dritten Stock. Die Farbe der Stuckwände war Aquamarin, die der Türen ein bräunliches Rot. Ihr Zimmer war winzig, ausgestattet mit einem zerbrochenen Wiener Stuhl und einem Doppelbett mit einer dünnen Matratze. Die Tür zum Bad hing krumm im Rahmen. Lindsey drehte hinter ihnen den Schlüssel herum, und die Bewegung des Schlosses war graphisch, intim, erotisch.

Ihr Koffer war zu Boden geworfen worden. Sie stopfte die Kleider achtlos wieder hinein und stand mit einer unzerbrochenen kleinen Flasche Canadian Club auf. Sie hielt sie hoch, um sie Thomas zu zeigen. »Ich wollte eigentlich Jack Daniel's haben«, sagte sie, »aber es ist unglaublich, was der hier kostet.«

Er nickte. »Wegen des hohen Zolls, glaube ich.« Sie

benahmen sich beide unbeholfen, hatten Angst, etwas falsch zu machen. Eine lange Geschichte war zwischen ihnen, viel Spannung, viele Möglichkeiten. Sie drehte den Schraubverschluß der Flasche auf und nahm einen Schluck, dann reichte sie sie Thomas.

Er trank, ohne den Blick von ihr abzuwenden. Sie hätte nicht genau zu sagen vermocht, wie er in diesem Moment aussah. Die Einzelheiten schwanden, die Form seiner Brille, die Länge seiner Haare. Wieder einmal wartete sie, aber das war in Ordnung, denn es würde nicht lange dauern, bis etwas geschähe. Sie brauchte gar nichts anderes zu tun, als ihm nicht aus dem Weg zu gehen. Thomas setzte die Flasche ab und gab sie ihr zurück. Sie verschloß sie wieder und warf sie in den Koffer.

Als sie sich wieder umdrehte, hatte Thomas seine Brille abgenommen und in die Hemdtasche gesteckt. Sie blickte zu Boden und verschränkte die Arme so, daß sie ihre Schultern umfaßte. Sie leistete keinen Widerstand, als Thomas zu ihr kam, ihre Handgelenke ergriff und ihre Arme um seinen Hals legte.

Er küßte sie, und sie erwiderte seinen Kuß, und dann spürte sie, wie sein Atem in kurzen Stößen ging, und er küßte ihre Augenlider und den Hals und die Ohren, und die Stoppeln auf seinem Kinn kratzten sie unter den Lippen. »Sachte«, flüsterte sie, doch obwohl es ein wenig beängstigend war zu sehen, wie sehr er sie begehrte, fuhr sie ihm mit den Fingern durch die Haare und strich ihm wie mit Katzenklauen über die Kopfhaut.

Er zerrte an ihrem Pullover, und sie wich weit genug zurück, um ihn sich über den Kopf zu ziehen. Sie griff nach hinten und hakte ihren Büstenhalter auf. Er schob ihr die Träger von den Schultern und streichelte ihre Brüste. Sie spürte, wie sich ihre Brustwarzen aufrichteten und ihm entgegenreckten. Eine warme Schwäche flutete von ihnen aus bis hinunter in ihre Beine.

Er zog sein Hemd aus und drückte sie an seine Haut.

Sie schmeckte die Süße seines Verlangens im Schweiß an seinem Hals. Er zog am Verschluß ihrer Jeans, und sie entwand sich ihm schlängelnd, wobei sie ihm beide Hände auf die Brust legte.

»Einen Moment«, sagte sie.

»Warum?«

»Hör zu, ich bringe gerade so etwas wie Herpes hinter mich. Keine große Sache, aber du mußt ein Kondom benutzen, okay?«

»Ja, okay, sicher, aber ich habe kein ...«

»Okay«, sagte sie. »Ich habe vorgesorgt.« Sie zog den Reißverschluß der Seitentasche ihres Koffers auf und riß ein Kondon von einem Streifen.

»Du lieber Gott«, sagte Thomas. »Betreibst du eine regelrechte Sexboutique?«

»Ich bin nur vorsichtig, das ist alles. Männer denken sowieso nicht daran, die feuchte Sorte zu kaufen.« Sie setzte sich auf die Bettkante und streckte die Hand nach seinem Hosenverschluß aus.

Er nahm ihr das Kondon aus der Hand und trat einen Schritt zurück, schleuderte seine Schuhe von den Füßen und stieg aus der Hose. Lindsey fing ebenfalls an, sich aus der Jeans zu winden, und dann hob Thomas sie unter den Armen an und warf sie nach hinten auf das Bett. Er zog ihre Jeans an den umgekrempelten Aufschlägen vollends herunter. Lindsey schob ihren Slip nach unten, wo er um einen Knöchel baumelnd hängenblieb.

Thomas riß das kleine Plastikquadrat auf und rollte das Kondom ungeschickt über seinen halb erigierten Penis. Der Geruch von Latex mischte sich mit den Gerüchen von Schweiß und Sex und Whiskey. Lindsey lag auf dem Rücken, mit einer Hand rieb sie sich die Stirn, mit der anderen berührte sie sich leicht am Bauch.

Thomas kniete sich über sie und sagte: »Jetzt.« Lindsey reckte ihm die Hüften entgegen. Sein Gewicht senkte sich auf sie herab. Seine Zunge glitt in ihren Mund, und sein Penis drang tief in sie ein; sie kam sofort, ein heißer, lähmender Blitz, der den wahnsinnigen Schmerz in ihr linderte, sie jedoch unbefriedigt ließ.

Thomas' Augen waren nach hinten verdreht, und er keuchte und rang nach Luft. Sie schlang ihm beide Arme um den Hals, küßte ihn heftig und rieb sich mit dem Becken an ihm. Schweiß stand ihr zwischen den Brüsten und durchtränkte das Laken unter ihr. Thomas war jetzt vollkommen steif geworden, und sie nahm ihn ganz in sich auf, fand ihre empfindlichste Stelle und kam gleichzeitig mit ihm, diesmal langsam und ausgiebig. Sie hielt seine Pobacken fest, und weitere Krämpfe durchzuckten sie, auch nachdem er fertig war, bis sie erschöpft war.

Ein paar Sekunden lang war sie wie weggetreten. Als sie wieder zu sich kam, war Thomas immer noch auf ihr. Sie streichelte ihm geistesabwesend den Rücken. Sie war froh, daß er sich nicht einfach herausgezogen hatte und zur Seite gerollt war, doch langsam lastete er schwer auf ihr. Schließlich stand er auf und ging ins Bad, das Kondom zwischen einem Finger und dem Daumen haltend.

Er schloß die Tür, und sie drehte sich auf die linke Seite, dabei zog sie die Knie an, um das schwache Gefühl von Leere zu vertreiben, das sie jedesmal empfand, wenn sie mit jemandem geschlafen hatte. Die Toilettenspülung rauschte, und sie hörte, daß Thomas ins Zimmer zurückgetapst kam, kurz zögerte und dann ins Bett kletterte an den Platz, den sie ihm gelassen hatte.

Sie spürte, daß sich sein Arm um ihre Brust legte, seine Knie sich in ihre Kniekehlen schoben, sein schlaffer Penis ihre Hüften berührte. Er küßte sie auf den Hals, doch sie war zu müde, um den Kuß zu erwidern. Sie zog kurz die Nase hoch und ließ sich tiefer ins Kopfkissen sinken.

»Geht's dir gut?« fragte er leise.

»Sicher«, sagte sie. »Es war schön.«

»Okay. Ich dachte nur ...«

»Was?«

»Ich weiß nicht. Einen Moment lang hörte es sich so an, als ob du weintest.«

»Nein, mir geht es gut.«

»Okay«, sagte er.

Sie fühlte sich vollkommen ausgebrannt. Schicksal, dachte sie und schloß die Augen. Bei manchen Männern war es, als ob man ihnen das Leben rettete, indem man mit ihnen schlief. Als ob man dadurch verantwortlich für sie würde. Vielleicht war dies hier eine schlechte Idee gewesen, dachte sie. Diese Frage hatte sie sich schon mehr als einmal gestellt, nachdem sie mit jemandem zum erstenmal im Bett gewesen war. Und, dachte sie, meistens hatte sie recht.

Ganz davon zu schweigen, daß Thomas nicht irgendein Typ war, von dem sie sich in einer Bar hatte abschleppen lassen. Er war Eddies Bruder, verdammt noch mal.

Ich werde nicht darüber nachdenken, redete sie sich ein. Nicht jetzt. Sie bedeckte Thomas' Hand mit ihrer und drückte sie gegen die Weichheit ihrer Brust.

Es war noch hell, gerade noch, als das zweite Nachbeben sie aufweckte. Das Bett wackelte leicht und rutschte quietschend ein paar Zentimeter über den Boden. Thomas stöhnte und drehte sich um und schlief weiter. Lindsey hörte das wilde Klopfen ihres Herzens.

Sie richtete sich im Bett auf. Das Zimmer hatte keine Fenster, nur ein Oberlicht über der Tür, durch das man in die Eingangshalle hinuntersehen konnte. Macht nichts, dachte sie. Du brauchst es dir nicht anzuschauen. Sie hatte ein Empfinden, als ob alles hinter ihr zusammenbrechen würde, Kalifornien und jetzt Mexiko.

Ihr Gehirn brannte vor halbvollendeten Gedanken. Ihre Eltern würden in den Nachrichten von dem Erdbeben hören und in Panik geraten. Sie mußte sie anrufen. Sie mußte einen Flug buchen — konnten sie und Thomas überhaupt abfliegen, wenn hier alles am Boden zerstört war?

Schließlich beruhigte sie sich etwas. Sie stellte sich vor, das Zimmer bewegte sich, raste mit wachsender Geschwindigkeit auf Schienen in die Dunkelheit davon. Sie schloß die Augen und ließ sich schwer ins Kopfkissen zurücksinken.

VON AUSSEN WAR DAS HAUS ein himmelblaues Stuckgebäude. Im Innern hatte es Rollos hinter den schräggestellten Fenstern und schwarze und weiße Fliesen am Boden. Die Fliesen waren direkt auf festgestampfter Erde verlegt, ohne Unterlage, so daß sie sich in der Mitte etwas gesenkt hatten. Aber immerhin, es war ein Fliesenboden.

Carmichael saß auf einem Klappstuhl aus Metall. Einst hatte er die gleiche Farbe wie das Haus gehabt, doch der größte Teil der Farbe war abgeblättert. Er beobachtete die geschlossene Tür des nächstgelegenen Zimmers.

Es war Mittwoch morgen. Vor zehn Minuten, als er gerade hier angekommen war, war die Tür des Zimmers offen gewesen, und er war geradewegs hineingegangen. Er war stehengeblieben, als er Carla sah. Sie lag ausgebreitet auf dem Bauch über einer Hängematte und hatte die Zähne in ein speichelgetränktes Knäuel aus Jeansstoff verbissen. Das Zimmer roch nach rohem Fleisch. Eine Frau in einer weiten weißen Hose und einem weißen T-Shirt stand über sie gebeugt. Sie wühlte hinten in Carlas Schenkel herum, mit Händen, die sehr danach aussahen, als wären sie mit geschmolzener Schokolade verschmiert.

Sie hatten ihn beide angestarrt, und er hatte sich leise aus dem Zimmer zurückgezogen und die Tür hinter sich geschlossen. Sonst war niemand im Haus. Faustino und die anderen waren draußen und versuchten, etwas zu essen und Geld aufzutreiben. Die Besitzer des Hauses, wer immer sie sein mochten, hatten offenbar beschlossen, zu Verwandten zu ziehen. Carmichael kannte das Gefühl. Er erkannte es in den Gesichtern der Leute, bei denen ihn die Rebellen untergebracht hatten. Es war ein Ausdruck von Grauen und Schuldbewußtsein und Ungeduld, der Ausdruck von jemandem, der soeben betrogen worden war und jetzt dahinterkam, daß man dafür ins Gefängnis kommen konnte.

Endlich öffnete sich die Tür des Zimmers. Die Ärztin stand da und trocknete sich die Hände an einem gestohlenen Hotelhandtuch ab. »Sie können jetzt hereinkommen«, sagte sie. Sie hatte die Spur eines britischen Akzents.

»Danke«, sagte Carmichael.

Carla nickte ihm zu, als er eintrat. Sie lag von Kissen gestützt in der Hängematte, mit frischen Verbänden um die Schulter und einen Fuß. Carmichael konnte den Verband um ihr Bein wegen der Jeans nicht sehen. Sie sah etwas verstört aus, aber immerhin entschieden besser, als sie noch vor zehn Minuten ausgesehen hatte.

Die Ärztin hatte eine dunkle Sonnenbräune und blondes Haar, das sich unter den Ohren nach innen wellte. Eine Frisur, die die blassen Augen und die hervorspringende Nase sozusagen in Klammern setzte. Ihr übergroßes T-Shirt, das von ihren kleinen, spitzen Brüsten kaum ausgebeult wurde, wies jetzt einige Flecken von trocknendem Blut auf.

Es war Wochen her, seit Carmichael eine Frau aus seinem eigenen Kulturkreis gesehen hatte, was soviel heißen sollte wie groß und blond und englischsprechend, nicht eingezwängt in Büstenhalter und lange Röcke und jahrhundertelangen Katholizismus. Trotz der Blutflekken erwartete er, daß sie nach Parfüm riechen würde, doch tatsächlich roch sie nach gar nichts.

»Ich habe von Ihnen gehört«, sagte Carmichael zu ihr auf englisch. »Sie sind diejenige, die alle paar Monate durch Nahá kommt und sich um die Lacandonen kümmert. Sie alle sprechen von Ihnen.«

»Ja, das bin ich. Ich komme zufällig gerade von dort.«

»Ich war vor etwa drei Wochen dort.« Er versuchte, ihren Blick zu treffen, doch sie sah auf ihre Instrumente hinunter, die sie in orangegefärbtem Wasser wusch und auf einem Stapel der Hotelhandtücher auslegte. »Ich habe eine Reportage über Chan Ma'ax geschrieben.«

»Mmm«, sagte sie.

»Einer der *compas* stammt aus Nahá«, sagte Carla auf spanisch. Carmichael hatte nicht gewußt, daß sie zuhörte, und schon gar nicht, daß sie gut genug Englisch verstand, um dem Gespräch zu folgen. »Er redet die ganze Zeit von seinem alten *brujo,* dieser Chan Ma'ax. Lebt er noch?«

»Soweit ich weiß schon«, sagte die Ärztin, die jetzt ebenfalls zu Spanisch überwechselte. »Ich bin zwei Tage früher hierhergekommen, weil Chan Ma'ax und sein halbes Dorf zu einer Wallfahrt aufgebrochen sind. Nahá ist so gut wie verlassen.«

»Wohin sind sie gegangen?« fragte Carmichael. »Nach Na Chan?«

Die Ärztin nickte. Sie verstaute die Handtücher und die Instrumente in einem teuer aussehenden Rucksack aus Leder und Segeltuch.

»Na Chan«, wiederholte Carla.

»Ein hübscher Ort«, sagte die Ärztin. »Ich bin zwei- oder dreimal durchgekommen. Die Amerikaner haben den größten Teil der alten Stätte ausgegraben und sind dann weggegangen und haben sie wieder sich selbst überlassen. Es sieht dort aus, als ob die Maya sie gerade erst verlassen hätten. Sehr gespenstisch, irgendwie an die Vergänglichkeit gemahnend.« Sie schloß die Schnallen des Rucksacks und wog ihn in der Hand. »So. Ich muß weiter. Um den Arm und den Schenkel steht es nicht so schlimm, glaube ich. Mit dem Fuß ist es ernster. Wenn Sie nicht aufpassen, muß er abgenommen werden. Vielleicht muß er ohnehin abgenommen werden.«

»Vielen Dank für alles, was Sie getan haben«, sagte Carla. »Der Revolution würde Ihr Können sehr zugute kommen.«

»Die Revolution beschert mir bereits mehr Patienten, als ich behandeln kann.«

»Sie halten wohl nichts davon«, sagte Carla.

»Ich stelle mich auf keine Seite. Weder auf Ihre noch auf die der Regierung.« Sie setzte sich den Rucksack auf und rückte die Polsterung der Riemen zurecht. »Aber ich möchte Sie warnen. Ein großer amerikanischer Konvoi befindet sich nicht mehr weit von der Stadt. Er nähert sich in dieser Richtung.«

»Nordamerikaner?« fragte Carla. »*Yanquis?*« Die Art, wie sie das »Y« aussprach, ließ es wie »Junkies« klingen.

»Ja«, sagte die Ärztin.

»Sind Sie sicher?« sagte Carmichael.

»Wieso wissen Sie davon?« fragte Carla. »Ihre Regierung klärt Sie doch nicht über diese Dinge auf.«

»Aber woher sind sie gekommen?« Carmichael war wieder zum Englischen übergegangen.

»Aus dem Himmel, glaube ich«, sagte die Ärztin. »Wie große weiße Götter. Herabgestiegen aus himmlischen Gefilden auf den Flügeln eines Lufttransporters. Wenn Sie mich jetzt bitte entschuldigen würden, ich muß gehen.«

»Warten Sie!« sagte Carmichael. »Seit ich hier bin, nimmt es jeder sozusagen als Tatsache hin, daß US-Truppen hier waren. Aber niemand hat sie wirklich mit eigenen Augen gesehen.«

Die Ärztin lächelte vor sich hin. »Ich vermute, Sie werden dieses Vergnügen in Kürze haben.«

Er wollte nicht, daß sie ging. »Ich weiß nicht einmal Ihren Namen«, sagte er.

»Sie brauchen ihn nicht zu wissen«, entgegnete sie und schloß die Tür hinter sich.

Carla richtete sich in der Hängematte auf. Auf dem Boden neben ihr lag ein Stapel Altfrauenkleidung, und sie versuchte, ihren verbundenen Arm in den Ärmel des Kleids zu zwängen.

»Ich dachte, du wärst längst weg«, sagte sie zu Carmichael. »Was ist aus deiner Geschichte geworden?«

»Ich habe einen kleinen tragbaren Computer im Gepäck. Darauf habe ich die Geschichte geschrieben und sie per Telefon durchgegeben.«

»Phantastisch!« sagte Carla. »Aber du hast keine Angst, weiter hier zu bleiben?«

»Du hast eine Verabredung mit Raul Venceremos. Ich möchte dabeisein. Wenn ich nur ein paar Fotos bekommen könnte, von euch beiden zusammen, das würde schon reichen. Dann könnte ich das Gefühl haben, meine Sache zu Ende gebracht zu haben. Dann könnte ich nach Hause zurückkehren.«

»Du bist verrückt. Du kannst nicht mitkommen.«

»Warum nicht?«

»Weißt du, um was du da bittest? Weißt du, was passieren würde, wenn die Guardia uns beide zusammen schnappen würde?«

»Du kannst mir vertrauen. Du weißt, daß du es kannst. Faustino vertraut mir jedenfalls.« Tatsächlich hatte Faustino ihm einen *correo* geschickt und ihm ausrichten lassen, wo Carla war. »Erzähl mir nicht, Venceremos wäre nicht auf Publicity aus.«

»Schon gut, schon gut.« Selbst das Sitzen schien sie zu erschöpfen. »Du kannst mitkommen. Aber wenn Venceremos nein sagt, dann mußt du gehen. Versprichst du das?«

»Sicher. Okay. Ich verspreche es.«

»Gut. Jetzt geh raus, damit ich mich anziehen kann.«

Sie ließ nicht zu, daß Carmichael neben ihr herging. Sie erklärte ihm, daß sie verdächtig genug aussähe, wie sie mit der Krücke herumhumpelte, die Faustino ihr angefertigt hatte. Sie bestand aus einem gegabelten Zweig, und die Quersprosse war mit Zwirn festgebunden. Zusammengefaltetes Zeitungspapier war als Polsterung um die Gabelstelle gewickelt und mit Klebeband befestigt.

Carmichael gab ihr einen Vorsprung von zwei Minuten und ging dann hinter ihr her.

Nichts rührte sich in den Straßen außer kleinen Staubwolken, die vor dem Wind aufstoben. Sie befanden sich in dem Teil der Stadt, in dem die Oberschicht wohnte, vom Dschungel getrennt durch ein paar Morgen Land mit Weizenfeldern. Er lag hoch genug am Hang, daß Carmichael hinunterschauen konnte auf die Dorfkirche und den *zócalo* davor, etwa einen Kilometer weit entfernt. Als er weiter hügelabwärts kam, wurden die Blau- und Rosa- und Gelbtöne der Häuser abgelöst durch Kalktünche oder unverputzte Lehmziegel oder Hohlblocksteine.

Die Türen und Fenster waren verschlossen. Offensichtlich hatte sich die Kunde verbreitet, daß die US-Soldaten auf dem Vormarsch waren. Zwei Straßen weiter brannte ein Feuer, und ein zweites am Fuß des Hügels. Die Luft war erfüllt von beißendem Rauch. Die Sandinisten hatten Feuer dazu benutzt, die Leute zu ihren Versammlungen zu locken. Inzwischen waren sie in ganz Lateinamerika zum Symbol der Revolution geworden.

Carmichael bog um eine Ecke und sah Carla anderthalb Häuserblocks vor sich, qualvoll humpelnd. Ihre Verkleidung war gut. Mit den Schals und dem Rosenkranz, dem schwarzen Kleid, das mit schmutzigen Tüchern ausgestopft war, und dem grün-roten Plastikeinkaufsnetz war sie perfekt. Sie war buchstäblich unsichtbar.

Sie blieb in einem Eingang stehen und unterhielt sich kurz mit jemandem, dann ging sie hinein. Carmichael zählte bis hundert und ging zu dem Haus.

Auf der Türstufe waren zwei Jungen in Jeans und T-Shirts. Sie hatten Schultertücher um, die sie sich jederzeit im Sandinista-Stil über die Gesichter ziehen konnten. Der ältere Junge war vielleicht fünfzehn. Im Schatten des Eingangs konnte Carmichael ein einläufiges .22er Gewehr erkennen. Der jüngere der beiden hatte eine billige Pistole in der Hose stecken.

»*Qué queres, gabacho?*« fragte der Ältere.

»Ich bin eingeladen«, sagte Carmichael.

»Wozu eingeladen?«

»Zu dem Treffen. Zwischen Carla und Venceremos.«

»Kennst du das Losungswort?« fragte der Jüngere.

»*Cállate, pendejo!*« schimpfte der Ältere und versetzte ihm einen kräftigen Schlag auf den Kopf. »Es gibt kein verdammtes Losungswort.«

»Schlag mich nicht!« Die Augen des Jüngeren waren gerötet, und seine Stimme klang schrill.

»Scheiße! Du bist ein solches Baby!«

Plötzlich stand der Jüngere auf, und seine Hand lag auf dem billigen Schießeisen. »Ich bin kein Scheißbaby!«

Carmichael trat einen Schritt weiter heran.

»Okay, okay«, sagte der Ältere. »Du bist kein Baby. Du bist ein Scheiß*pendejo,* aber du bist kein Baby. Jetzt beruhige dich, und laß dieses Arschloch hier nicht aus den Augen, während ich fragen gehe.« Er sah Carmichael an. »Wie heißt du?«

»Carmichael. John Carmichael.«

»Okay. Du bleibst hier, während ich hineingehe. Sonst schießt Rafael dir den Arsch ab.«

»Geht in Ordnung«, sagte der Jüngere.

Der Ältere ging mit seinem Gewehr hinein.

»Wie alt bist du?« wollte Carmichael wissen.

»Das geht dich einen Scheißdreck an«, sagte Rafael.

Carmichael hob die Hände. »Schon gut, okay«, sagte er. »Ruhig Blut!« Er stand etwa eine Minute lang in der Hitze und Stille. Er glaubte, in der Ferne das dumpfe Brummen von Fahrzeugen zu hören. Der US-Konvoi, dachte Carmichael.

Dann kam der Ältere zurück und forderte ihn mit einer Bewegung seines Gewehrkolbens auf, ihm zu folgen.

»Raul Venceremos«, sagte der Mann. Er stand auf und schüttelte Carmichael die Hand. Ein paar Sekunden zuvor hatte Carmichael ihn für einen Clown in Positur gehalten. Jetzt verrieten sein Lächeln und die Körpersprache, daß Carmichael keine andere Wahl hatte, als ihn ernst zu nehmen.

Venceremos trug einen sorgfältig gebügelten grünen Drillichanzug. Er war untersetzt und kräftig gebaut und hatte einen üppigen Schnauzbart. Er trug ein schwarzes Barett schräg auf dem Kopf und hatte einen einzelnen Goldknopf im rechten Ohr. Sein Händedruck hinterließ den Duft von billigem Eau de Cologne an Carmichaels Hand.

Ihm gegenüber am Tisch hatte Carla sich die Schals heruntergezogen und um die Schultern gelegt. Das Einkaufsnetz lag am Boden neben ihr, in guter Reichweite. Carmichael wußte, daß darin zwischen den Lumpen eine .45er Automatik verborgen war.

Zwei junge Soldaten, jeweils mit einer M 16 bewaffnet, lehnten an der Wand hinter Venceremos und taten so, als ob sie nicht bei der Sache wären. Ansonsten war das Haus leer. Die jungen Soldaten trugen ordentliche Drillichanzüge, genau wie Venceremos. Carla betrachtete angestrengt die Stiefel der Männer. Es waren schwarze, bis oben hin geschnürte Kampfstiefel mit hohem Schaft, wahrscheinlich Überschüsse aus Vietnam. Informantenstiefel nannten die *compas* sie, weil kein echter Guerilla sich solche leisten konnte.

»Bilder willst du machen?« fragte Venceremos.

»Genau«, sagte Carmichael. »Kann ich euch beide zusammen draufbekommen?«

»Nicht in diesem Aufzug«, sagte Carla. »Ich sehe wie eine Schwachsinnige aus.« Sie wartete, daß Carmichael sein Vorhaben aufgeben würde, doch er sagte nichts. Er wollte die Bilder wirklich. Schließlich knöpfte sie das Oberteil ihres schweren schwarzen Kleids auf und zog es sich über die Schultern. Darunter trug sie ein olivbräunliches T-Shirt. Offensichtlich tat es ihr höllisch weh, die Arme aus dem Kleid zu bekommen, aber niemand bot ihr Hilfe an.

Carmichael baute die beiden so auf, daß sie sich quer über den Tisch die Hände schüttelten. Sie machten ein angemessen finsteres Gesicht. »Okay«, sagte er. »Das reicht für den Moment.« Wenn sie etwas lockerer würden, würde er später noch ein paar machen.

»Wir haben nicht viel Zeit«, sagte Carla. »Während wir hier herumsitzen und reden, nähern sich die Nordamerikaner der Stadt.«

»Das weiß ich.« Venceremos kratzte sich an einem Nasenflügel und strich sich danach den Schnauzbart glatt. »Ich bin bereit, gleich zur Sache zu kommen, wenn du es ebenfalls bist.«

»Bitte.«

»Wir wissen beide, wo das Problem liegt«, sagte Venceremos. »Das Problem ist, daß es in diesem Land mindestens zwei Dutzend linksgerichtete Parteien und revolutionäre Bewegungen gibt. Es gibt keine einheitliche Führung, keine Koordination.«

Carlas Gesicht war ausdruckslos. »Wie du sagtest, wir alle kennen das Problem.«

»Und wir beide kennen die Lösung. Wir alle kennen sie. Wir brauchen so etwas wie eine Schirmorganisation, wie die FSLN in Nicaragua. Wir müssen das tun, was die PSUM ohne Erfolg versucht hat. Wir müssen uns auf jemanden als Anführer der vereinigten Front einigen, und wir müssen all unsere Soldaten auf die einheitliche Führung einschwören. Bis dahin sind wir nichts als ein Haufen verschiedenartiger Flöhe, die denselben Hund ärgern.«

»Ja, das wissen wir. Wir alle wissen das. Soll das heißen, daß du mir den Job anbietest?«

Venceremos lehnte sich auf seinem Stuhl zurück und rieb sich nervös am Bart. »Dein Name wurde natürlich erwähnt.«

»Scheiße. Wer hat ihn erwähnt? Was haben sie gesagt? Wann wurden all diese Gespräche geführt? Warum war ich nicht dabei, um meinerseits ein paar Namen zu erwähnen?«

»Du wurdest bei den Soldaten gebraucht. Leutnant Ramos war dabei, um dich zu vertreten.«

»Muttergottes!« Carla beugte sich über den Tisch. »Ramos vertritt nicht mich. Er vertritt *dich!* Er spricht nicht für mich, er plappert alles nach, was du ihm vorsagst!«

Venceremos sah Carmichael mitleidheischend an. Carmichael zeigte keinerlei Regung. Venceremos wandte sich wieder an Carla. »*Cálmate*«, sagte er sanft. »Bis jetzt ist noch nichts beschlossen.« Carla setzte sich. »Beantworte mir nur eine Frage«, sagte er. »Würdest du den Job wollen, wenn wir ihn dir anböten? Ehrlich?«

»Nein«, sagte Carla. »Aber das ist nicht das Entscheidende.«

»Das *ist* das Entscheidende. Sei doch realistisch. Du hast deine Stärken als Soldat, als Kämpferin. Du gehörst in die Berge. Um all diese Splittergruppen zu einen, bedarf es eines Diplomaten, eines Politikers. Jeder soll gemäß seinen Fähigkeiten eingesetzt werden.«

»Ich habe die Schnauze voll von Politikern! Scheiß auf alle Politiker! Die Politiker haben uns die Welt beschert, die wir jetzt haben.«

»Ich bewundere deinen Idealismus. Doch wie soll es weitergehen, wenn die Revolution erfolgreich ist? Wer wird uns dann anführen?«

»Das soll das Volk entscheiden.«

Zum erstenmal ließ Venceremos sein wäßriges Lächeln fallen.

»Red doch nicht so einen Unsinn! Selbst für eine vollkommene freie Wahl braucht man Kandidaten. Du weißt so gut wie ich, daß das Volk für denjenigen stimmen wird, von dem es glaubt, daß es für ihn stimmen *soll.*«

»Welchen Sinn hat es zu streiten? Warum bin ich überhaupt hier? Du hast bereits entschieden, du hast dich selbst gewählt. Was willst du also von mir? Soll ich dich mit geweihtem Wasser bespritzen?«

Venceremos wandte sich an einen der Wachtposten. »Hol mir das Papier!« sagte er. Weiteres Schmierentheater, dachte Carmichael. Der Junge holte mit großem Aufhebens eine Papprolle aus einem Rucksack zu seinen Füßen und reichte sie Venceremos.

Venceremos nahm ein Blatt Luftpostpapier aus der Verpackung, rollte es in die andere Richtung, damit es flach würde, und legte es vor Carla auf den Tisch.

»Möchten Sie das auch sehen?« fragte er Carmichael.

Er blickte ihr über die Schulter und las mit. Oben auf der Seite stand »Manifest der Volksfront des Freien Mexiko.« Auf spanisch ergaben die Anfangsbuchstaben FPML. Darunter standen sechs durchnumerierte Paragraphen, in denen der Rücktritt des Präsidenten de la Madrid und acht anderer führender Mitglieder der PRI gefordert wurde, ferner freie Wahlen, eine Landreform, eine neue Ölpolitik. Das Papier versprach »terroristische und gewalttätige Handlungen«, wenn den Forderungen nicht entsprochen würde. Das Ganze war mit einer billigen Maschine getippt worden; die a- und die g-Taste hätten gereinigt werden müssen.

Es war unterschrieben mit »Raul Venceremos, FPML«, sowie einem halben Dutzend anderer Namen. Der untere Teil war überwiegend bedeckt mit den Namen und den Bewegungen, die sie jeweils repräsentierten: Sozialistische Arbeiterpartei, Nationalistische Revolutionäre Bürgervereinigung, Partei Der Armen, Kommunistische Liga Dreiundzwanzigster September, Bewaffnete Revolutionäre Bewegung.

»Nehmen wir nur einmal an, ich wollte es nicht unterschreiben«, sagte Carla. »Was geschähe dann?«

»Warum solltest du es nicht unterschreiben wollen?« fragte Venceremos.

»Laß uns nicht über die Gründe sprechen. Laß uns nur als Ansatz für eine Diskussion annehmen, ich hätte es nicht getan. Was dann?«

»Dann würdest du auf der Strecke bleiben. Deine Bemühungen wären vergeudet, denn sie wären nicht mit unserer übrigen Arbeit koordiniert. Wir wären nicht in der Lage, dich in die Übergangsregierung aufzunehmen, die wir nach unserem Sieg stellen werden.«

»Und natürlich wärt ihr nicht mehr in der Lage, für meine Sicherheit zu garantieren, richtig?«

Venceremos hob die Schultern.

Carla las das Manifest zum zweitenmal, wobei sie sich mit dem Daumen der linken Hand den Ballen der rechten rieb. Carmichael hatte den Eindruck, daß sie das tat, um sich daran zu hindern, das Papier zu zerknüllen und Venceremos damit zu bewerfen.

Schließlich sagte sie: »Die Sprache ... es ist sehr schön abgefaßt.« Sie sah Venceremos nicht an. »Du mußt mich verstehen. Ich kann eine solche Entscheidung nicht allein treffen. Ich muß darüber abstimmen lassen. So hätte es Acuario gewünscht.«

Wenn er lebte, dachte Carmichael. Wenn Acuario lebte, dann wäre es überhaupt keine Frage, wer die vereinigte Front anführen würde. Eine Sekunde lang fragte sich Carmichael, ob Venceremos möglicherweise hinter dem Mord an Acuario steckte. Mit einem einzigen Streich hatte die Bewegung ihren Märtyrer bekommen und Venceremos war an die erste Stelle gerückt.

»Ich verstehe«, sagte Venceremos. Sein Kopf bewegte

sich mit steifen kleinen Rucken, bei denen er sich gleichzeitig etwas aufplusterte, wie ein Waran oder ein Vogel. Er sah aus, als bereite es ihm physische Pein, sie nicht anzuschreien.

Carla stand auf. »Ich werde mich in einem oder zwei Tagen melden. Ich werde einen *correo* schicken.«

Venceremos nickte. Sein Gesicht war rot vor Zorn. Mit spitzen Fingern zog er sein Papier wieder zu sich heran, als ob Carla darauf gepinkelt hätte. Carmichael mußte ständig an die .45er in ihrem Einkaufsnetz denken. Carla drehte Venceremos den Rücken zu. Nichts geschah. Sie öffnete die Tür, und Carmichael folgte ihr hinaus auf die Straße.

Rafael, der kleine Junge mit der Pistole, winkte ihr zu. *»Ten cuidado, vieja«,* sagte er. Paß auf dich auf, Alte. Carla starrte ihn verblüfft an.

»Komm!« sagte Carmichael.

»Dieser kleine Pimmel!« sagte Carla und ging weiter. »Er kann von der Guardia erschossen werden, nur weil er diese Waffe trägt. Aber es bedeutet ihm nichts. Es ist nur ein Spiel. Wie bei dem größeren Pimmel da drin, für den er arbeitet. *Piricuaca!* Ich glaube den Humbug nicht, den er mir aufgetischt hat.«

»Was willst du jetzt tun?«

»In die Berge zurückkehren. Kämpfen. Das ist wenigstens etwas, das ich begreife. Scheißpolitik. Scheißvenceremos und sein Manifest!«

»Was sind das alles für Machenschaften, über die er gesprochen hat? Was soll das heißen, du bleibst auf der Strecke?«

»Oh, ich glaube es. Es sind Politiker, die die Revolution machen. Venceremos wird wahrscheinlich in die Geschichte dieser hier eingehen. Das Volk kommt darin überhaupt nicht vor, bis zum Schluß. Ich meine, die Leute sympathisieren damit, und nach und nach, wenn sie merken, es ist ungefährlich, dann machen sie alle mit. Aber vor allem haben sie Angst.«

Sie blieb mitten auf der Straße stehen und stützte sich mit ihrem ganzen Gewicht auf die Krücke. Carmichael streckte die Hände aus, um sie zu halten. »Nein, laß das!« sagte sie. »Du mußt gehen! Sofort!«

»Okay«, sagte er.

»Weißt du, was heute morgen geschehen ist? Das Haus, in dem ich Unterschlupf gefunden habe, gehört einem Mann namens Hernández. Heute morgen kommt er mit seinem kleinen Jungen, um ein paar Sachen zu holen. Der Junge ist vielleicht sechs oder sieben. Hernández ist im anderen Schlafzimmer, und ich zeige dem Kleinen meine Pistole. Ungeladen, verstehst du. Das ist etwas, das ich eurem CIA-Buch entnommen habe, daß man den Leuten seine Waffen zeigen soll, damit sie keine Angst vor einem haben. Also lasse ich ihn mit meiner Pistole spielen, und weißt du, was er sagt?«

Carmichael schüttelte den Kopf.

»Er richtet die Kanone auf mich und tut so, als ob er schösse, und sagt ›*Cowboy*‹, genau so, auf englisch. ›*Cowboy*‹. Er hat keine Ahnung, absolut keine. Er kennt nur das Fernsehen. Und dann kommt sein Vater herein und sieht ihn mit dem Gewehr, und ich denke, daß er vielleicht wütend sein wird oder vielleicht auch stolz und glücklich, aber er ist lediglich traurig. Er steht einfach nur da, schaut und sieht aus, als ob er anfangen wollte zu weinen, so traurig ist er.«

Carla wandte den Blick von ihm ab, die Straße hinunter. »Da kommt man ins Grübeln. Ins Grübeln darüber, warum man weitermacht.«

»Wirst du es allein schaffen?« fragte Carmichael.

»*Claro que sí.* Bald geht es mir wieder gut. Ich bin nur müde, sehr müde.« Sie machte probeweise einen Schritt. »Ich muß gehen. Folge mir nicht mehr. Es ist zu gefährlich.«

Er stand auf der Straße und sah ihr nach, bis sie um eine Ecke bog und verschwand.

Er mußte fast bis zum *zócalo* gehen, bis er ein Café fand, wo er sich hinsetzen konnte. Der Kellner brachte ihm ein Tres Equis, und er drückte mengenweise Zitronensaft in die Dose und kippte die Hälfte des Inhalts in einem Zug hinunter. Es war erst elf Uhr morgens, herrje! Das Restaurant war leer, und er hörte das Quietschen der Deckenventilatoren, die sich loszureißen drohten.

Alles schien sich hier loszureißen.

Höchste Zeit, von hier zu verschwinden, dachte Carmichael. Schustere dir einen Artikel zurecht, gib ihn in den Computer, laß die Bilder entwickeln, bevor der Film zufällig durch Strahlen zerstört wird, und nimm das nächste Verkehrsmittel nach L.A. Es würde nicht die Story dabei herauskommen, die er sich vorgestellt hatte. Sie würde viele Fragen offen lassen und nicht viel Meinung enthalten. Sie würde genau da aufhören, wo die Dinge anfingen, interessant zu werden, mit Carlas ungewisser Zukunft. Zu schade, dachte er.

Ein Jeep preschte holpernd die Straße entlang, an der offenen Front des Cafés vorbei.

Carmichael nahm sein Bier und setzte sich so hin, daß er die Straße beobachten konnte. Bevor sich der Staub des ersten Jeeps gelegt hatte, raste ein zweiter vorbei. Carmichael schätzte, daß sie bestimmt siebzig fuhren, doppelt so schnell wie das, was der Zustand dieser schmalen, holperigen Straßen erlaubte. Ein dritter Jeep hielt nur ein paar Meter entfernt quietschend an, und diesmal erhaschte Carmichael einen ausreichenden Blick auf das Zeichen an der Seite.

Es hatte die Form eines Schutzschildes mit dem Wort ›FIGHTING‹ darüber und die Ziffern und Buchstaben ›666TH‹, ausgeführt im Comic-Stil, mit schattenhaften Rändern. Widderhörner kamen aus den oberen Ecken, und unter den Buchstaben war ein lachender Mund, wo der Schild spitz zulief. Das Ganze wirkte wie ein dreiäugiges Satansgesicht, das Carmichael großes Unbehagen bereitete.

Die Männer in dem Jeep waren ihm auch nicht angenehmer. Das Sonnenlicht war grell, und in der Bar war es düster, deshalb konnte er sie beobachten, ohne selbst gesehen zu werden. Er hatte erwartet, daß es sich um eine Horde grüner Jungen mit rasierten Köpfen handeln würde. Statt dessen sahen sie wie Bauarbeiter aus. Nur einer der sechs wirkte jünger als Ende Zwanzig oder Anfang Dreißig. Sie trugen T-Shirts, Schirmmützen mit langen Haaren darunter und verschiedene abgeschnittene und gefärbte Variationen von Drillichanzügen. Sie hatten Schnauzbärte, lange Koteletten und in einem Fall einen Vollbart. Es waren drei Anglos und zwei Schwarze, und einer war irgend etwas dazwischen, der nach Carmichaels Einschätzung ein Chicano, Inder oder Iraner hätte sein können.

Der Jeep holperte wieder los, und der Rest der Meute hinterher. Inzwischen war der Staub in der Luft so dick, daß Carmichael keine Gesichter mehr ausmachen konnte. Er zählte weitere sieben Jeeps, dann war der Spuk vorbei.

»Was halten Sie davon?« fragte er den Barmann.

»Wovon?«

»Von den Nordamerikanern. Den Soldaten. Davon, daß sie in Ihre Stadt kommen.«

»Gut für sie. Ich hoffe, sie geben den Rebellen einen Tritt in den Arsch.« Doch er konnte Carmichael beim Sprechen nicht in die Augen sehen.

Ist das die Wahrheit? fragte sich Carmichael. Oder sagst du das, weil du glaubst, daß ich es hören will?

Er nahm noch einen Schluck Bier, doch es war zuviel Staub hineingeraten. Er ließ die Dose auf einem Tisch neben der Tür stehen und legte eine Handvoll fast wertloser Hundert Peso-Scheine daneben.

Er hörte kaum das Läuten des Telefons, doch Pams Stimme war einigermaßen deutlich. »Büro Wilshire.«

»Hier spricht Carmichael.«

»Carmichael! Herr im Himmel, wo steckst du?«

»In Usumacinta. Das ist eine kleine Stadt in Chiapas.«

»Und was machst du dort? Ich dachte, du wolltest zurückkommen.«

»Das wollte ich auch. Ich habe gerade etwas Unheimliches gesehen. Eine ganze Kompanie von US-Soldaten. Sie hatten ein Zeichen auf ihren Jeeps und darauf stand ›Fighting 666th‹.«

»Was? Sagtest du 666th?«

»Mhm. Weißt du, wer das ist?«

»Bekommst du dort keine Zeitungen? Du lieber Himmel, bleib mal eine Sekunde dran.«

Carmichael sah durch beschlagenes Plastik in die Halle des Fernsprechamts. Es war ein breiter linoleumbedeckter Gang mit Telefonzellen auf der einen Seite und billigen Plastikstühlen auf der anderen. Der Telefonist hatte Carmichaels Nummer angewählt und ihm eine Zelle angewiesen, als die Verbindung zustande gekommen war. Er würde die Gebühr für ein Gespräch mit Voranmeldung beim Hinausgehen am Schalter bezahlen.

Pam war wieder am Apparat. »Du hast wirklich nichts von all dem gehört?«

»Von was denn?«

»*Sechzig Minuten* brachte am Sonntag ein Interview mit einem sogenannten pensionierten Generalmajor namens Singlaub. Er ist der Kopf von einer Erscheinung, die sich Rat der Vereinigten Staaten für die Weltfreiheit nennt.«

»Das hört sich geheimnisvoll an.«

»Sie gehören der Antikommunistischen Weltliga an. Sie finanzieren überall in der Welt private Armeen. Die Nicaraguaner haben gerade erst eins ihrer Flugzeuge abgeschossen, das mit Waffen und Ausrüstung für die Contras beladen war.«

»Du sagst, diese 666th ...«

»Das ist eine ihrer Kampftruppen. Wir haben es hier mit einer vollständigen Privatarmee zu tun. Diese ›666th‹ wird von Colonel Marsalis befehligt. Wir haben am Montag angefangen, Daten über ihn zu sammeln. Sekunde mal ...« Carmichael lauschte dem trockenen Klappern von Computertasten. »Hör zu! Vietnam-Veteran, vor ein Kriegsgericht gestellt und von der Schuld an einem Unternehmen im Stil von My Lai freigesprochen. Ging vor drei Jahren vorzeitig in Ruhestand. Zur gleichen Zeit rekrutierte er einen Haufen von seiner alten Einheit aus Nam für diesen Typen Singlaub.«

»Kann er das so einfach?«

»Du meinst rechtlich? Es gibt kein Gesetz, das amerikanischen Bürgern verbietet, in fremden Kriegen zu kämpfen. Es ist illegal, innerhalb der USA Leute für einen militärischen Schlag gegen ein Land zu rekrutieren, mit dem wir uns nicht im Kriegszustand befinden. Aber wie will man das beweisen? Und wenn du die Frage realistisch meinst, ob er das kann, dann laß mich nur erwähnen, daß der Pilot jenes Flugzeugs in Nicaragua für Southern Air Transport gearbeitet hat. Geht dir ein Licht auf?«

»CIA«, sagte Carmichael.

»Volltreffer! Singlaub hat in dem Interview immerhin zugegeben, daß Reagan persönlich ihn finanziell unterstützt hat. Jetzt ist die Scheiße im Ventilator, und alle streiten alles ab. Wir waren der Ansicht, diese 666th befände sich in Nicaragua. Hast du Fotos?«

»Noch nicht.«

»Wenn du welche machen kannst, tu's! Wenn du beweisen kannst, daß sie in Mexiko sind, dann steht uns Pulitzer ins Haus. Aber sei vorsichtig, okay? Ich mache keine Witze. Sie werden es nicht mögen, wenn irgend etwas herauskommt.«

Das Fernsprechamt war einen Häuserblock vom *zócalo* entfernt. Vom Eingang aus beobachtete Carmichael, wie die Jeeps kreisten, wie Indianer vor dem Angriff auf eine Eisenbahn.

Er hatte einen neuen Film in die Kamera eingelegt. Jetzt stand er da und spürte, wie ihm der Riemen ins Genick schnitt. Er stellte Blende 5,6 ein, um wenigstens etwas Tiefenschärfe zu bekommen.

Er hob die Kamera und begann zu schießen. Er verschoß den kompletten Film, so schnell der Motor die Rolle weiterspulen konnte. Als er erst einmal angefangen hatte, hatte er Angst, weiterzumachen, Angst aufzuhören. Als er fertig war, wickelte er den Riemen um den Apparat und steckte ihn in seine Hemdtasche. Sie hatten ihn noch nicht entdeckt, sonst hätten sie ihn verfolgt. Jetzt ging es nur noch darum, daß er wegkommen mußte.

Es waren etwa fünf Schritte zur nächsten Ecke. Danach würden sie ihn nicht mehr sehen. Weshalb machst du dir Sorgen, fragte er sich. Sie sind deine amerikanischen Mitbürger. Ha ha ha.

Er konnte an nichts anderes denken als an die Gewehre. Es würde nicht leichter werden, wenn er weiter zögerte. Er öffnete die Tür und trat hinaus auf die Straße. Er wollte den Jeeps auf dem Platz nicht den Rücken zukehren, doch er tat es trotzdem.

Er konnte sich nicht erinnern, wie sein normaler Gang war. Es war wie manchmal beim Einschlafen, wenn er vergessen hatte, wie man schluckt. Wenn er erst anfing, darüber nachzudenken, dann geschah es nicht mehr automatisch, und es wurde sehr unangenehm, wenn sich sein Mund immer mehr mit Speichel füllte. Jetzt hatte er beim Gehen das Gefühl, als ob Fäden von seinen Händen zu den Spitzen seiner Wanderschuhe verliefen, als ob er eine tolpatschige, an sich selbst ziehende Marionette wäre. Eine Marionette in einer Schießbude.

Die Ecke war eine Unendlichkeit weit entfernt, und dann plötzlich, endlich, hatte er sie hinter sich gebracht.

Er verfiel in einen schleppenden Laufschritt. Die Straßen sahen alle gleich aus. Ihre Namen, mit denen Emaillekacheln an den Ecken der Gebäude beschriftet waren, wechselten jeweils nach ein paar Häuserblocks. Doch er orientierte sich an den Feuern und machte sich klar, welches seine Richtung sein mußte.

Drei Blocks hügelaufwärts bog er nach rechts ab. Er mußte irgendwann auf eine der Parallelstraßen stoßen, die wieder zurück zum *zócalo* führten. Entweder würden sie ihn sehen, dachte er, oder sie würden ihn nicht sehen. Er konnte nicht viel tun, um das zu beeinflussen.

Er wurde vor einem Fußgängerüberweg langsamer und war im Begriff, die Straße zu überqueren. Er konnte das Dröhnen der Jeeps nicht mehr hören. Das machte ihn nervös, doch er wollte sich nicht umsehen, aus abergläubischer Angst, daß sie spüren könnten, daß er sie beobachtete. Wenn doch nur außer ihm noch jemand auf der Straße gewesen wäre! Wenn er doch nur dunkles Haar und sonnenbraune Haut hätte! Wenn sich doch nur die Kamera nicht so in seiner Hemdtasche abgezeichnet hätte!

Jemand rief etwas. Er hörte, wie ein Motor abgewürgt wurde. Ich bin tot, dachte er. Er spähte den Hügel hinunter. Die Jeeps standen alle, und in einem davon hatte sich ein zerlumpter blonder Soldat mit einem Stirnband aufgerichtet und sah ihn an. »He!« brüllte der Soldat. »He, warte!«

Carmichael lächelte und nickte, als ob er nicht richtig verstanden hätte, und ging weiter. Als er beim nächsten Gebäude um die Ecke gebogen war, rannte er los, doch dann merkte er, daß er nicht wußte, wohin er rennen sollte.

Er rannte zu einer Tür in der Mitte eines Häuserblocks und klopfte mit den Fäusten dagegen. »Hilfe!« schrie er auf spanisch. »Um Himmels willen! Laßt mich ein!« Er rüttelte an dem lockeren Schloß an der Tür, und sie öffnete sich.

Dahinter war ein winziger, schmutziger Innenhof. Töpfe voller purpurroter Blumen standen überall herum. Jenseits davon war eine Fliegentür mit einer trüben Plastikfolie, die mit Reißzwecken dort festgeheftet war, wo das Fliegennetz hätte sein sollen. Er schloß das Tor hinter sich, sah jedoch keine Möglichkeit, es zu verriegeln. »Hallo?« sagte er. Er hörte Jeeps draußen auf der Straße.

Er drückte die Klinke der Tür. Sie führte in eine Küche, in der eine Familie um einen verkratzten Holztisch saß. Die Mutter war eine kleine, dicke *campesina*, der Vater war um einiges größer und hatte einen Schnauzbart und gefettetes Haar. Außerdem waren noch vier Kinder da, vom Pubertätsalter abwärts, und eine Großmutter, die genauso angezogen war wie Carla am Morgen, ganz in Schwarz, eine Pseudononne, der letzte Stand der Evolution der mexikanischen Frau. Ihre Augen waren von einem weißlichen Film überzogen, und sie aß unbeeindruckt weiter; wahrscheinlich wußte sie nicht, daß Carmichael in der Tür stand.

»*Lo siento*«, sagte Carmichael. »Es tut mir leid. Ich muß mich verstecken. Amerikanische ... nordamerikanische Soldaten sind hinter mir her. Können Sie mir helfen? Bitte!« Seine Hände zitterten. Er steckte sie in die Taschen.

Die Kinder starrten ihn einfach nur an. Die Mutter hatte den Blick zu Boden gesenkt. Die Großmutter aß immer noch. Schließlich stand der Vater auf. Er sagte nichts. Er winkte Carmichael mit der Hand, ihm zu folgen, und führte ihn nach hinten in ein Schlafzimmer. Im oberen Teil eines Wandschranks war ein Regal eingebaut, über einer Holzstange, die voller Frauenkleidung hing. Der Mann zog eine alte grüne Armeedecke herunter und verschränkte dann die Hände ineinander, um sie als Stufe für Carmichaels Fuß hinzuhalten.

Es war die Geste der Eroberten, und sie erweckte in Carmichael das Gefühl, minderwertig und schmutzig zu sein. Es war für ihn fast so schlimm wie die Vorstellung, in diesen Wandschrank kriechen zu müssen.

»Par allá?« sagte er. Er hatte nicht den Eindruck, daß er dort Platz haben würde, ganz zu schweigen davon, daß ihn die alten Bretter aushalten würden. Der Mann bewegte sich weder, noch veränderte sich sein Gesichtsausdruck. Carmichael legte die Hände auf ein Regalbrett und ließ sich von dem Mann hochhieven.

Er stieß mit den Schultern an die Wände und die Dekke, und es waren drei Anläufe nötig, bis er es schaffte, seine Beine so weit abzuknicken, daß er sich durch die Öffnung zwängen konnte. Er umklammerte die Kamera, da er befürchtete, sie könnte aus der Tasche fallen und auf den Boden knallen. Er hatte das Gefühl, keine Luft mehr zu bekommen, und Schweiß trat ihm aus allen Poren. Die Bretter ächzten und bogen sich unter ihm, und er bemühte sich, sein Gewicht so weit an den Rand des Regals zu verlagern, wie nur möglich.

Jemand klopfte polternd gegen die Haustür. Carmichael hörte ein Geschrei mit verschiedenen nordamerikanischen Akzenten. Der Mann warf die Decke über ihn und schloß den Wandschrank. Carmichael kämpfte mit der Decke, bis er Lichtstreifen sah, die zwischen den Brettern der Tür hindurchfielen.

Die Decke war abgewetzt und mottenzerfressen und verströmte einen süßlichen, moschusartigen Duft, der ihn zum Brechen reizte. Sie fühlte sich wie Sandpapier an seinen nackten Beinen an. Seine Kleidung war schweißgetränkt, und er befürchtete, ohnmächtig zu werden. Er zwang sich, die Lungen mit Luft vollzupumpen.

Er hörte das Klappern von Geschirr und Besteck im Eßzimmer, ein Spanisch mit starkem fremden Akzent und den Mann der Familie, der antwortete. Und wenn er mich ihnen ausliefert? dachte Carmichael. Wenn er plötzlich die Hosen voll hat? Wenn er ein miserabler Schauspieler ist? Und wenn sie, o mein Gott, seine Kinder in einer Reihe aufstellen und eins nach dem anderen erschießen, bis er ihnen verrät, wo ich bin? Wären unsere Jungs zu so etwas fähig?

Sein linkes Bein wurde langsam gefühllos. Die Muskeln seines rechten Beins waren hart wie Stahlseile. Klaustrophobie. So etwas hatte er noch nie gehabt. Er mußte dringend mit den Beinen strampeln und seine Schultern recken, dann wäre wieder alles in Ordnung. Das Bewußtsein, daß er das nicht konnte, das Gefühl, von den rauhen Lehmwänden ringsum eingezwängt zu sein, lösten heftige Muskelkrämpfe bei ihm aus.

Er drehte sich so weit um, daß Blut durch sein linkes Bein strömen konnte, dann stemmte er sich gegen die Wand und drückte. Drückte und wurde ruhiger. Es fing gerade an, besser zu werden, als er vor dem Wandschrank ein Geräusch hörte.

Er sah an den Schatten in den Lichtspalten der Tür, daß sich jemand im Schlafzimmer bewegte. Er hörte, wie die Matratze von dem wackeligen Metallbettgestell gezogen wurde und zu Boden plumpste. »Der Wandschrank«, sagte eine Stimme auf englisch.

Die Tür wurde geöffnet. Carmichael sah einen weißen Jungen mit einer Mohawk-Frisur, nicht wie die Punker sie trugen, sondern einen breiten Streifen kurzgeschnittenen Haars, der längs über die Mitte seines Kopfes verlief. Er trug eine Drillichhose und ein Def-Leppard-T-Shirt. Die Brust des Schwarzen hinter ihm war nackt, er trug eine Hose aus Tarnstoff und ein zusammengerolltes Tuch um die Stirn. Beide hielten Infanteriegewehre aus Plastik in der Hand, die aussahen wie Spielzeug, bei denen Griff und Abzugbügel weit vorn lagen und das Magazin aus dem Kolben herausragte.

Der weiße Jugendliche stocherte mit seinem Gewehr zwischen der Kleidung herum. »Is' nix da«, sagte er. »Nur'n Haufen Scheißkleider!« »Hau'n wir ab!« sagte der Schwarze.

Sie ließen die Tür des Wandschranks offen und die

Matratze auf dem Boden liegen. Langsam ließ Carmichael die Luft aus der Lunge. Er hörte, wie sie durch die übrigen Zimmer des Hauses wüteten, und dann wurde alles still.

Er wartete noch eine halbe Stunde, bis er schließlich wieder auf die Straße hinaustaumelte, schweißgebadet und säuerlich riechend, mit verkrampften, schmerzenden Muskeln, mit traurigem Herzen und voller Angst.

An diesem Abend kam ein *correo* zu ihm in das Haus, in dem er untergeschlüpft war. Es war ein zehnjähriges Mädchen, das er noch nie gesehen hatte. Sie führte ihn an den Rand des Dschungels, wo Carla und Faustino einige Meter vom Weg entfernt saßen und auf ihn warteten.

»Die Soldaten haben euch also nicht gefunden«, sagte Carmichael und setzte sich zu ihnen. Er konnte kaum sein eigenes Flüstern hören, so laut summten die Insekten.

»Nein«, sagte Carla. »Aber wir können nicht mehr bleiben.«

»Wohin wollt ihr gehen?«

»Zurück in die Berge. Nach Na Chan, denke ich.«

»Ist es wegen ... dieser Vision, die du hattest? Die Sache mit Kukulcán?«

»Nein«, sagte Carla. »Es ist nur vernünftig. Die Ruinen bieten uns viele Verstecke. Die Regierung kommt nicht auf die Idee, dort nach uns zu suchen. Und wenn doch, dann würde sie keinen Angriff wagen, aus Angst, die Tempel zu beschädigen.«

Faustino beobachtete sie, während sie sprach, und sah dann Carmichael an. »Es ist wegen der gottverdammten Vision«, sagte er.

»Du hältst mich für verrückt«, sagte Carla.

»Ja.«

»Wird es eine Meuterei geben? Einen Schlag aus den eigenen Reihen?«

»Noch nicht«, sagte Faustino. »Du bist noch zu schwach. Das wäre kein echter Wettkampf.«

»Ein Scherz«, sagte Carla. »Mein Gott, er hat einen Scherz gemacht, vergiß das nicht, bevor du es in deiner Story untergebracht hast. Der Abend, an dem Faustino einen Scherz machte.«

Sie alle standen auf. »Ich mußte mich vor den Soldaten verstecken«, sagte Carmichael. »Vor meinen eigenen Landsleuten. Ich mußte mich in einem kleinen Wandschrank verstecken. Ich lag dort und dachte, daß das Ganze verrückt sei, daß ich einfach nur mit ihnen zu reden, ihnen alles zu erklären brauchte. Aber ich konnte es nicht. Wenn ich eine Waffe gehabt hätte, hätte ich sie umgebracht, glaube ich, so groß war meine Angst.«

»Wohin gehst du jetzt?« fragte Carla.

»Ich werde versuchen, etwas über diesen Colonel Marsalis herauszufinden und darüber, was seine Soldaten hier machen. Das ist jetzt der Schwerpunkt der Story.«

»Viel Glück«, sagte Carla.

»Euch auch«, erwiderte Carmichael. Er konnte sich des Gedankens nicht erwehren, wie er sie so über den Pfad weghumpeln sah, daß sie es nötiger haben würde als er.

Am nächsten Morgen wurde Carmichael durch das Kurbelgeräusch von Motoranlassern geweckt. Es war kurz nach der Morgendämmerung. Er lieh sich eine zerlumpte Hose und einen verbeulten Cowboy-Strohhut aus einem Stapel von Klamotten in der Ecke. Er stellte sich in die offene Tür und konnte die Soldaten ganz unten am Ende der Straße sehen, von wo sie hügelaufwärts in seine Richtung fuhren.

Und dann, ohne irgendein Signal, flogen Gegenstände aus Türen und Fenstern, die auf die Straße hinausgingen. Flaschen, Dosen, zerbrochene Möbelstücke, volle Müllbeutel, alte Reifen. Nichts traf die Jeeps oder landete auch nur in ihrer Nähe. Das Zeug stapelte sich einfach nur auf der Straße vor ihnen.

Carmichael trat in den Schatten zurück. Der vordere Jeep kroch vorbei, der Fahrer saß geduckt über dem Steuer und wich den schlimmsten Scherben und Nägeln und Abfallhaufen aus. Die Männer hinten im Jeep standen aufrecht, die Gesichter den Häusern zugewandt und die Gewehre schußbereit im Anschlag. Doch sie bekamen nichts zu sehen, auf das sie hätten schießen können.

Carmichael erinnerte sich daran, wie sie in der Stadt angekommen waren, mit aufheulenden Motoren und lachend und schreiend. Jetzt schrien sie nicht. Der Gedanke bereitete ihm ein beklemmtes, zugeschnürtes Gefühl, wie eine Erklältung in der Brust. »Adiós, ihr Scheißkerle«, flüsterte er, und dann fing er an zu lachen.

Es dauerte lange, bis er aufhören konnte. Doch irgendwann war die Sonne vollends aufgegangen, und die Jeeps waren verschwunden und die Straßen mit Glasscherben und Abfall bedeckt.

Z · W · E · I

Eddie hatte jedes Zeitgefühl verloren: daran war der Mond schuld. Er lag irgendwo allein in einer Hängematte, ungefähr fünfzehn Meter vom Tempel der Inschriften entfernt. Ein Schlangengott aus Stuck blickte von einer Ecke der Pyramide auf ihn herab. Das Licht des Mondes verlieh ihm ein Aussehen, als sei er erst an diesem Nachmittag aus Stein gehauen worden. Die Kuhlen und Schrammen verblaßten, die tiefe, flache Stirn neigte sich ihm zu, die Backen waren zu Halbkugeln aufgebläht, und die Zähne krümmten sich in einem heimtückischen Lächeln.

Der Gott war wieder jung, und die Stadt gehörte ihm. Als Gedächtnisübung überlegte Eddie, welcher Tag wohl sein mochte. Mittwoch, der sechzehnte Juli 1986. Das Datum bedeutete ihm gar nichts.

Er hatte erwartet, die verlorene Stadt von Na Chan von einem Dschungel überwuchert und unter Tonnen von Erde begraben zu finden. Statt dessen war ein halbes Dutzend der Tempel, die Thomas restauriert hatte, noch ziemlich klar zu erkennen. Er konnte ihre Form ausmachen, selbst bei Tageslicht, wenn seine Phantasie weitgehend brachlag. Die Lichtungen waren mit dürren Obstbäumen und niedrigem Palmgestrüpp bewachsen, doch die Empfindung für diesen Ort, seine Geografie, war noch immer gegenwärtig.

Ebenso waren es seine Geister. Eddie hörte sie in den langen, schmalen Räumen oben auf der Pyramide. Er dachte über die Macht nach, die eine derart greifbare Stätte haben mußte, wenn sie in der Lage war, die Zeit zu verzerren. Er hatte es von Anfang an gespürt, gleich beim erstenmal, als er den Schlangengott gesehen hatte.

Der Fußmarsch von Nahá hatte drei Tage lang gedauert. Während des ersten Tages war Eddie mindestens ein Dutzend Mal sicher gewesen, daß die anderen ihn zurücklassen müßten. Er hatte keine Kondition und einen Kater von dem *balché*, und ihm war immer noch nicht klar, warum Chan Ma'ax beschlossen hatte, ihn mitzunehmen. Er hatte Socken und Turnschuhe an, doch die Socken waren an der Ferse und hinter dem großen Zeh durchgescheuert.

Als der Nachmittagsregen einsetzte, wanderten sie unbeirrt weiter. Eddie konnte es nicht glauben. Der Regen prasselte mit solcher Wucht herunter, daß er Eddies Kopf und die Schultern nach vorn drückte, in solchen Strömen, daß er Ma'ax García, der direkt vor ihm herging, kaum sehen konnte.

Es waren zwölf Lacandonen, insgesamt waren sie also dreizehn. Dreizehn Männer am dreizehnten Juli. Eddie behagten diese Omen nicht besonders. Die Hälfte der Männer des Dorfes waren mitgekommen; Chan Zapata war einer derer, die nicht dabei waren. Als Eddie Chan Ma'ax nach dem Grund fragte, bekam er als Antwort nur das inzwischen bekannte Schweigen.

Eddies Atem dampfte im Regen. Alles hatte sich in Grau verwandelt. Die Erde auf dem Holzfällerpfad hatte sofort einen feinklumpigen Matsch gebildet, der wie Zement haftete. Er hörte ein Geräusch wie das Schmatzen eines Kusses hinter sich, das mexikanische Äquivalent zu einem Pfeifen oder einem »He, du!«. Er drehte sich um. Nuxi' gab ihm mit einem Winken zu verstehen, daß er aus dem Weg gehen sollte. Die anderen waren bereits zur Seite gehopst.

Ein Holztransporter näherte sich ihnen, nur als schwarze Silhouette mit Scheinwerfern erkennbar. Eddie trat in den Straßengraben und betrachtete die lange, leere Ladefläche, die an ihm vorbeiratterte. Dort oben hätten wir alle Platz und könnten mitfahren, dachte er. Wir benutzen ihre Straße. Welchen Unterschied macht es, wenn wir noch ein wenig mehr von ihnen in Anspruch nehmen?

Es war, als ob Chan Ma'ax seine Gedanken gehört hätte. Plötzlich schwenkten sie in einen Pfad ab, der so schmal war, daß Eddie bezweifelte, daß es überhaupt einer war. Sie befanden sich jetzt vollkommen unter den Bäumen. Der Regen tröpfelte und sprühte auf sie herab und erzeugte klackende Geräusche, während er sich durch das Geflecht von Blättern einen Weg bahnte. Die Wipfel der Bäume waren zwölf bis fünfzehn Meter über ihnen, und die Stämme standen weit genug auseinander, daß sie zwischen ihnen hindurchgehen konnten.

Schließlich hörte der Regen auf, und die Sonne kam heraus. Das Licht schien die Luft einzudicken wie Mehl, das in eine Sauce gerührt wird. Das Atmen bereitete Mühe. Eddies nasse Socken scheuerten über die Blasen an seinen Füßen, und er hatte links und rechts Seitenstiche.

Sie wanderten so lange, bis das Tageslicht vollends verschwunden war, dann schichteten sie Holz für ein Feuer auf. Einer der Männer hatte ein Bisamschwein getötet, während Eddie nicht hingesehen hatte. Das Fleisch briet über dem Feuer und roch köstlich, doch Eddie hatte so lange vegetarisch gelebt, daß er es nicht würde verdauen können, das wußte er.

Er wachte im Morgengrauen zitternd auf; seine Kleidung sowie die Hängematte und das Moskitonetz waren vom Tau durchnäßt. Innerhalb von fünfzehn Minuten hatten sie ihren Marsch wieder aufgenommen.

Am dritten Tag war Eddie dann kräftig genug, um mehr von den Vorgängen um sich herum wahrzunehmen. Nuxi' erklärte ihm, wie sich der Dschungel in den letzten fünfzehn Jahren verändert hatte. Die meisten der großen Tiere waren verschwunden. Die Tzeltal-Indianer, ein Wanderstamm, hatten sich tiefer in den Dschungel begeben und dabei auf weiten Flächen des Tropenwaldes die Bäume gefällt oder verbrannt, um ihre *milpas* anzulegen, und nur Grasland zurückgelassen. Jetzt gab es überall Holzfällerstraßen, und der Gestank von Diesel verzog sich niemals ganz.

Am Nachmittag des dritten Tages sah Eddie den ersten Kalksteinblock, direkt neben dem Pfad, mit grünem

Moos gesprenkelt und von verfaulenden Blättern bedeckt. Nuxi' blieb neben ihm stehen. Eddie sagte: »Das stammt von einem ...« Er kannte das Wort in der Maya-Sprache nicht. »... *un templo?* Ja?«

Nuxi' nickte. »Es kommt noch besser«, sagte er. »Du brauchst hier nicht anzuhalten.« Die Lacandonen machten alle einen aufgeregten Eindruck. Zum erstenmal sprachen sie miteinander und beschleunigten ihre Schritte.

Sie marschierten bergab, tiefer ins Tal. Statt einzelner Felsbrocken trafen sie jetzt ganze Gesteinshaufen an, deren freiliegende Oberflächen stets ein Muster zeigten. Durch Schleier von Zweigen sah Eddie hier das Relief einer Hand, dort einen aus Stein gehauenen Helm, wie die verstreuten Teile eines Puzzles.

Der Pfad führte in einer Biegung um einen Hügel aus zerbrochenen Steinen, und das Tal öffnete sich vor ihm.

Er erkannte die Landmarken aus dem Buch seines Bruders. Geradeaus vor ihm breiteten sich die langen flachen Ruinen des Palastes aus. Es hätte sich um ein zusammengestürztes Verwaltungsgebäude aus dem zwanzigsten Jahrhundert handeln können, abgesehen von den mansardenartigen Giebeldächern und dem vierstöckigen Observatorium, das sich wie ein Glockenturm in der Mitte erhob. Rechts von Eddie war der Tempel der Inschriften, eine gestufte Pyramide, die aus dem hügeligen Gelände aufragte. Er war dreißig Meter hoch und so gut wie nicht bewachsen. Genau auf Augenhöhe starrte ihn von einer Ecke der Treppe her ein abscheuliches Gesicht an.

Die gewaltigen, leeren Augen fesselten seinen Blick. Noch nie hatte er etwas Vergleichbares gesehen. Der Beton und Asphalt von Teotihaucán, die karstigen Ebenen von Chichén Itzá — all das war still, tot, trostlos. In Na Chan lebte noch etwas. Er spürte die Vibration unter seinen gepeinigten Füßen, durch die Haut seiner Gelenke.

Chan Ma'ax sagte: »Das letztemal waren wir vor fünfzehn Jahren hier. All dies war noch unter der Erde. Man hat hier ganz schön was geleistet, nicht wahr?«

»Das war mein Bruder«, sagte Eddie.

»Ja, ich weiß. Ich kenne deinen Bruder. Tomás.«

»Davon hast du nie etwas gesagt.«

Der alte Mann zuckte die Achseln.

Thomas' Lager hatte sich auf dem Platz zwischen den Tempeln befunden. Ma'ax García hatte Müllbeutel mitgebracht, und jetzt streiften die Männer durch die Landschaft und sammelten zehn Jahre alte Plastikabfälle und leere Dosen auf.

»Macht es dir etwas aus?« fragte Eddie. »Ich meine, wenn du es in diesem Zustand siehst? Soll es wieder so sein, wie es war?«

»Nein«, sagte Chan Ma'ax. »So wie jetzt soll es sein. Es ist fast bereit. Bereit für das Ende.«

Die Lacandonen verbrachten ihren gesamten ersten Tag in Na Chan damit, *ramadas* zu bauen, strohgedeckte Hütten ohne Wände, die eine als Schlafstelle, die andere als Gotteshaus. Sie lächelten jedesmal und schüttelten den Kopf, wenn Eddie seine Hilfe anbot. Ma'ax García hatte ihm schließlich erklärt, wie es ablaufen würde.

»So«, sagte er, während Eddie ihm zusah, wie er die Pfähle zuschnitt und in den Boden rammte. »Wo möchtest *du* schlafen?«

Na gut, okay, dachte Eddie. Hier haben wir also wieder den dummen weißen Mann. »Was glaubst du?«

»Vielleicht hier drüben irgendwo?« Ma'ax García führte ihn zu einer Baumgruppe in der Ecke des Innenhofs zwischen dem Tempel der Inschriften und dem Palast.

»Klar«, sagte Eddie. Wenigstens hatte er eine gute Sicht auf den Schlangengott. »Hier ist es prima.« Er würde tun, was man ihm sagte, und vielleicht würde ihm irgendwann jemand Aufschluß darüber geben, was vor sich ging.

An diesem Nachmittag traf ihn Chan Ma'ax dabei an, wie er an einem der von Thomas verlassenen Zelte arbeitete. Es war eine grüne Nylonhalbkugel mit Außenstangen aus Aluminium und ein paar restlichen Seitenrippen. Doch es gab noch andere Zelte in unterschiedlichen Verfallsstadien, und er dachte, daß er sich daraus vielleicht etwas Brauchbares zusammenbasteln könnte, das zumindest den Regen und die Moskitos abhalten würde.

»Komm!« war alles, was Chan Ma'ax sagte.

Eddie stand auf und folgte ihm. Sie schlugen einen Pfad ein, der zwischen den beiden großen Tempeln hindurchführte. Er verlief eine Zeitlang bergauf und dann eben weiter. Zur Rechten war ein kleiner Haufen von Steinen, die irgendwann irgendein Gebilde gewesen waren. Er konnte sich nicht vorstellen, daß man sie ohne einen kompletten Satz von Konstruktionsblaupausen wieder hätte zusammensetzen können.

Chan Ma'ax wich immer wieder vom Pfad ab, um sich einen Weg zwischen den Bäumen hindurch zu einem anderen zu bahnen. Eddie brauchte nicht lange, um zu begreifen, daß der alte Mann absichtlich Haken schlug, um ihn zu verwirren. Das ließ ihn zu der Ansicht gelangen, daß es um die Pilze gehen mußte. Schweiß trat ihm in die Handflächen.

Schließlich führte ihn Chan Ma'ax den Hang eines Hügels hinab und durch eine schmale, unkrautüberwucherte Schlucht. Und dann sah Eddie sie.

Einige davon waren nicht größer als sein Handrükken, andere fast sechzig Zentimeter hoch, rot und braun und golden gefärbt. »Sie sind wunderschön«, flüsterte Eddie.

Noch nie hatte er so etwas gesehen. Die Hüte waren nicht so spitz wie bei den Psilocybin-Pilzen in Mexiko, doch sie waren auch nicht so vollendet gerundet wie bei einem Blätterpilz. Ihre Haut war rauh und schuppig, und die Farbe erinnerte ihn mehr als alles andere an die sonnenstrahlförmige Lackierung seiner ehemaligen Gitarre, einer Fender Stratocaster.

»Das sind die einzigen«, sagte Chan Ma'ax. »Sie wachsen sonst nirgendwo. Das hängt mit dem Boden zusammen, verstehst du? Geheiligter Boden.«

Eddie nickte. All das war im Buch seines Bruders nachzulesen. Thomas hatte versucht, sie zu verpflanzen, und sie waren alle eingegangen. Er hatte versucht, sie aus den Sporen zu ziehen, und nichts war gesprießt. Eddie streckte die Hand aus, um die ihm am nächsten stehende Pflanze zu berühren.

Chan Ma'ax packte sein Handgelenk so fest, daß es weh tat. »Nein. Das ist nichts für dich. Die Gringos und die *ladinos*, die sie essen, werden davon verrückt. Verstehst du? Sehr gefährlich für dich!«

Der alte Mann hielt ihn immer noch fest. »Warum hast du mich hergebracht?« fragte Eddie.

»Weil ich nicht will, daß du dich allein auf die Suche nach ihnen machst. Jetzt hast du sie gesehen, okay? Jetzt kennst du sie. Jetzt läßt du die Finger davon.«

Eddie starrte ihn an. Das alles reimte sich nicht zusammen. Es hörte sich mehr wie eine Herausforderung als eine Warnung an. »Okay«, sagte Eddie. »Wie du meinst.« Chan Ma'ax ließ sein Handgelenk los. Eddie rieb es mit der anderen Hand. Herrje, der alte Kerl hatte Kraft! Eddie dachte, er würde noch etwas sagen, doch er stand einfach auf und wartete, daß Eddie ihm folgen würde. Doch Eddie paßte während des Rückwegs gut auf und machte sich im Geist einen Lageplan, und er wußte, daß er die Pilze wiederfinden würde.

Eddie warf das Moskitonetz hoch und stieg aus der Hängematte. Er hatte wegen der Moskitos beim Schlafen die Socken anbehalten; selbst mit dem Netz stachen sie ihn durch den Boden der Hängematte. Wenn er eins der Zelte hätte flicken können, wäre das bestimmt eine Erleichterung gewesen.

Er zog sich die Socken aus und ging in Richtung der Bäume. Das *ramada* der Lacandonen war nur ein paar Dutzend Meter entfernt. Eddie fragte sich, ob Chan Ma'ax wirklich schlief oder ob er wachlag und darauf wartete, daß Eddie den ersten Schritt unternehmen würde.

Wenn es so ist, dachte Eddie, dann soll er mich doch aufhalten.

Seine nackten Füße erzeugten keinen Laut auf dem Pfad. Nachdem er in die kleine Baumgruppe getreten war, war der Mondschein weitgehend ausgeschlossen. Das wenige Licht, das hier noch herrschte, schien aus den Felsen und aus den Bäumen selbst zu kommen. Pilzlicht, Halluzinationslicht.

Er zitterte leicht. Es war lange her, seit er auf einen psychodelischen Trip gegangen war. *Balché* war kein Ersatz. Er würde, dachte er, sich die Gebilde einfach noch einmal anschauen. Sie waren schön. Im Mondschein wären sie bestimmt eine besondere Sehenswürdigkeit.

Er nahm den Pfad zur Linken und ließ ein paar der Haken aus, die Chan Ma'ax geschlagen hatte. In der Ferne erklangen Laute, hoch droben in den Bäumen. Die *Yumil Qax-ob,* die Herren des Waldes. Die meisten davon waren inzwischen gestorben, so hatte Chan Ma'ax gesagt, oder schliefen. Sie warteten auf *cabracan,* um für ihr Ende aufgeweckt zu werden.

Er fand die Schlucht mit den Pilzen und setzte sich vor ihnen nieder. Wenn ich etwas davon essen würde, dachte er, nicht daß ich das wirklich wollte oder so, aber wenn ich es täte, würde ich niemals den Rückweg finden.

Einer der Jungen in der Mannschaft seines Bruders hatte ein Stück gegessen. Er stammte aus Arizona und hatte während des Sommers hier gejobt, der klassische Freak der frühen Siebziger, der sich um keinen Preis die Haare hätte schneiden lassen, auch wenn er sich dadurch endlose Scherereien in Mexiko erspart hätte. Jemand fand ihn im Tal der Pilze, übersät mit roten Flekken im Gesicht, am Hals und an der Brust. Er schwitzte wie verrückt, und seine Temperatur stieg auf einundvierzig Grad und blieb so hoch, auch als sie ihn in Eis gepackt hatten. Thomas kannte sich gut genug aus, um ihm Thorazin zu verabreichen, aber er hätte ihm genausogut Rolaids geben können. Der Junge brachte kein Wort heraus, er blickte nur starr geradeaus, und seine Kiefer schlugen aufeinander.

Sie ließen ihn mit einem Hubschrauber ausfliegen, und nach einer Woche kamen seine Eltern und holten ihn zurück in die Vereinigten Staaten. Zu der Zeit, als Thomas das Buch schrieb, was 1975 gewesen sein mußte, litt der Junge immer noch unter Katatonie.

Okay, dachte Eddie. Ich werde sie mir nur ansehen.

Er lehnte sich zurück und stützte sich mit den Ellbogen am Boden auf. Die Hüte der Pilze schimmerten im Mondlicht, und Eddie roch den Duft der feuchten Erde, der sie entsprangen. Der Wind kühlte seine linke Gesichtshälfte und ließ die Pflanzen von einer Seite zur anderen schwanken. Sie sahen aus wie Karikatur-Orientalen in kegelförmigen Hüten, die sich im Rhythmus einer unhörbaren Musik wiegten.

Der Wind verebbte, doch die Pilze wiegten sich weiter. Hypnotisch, sinnlich. Ihm zuwinkend.

Er streckte die Hand aus und brach ein daumennagelgroßes Stück von der nächsten Pflanze ab. Die anderen hielten in ihrer Bewegung inne, sobald er ihr Fleisch berührt hatte.

Ich werde das Stück mit ins Lager zurücknehmen, dachte er. Ich werde jetzt aufstehen und es mitnehmen.

Er steckte den Pilzbrocken in den Mund. Er kaute ihn sorgsam mit den Vorderzähnen und schluckte die Stückchen hinunter. Sie waren auf eine feuchte Art knusprig und schmeckten wie gekochter Sellerie.

Jetzt habe ich es getan, dachte er mit sonderbarer Ruhe. Er rutschte ein Stück höher den Hang hinauf und lehnte sich mit dem Rücken an die bemooste Rinde eines *Ramón*-Baumes. Er schloß die Augen und lauschte den wahren Herren des Waldes, den Insekten und den Laubfröschen und den in der Ferne schreienden Affen.

Eine Viertelstunde später packte ihn die Droge mit einer Wucht, die ihn fast vom Boden abgehoben hätte. Sein Herz tobte, und er spürte die schwindelerregenden Wogen einer Berg-und-Tal-Fahrt in seinem Nervensystem, erzeugt durch die Alkaloide. Du lieber Gott, dachte er, all das nur von so einem winzigen Stück?

Die Nacht pulsierte mit weißglühenden Lichtstrahlen. Die Pilze im Waldhain bäumten sich hoch auf, als ob ein Blitz hinter ihnen eingeschlagen hätte. Sie schienen in alle Richtungen bis in die Unendlichkeit zu strömen. Eddie versuchte aufzustehen, zum Lager zurückzugehen. Allein die Bewegung seiner Schultern bereitete ihm ein solches Schwindelgefühl, daß er zusammensackte und wieder gegen den Baum fiel. Ach du heilige Scheiße, dachte er. Holy Shit, im wahrsten Sinne des Wortes.

Seine Augen verdrehten sich nach oben. Er konnte es nicht verhindern. Die Lider senkten sich, und er fiel in eine graphitfarbene Dunkelheit. Eine Doppelspirale aus rotem und günem und gelbem Neonflimmern trudelte auf ihn zu. Er hatte gerade noch ausreichende Empfindungen für seinen Körper, um zu wissen, daß er sich nicht bewegte, wenigstens nicht physisch. Dennoch hatte er das Gefühl, daß er sich der Spirale entgegenreckte, von ihr aufgesogen werden wollte.

Bunte Bilder schossen an ihm vorbei wie Rennwagen. Er spürte das Dröhnen ihres Vorbeijagens im Bauch. Jedes Bild war ein winziges Fenster, und dahinter befand sich jeweils eine Welt. An diesem Punkt ist er ausgeflippt, dachte Eddie, als er sich an den Jungen aus dem Ausgrabungsteam seines Bruders erinnerte.

Er zwang sich, die Augen zu öffnen. Sein Gesicht war schweißüberströmt. Er spürte, wie winzige Salzkristalle auf seiner fieberhaft geröteten Haut brannten. Er versuchte, den Blick auf die endlose Wiederholung der Pflanzen zu konzentrieren. Seine Augen wollten nicht offen bleiben.

Er redete sich ein, daß alles mit ihm in Ordnung sei. Er schaffte es, sich der Droge zu entziehen, wenigstens für ein paar Sekunden. Er hatte sich unter Kontrolle. Er schloß die Augen.

Als er diesmal in der Spirale versank, als die Neonkugeln an ihm vorbeischossen, gelang es ihm, sie zu verlangsamen. Es war, wie in einen Brunnen zu fallen, einen viele Kilometer tiefen Brunnen. Am Ende war eine Punktquelle weißen Lichts, die ihn kraftvoll anzog. Dort war der Junge letztendlich gelandet, dachte Eddie. Und er fiel so tief, daß er nicht mehr würde hinaufklettern können.

Er schaute auf die Kuller aus farbigem Licht. Sie verströmten Bilder, Laute, Gefühle. In ihnen waren Stücke von ihm selbst. Je angestrengter er hinsah, desto weniger fand er sich zurecht. Es war wie eine Sinnestäuschung, eine Pyramide aus Blöcken, die sich auf den Kopf stellte, wenn er blinzelte. Plötzlich waren die Neonkuller unter ihm anstatt seitlich von ihm, mit dem verzerrten konkaven Muster in der Mitte, und sie zogen ihn in die Tiefe.

Er hörte auf, dagegen anzukämpfen, und einer von ihnen zerbarst wie ein goldener Feuerball und nahm ihn in sich auf.

Er stand in einem Raum mit blaß senffarbenen Wänden. Durch das Fenster sah er Bäume und ein weißes, zweistöckiges Haus mit Säulen. Er wußte sofort, was er vor sich hatte. Die Psychiatrische Klinik Timberlawn in Dallas, Texas.

Du lieber Himmel, dachte er. Er erlebte es nicht zum erstenmal, daß in einer Halluzination Pflanzen aus dem Boden wuchsen, daß er vor dem Fenster fremdartige

Landschaften sah. Doch niemals zuvor war in einer Halluzination etwas so *wirklich* gewesen. So alltäglich. Das Befremdendste war, wie massiv und langweilig alles erschien. Keine Schnörkel, keine Halos aus sanftem goldenen Licht.

Jemand sprach. Er erkannte, daß es seine eigene Stimme war, und in der nächsten Sekunde konnte er sich nicht erinnern, was er gesagt hatte. Er senkte den Blick und sah seine Hände. Er hätte seine Hände nicht sehen dürfen, wenn er träumte. Er befahl seinen Fingern, sich zu bewegen, und sie bewegten sich.

»Yates ist wieder mal weggetreten«, sagte jemand. Es war ein schmalgesichtiger junger Typ in einem weißen Kittel. Bergen, dachte Eddie. Sein Name war Bergen.

»Setz dich, Eddie.« Jetzt sprach Ryker, ein ausgeflippter LSD-Fall mit langen Haaren, die ihm schräg übers linke Auge fielen.

»Ja, Eddie«, sagte Meyers, der fette, geistig zurückgebliebene Knabe. »Ja, Eddie. Ja, Eddie.«

Ihm war durch und durch kalt. Er blickte hinab, sah, daß er auf seinem Bett stand. Er setzte sich mitten auf die Matratze, ließ die Beine über den Rand baumeln und schlang sich die Arme um die Brust.

»Okay, die Show ist vorbei«, sagte Bergen. »Meyers, komm! Du hast jetzt Psychotraining.«

Das kann nicht die Wirklichkeit sein, dachte Eddie. Es kann einfach nicht sein. Ich bin nicht wieder in der Klapsmühle. Ich bin in Mexiko. Ich liege im Dschungel. Da steht eine Gruppe von Pilzen direkt vor mir. Ich brauche nur die Augen zu öffnen, dann stehen sie vor mir.

Doch seine Augen waren bereits geöffnet. Und Mexiko verblaßte, wie ein halberinnerter Traum.

»He, Eddie, Mann, was ist passiert?« sagte Ryker. Eddie starrte die Knie von Rykers gestreiften, ausgestellten Hosenbeinen an. »Du warst wirklich gut drauf, und dann — *wutsch* — nichts mehr.«

»Was habe ich denn gesagt?«

»Du hast Stein angemacht, Mann. Erinnerst du dich gar nicht? Oh, he Mann, tut mir leid. Ich wollte dir nicht an die Karre fahren.«

Eddie schüttelte den Kopf. »Ist schon gut.« Stein war der stellvertretende Anstaltsleiter. Er trug Freizeitanzüge im Westernstil mit jeder Menge Nieten. Er schrie die Patienten an, wenn deren Familien mit der Bezahlung von Rechnungen im Rückstand waren, und drehte völlig durch beim Thema Drogen, selbst bei Marihuana.

Eddie erinnerte sich an alles. Die Krankenstationen, die nach Fürzen und abgestandener Pisse rochen. Patienten, die sich so benahmen, als ob niemand sie hören könnte, ständig heulend oder lachend oder kreischend. Bergen, der um vier Uhr morgens im Eiltempo etwas über Gott herunterrasselte, wenn Eddie nichts anderes wollte als schlafen. Die trüben Augen der Schwester in der Schicht von elf bis sieben Uhr im Frauengebäude, die mit Demerol-Tabletten aus der Anstaltsapotheke ihren Verstand zerstörte. Einmal hatte sie Eddie in die Kammer des Hausmeisters gezogen, wo sie sich an den Rand eines Waschbeckens drückte und ihren Kittel öffnete. Sie trug nichts drunter. »Mach's mir!« sagte sie. »Schnell!« Doch Eddie war schwindelig von Stelazin, und in dem winzigen Raum hing ein so aufdringlicher Fichtennadelduft, daß er keine Luft bekam. Er sagte, es täte ihm leid, und sie benahm sich so, als wollte sie sagen, daß sie auch kaum etwas anderes erwartet habe.

Eddie war hier, weil er zeitweise unfähig war, eine Gitarre anzusehen. Statt dessen simulierte er verschiedene Griffe in seiner linken Handfläche. Der C7-er mit dem gekrümmten kleinen Finger war der beste. Die Akkorde waren *mudras* geworden, Gesten der Macht. Es war ein gutes Gefühl, die Bewegungen mit den Fingern zu vollführen, solange er sich nicht vor ein Publikum stellen oder Töne erzeugen mußte.

Es hatte in London angefangen, als er im Paladium

kurz vor Betreten der Bühne zusammengebrochen war. Die Ärzte rieten ihm, den Rest der Europatournee abzusagen, beteuerten jedoch, daß er für Nordamerika im September wieder fit sein würde. In der Woche vor der Amerikatournee hatte er siebzehn Pfund abgenommen und zuletzt mit der Hand den Badezimmerspiegel kaputtgeschlagen.

Es war einfach so, daß er etwas hören wollte, das er nie zuvor gehört hatte. Er wollte, daß die Töne, die in seinem Kopf waren, herauskämen. Kurz bevor er auf den Spiegel eingeschlagen hatte, hatte er gespielt und dabei seine linke Hand beobachtet. Die wertlose linke Hand. Er wußte alles im voraus, was sie tun würde, kannte den ganzen fünftönigen Scheißdreck, und er haßte die Töne schon, bevor sie aus dem Verstärker kamen.

Er war jetzt seit fast einem Jahr in Timberlawn. Jedesmal, wenn er ans Nachhausegehen dachte, konnte er nicht mehr schlafen. Wenn er tatsächlich einschlief, wachte er um fünf Uhr morgens auf und dachte an alles Schlechte, das er je getan hatte. Wie er in der sechsten Klasse Susan Bishop verprügelt hatte. Wie er im Abschlußjahr an der High School besoffen Minzers Perserteppich vollgekotzt hatte.

Das war der Tiefpunkt seines Lebens. Er war hineingerollt wie die Kugel eines Flipperautomaten, die ins Loch und damit aus dem Spiel fällt.

»Bist du sicher, daß es dir gutgeht?« fragte Ryker.

»Nein«, sagte Eddie. »Mir geht es beschissen.«

»Möchtest du darüber reden?«

»Du würdest mir sowieso nicht glauben.«

»Was hast du also zu verlieren?«

»Ich muß geträumt haben«, sagte Eddie. »Ich habe zehn Jahre meines Lebens geträumt. Ich war hier raus und befand mich in Mexiko. Ich kann es nicht glauben, daß es nicht wirklich passiert ist. Es ist, wie wenn man aufwacht und glaubt, daß man reich ist, und das Geld nirgends findet. Nicht einmal ein Scheckheft oder irgend etwas, um zu beweisen, daß man jemals etwas gehabt hat.«

»Laß uns nach draußen gehen, Mann«, sagte Ryker. »Ich habe einen Joint.«

Ryker und Eddie waren Freiwillige, was bedeutete, daß sie sich ungehindert im Gelände bewegen konnten. Sie aßen Steaks und Hummer und mexikanische Speisen in der Cafeteria, zusammen mit dem Personal. Sie konnten Besucher empfangen. Der Verwaltungstrakt und die medizinischen Unterlagen waren für sie jedoch tabu, und sie mußten abends um acht in ihren Zimmern sein. Sie mußten sich mindestens hundert Meter vom Samuels Boulevard entfernt aufhalten, weit genug, daß sie die großen Dieselbrummer jenseits davon auf der I-30 kaum hören konnten.

Ryker ging hinter einen Baum, um den Joint anzuzünden, und hatte ihn beim Zurückkommen in der gewölbten Hand versteckt. Eddie setzte sich ins Gras. »Hier«, krächzte Ryker, während er den Atem mit dem Rauch anhielt.

Eddie nahm einen langen und dann drei kurze Züge, um seine Lunge ganz zu füllen. »Herrje«, sagte er. »Das ist gut.«

»Hast du jemals daran gedacht, es wirklich zu tun?« fragte Ryker.

»Was?«

»Einfach hinauszumarschieren.«

Überall auf dem Rasen verstreut lagen Pekannüsse, die meisten davon noch in einen samtigen grünen Flaum gehüllt. Ein Eichhörnchen huschte dicht vor Eddies Hand vorbei, um sich eine zu schnappen, und rannte damit weg. Die Art, wie sich das Eichhörnchen bewegte, gefiel ihm nicht, das ruckartige Zucken, die schwarzen, gehetzten Augen. Das liegt nur an dem Stoff, dachte er. Der Stoff geht voll rein.

»Ach, komm, Mann«, sagte Eddie. »Das weißt du

doch genau. Ich drehe jedesmal durch, wenn ich ans Nachhausegehen denke.« Er breitete die Hände mit den Innenflächen nach oben auf dem kühlen Gras aus. Vor seinen Augen ließ sich eine schillernd grüne Gottesanbeterin vom Baum herabfallen und krabbelte über seine Finger. Die Berührung ihrer Beine jagte ihm einen Schauder über den Rücken, doch er konnte die Hand nicht wegziehen.

»Nicht nach Hause, Mann«, sagte Ryker. »Einfach raus. Einfach weg. Ich meine, wenn dein Leben schon ein Gefängnis war, bevor du hierher kamst, dann brauchst du nicht zurückzugehen. Ich spreche davon, ganz aus dem System auszusteigen. Eine Veränderung des Verhaltensmusters.«

»Ist das irgendso 'ne Scheiße von wegen Establishment und so?«

»Nein, ich meine es ernst, Mann. Persönliche Transformation. Als ob man seinen Kopf neu verdrahtet, kapierst du?«

»Wovon soll man leben?«

»Du hast doch Geld, oder nicht? Du gehst raus, du hebst alles von deinem Konto ab. Dann steigst du einfach in ein Flugzeug. Vielleicht nach Hawaii. Wäre das so abwegig? Und dann besorgst du dir einen Job, Mann. Wie jeder andere auch.«

»Als was? Als Gitarrist?« Die Gottesanbeterin schien ihn zu beobachten. Als ob sie den richtigen Zeitpunkt abwartet, mir eine Botschaft zu übermitteln, dachte Eddie. Je eingehender er sie betrachtete, desto kräftiger schien sie zu schillern. Er hatte Angst, Ryker mit einer Bemerkung darauf hinzuweisen, hatte Angst, Ryker würde sie gar nicht sehen.

»Das liegt an dir. Du kannst alles werden, was du willst. Wenn du die beschissene Gitarre nicht spielen und nicht zu deiner Frau zurückkehren willst, dann brauchst du es nicht zu tun. Arbeite als Geschirrspüler. Als Bauarbeiter. Nimm dir ein Apartment, kauf dir eine

Stereoanlage und leg dir eine Freundin zu. Komm von den gottverdammten Drogen weg, damit dein Schwanz wieder steif wird. Damit du wieder *denken* kannst. Du bist ein durchgeistigter Typ, Eddie, das merke ich. Du denkst über die Dinge nach.«

»Ich denke zuviel«, sagte Eddie. Er schüttelte die Gottesanbeterin von seiner Hand und nahm noch einen Zug. Der Stoff war wirklich stark. Er wurde so schwindelig davon, daß die Ränder seines Blickfelds grau verschwammen. Die Gottesanbeterin starrte ihn immer noch mit ihren widerlichen kleinen Stielaugen an. Warum hatte es den Anschein, als ob das etwas bedeutete? »Wenn dir die Vorstellung so gut gefällt, warum machst *du* es dann nicht?« Das Sprechen bereitete ihm immer mehr Mühe.

»Vielleicht werde ich das«, antwortete Ryker. Nach einer Weile sagte er: »Willst du den Joint ausgehen lassen, oder was?«

»Uuuch«, sagte Eddie.

»Mann, bist du okay? Du siehst nicht besonders gut aus.«

Eddie rollte sich auf alle viere. »Muß ... reingehen. Bin ... wirklich ... im Arsch.« Er konnte nicht aufstehen. Er verlor das Gleichgewicht und prallte gegen den Baum. Die Gottesanbeterin starrte ihn immer noch an.

»Herrje, Eddie«, sagte Ryker. Er nahm Eddie den Rest des Joints aus der Hand, befeuchtete sich mit der Zunge die Finger und löschte ihn aus. Dann schluckte er ihn und sah sich um. »Ich hole Bergen, okay? Sag ihm aber nichts von dem Stoff. Er bringt mich um, wenn er was davon erfährt.«

Ryker rannte zum Männergebäude. Der Rasen schien sich um ihn herum zu kräuseln. Eddie schloß die Augen. Die Neonspirale war wieder da. Er blinzelte. Timberlawn, die Bäume, der Verwaltungsbau. Die Gottesanbeterin. Er blinzelte noch mal. Dunkelheit. Farbige Lichtkugeln schossen an ihm vorbei.

Nein, dachte er. Er brachte sich zum Stillstand und trat mit dem Geist um sich. Ein Gedanke blieb beharrlich in seinem Kopf, er konnte ihn nicht abschütteln, irgend etwas in der Art, daß er in die Richtung gehen sollte, in die die Gottesanbeterin blickte. Die Lichtkugeln wurden langsamer und versanken nach und nach im Nichts ... Er spürte, wie der Druck auf seiner Brust, der Kehle und den Augen nachließ.

Und dann lag er plötzlich im Dschungel auf der Erde. Seine Arme und Beine zuckten schwach. Er stank säuerlich nach Schweiß, und in seinem Mund war ein gallebitterer Geschmack. Er japste und ächzte und brachte schließlich sein Herz dazu, etwas gemäßigter zu schlagen. Plötzlich fror er erbärmlich und mußte sich zusammenrollen, damit der Schüttelfrost ihn nicht in Stücke schleuderte.

Als das schließlich überstanden war, fingen Magenkrämpfe an. Er kroch ins Gebüsch und warf die Jeans von sich, gerade noch rechtzeitig, bevor in seinen Eingeweiden eine Mischung aus Gas und Durchfall explodierte.

Schließlich schleppte er sich auf den Pfad zurück. Er konnte jetzt die Augen schließen, ohne etwas anderes zu sehen als Dunkelheit. Es war vorbei. Er rollte sich auf den Rücken und breitete laut lachend die Arme aus.

Es war der großartigste Trip seines Lebens gewesen.

THOMAS BESORGTE FÜR SIE BEIDE Plätze für einen innermexikanischen Flug nach Tuxtla Gutiérrez. Dafür mußte er am Donnerstag den ganzen Tag in einer Schlange am Flughafen anstehen. Wie hundert andere öffentliche Gebäude in der Stadt hätte man den Flughafen für eine ausrangierte Tonbühne Hollywoods halten können. Millionen waren für hohe Decken und freiliegende Verstrebungen und Wände, die auf modische Weise nicht im rechten Winkel zueinander standen, ausgegeben worden, und anschließend war nichts mehr für die Instandhaltung übrig. Die riesigen Glasfenster waren durch den Dreck in der Luft undurchsichtig geworden, den beleuchteten Plastikschildern fehlten etliche Buchstaben, und sie waren mit einer dicken Staubschicht bedeckt.

Er und Lindsey verließen das Hotel am Freitag vor sechs Uhr morgens. Sie zogen es vor, den letzten Kilometer zum Flughafen zu Fuß zu gehen, anstatt im Verkehrsstau zu stecken. Am Flughafen wimmelte es von Fremden, die versuchten, aus dem Land zu kommen, und Journalisten, die versuchten, hineinzugelangen.

Thomas steckte dem Mann am Eingang zehn US-Dollar zu, um sicherzugehen, daß sie ins Flugzeug kamen. Normalerweise hätte es genügt, wenn er ihm nur gut zugeredet hätte, doch seit dem Erdbeben herrschte in der ganzen Stadt eine Atmosphäre der Paranoia, und auch Thomas war angesteckt davon.

Lindsey zahlte die Tickets mit ihrer VISA-Karte. Als Thomas anbot, seine Hälfte zu übernehmen, schüttelte sie den Kopf. Es war eigenartig, wie ihre sexuelle Beziehung die Dinge zwischen ihnen beiden verändert hatte. Bevor sie miteinander ins Bett gegangen waren, hatte zwischen ihnen mehr Vertrautheit geherrscht als danach. Ihnen beiden waren die vielen Jahre des unbefriedigten Verlangens gemeinsam. Nachdem das überwunden war, wußte Thomas nicht mehr, was sie in Wirklichkeit wollte oder was sie fühlte.

Sie hatten am Donnerstag morgen und am Donnerstag abend miteinander geschlafen. Lindsey schien einigermaßen Spaß daran zu haben. Sie hatte sich auf ihn gesetzt und ihm die Fingernägel in die Brust gegraben und laut geschrien, als sie kam. Doch beide Male war es Thomas gewesen, der die Sache in die Wege geleitet hatte, und sie hatte am Anfang gezögert, war nicht bei der Sache gewesen. Als ob es etwas wäre, an das sie eigentlich nicht gedacht hatte.

Sie kamen in Tuxtla gegen Mittag an. Es war die Hauptstadt des Staates Chiapas, ein schmaler Landstrich direkt vor der Halbinsel Yucatán, eine Ausbuchtung am Zipfel von Mexiko. Von dort aus konnten sie mit dem Bus in die Berge von San Cristóbal de las Casas fahren, in die dem Gebiet der Lacandonen nächstgelegene größere Stadt.

Auf der Strecke zwischen dem Flughafen und dem Busbahnhof von Cristóbal Colón gab es nicht viel zu sehen. Thomas sah vor allem Ölarbeiter mit Schutzhelmen und khakifarbener Arbeitskleidung. Ihr Taxi überholte zwei Traktoren, die reparaturbedürftige Lastwagen abschleppten, sowie etliche Jeeps und Lieferwagen. Er bemerkte keine Kinder. Alles schien irgendwie im Bau befindlich zu sein, obwohl im Moment nichts geschah. Es lungerten mehr Soldaten herum, als er es gewöhnt war.

Der Bus fuhr kurz nach halb vier los. Lindsey schlief fast sofort ein. Angeblich sollte es sich um einen Ersteklassebus handeln, doch die Klimaanlage funktionierte nicht, und sämtliche Fenster hingen irgendwo zwischen geöffnet und geschlossen fest. Thomas schwitzte sich bei dem heißen Wind bis auf die Vinylsitze durch.

Die Straße führte zwischen niedrigem Gestrüpp hindurch leicht bergauf bis nach Chiapa de Corzo, wo sie anhielten, um ein lebendes Schwein aufzunehmen. Das Schreien des Schweins weckte Lindsey auf. Sie beugte sich über Thomas, um zuzuschauen, wie es aufgeladen wurde. Es war fast einen Meter zwanzig lang und von blaugrauer Farbe. Seine Vorder- und Hinterfüße waren jeweils zusammengebunden, und es warf den Kopf wild hin und her, als zwei Indios es zum Kofferraum zerrten. Seine Augen standen wie Kricketbälle vor.

»O Gott«, sagte Lindsey.

»Wir können nichts dagegen tun«, erklärte er ihr.

»Sie werfen es einfach in den Laderaum zum Gepäck. Das arme Vieh.«

Thomas zuckte mit den Achseln. Er war nur froh, daß sie ihre Koffer mit zu den Plätzen genommen hatten. Er war nicht scharf auf Schweinekot an seinen Sachen. »Tierliebe ist ein Luxus«, sagte er. »Die Einkommensverhältnisse dieser Typen erlauben so etwas einfach nicht.« Der Busfahrer stand zur einen Seite hinausgelehnt da und sah zu, wobei er das Metallband seiner Armbanduhr immer wieder um sein Handgelenk schlenkern ließ.

Nach Chiapa de Corzo begann der Highway den fünfzehnhundert Meter hohen Aufstieg nach San Cristóbal. Wenn es nicht soviel Zickzackfahrerei und Umleitungen gegeben hätte, wäre die Strecke nur einhundertfünfzig Kilometer lang gewesen. Während Lindsey wieder eindöste, betrachtete Thomas das Gestrüpp, das langsam von Pinien abgelöst wurde, und die grünen Berge, die aus den Wolken schlüpften.

Kurz vor San Cristóbal fuhr der Bus über eine Erhebung in der Straße und kam ins Schlingern. Durch das locker vernietete Metall des Bodens hörte Thomas das angstvolle, gequälte Schreien des Schweins im Gepäckraum. Lindsey wachte auf und sah ihn im ersten Moment verwirrt an. Die richtige Verhaltensweise wäre gewesen, ihre Hand zu nehmen und ihr zu sagen, daß alles in Ordnung sei.

Statt dessen brachte der Anblick ihrer Schwäche Thomas durcheinander. Er blickte durchs Fenster hinaus. Was, zum Teufel, trieb sie eigentlich hier? Sie hätte all das niemals allein geschafft. Sie sprach ja nicht einmal spanisch, verdammt!

Sie überquerten den Kamm der Berge, die San Cristóbal einschlossen. Der Dschungel breitete sich hinter ihnen aus. Die Wipfel der höchsten Bäume waren wolkenumhüllt, als ob sie in Watte gepackt worden wären. Die Sonne strahlte kräftig, doch im Schatten war die Luft kalt. Thomas schloß das Fenster, soweit es sich machen ließ. Der Wind pfiff durch den verbleibenden fingerbreiten Spalt. Er sah sein Spiegelbild in der Scheibe, dunkle Ringe hinter seiner Brille und Falten um den Mund.

Sie benutzt dich, dachte er.

Der Bus bog ins Tal ab. Die Stadt war in langen parallelen Linien angelegt. Am Ende jeder Linie erhob sich ein Hügel mit einer Kirche darauf. Die Gebäude waren im spanischen Kolonialstil errichtet, weiß mit Ziegeldächern, und Thomas sah mindestens ein Dutzend mit Bogengängen. Die Straßen waren bevölkert von Indios, die sich auf dem Weg aus der Stadt befanden. Die Chamula-Männer trugen weiße oder schwarze Umhänge mit Stickerei und Spitze, mit Bändern geschmückte Strohhüte. Die Bänder der verheirateten Männer waren zusammengebunden. Die Frauen trugen alle einheitlich Schwarz. Eine Sekunde lang war ein Lacandone zu sehen, der nichts anhatte als einen Lendenschurz und der eine Last trug, die ihm an der Stirn festgebunden war; er rannte seitlich am Bus entlang.

Als sie zum Bahnhof kamen, sagte Lindsey: »Wollen wir uns ein Hotelzimmer suchen? Und dann vielleicht etwas essen gehen?«

Thomas nickte und winkte ein Taxi heran. Lindseys Gemütszustand schien zu angegriffen zu sein, um zu Fuß zu gehen. Sie stiegen ein, und er fragte den Fahrer, ob er das Hotel Esperanza kenne.

»*Claro*«, antwortete der Fahrer.

Lindsey kramte in ihrer Tasche nach einem Pullover. »Ich kann es gar nicht glauben, wie kalt es ist.«

»Wir sind in einer Höhe von über zweitausend Metern«, erklärte Thomas. »Hier ist es immer kalt.« Wenigstens, dachte er, hatten sie nicht mitansehen müssen, wie das Schwein abgeladen wurde. Sie hatten ihr Zeug gepackt und waren in den Busbahnhof gehastet, bevor der Fahrer die Klappen des Gepäckraums öffnen konnte.

Die Sonne beschien den oberen Rand der Berge. Die Indios schwärmten immer noch durch die Straßen, und man hatte den Eindruck einer Stadt, die sich für die Nacht rüstete. Überall waren Tauben. Thomas hatte ganz vergessen, daß es sie gab. Taubenrennen waren eine Leidenschaft in dieser Gegend, und entlang der Straße hingen jede Menge Taubenkäfige; Vögel flatterten über ihren Köpfen, Vögel kauerten an allen Gebäuden. Soldaten mit Gewehren des Typs M 16 standen an fast jeder Ecke und beobachteten ihre Umgebung.

Im Hotel war ihre Reservierung verschlampt worden. Thomas legte Geld auf die Theke, und sie wurde wiedergefunden. San Cristóbal lag nicht weit vom Austragungsort der Kämpfe zwischen Regierung und Rebellen entfernt, und das schien sich auf den Egoismus der Leute ausgewirkt zu haben.

Thomas trug ihr Gepäck durch den Innenhof in der Mitte in ihr Zimmer. Überall standen blühende Pflanzen. Ihr Duft belebte seine Sinne. Er öffnete die Tür, und Lindsey drängte sich an ihm vorbei und schloß sich im Bad ein. Thomas benutzte ein Deodorant und zog ein sauberes langärmeliges Hemd und ein braunes Kordsamtjackett an.

Nun gut, sie benutzt dich, dachte er. Wie oft war es dir bisher beschieden, einen sexuellen Traum auszuleben? Warum sollte er nicht die Zeit genießen, die ihm noch mit ihr vergönnt war? Wahrscheinlich würden sie in einem oder zwei Tagen in Nahá ankommen. Und wenn sie Eddie wiederbekäme, wäre für ihn die Sache gelaufen.

Sie aßen im Hotel. Außer ihnen schienen keine Touristen anwesend zu sein. In der anderen Ecke des Raums war ein Tisch mit Soldaten besetzt, die Bier tranken und kaum miteinander sprachen.

»Das Büro von Aero Chiapas ist vielleicht noch offen«, sagte Thomas, als der Kellner ihre Teller abräumte.

»Ich könnte mal hingehen und mich um ein Flugzeug kümmern.«

»Ich komme mit.«

»Das brauchst du aber wirklich nicht, weißt du?«

»Ich bin die Veranstalterin dieses Unternehmens, Thomas.«

Er hob die Schultern. »Okay.«

Das Büro war geschlossen, doch der alte Mann darin schloß die Tür für sie auf. Er ließ Thomas wissen, daß es am Sonntag eine Maschine gäbe, in zwei Tagen. »Einer der Lacandonen ist in der Stadt«, sagte er. »Chan Zapata.«

»Der Sohn von Chan Ma'ax?«

»Genau. Kennen Sie ihn?«

»Ich kannte ihn vor langer Zeit. Als er noch ein Kind war.«

»Er kommt alle paar Monate hierher, um vor seiner Frau auszureißen und mengenweise billigen Fusel zu trinken. Er hat sein ganzes Geld versoffen und ist jetzt bereit zum Rückflug. Er wohnt drunten bei Trudi, versteht sich.«

Thomas dankte ihm und begab sich wieder auf die Straße. »Einer dieser Indios aus Nahá ist hier«, erklärte er Lindsey. »Er wohnt im Na Bolom, im Haus von Trudi Blom.«

»Wer ist das?«

»Eine Anthropologin. Sie und ihr Mann haben sozusagen die Lacandonen entdeckt. Franz ist tot, doch sie unterhält immer noch so etwas wie ein Museum und eine Bücherei und nimmt jeden Indio, der in die Stadt kommt, umsonst bei sich auf.«

»Und dieser Knabe könnte etwas über Eddie wissen?«

»Wenn das auf dem Bild wirklich Eddie ist, ja, dann weiß er bestimmt etwas über ihn.«

»Können wir ihn heute abend suchen?«

Thomas sah auf die Uhr, was die reine Schau war.

Wie sie gesagt hatte, war sie die Veranstalterin des Unternehmens. »Klar«, sagte er. »Wenn du das willst.«

Das herrschaftliche Haus hatte eine schwere Tür aus Mahagoni. Die Tür war älter als die derzeitigen Schwierigkeiten der Lacandonen, doch jedenfalls war sie aus Mahagoni. Und es war das Mahagoni, das die Lacandonen, die Trudi zu retten versuchte, fast völlig zerstört hatte. Thomas schlug mit der Faust dagegen.

Nach einiger Zeit öffnete eine junge Frau. Sie war untersetzt und grobknochig, mit dunklem, fettig aussehenden Haar, das ihr bis zur Taille reichte. »Das Museum ist geschlossen«, sagte sie auf englisch. »Morgen nachmittag um vier öffnen wir wieder. Die Bücherei ist samstag ganztägig geschlossen.«

»Ich bin Thomas Yates. Ich habe gehört, daß Chan Zapata in der Stadt ist.«

»Sollte ich Sie kennen?«

»Das bezweifle ich. Chan Zapata erinnert sich vielleicht an mich.«

»Ist er einer der Indios?«

»Ja, genau.« Thomas beherrschte sich mit Mühe. »Er ist einer der Indios.«

»Sind Sie ein Freund von Trudi?«

»Wir kennen uns. Ich gehörte zu der Mannschaft, die vor zwölf Jahren Na Chan ausgegraben hat. Ich habe damals ein paar Tage hier gewohnt.«

»Okay«, sagte sie mit leicht zweifelndem Tonfall. »Trudi hält sich zur Zeit in der Schweiz auf, wissen Sie. Ich meine, ich arbeite nur in der Bücherei. Warum kommen Sie nicht herein und suchen ... wie hieß er noch mal?«

»Chan Zapata«, sagte Thomas.

Die Bücherei sah aus, als ob sie in ein europäisches Schloß gehörte. Die Wände waren bedeckt mit Büchern, einige davon in zerschlissenen Ledereinbänden, einige mit neuen Schutzhüllen. Ledersitze waren im Halbkreis um den Kamin herum gruppiert. Das Feuer brannte so geräuschvoll, daß die Frau die Stimme heben mußte, um es zu übertönen. »Ich bin gleich wieder da«, sagte sie.

Lindsey ließ sich auf das Sofa fallen und schloß die Augen. Thomas ging zum letzten Regal und fand *Die Herren des Waldes*. Er berührte den Einband mit einem Finger. Als er sich umdrehte, stand Chan Zapata in der Tür. Er trug ein schlichtes Baumwollgewand mit farbigen Bändern an den Säumen. Der Stoff war zu einem dumpfen Grau verblaßt. Er war barfuß. Die Haare hingen ihm bis auf die halbe Höhe der Brust hinunter, und er hatte die scharfgeschnittene Nase und die schräge Stirn, wie man sie bei Schnitzereien aus dem Altertum fand.

»Uth-in puksiqual«, sagte Thomas. Das bedeutete »mein Herz ist gut«. Die Begrüßung der Maya war Thomas schon immer sonderbar steif vorgekommen, denn keiner berührte den anderen, nicht einmal zum Händeschütteln. »Du erinnerst dich sicher nicht mehr an mich«, fuhr er in seiner holprigen Maya-Sprache fort. »Ich war in Nahá, als du noch ein Junge warst. Ich heiße Thomas Yates ...«

»Ich erinnere mich an dich«, sagte Chan Zapata auf englisch. »Ich übe mich zur Zeit im Englischsprechen. Bald werde ich Lehrer in Nahá sein.«

»Sehr gut, ausgezeichnet«, sagte Thomas. Er ging zu der Couch, auf der Lindsey saß. »Können wir uns ein wenig zusammensetzen? Wie geht es deinem Vater?«

Chan Zapata nahm sich einen der Ledersessel. Er lehnte sich zurück und legte beide Arme auf die Sessellehnen, als ob er beweisen wollte, daß er wußte, wofür sie gedacht waren. »Immer gleich, ihm geht es immer gleich. Er ist betrübt, daß die Straße jetzt fertig und alles Mahagoni abgeholzt ist. Aber er versucht, es nicht zu zeigen.«

Lindsey bewegte sich und öffnete die Augen. Sie war

wirklich eingeschlafen, dachte Thomas verwundert. »Dies ist meine Schwägerin«, sagte Thomas. »Die Frau meines Bruders, Lindsey ... Taylor.«

»Hallo«, sagte Lindsey.

Sie streckte die Hand aus, und Chan Zapata beugte sich aus lauter Höflichkeit vor und nahm sie, um sie kurz zu schütteln; dann ließ er sie schnell wieder los. »Freut mich«, sagte er.

Lindsey griff nach ihrer Handtasche, und Chan Zapata beugte sich erneut vor. »Hast du eine Zigarette?«

»Tut mir leid, nein.«

»Macht nichts. Die *Evangelistas* sagen, daß sie schlecht für mich sind. Ich muß das Rauchen einschränken. So sagt man doch, oder?«

Er und Thomas lachten. Lindsey holte das Foto aus ihrer Tasche. Sie reichte es Chan Zapata und sagte: »Wir sind auf der Suche nach Thomas' Bruder. Wir wüßten gern, ob du ihn vielleicht gesehen hast.«

Chan Zapata warf einen Blick auf das Foto. »Ach«, sagte er. »Eddie.«

Lindsey steckte das Bild wieder in die Tasche und hielt den Verschluß mit beiden Händen zu. »Du kennst ihn also.«

»O ja. Er ist ein guter Mann, dein Bruder.« Etwas an seinem Ton klang falsch. »Ein *hach winik.* Das bedeutet, ein echter Maya, hier drin.« Er schlug sich auf die Brust. »Ist er dein Mann? Ich würde eine so schöne Frau nicht verlassen, wenn ich dein Mann wäre.«

»Und wie geht es *deiner* Frau?« fragte Thomas.

Lindsey warf ihm einen giftigen Blick zu, doch Chan Zapata lehnte sich in seinen Sessel zurück und lachte. »Es geht ihr gut, Tomás. Sie ist sehr schwanger.«

»Ist mit Eddie alles in Ordnung?« fragte Lindsey. »Ich meine, macht er den Eindruck, als ob ... er verrückt wäre oder so?«

»Er ist anders als die anderen *ts'ul,* die anderen Weißen. Er fühlt die Dinge sehr stark, weißt du.«

»Intensiv«, sagte Lindsey. »So ist er eben.«

»Ja, intensiv. Aber nicht verrückt, das glaube ich nicht. Oder vielleicht doch. Er ist zur Zeit mit meinem Vater in Na Chan.«

»Wie bitte?« sagte Lindsey.

»Na Chan?« wiederholte Thomas.

»Sie machen eine Wall ... eine Waffal ...«

»Wallfahrt«, sagte Thomas.

»Ja, eine Wallfahrt. Die meisten Männer von Nahá. Jedenfalls die heiligsten von ihnen.«

Die Ironie war kaum spürbar, doch Thomas war sicher, daß sie da war. Er hätte gern noch das übrige gehört, doch es wäre ungehörig gewesen, zu fragen. Er wartete, ob Chan Zapata von selbst damit herausrücken würde.

»Dein Bruder hat meinen Platz eingenommen«, sagte er schließlich. »Chan Ma'ax hat es sehr wichtig mit ihm. Ich glaube, etwas wird dort geschehen. Mein Vater wollte mich nicht dabeihaben. Jetzt glaube ich, es war vielleicht falsch, daß ich auf ihn gehört habe.«

»Eddie ist also nicht in Nahá«, sagte Lindsey. »Das hätte ich wissen müssen. Wieviel weiter ist jener Ort? Wie kommt man dorthin?«

»Mit dem Hubschrauber«, sagte Thomas. »Entweder per Hubschrauber oder zu Fuß.«

»Wo bekommen wir einen Hubschrauber?«

»Wahrscheinlich können wir einen mieten. So haben wir es damals auch gemacht. Vielleicht finden wir sogar denselben Typen wieder, der uns damals geflogen hat, als wir dort gearbeitet haben.«

»Wollt ihr hinfliegen?« fragte Chan Zapata. »Nach Na Chan?«

»Wenn Eddie dort ist, ja«, sagte Lindsey.

»Ich habe kein Geld«, sagte Chan Zapata. »Jedenfalls keins dabei. Aber in der Stadt gibt es Geld von dem Mahagoniholz. Wenn ihr mich mitnehmt, zahle ich es euch später zurück.«

Lindsey zuckte die Achseln. »Mir ist es egal.«

»Klar«, sagte Thomas.

»Können wir diesen Knaben, den Piloten, gleich heute abend suchen?« fragte Lindsey. »Ich möchte jetzt wirklich in dieser Sache vorankommen.«

Thomas sah sie an, um zu ergründen, was sie wirklich sagen wollte. Es gab nichts, das eindeutig darauf hinwies, daß sie keine Lust mehr hatte, mit Thomas zu schlafen. Und doch lag dieser Hintersinn darin. »Er hieß Oscar. Er flog einen Hubschrauber von PEMEX auf Leasing-Basis und arbeitete auf eigene Rechnung. Ich bin nicht sicher, wo wir ihn finden können. Ich weiß nicht einmal, ob er sich noch hier in der Gegend herumtreibt.«

»Oscar?« sagte Chan Zapata. »Ich kenne ihn. Er geht in die Olla Podriga. Er benutzt dort die Anmachtafel.«

»Die Anschlagtafel«, sagte Thomas.

»Ach ja, Entschuldigung. Wenn er nicht dort ist, können wir ihm einen ... Anschlag hinterlassen.«

Thomas war erschöpft von der langen Strecke und den starken Eindrücken. Die Hitze, die der Kamin abstrahlte, machte ihn schläfrig. Er zwang sich, aufzustehen und zu lächeln. »Okay«, sagte er. »Dann wollen wir es angehen.«

Chan Zapata ging voraus in die Olla Podriga. Er war wie ein Schauspieler, der einen Lacandonen-Prinz spielte, dachte Thomas. Er legte eine Art von unschuldigem Selbstvertrauen an den Tag. Bei seinem Auftreten wirkten die Touristen und Studenten in ihren Jeans und Pullovern und Gesundheitsschuhen irgendwie deplaziert.

Es war ein übergroßer Raum mit viel Licht. Die Wände waren vollgehängt mit Körben und Strohhüten und bestickten Kleidern. Ziemlich weit vorn war eine Korkplatte angebracht, an der zahlreiche Zettel festgesteckt waren.

»Dort ist er«, sagte Chan Zapata.

Die Luft war voller Rauch. Thomas sah, wie Lindsey deswegen die Nase rümpfte. Sie hörten Unterhaltungen in vier oder fünf verschiedenen Sprachen, während sie sich zwischen den Tischen hindurchschlängelten.

Oscar hatte seinen Stuhl an die Wand zurückgekippt. Eine Frau saß ihm gegenüber, mit dem Rücken zu Thomas. Sie hatte sich vorgebeugt, als ob sie seine Aufmerksamkeit fesseln wollte. Oscar trug ein khakifarbenes Hemd, eine leichte Armeehose und Turnschuhe. Eine verspiegelte Brille hing halb aus seiner Hemdtasche. Er hatte lockiges schwarzes Haar, das ihm bis über die Schultern fiel, und einen Eintagebart. Er hatte in den letzten zehn Jahren an Gewicht zugenommen, aber das hatte Thomas schließlich auch. In einer Hand hielt er eine Flasche Bier, in der anderen ein Glas. Er hob das Glas in Chan Zapatas Richtung. Dann sah er Thomas.

»Ein alter Freund von dir«, sagte Chan Zapata auf spanisch.

»Thomas Yates«, sagte Thomas. »Du hast damals ...«

»Gottverdammt soll ich sein«, sagte Oscar auf englisch. Sein Akzent war eher texanisch als mexikanisch. Er stand auf und verpaßte Thomas einen *abrazo,* bei dem Thomas fast die Luft weggeblieben wäre. »Was, zum Teufel, treibt dich denn wieder hierher, Mann?«

»Darüber möchte ich mit dir sprechen«, sagte Thomas. Er stellte Lindsey vor, und Oscar hielt ihre Hand ein wenig zu lange fest und musterte sie von oben bis unten.

»Ich gehe jetzt besser«, sagte die Frau am Tisch. Sie war Nordamerikanerin und, wie Thomas unwillkürlich feststellte, von angenehmem Äußeren. Sie hatte braunes Haar bis zur Schulter, ohne besondere Frisur. Ihre Augen waren haselnußbraun und ernst.

»He«, sagte Oscar zu ihr. »Dieser Kerl hier, dieser Kerl war mein erster Schüler. Ich habe ihm beigebracht, wie man einen verdammten Hubschrauber fliegt und es überlebt.«

»Wir wollten Ihr Gespräch nicht unterbrechen«, sagte Thomas.

»Kein Problem«, sagte Oscar. Es sah so aus, als ob die Frau mehr von Oscar gewollt hatte, als ob sie ein bestimmtes Spiel im Sinn gehabt hätte. Es hatte nicht funktioniert, und jetzt war sie entlassen. Sie nahm ihre Handtasche und ging davon.

Thomas sah ihr nach. Seine Hormonproduktion lief in letzter Zeit auf Hochtouren, und alles hatte eine dramatischere Wirkung auf ihn als normalerweise.

»Setz dich!« forderte Oscar ihn auf. »Trink ein Bier! Du hast mich vor einer echt langweiligen Scheiße bewahrt.«

Sie alle setzten sich. Thomas wußte, daß Oscars Macho-Einstellung Lindseys Unwillen erregen würde. Seinen übrigens auch. Vor allem war es ihm peinlich, daß Oscar keinerlei Hehl daraus machte. »Wir müssen irgendwie nach Na Chan kommen«, sagte er.

»Eine beschissene Zeit für archäologische Arbeiten, würde ich sagen. Verdammt, es ist fast zu gefährlich, dieses Gebiet auch nur zu überfliegen. Warum willst du unbedingt auch noch dort landen?«

»Hier geht es nicht um Archäologie«, warf Lindsey ein. »Es geht um meinen Ex-Mann, Thomas' Bruder. Er ist dort mit einigen Leuten von Chan Ma'ax.«

Ex-Mann, dachte Thomas. Das war doch was. Dann ermahnte er sich: vergiß den Quatsch! Hör endlich auf, jedes Wort auf die Goldwaage zu legen, und benimm dich wie ein Erwachsener!

Oscars Blick wanderte zwischen Thomas und Lindsey hin und her. »Okay«, sagte er. »Entschuldigung, ich dachte, daß dort noch irgendwas anderes im Busch sei. Muß ich in den falschen Hals bekommen haben. Aber warum diese Eile? Kommen sie nicht sowieso in ein paar Tagen zurück?«

Chan Zapata sagte: »Ich weiß es nicht. Mein Vater benimmt sich zur Zeit sehr sonderbar. Seit alle Bäume abgeholzt sind. Ich glaube nicht, daß *er* damit rechnet zurückzukommen.«

»Außerdem«, sagte Thomas, »wie du gesagt hast, drohen in diesem Gebiet Kämpfe. Sie sind in Gefahr.«

»Und ich habe einen weiten Weg hinter mir«, sagte Lindsey. »Ich werde nicht einfach herumsitzen und warten, daß er irgendwann wieder auftaucht.«

»Okay, okay«, sagte Oscar. »Ich habe nicht gesagt, daß ich es nicht *kann*, ich habe nur gesagt, daß es unangenehm ist. Die Guardia setzt dort oben Huey-Hubschrauber, italienische Kampfflugzeuge und all so ein Scheißzeug ein. Und wißt ihr, warum? Weil die beschissene CIA ihnen erzählt hat, die Rebellen besäßen Mi-24-Hind-Hubschrauber, diese russischen Dinger. Was totaler Blödsinn ist, denn wenn die *compas* so etwas hätten, Mann, dann würde die PRI der Vergangenheit angehören. Aber die von der Guardia, ich sag's dir, Mann, die benehmen sich zur Zeit echt wie die Schweine. Sie knallen alles ab, und die CIA gibt ihnen das nötige Geld dafür.«

»Wollen Sie damit sagen, wir könnten abgeschossen werden?« fragte Lindsey.

»Genau das will ich sagen. Denn wenn wir erst mal tot sind, können sie alles mögliche behaupten, was ihnen in den Kram paßt. Zum Beispiel: Amerikanische Zivilisten schmuggeln Waffen zu den Rebellen. Ihr könnt mir glauben.«

»Hör mal«, sagte Thomas. »Wieviel davon stimmt, und wieviel dient nur dazu, den Preis in die Höhe zu treiben?«

Oscar hob die Schultern. »Es sieht schlecht aus, Mann, wenn ich es dir sage. Wir reden hier nicht nur über einen höheren Preis. Wir reden auch über eine Versicherung, verstehst du. Denn allzuoft kann ich so etwas nicht machen. Und wenn die Guardia uns abknallt, dann bedeutet Geld für keinen von uns noch was, oder? Kapierst du?«

Thomas stützte sich mit dem Ellbogen auf dem Tisch ab. Die Feilscherei lag ihm nicht, aber er wußte, daß es hier zum Alltag gehörte, und er kannte die Reihenfolge der Züge. »Von wie vielen Passagieren sprecht ihr überhaupt? Von euch beiden?«

»Von uns dreien.«

»Hin und zurück. Ich würde sagen, fünfhundert US-Dollar, bar auf die Hand. Natürlich keine Pesos.«

Das hieß, daß sie sich letztendlich bei dreihundertfünfzig oder vierhundert einigen würden. Ehe Thomas etwas erwidern konnte, kam ihm Lindsey zuvor. »Ich zahle«, sagte sie. »Was immer es kostet.«

Thomas stieß sie mit den Knien an und warf ihr einen fassungslosen Blick zu. Sie sah ihn ihrerseits an wie ein kleines Kind, das quengelt, weil es ein Eis haben will. »Sie müssen allerdings Reiseschecks annehmen«, sagte sie.

Thomas beobachtete Oscar, der darüber nachdachte und sich überlegte, ob er noch einen kleinen unverschämten Zuschlag draufhauen könnte, und dann beschloß, sein Glück nicht durch Übertreibung aufs Spiel zu setzen. »Das läßt sich hören«, sagte er. »Wann soll das Ganze stattfinden?«

»So bald wie möglich«, sagte Lindsey.

»Dann gleich morgen in aller Frühe. Kommt zum Hangar von Aero Chiapas, draußen am Flugfeld. Wollen wir hoffen, daß der Nebel nicht zu schlimm wird, sonst finden wir den Hundesohn nie. Um sechs Uhr?«

»Gut«, sagte Lindsey.

»So«, sagte Thomas. »Ich für meinen Teil brauche jetzt etwas Schlaf. Ich gehe zurück ins Hotel.« Er sah Lindsey an. »Kommst du mit?«

»Das werde ich wohl, oder?« Sie stand auf und nickte Oscar und Chan Zapata zu. »Bis morgen früh.«

Ihr Weg zurück zum Hotel führte sie am *zócalo* vorbei. Paare wandelten Arm in Arm um den Platz, alle in der gleichen Richtung. Lindsey verlangsamte ihre Schritte, um sie zu beobachten, und Thomas wartete auf sie.

»Sie sollten andersherum gehen«, sagte Lindsey.

»Wie bitte?«

»Sie gehen alle im Uhrzeigersinn. Sie sollten in die andere Richtung gehen. Die Uhr wird sie umbringen. Die Zeit, verstehst du? Sie frißt ihr Land auf und stiehlt ihre Kinder. Sie macht aus Mexiko einen einzigen riesigen Burger King.«

»Du kannt sie nicht zurückdrehen«, sagte Thomas. »Dadurch wäre nichts gelöst. Man muß vorwärts gehen, es durchstehen, sich auf etwas Besseres zubewegen. Der Versuch einer Umkehr ist töricht.« Er setzte sich wieder in Richtung des Hotels in Bewegung.

»Warum bist du heute abend so schlecht gelaunt?«

»Du hättest nicht gleich einwilligen sollen, als Oscar dir einen Preis nannte. Du hättest ihn um mindestens hundert Piepen runterhandeln müssen, wenn nicht mehr.«

»Na und? Es ist schließlich mein Geld.«

»Bist du plötzlich reich geworden? Ach so, das wußte ich nicht. Wenn du so reich bist, dann hätten wir gleich in Mexiko-Stadt ein Flugzeug chartern können und nicht den ganzen Tag vertrödeln müssen, um hierherzukommen. Ganz davon zu schweigen, daß Oscar dich jetzt für eine leichte Beute hält. Er wird dich jedesmal erneut um Geld anhauen, wenn du dich nur umdrehst.«

»Entschuldigung«, sagte sie giftig. »Ich dachte, dieser Oscar sei ein Freund von dir.«

»Ist er auch. Aber wir sind hier in Mexiko. Freundschaft hat ihre Grenzen. Wenn man schlau ist, hält man sie aus Gelddingen raus.«

»Verdammt«, sagte sie. »Ich habe keine Lust mehr, mir dauernd anzuhören, wie klug du bist und wie blöd ich bin. Ich bin sicher, du hast recht, aber ich kann es einfach nicht mehr hören!«

»Es tut mir leid«, sagte Thomas. »So habe ich es nicht

gemeint. Ich bin einfach nur müde, das ist alles.« Wir beide sind müde, dachte er, sprach es jedoch nicht aus.

»Stimmt«, sagte Lindsey. Sie ging in einiger Entfernung von ihm weiter, mit verschränkten Armen und vor Kälte zusammengezogenen Schultern.

Lindsey duschte als erste, dann war Thomas an der Reihe. Das ganze Bad war gekachelt, und es gab keine Duschkabine, sondern nur einen Plastikvorhang, der den Raum in zwei Hälften unterteilt hätte, wenn er ein wenig länger gewesen wäre. Die Seife war hart und grün und geruchlos. Wenn es wahrhaft warmes Wasser gegeben hätte, dann wäre lediglich Lindsey in diesen Genuß gekommen.

Er kam eingewickelt in ein Handtuch heraus und setzte sich auf die Bettkante. Lindsey stand vor dem Spiegel und bearbeitete ihre Augenbrauen mit einer Pinzette. Sie trug ein Flanellnachthemd mit kleinen Blümchen und hatte die Haare in einem Handtuch hochgerollt.

Während der beiden vergangenen Nächte hatte sie nackt geschlafen. Thomas redete sich ein, daß der Klimawechsel, die Müdigkeit und die strapazierten Nerven eine Erklärung waren. Das unreife Kind in seinem Hinterkopf hörte nicht darauf. Es konnte nicht über den Augenblick hinaussehen, und in diesem Moment sah es alles davongleiten.

Er küßte sie in den Nacken. Sie wehrte ihn mit einem Schulterzucken ab. »Laß das!« sagte sie.

Er war der festen Überzeugung, daß alles wieder in Ordnung wäre, wenn sie miteinander schlafen würden. Wenn sie es nicht täten, würde es sich zu etwas Gräßlichem auswachsen, etwas Dauerhaftem. Er wußte nicht mehr, ob er in sie verliebt war oder ob ihn schlicht seine männlichen Hormone verrückt machten. Du verdirbst alles, schalt er sich. Warum legst du dich nicht einfach hin und hältst den Mund?

Statt dessen sagte er: »Es ist wegen Eddie, stimmt's?«

Sie seufzte theatralisch. »Eddie hat nichts damit zu tun. Ich bin müde, mein Bauch tut weh, und wir haben uns allerlei Unfreundliches gesagt. Deshalb bin ich einfach nicht in der Stimmung, okay?«

»Okay«, sagte er. Er hängte sein Handtuch an die Tür zum Bad und schlüpfte unter die Decke. Er stellte den Wecker auf fünf Uhr. Nur noch etwas über sechs Stunden bis dahin. Das erschien ihm nicht lang genug.

»Ich meine, herrje noch mal«, sagte Lindsey, »wie kannst du in der einen Minute sauer auf mich sein und mich für bescheuert halten und in der nächsten mit mir bumsen wollen? Ich komme mir vor wie eine aufblasbare Lustpupe oder so.«

»Ich sagte ›okay‹! Es tut mir leid, in Ordnung? Ich werde meine Hände bei mir behalten.«

Lindsey ging um das Bett herum und stieg auf der anderen Seite hinein. Sie drehte ihm beim Hinlegen den Rücken zu und drückte sich an den Rand der Matratze. Thomas stand auf und schaltete das Licht aus, dann schlüpfte er wieder ins Bett. Er nahm die Brille ab und verschränkte die Hände unter dem Kopf. Er hätte ihr gern einen Gutenachtkuß gegeben oder einen Klaps auf den Po oder mit irgendeiner liebevollen Geste die Spannung gelöst, damit er einschlafen könnte. Zum Teufel, dachte er. Sie ist dran, den nächsten Zug zu machen.

Neben ihm begann Lindsey leise zu schnarchen.

Sie standen vor dem Morgengrauen auf und packten ihre Sachen zusammen. Sie sprachen nicht miteinander. Thomas lenkte sich ab, indem er sich im Geist den Ablauf der nächsten Stunden ausmalte. Landung am späteren Vormittag in Na Chan. Eddie auflesen und dann zurück nach Cristóbal. Landung dort am Nachmittag. Die Nacht in Tuxtla verbringen. Lindsey und Eddie in einem Zimmer, er in einem anderen. Vorzugsweise nicht angrenzend. Er verweilte für ein paar Sekunden bei dieser Vorstellung, um zu erkunden, wie sehr sie ihn schmerzte. So früh am Morgen, nach einer Nacht, in der er sehr schlecht geschlafen hatte, hatte er den Eindruck, daß er damit leben könnte. Zurück nach Mexico City am Sonntag morgen und nach Hause nach Cuernavaca gegen Nachmittag.

Er sah die Szene vor sich, wie er sich am Flughafen von Lindsey und Eddie verabschiedete. Es war genau wie in *Casablanca,* eine richtig schöne masochistische Scheiße. Aber es gab Zeiten, da brauchte man Drogen oder Scheiße oder Filme, um sie durchzustehen.

Die ersten Worte, die Lindsey an diesem Morgen an ihn richtete, waren: »Wirst du dieses Zeug wirklich essen?«

Der Zimmerkellner hatte ihm *huevos motulenos* gebracht, eine knusprige Tortilla mit Bohnen, ein gebratenes Ei mit scharfem Käse, grünen Erbsen und einer tödlichen braunen Sauce. Thomas lächelte sie an. Sie hinkte einen Schritt nach; er hatte es bereits überstanden. »Schmeckt gut«, sagte er. »Du solltest es probieren.«

Als das Taxi kam, wies Thomas den Fahrer an, am Na Bolom vorbeizufahren und dort kurz anzuhalten. Chan Zapata wartete vor dem Haus. Er hatte ein Einkaufsnetz dabei, und darin waren ein Handtuch, einige Zeitschriften und etwas Obst. Seine Haare waren zerzaust und seine Augen blutunterlaufen, obwohl er sich immer noch mit derselben geschmeidigen Würde bewegte.

Keiner sprach während der Fahrt zum Flugplatz. Sie waren spät dran, und die Sonne stand schon ziemlich hoch. In den Straßen hing Dunst, der sich auf die Windschutzscheiben der Taxis legte und graue Streifen hinterließ, wenn der Fahrer die Scheibenwischer einschaltete. Die Indios, die in die Stadt kamen, hatten sich Plastiktüten über die Hüte gestülpt, um sie trocken zu halten. Thomas versuchte, das Fenster auf seiner Seite zu öffnen. Es ließ sich etwa bis zur Hälfte hinunterkurbeln und blieb dann stecken. Er roch die Feuchtigkeit und hörte die Hühner, die überall in der Stadt erwachten.

Der Flugplatz sah verlassen aus. Das Taxi fuhr vor den Hangar von Aero Chiapas, und Thomas stieg aus. Die Wände bestanden aus Wellblech, das an verschiedenen Stellen durchgerostet war. Zwei oliv-braun-gelbe Hueys waren direkt vor den Vordertoren angepflockt.

Im Innern des Hangars roch es nach Öl und Metallspänen. »*Hola?*« sagte Thomas. »Ist jemand da?« In der hinteren Wand der Halle war eine Tür. Thomas klopfte und drückte dann die Klinke hinunter.

In dem Raum dahinter lag Oscar auf einem Feldbett. Er war nur mit seiner Armeehose bekleidet. Die Falten des zerknüllten Lakens zeichneten sich auf seiner Brust ab. »He, Mann, was soll die Scheiße?« fragte er, während er sich aufrichtete und sein Gesicht ordnete. »Wieviel Uhr ist es denn?«

»Halb sieben«, sagte Thomas. »Bist du okay?«

»Klar, Mann. Es ist einfach noch früh, das ist alles.« Er tapste in den Hangar hinaus und steckte den Kopf in einen Zweihundertliterbottich voller Wasser. Als er wieder auftauchte, schüttelte er den Kopf und spuckte einen Wasserstrahl in Richtung eines Abflusses im Betonboden. »Sind alle da?«

»Draußen«, sagte Thomas. »Mußt du noch was essen, oder ...?«

»Nein, Mann. Nach dem von gestern abend kann ich diesem Magen nie mehr etwas zumuten. Ich komme gleich raus.«

Thomas holte das Gepäck aus dem Taxi und sagte Lindsey, wieviel sie dem Fahrer geben sollte. Ein paar Minuten später kam Oscar aus dem Hangar geschlurft. Er hatte sich ein T-Shirt, eine Lederjacke und schwarze Motorradstiefel angezogen. »Dieser hier«, sagte er und tätschelte die Flanke von einem der Kampfhubschrauber.

»Ist er sicher?« fragte Lindsey.

»Natürlich ist er sicher«, sagte Oscar. »Wegen der Maschine brauchen Sie sich keine Sorgen zu machen. Machen Sie sich Sorgen wegen der Guardia, wenn Sie sich unbedingt welche machen wollen. Haben Sie das Geld dabei?«

Lindsey unterschrieb Reiseschecks für fünfhundert Dollar und reichte sie ihm. Oscar schob sie in seine Jakkentasche und öffnete die Klappe zum Frachtraum. »Nach Ihnen«, sagte er.

»Das ist unheimlich«, sagte Lindsey. »Wie eine Rückblende auf Vietnam oder so.« Sie und Chan Zapata kletterten hinein und setzten sich in die Passagiersitze aus Drahtgeflecht, die sich an der Rückwand ausklappen ließen. Thomas reichte ihr das Gepäck, und sie verstaute es unter den Sitzen. Sie kam Thomas vor wie jemand, der in einem Operationssaal auf die Anästhesie wartete. Sie blickte sich in alle Richtungen um, doch was sie sah, schien ihr noch mehr Angst einzuflößen.

Er hatte keine Lust, es ihr leichter zu machen. Wenn sie will, daß ihr jemand die Hand hält, dann wird sie dafür bald Eddie haben, dachte er. »Du solltest dich besser anschnallen«, sagte er.

Oscar löste die Seile, mit denen der Hubschrauber festgebunden war, dann kletterte er nach oben, um die Tragschraube zu überprüfen. Manchmal brachen sie, und dann fielen die Rotoren ab. Gewöhnlich passierte das in der Luft. Als er zufrieden war, nahm er in dem Sitz auf der rechten Seite Platz und zog eine zerfledderte Checkliste hervor. Die Folienbeschichtung hatte sich fast völlig von dem Papier abgelöst.

Er ging sämtliche vor dem Start nötigen Kontrollen durch, während Thomas die Klappe zum Frachtraum schloß und dann in den Sitz neben ihn kletterte. Die gleichen Kontrollanzeigen befanden sich noch einmal auf seiner Seite. Thomas setzte sich die Kopfhörer auf und rückte das Mikrofon zurecht.

»Möchtest du ihn in die Luft bringen?« fragte Oscar.

»Nein danke«, antwortete Thomas. »Ich verzichte. Du bist der Meister.«

»Fertig zum Start«, sagte Oscar.

Oscar nahm den Hebel für die Rotorblattneigung in die linke Hand, drehte daran und zog gleichzeitig den für die Zündung. Ein schrilles elektrisches Sirren ertönte, und der Rotor fing langsam an sich zu drehen. Als er an Geschwindigkeit zugenommen hatte, fiel die Turbine mit einem plötzlichen Zischen ein. »Kommst du zur Zeit überhaupt zum Fliegen?«

»Manchmal«, sagte Thomas. »Ich habe in Cuernavaca an einem wissenschaftlichen Projekt gearbeitet. Die Leute dort haben einen kleinen Robinson R 22. Hin und wieder gehe ich mit ihm hoch.«

Oscar nickte. Er beugte sich vor, um einen Blick auf die Rotorscheibe zu werfen, und zog dann den Steuerknüppel zurück. Thomas hatte vergessen, daß ein Huey immer zuerst mit der Nase hochging. Er ruckte kurz, während Oscar die Anzeigen ablas, dann schoß er mit ihnen in den Himmel hinauf.

Von oben sahen die Hügel aus wie zerknülltes blau-grünes Bastelpapier. Nebelschwaden hatten sich in den Bäumen verfangen. Die grasbewachsenen Flecken verlassener *milpas* waren wie eine Art Pflanzenkrebs, der den Wald auffraß. Je weiter sie sich von San Cristóbal entfernten, desto weniger von ihnen sah Thomas.

Sie flogen in nordöstliche Richtung, wo die Berge immer schroffer wurden. Am Anfang fiel es Thomas schwer, seine Aufmerksamkeit der Landschaft zuzuwenden, anstatt den Kontrollanzeigern. Als er sich einigermaßen an die Geräusche gewöhnt hatte sowie an den Gedanken, daß nicht er der Pilot war, versank er in einer Art Trance.

Er hätte gern etwas Musik dazu gehabt. Vielleicht eins der langen Instrumentalstücke aus Eddies Album *Sunsets,* mit den Klängen der Saiteninstrumente über dem pulsierenden Rhythmus. Er hatte das Gefühl, als ob er still in der Luft säße und der Boden unter ihm von einer endlosen Rolle abgespult würde.

Das Sprechfunkgerät riß ihn in die Wirklichkeit zurück. Jemand wies Oscar an, sich zu identifizieren.

»Wer ist das?« fragte Thomas.

»Wahrscheinlich die Weiße Brigade«, sagte Oscar. Die Weiße Brigade war die Antiguerilla-Einheit des *Directorio del Seguridad Federal,* des mexikanischen FBI. Sogar Thomas hatte von diesen Truppen gehört. Sie waren das hiesige Gegenstück zu den Todesschwadronen von El Salvador. »Vielleicht ist es lediglich eine Routinepatrouille.«

Oscar gab an, daß er PEMEX-Ingenieure an Bord habe. Thomas wußte, daß das seine übliche Tarngeschichte war. PEMEX erlaubte ihm für eine kleine Gegenleistung, daß er mit ihrem Hubschrauber einträgliche Nebengeschäfte abwickelte. Das verhinderte, daß Oscar es mit einem größeren Risiko auf eigene Rechnung machte.

Als Antwort kam ein undeutliches Nuscheln voller Störgeräusche aus dem Funkgerät. »Hast du das verstanden?« fragte Oscar. Thomas schüttelte den Kopf. »Sie behaupten, sie hätten Carla getötet, eine Anführerin der Guerillas. Am Montag. Sie sind jetzt auf der Suche nach ihren Leuten, falls welche davon überlebt haben. Sie wollen, daß wir unbedingt von hier verschwinden.«

Lindsey war aus ihrem Sitz hochgekommen. »Was ist los?« schrie sie.

»Nichts«, brüllte Oscar zurück. »Setzen Sie sich, und schnallen Sie sich wieder an!« Er blickte über die Schulter zurück, um sich zu vergewissern, daß sie es auch wirklich tat. Dann ging er kräftig auf die Pedale, und der Hubschrauber fiel zwischen den steilen Hängen eines Tals ab.

»Bájale, ahorita«, klang es aus dem Funkgerät. »Landet, sofort! Das ist ein Befehl.«

»Vielleicht«, sagte Thomas, »vielleicht sollten wir umkehren.«

»Nein, Scheiße!« Oscar drehte an einem Schalter in der Konsole zwischen den Sitzen und schaltete den externen Sprechfunk aus, so daß sie nur noch durch den Intercom verbunden waren. »Das ist nur ein Spiel, weißt du, die reine Kraftmeierei. Sie versuchen, mir Angst einzujagen; wir werden eine kleine Jagd veranstalten.« Sie hüpften mit heftigen Auf- und Abbewegungen über einen Hügel, was Thomas' Magen sehr übelnahm. »Und heute abend gebe ich ihnen ein Bier aus, und alles ist in Butter. Das Ganze ist nur eine Prahlerei von Machos.«

Schweiß rann über Oscars Gesicht. »Ich glaube, wir haben sie ohnehin abgehängt ...«

Der Hubschrauber der Regierungsarmee ging direkt vor ihnen runter. Er kam aus dem Nichts, als ob ein Farbdia auf die Windschutzscheibe projiziert würde. Dann schwenkte er seitlich ab, die Ladeklappe öffnete sich, und Thomas sah den perforierten Lauf eines Maschinengewehrs mit einem .50er Kaliber, der auf ihn gerichtet war.

»Ay chingado ...«, sagte Oscar. Er umklammerte den Griff des Steuerknüppels und schob ihn ganz hinunter. Der Motor wurde zu einem Flüstern gedrosselt, und Thomas blieb sekundenlang die Luft weg. Der Hubschrauber schlingerte auf die Bäume unten zu. Thomas hörte den Wind durch die gebrochene Dichtungsleiste seines Fensters pfeifen.

Er kam sich vor wie in einem Autowrack. Er griff instinktiv nach den Kontrollschaltern, und Oscar brüllte: »Nicht!«

Er riß die Hände zurück. Sie befanden sich buchstäblich im freien Fall. Der Sturz beschleunigte den Rotor mehr als der Motor. Thomas horchte auf das Geräusch von Zweigen, die die Kufen streiften. Sollte das das letzte Geräusch sein, das seine Ohren vernahmen? Doch er hörte außerdem sein eigenes Herz hämmern, zweimal, dreimal.

Oscar gab plötzlich Vollgas und riß den Steuerhebel wieder hoch. Durch die Beschleunigung wurde Thomas in den Sitz zurückgeworfen, und sie schossen in den Himmel. Durch sein Fenster sah Thomas die fassungslosen Gesichter der Gardisten, deren Maschine mit der Nase nach unten ins Tal stürzte.

Als sie ihre Höhe wieder erreicht hatten, war der Hubschrauber der Regierungsarmee verschwunden.

Thomas schaute sich nach hinten um. Chan Zapatas Augen waren geschlossen. Lindsey sah eher wütend als ängstlich aus. Sie blickten sich ein paar Sekunden lang an. Es herrschte zuviel Lärm, als daß sie miteinander hätten sprechen können. Schließlich wandte Lindsey die Augen ab.

Oscar schaukelte in seinem Sitz vor und zurück, vollkommen aus dem Häuschen. »Verdammte Guardia-Piloten, Mann, solche Scheißer! Sie werden in Mexiko ausgebildet, sie fliegen wie Omas.«

»Sind sie abgestürzt?« fragte Thomas.

»Weiß ich nicht, Mann. Ist mir auch scheißegal!«

Sie konnten die Maschine bestimmt wieder hochziehen, redete sich Thomas ein. Sonst hätten wir den Aufprall gehört. Er warf einen kurzen Blick auf das Funkgerät und gestand sich dann ein, daß er es eigentlich nicht wissen wollte.

Thomas wußte, daß sie ihrem Ziel nah waren, als er El Chichón sah, den toten Vulkan. Er befand sich dreißig Kilometer südlich von Na Chan. Normalerweise kräuselte sich morgens eine dünne Rauchwolke von ihm empor, so daß er einen hervorragenden Markierungspunkt abgab, nach dem man sich beim Steuern richten konnte. Der Name bedeutete soviel wie Erhebung oder Brust. Es war ein hoher, schmaler Kegel, bis oben zu dem Schlitz des alten Kraters, der diagonal durch seine Spitze verlief, mit Bäumen bewachsen.

»Dort liegt sie!« sagte Thomas.

Oscar nickte. »Gleich sind wir da.«

Fünf Minuten später entdeckte Thomas ein weißes

Dreieck in Höhe der Baumwipfel. »Da!« sagte er und machte Oscar mit deutendem Finger darauf aufmerksam. Es war wie das Wiedersehen mit einer alten Freundin. Er war auf die Wucht des Gefühls nicht vorbereitet. Er erinnerte sich an den Geruch der Erde, das Schnattern der Papageien und das Zirpen der Zikaden, an das Vergnügen, das ihm die Arbeit bereitet hatte. Das Morgenlicht war von einer übersinnlichen Schönheit.

Oscar flog direkt über den Tempel der Inschriften weg. Er sah besser aus, als er vernünftigerweise hätte hoffen dürfen. Mit ein paar Tagen Arbeit könnte man wieder das daraus machen, was er einmal gewesen war.

Um Himmels willen, welchen Gedanken hing er denn bloß nach? Sie waren hier, um Eddie abzuholen, das war alles.

Auf der Hauptlichtung hatte man zwei *ramadas* errichtet, deren Dächer mit noch grünen Palmwedeln gedeckt waren. Etwas seitlich davon stand noch eins der alten Zelte der Expedition. Thomas konnte keine menschlichen Wesen sehen, doch das überraschte ihn nicht. Sie wollten sich nicht zu Zielscheiben für die Bordwaffen der Regierung machen.

»Ich sehe keine geeignete Stelle zum Landen«, sagte Oscar.

»Kreise ein bißchen«, sagte Thomas, »es muß eine geben.«

Er betrachtete die uralte Stadt, die unter seinen Füßen vorüberzog. Der Löwentempel, der Kreuztempel, der Sonnentempel, schlichte Rechtecke aus Stein mit hohen, kunstvoll verzierten Dachkämmen. Der Fluß Otolum am östlichen Rand mit seinem kleinen Wasserfall, wo sie damals gebadet hatten. Die nördliche Gruppe, ein einziges langgestrecktes Fundament mit drei getrennten Tempeln darauf, wohin sich die Jugendlichen, die die Sommerferien hier verbrachten, zum Haschrauchen verzogen hatten. Die alte Landepiste, gleich nordwestlich der Ruinen.

»Dort sieht es ganz gut aus, besser bekommen wir es bestimmt nicht«, sagte Oscar. »Wenn die kleinen Bäume größer sind, als sie aussehen, dann haben wir Pech gehabt.«

Man konnte kaum von einer Lichtung sprechen. Gras und Baumsprößlinge und Rohrpflanzen bedeckten den Boden, doch nichts davon war höher als zweieinhalb oder drei Meter. Oscar ging langsam tiefer. Zweige strichen am Rumpf des Hubschraubers entlang und wurden anschließend von den Rotorblättern kleingehäckselt. Holzmark und Rindenschnipsel spritzten gegen die Scheiben. Sie setzten holpernd auf, und Oscar würgte den Motor ab. Alles war still bis auf das verebbende Schlagen des Rotors.

Lindsey war sofort aus ihrem Sitz aufgesprungen und mühte sich mit der Ladeklappe ab. Thomas stieg aus und zog sie auf. Bis jetzt erschien alles unwirklich. Eine einsame Zikade zirpte in der Ferne, und eine zweite fiel disharmonisch ein. Die Luft war heiß und feucht wie in einer Sauna.

Thomas hielt Lindsey die Hand hin, um ihr beim Aussteigen zu helfen, doch sie ergriff sie nicht. Sie starrte in den Dschungel. Sie kletterte aus dem Hubschrauber und strich über ihre Jeans. Ihre Pupillen waren erweitert, wie bei einer ängstlichen Katze. Thomas vermutete, daß er für sie gar nicht da war. Wenn sie überhaupt an irgend etwas dachte, dann war es Eddie.

Chan Zapata stieg nach ihr aus und lächelte. »Es ist schön, nicht?« sagte er in der Maya-Sprache. Thomas nickte.

Oscar war auf den Hubschrauber geklettert, um nach dem Rotor zu sehen. »Es ist nicht schlecht«, sagte er. Er holte ein Buschmesser hinter seinem Sitz hervor und sagte: »Am besten fangen wir gleich an.«

Nur die Ränder des Waldes waren zugewuchert. Im Innern war zwischen den Bäumen genügend Platz, daß sie hindurchgehen konnten. Oscar bildete die Vorhut und schlug ziemlich willkürlich hier und da eine herunterhängende Ranke ab. Lindsey hatte ein wenig Mühe, auf den flachen, bemoosten Steinen des Dschungelbodens das Gleichgewicht zu halten. Thomas bot ihr keine Hilfe mehr an.

Er hätte ihr gern erklärt, daß sie über pure Geschichte wandelte, daß jeder Stein, auf dem sie auszurutschen drohte, von einem Maya-Tempel stammte. Es hätte sie nicht beeindruckt. Hinter Thomas ging Chan Zapata, der immer wieder stehenblieb, um die Blätter zu berühren oder unvermittelt seitlich des Pfades etwas zu betrachten.

Sie traten in den zentralen Innenhof. Durch das hohe Gras und die spärlichen Bäume und das Gestrüpp konnte Thomas den Tempel der Inschriften und den Palast sehen. Der Schlangengott grinste ihn an. Er hatte das Gefühl, auf einem fremden Planeten herumzuspazieren oder in einem anderen Jahrhundert. Er war jedesmal auf diese Weise ergriffen. Er hätte sich gern auf die Erde gesetzt und alles ringsherum betrachtet.

Heute nicht. Heute war keine Zeit dafür.

Die *ramadas* waren menschenleer, doch die Lacandonen hatten Schlafmatten und Geschirr und Nahrungsmittel zurückgelassen. Sie konnten nicht weit weg sein.

Lindsey blieb stehen und hielt sich die gewölbten Hände vor den Mund. »Eddie!« schrie sie. Kein Echo folgte. Der Dschungel schien die Laute zu verschlucken. Sie rief noch einmal, und bei der großen Pyramide bewegte sich etwas, trat aus dem Schatten.

Es war ein Nordamerikaner in Jeans und T-Shirt. Er kam bis auf eine Entfernung von etwa drei Metern heran und blieb dann stehen. Er konnte nicht mehr als 120 Pfund wiegen. Seine Haare sahen aus, als ob sie mit einem Rasenmäher geschnitten worden wären. Er hatte sich seit Tagen nicht rasiert, und in seinen Augen war mehr Rot als Weiß zu sehen.

Nun, dachte Thomas, jetzt sind wir ja alle versammelt.

»Hallo, Eddie«, sagte er.

Nach seinem ersten Trip schlief Eddie ununterbrochen bis zum nächsten Nachmittag. Er hatte große Mühe, schließlich aufzuwachen. Er ließ die Beine über die Seite der Hängematte baumeln und rieb sich die Schlafkrümel aus den Augenwinkeln. Die Wolken am Himmel hatten sich bereits für den täglichen Regenguß zusammengeballt. Drüben im Gotteshaus leierte Chan Ma'ax einen unmelodischen Singsang herunter. Die Worte zerflossen so sehr ineinander, daß Eddie nichts verstand.

Seine Muskeln brannten, sein Kopf schmerzte, und er hatte jenes Gefühl einer totalen Vergiftung, das sich bei ihm früher eingestellt hatte, wenn er zu lange in Clubs mit verräucherter und alkoholdunstiger Luft gespielt hatte. Er dachte, wenn es ihm gelänge, seinem Magen noch eine Weile keine Aufmerksamkeit zu schenken, könnte er es vielleicht verhindern, sich zu übergeben.

Jemand hatte ihm ein Tongefäß mit Wasser hingestellt, während er das Schlimmste weggeschlafen hatte. Das Gefäß sah seltsam aus. Diejenigen, die man in Nahá kannten, waren bauchig, mit einem Henkel, der wie ein Hühnerkopf aussah und vom Rand ausging. Dieser hier hatte gerade, dünne Wände, wie ein Papierkorb aus Ton.

Eddie wusch sich, putzte sich die Zähne und zog ein frisches T-Shirt und Jeans an. Das strengte ihn bereits bis zur Erschöpfung an. Er setzte sich hin und schnappte nach Luft, und als er wieder einigermaßen atmen konnte, ging er hinüber zum Gotteshaus.

Die Lacandonen hatten den Ton ausgepackt, den sie

von Nahá mitgebracht hatten. Die jüngeren Männer, Ma'ax García und zwei weitere, bearbeiteten ihn mit den Händen auf Holzplatten und wickelten ihn dann in Blätter. Nuxi' und einige der älteren Männer arbeiteten die Grundformen heraus, Gefäße mit glatten Seitenwänden wie das neben Eddies Hängematte. Am Ende der Reihe zerstieß Chan Ma'ax weißen Kalk, um sie nach dem Brennen zu beschichten.

Die anderen waren so gut wie fertig mit einem Brennofen, den sie aus Bruchstücken von Kalkstein gebaut hatten. Sie hatten darin bereits ein Feuer angezündet und einen Stapel Holz in der Nähe aufgeschichtet. Eddie saß auf der untersten Stufe der Pyramide und wartete auf ein Zeichen von Chan Ma'ax. Er fühlte sich schuldig, nicht so sehr, weil er das Rauschmittel genommen hatte, sondern weil er es sich so verdammt stark anmerken ließ. Den ganzen Morgen über war er nicht ansprechbar gewesen, dreckig und blaß und schwitzend. Jeder mußte Bescheid wissen.

Endlich blickte Chan Ma'ax auf. Er sah Eddie kurz an, dann widmete er sich wieder dem Zerstoßen des weichen weißen Steins. Der alte Mann machte nicht den Eindruck, als ob er überhaupt wüßte, wer er war.

Eddie hörte den Regen, bevor er ihn spürte oder sah; er näherte sich durch die Bäume mit einem raunenden Platschen, das wie ein sanfter Trommelwirbel anmutete. Offenbar war er im Gotteshaus nicht willkommen. Wenn er weiterhin so reglos dasäße, wäre er bald völlig durchnäßt.

Er machte sich daran, die vordere Treppe der Pyramide hochzuklettern. Sie stieg in einem Winkel von etwa sechzig Grad an, und einige Stufen fehlten. Er mußte die Hände zu Hilfe nehmen, um weiterzukommen. Oben stand ein langer, eckiger Tempel mit fünf Eingängen entlang der Front. Der Regen wurde immer heftiger. Eddie duckte sich unter den mittleren Eingang.

Der Boden war mit Erde bedeckt, die durch die Decke

hereingerieselt war. Das Dach hatte die Form eines Kragbogens, im Kartenhausstil gebaut, bei dem jede Schicht weiter hervorragte als die darunter, bis sie sich schließlich in der Mitte trafen. Thomas hatte dieser Dachform in seinem Buch viel Platz eingeräumt. Angeblich war das die einzige Bogenbauweise, die die Maya kannten.

Der Raum roch nach Tieren, es war ein moschusartiger, ein pisseartiger Geruch. Verschiedene Sorten von Gras und Disteln wuchsen aus der Erde am Boden. Eddie hatte etwas Angst, daß es Schlangen geben könnte, trotzdem machte er einen Schritt weiter hinein.

Eine rostige Schaufel lehnte neben der Tür an der Wand. Der Griff war trocken und splissig, doch es war noch genug von dem Blatt da, daß man damit arbeiten konnte. Er säuberte den Boden auf einer Fläche von etwa einem mal anderhalb Metern vor der Tür. Davon wurde ihm wieder schwindelig. Er setzte sich mit überkreuzten Beinen auf den feuchten Stein und blickte auf die Stadt hinaus.

Selbst durch den Regenvorhang machte sie einen gewaltigen Eindruck auf ihn. Zur Rechten konnte er in die Palastanlage sehen, und jenseits davon die nördliche Gruppe, gespenstisch grau in der Ferne. Der Dunst verlieh dem Dschungel eine blau-grüne Färbung. Alles roch sauber, wie Wasser.

Er hatte nicht die Absicht gehabt, erneut einzuschlafen, doch das Rauschen des Windes lullte ihn wieder ein. Als er aufwachte, war der Regenschauer zu einem sanften Tröpfeln abgeebbt und Chan Ma'ax kauerte neben ihm. Die Knie des alten Mannes waren nur ein paar Zentimeter von Eddies Brust entfernt.

»Du liebe Güte«, sagte Eddie, während er sich aufrichtete und gleichzeitig zurückzuckte. In der Maya-Sprache fügte er hinzu: »Du hast mich erschreckt.«

Chan Ma'ax sagte eine Zeitlang gar nichts, sondern hockte nur da und starrte zu Boden. Es war die Art von theatralischer Reglosigkeit, die an Eddies Nerven zerrte. Schließlich sagte der alte Mann: »So. Jetzt bildest du dir womöglich ein, die Voraussetzungen zu haben, zu den Haawo' zu gehören.«

Eddie fing an, die Nachwirkungen des Rauschmittels zu spüren. Der alte Mann war nicht einmal naß, das verwirrte ihn. »Du hast mir doch diese Pilze gezeigt! Was hast du von mir erwartet?«

»Ich habe dir gesagt, du sollst sie nicht anrühren.«

Eddie schüttelte den Kopf. »Ich habe dir nicht geglaubt. Seit wann kannst du darüber reden? Über die Haawo'?« Selbst jetzt erfüllte es ihn noch mit etwas Furcht, das Wort laut auszusprechen.

»Na Chan ist ein geheiligter Ort. Hier ist alles anders. Wie mit den *onen,* den Totemtieren. Es ist verboten, sie zu essen, außer bei Zeremonien. Dann *muß* man sie essen, verstehst du?«

»Ich glaube schon.«

»Was hast du gesehen?«

Eddie begriff, daß er jetzt wieder über den Pilz sprach. »Mich selbst«, sagte Eddie. »In jüngeren Jahren. Als ich sehr krank war, vor langer Zeit.«

»Was noch?«

»Da war eine ...« Ihm wurde bewußt, daß er das Wort für Gottesanbeterin nicht kannte. »Ein Insekt. Wie ein Stöckchen. Mit vorstehenden Augen und kleinen Händen, die beten.« Er wußte nicht, warum ihm die Gottesanbeterin im Gedächtnis haften geblieben war.

»Xaman«, sagte Chan Ma'ax. Er schien aufgeregt zu sein. Sein Gesicht verschwand zwischen Falten, und er wippte ein wenig auf den Fersen. »Es ist das gleiche Wort wie die Himmelsrichtung.« Er deutete nach Norden, durch die Tempelpforte. »Denn wenn man einen *xaman* befragt, sagt er einem, wo Norden ist. Es ist ein gutes Zeichen.«

»Chan Ma'ax«, sagte Eddie. »Erzähl mir etwas über die Haawo'.«

»Es handelt sich nicht um einen Clan der Blutsverwandtschaft mit einem *onen,* wie im Fall unseres Spinnen-Affen-Clans. Es ist ein Herzensclan, verstehst du? Diejenigen, die dazugehören, sind Auserkorene.«

»Von wem auserkoren? Von dem Pilz?«

»Der Pilz hätte dich eigentlich umbringen müssen. Zumindest hätte er dich verrückt machen müssen. Vielleicht war es bei dir schon zu spät, dich verrückt zu machen.« Der alte Mann lachte, als ob er einen wirklich guten Witz gemacht hätte, doch in der nächsten Sekunde war er wieder ernst. »Vielleicht hast du einfach Glück gehabt.«

»Mein Bruder hat gesagt, sie sprechen mit den Göttern. Die Haawo'. Ich habe keine gesehen.«

»Du hast den *xaman* gesehen. Wenn du noch einmal von dem Pilz ißt, wirst du vielleicht verstehen, was er dir sagt. Aber du wirst auch sehr krank davon werden. Vielleicht verrückt. Vielleicht stirbst du daran. Du hast einmal Glück gehabt. Vielleicht hast du ein andermal weniger Glück.«

»Ich komme nicht mit«, sagte Eddie. »Willst du, daß ich von dem Pilze esse oder nicht? Willst du mir Angst einjagen? Oder mein Verlangen danach steigern?«

Chan Ma'ax stand auf. Er drehte sich um und ging die schmalen Stufen hinunter, als ob er Eddie überhaupt nicht gehört hätte.

Am nächsten Morgen ging es Eddie besser. Er fühlte sich immer noch schwach, doch sein Kopf tat nicht mehr weh, und die Realität hatte ihre glitzernden Ränder verloren.

Östlich von dem Lager, stromabwärts, fand Eddie ein natürliches Becken zum Schwimmen, das von einem drei Meter hohen Wasserfall gespeist wurde. Er konnte kaum glauben, daß es wirklich da war. Der Grund des Beckens war mit weißem Sand bedeckt, und es war so tief, daß ihm in der Mitte das Wasser bis über den Kopf reichte. Das Wasser war klar und kalt, und die Felsen hinter dem Wasserfall waren grüngrau und mit Moos bedeckt. Die Baumkronen vereinigten sich über dem Fluß, und er war schattig, abgesehen von einer oder zwei Stunden um die Mittagszeit.

Während er nackt in der Mitte des Beckens schwamm, wurde ihm bewußt, daß er unerwarteterweise an Lindsey dachte. Ihr würde dieser Ort gefallen. Sie würde den Dschungel hassen und die Hitze und den Umstand, daß sie sich nicht so sauber halten konnte, wie sie gern wollte. Doch diesen kleinen Winkel davon würde sie lieben.

Er konnte sich nicht mehr an ihr Gesicht erinnern, jedenfalls nicht gleich. Doch er konnte Einzelheiten von ihr zusammentragen: die feinen goldenen Härchen in der Mitte ihres Rückens, die Art, wie sich ihre Brustwarzen hochreckten, wenn sie erregt war, der Geruch ihres Halses. Langsam hob sich sein Penis aus dem Wasser. Er ließ ihn in Ruhe, da er sogar zum Masturbieren zu müde war.

Nach ungefähr einer Stunde ging er zurück zum Lager und verbrachte den restlichen Morgen damit, an seinem Zelt zu arbeiten. Er hatte Flickzeug aufgetrieben und benutzte es, um dreieckige Bahnen von anderen Zelten aufzukleben, die zu sehr zerrissen waren, als daß man noch etwas anderes damit hätte anfangen können. Er verband zwei schmale Feldbetten durch Riemen miteinander, um ein Bett von erträglicher Größe zu bekommen. Dann wusch er die Matratzen im Fluß und ließ sie in der Sonne trocknen, um den Schimmel loszuwerden.

Als er gerade im Begriff war, das Gestänge des Rahmens zusammenzubasteln, kam Ma'ax García herübergeschlendert, um zu helfen. Die übrigen Lacandonen waren unterwegs auf der Suche nach Nahrung und Kopalbäumen, mit Ausnahme von Chan Ma'ax. Chan Ma'ax rauchte Zigarren und vollendete die neuen Göttergefäße.

Sie brauchten eine halbe Stunde, bis sie das Zelt aufgebaut hatten. Es war über zwei Meter hoch und dreieinhalb Meter breit. Ma'ax García lächelte und nickte, als sie fertig waren, doch er wollte nicht hineingehen. Eddie räumte sein Doppelfeldbett und seine Kleidung und seine Gitarre hinein. Die Gitarre steckte immer noch in dem Plastikmüllbeutel, in dem er sie von Nahá hergebracht hatte.

Er holte sie heraus, stimmte sie und versuchte, einige seiner alten Songs zu spielen. Sie schienen ihn jedoch nur zu ermüden. Schließlich legte er sie aus der Hand und streckte sich auf den bloßen Sprungfedern des Feldbetts aus. Er hatte die Fenster und Türflügel offen gelassen, und es wehte eine leichte Brise. Zivilisation, dachte er. Als nächstes würde es ihn nach einem Farbfernsehgerät verlangen.

Nein, dachte er, kein Farbfernsehgerät. Er hatte kein anderes Verlangen, als wieder von dem Pilz zu essen.

An diesem Nachmittag kam einer der Männer mit einem *yuk* zurück, einem Wild von der Größe eines Wolfs. Alle waren freudig erregt. Das bedeutete zum zweitenmal Fleisch in einer Woche.

Eddie hatte das Zelt in Richtung Osten aufgebaut, vom Gotteshaus abgewandt. Nachdem die Sonne untergegangen war, fiel das Licht des Feuers durch die Fliegennetze der Fenster herein und hüpfte über die Zeltwände. Er hatte die Matratzen hereingetragen, und sie waren jetzt fast gemütlich. Er roch den Duft des garenden Fleischs. Ihm fiel ein, daß er den ganzen Tag noch nichts gegessen hatte, und genau in diesem Moment hörte er Ma'ax García vor dem Zelt.

»Ich habe dir Bohnen und Tortillas gebracht. Wir haben angenommen, daß du nichts von dem *yuk* haben willst, aber du kannst etwas bekommen, wenn du möchtest.«

»Nein, das hier ist gut. Danke.«

Ma'ax García ging zum Feuer zurück. Sie trieben da drüben allerlei dummes Zeug und alberten herum. Jemand mußte Alkohol mitgebracht haben. Eddie kostete etwas von seinem Essen. Er hatte das Gefühl, Samstag abends im Knast zu sitzen, während draußen in der Stadt das Leben tobte.

Er konnte sich nicht erinnern, eingeschlafen zu sein, doch als nächstes bekam er erst wieder mit, daß ringsum Stille herrschte und das Feuer bis auf eine rote Glut heruntergebrannt war.

Er stand auf und ging gebückt hinaus. Der Geruch von Holzrauch und verbranntem Fett und das beißende, harzige Aroma von Kopal stiegen ihm in die Nase. Kopal erinnerte ihn immer an den Geruch von Lötfett, wie es Stew für die Arbeiten am Verstärker der Band benutzt hatte. Eddies altes Verstärkermodell hatte genauso gerochen, als er es einmal ein paar Stunden lang auf zehn eingestellt hatte und es richtig heiß geworden war.

Die Lacandonen hatten sich im zweiten *ramada* zur Ruhe begeben, das in der Nähe des Gotteshauses und nördlich davon gelegen war. Die schnarchenden Betrunkenen übertönten die Insekten. Niemand beachtete ihn, als er vorbeiging, aber das hatte er auch nicht anders erwartet. Er vermutete, daß er jetzt so etwas wie ein heiliger Narr für sie war, jenseits jeden Zuspruchs und jeder Hilfe.

Der Mond stand tief am Himmel und spendete nicht viel Licht. Es machte ihm nichts aus. Er fand mühelos den Weg zurück zu den Pilzen. Er stand da und betrachtete sie eine Weile, bevor er sich auszog. Ein Moskito sirrte am Ohr vorbei. Die Nachtluft hüllte seinen Körper ein wie ein feuchtes Tuch. Er setzte sich mit überkreuzten Beinen genau an der Stelle auf den Boden, wo er zwei Nächte zuvor gesessen hatte, und streckte die Hand nach der nächsten Pflanze aus.

Ein neues Spielzeug, dachte er. Als sie Kinder waren,

war es stets Thomas gewesen, der die Beherrschung behielt, der sich zurückhielt und versuchte, erwachsen zu sein. Eddie hingegen war es, der sich in einen Liebeswahn nach dem anderen stürzte. Zuerst in bezug auf Spielzeug, dann auf Songs im Radio, dann auf Mädchen. Er rannte allem so lang hinterher, bis er völlig ausgebrannt war.

Er sah die Scharte in dem Hut des Pilzes, wo er sein erstes Stück herausgebrochen hatte. Sie war zugeheilt, vertrocknet und verschrumpelt. Er brach direkt daneben ein zweites heraus. Es war größer als das erste, obwohl er das nicht beabsichtigt hatte.

Glück gehabt, hatte Chan Ma'ax gesagt. Vielleicht hatte er diesmal nicht soviel Glück.

Eddie zerkaute das Pilzstück und schluckte es hinunter. Als er damit fertig war, legte er sich zurück und schaute zu den Sternen hinauf. Na Chan lag hoch genug und war weit genug von den Städten entfernt, daß es viele Sterne gab. Nach einer Weile hörten sie auf zu blinken und umgaben sich mit gekräuselten Lichthöfen.

Es fängt an, dachte er. O *Mann!*

Es waren nicht nur Halluzinationen, oder wie immer man das sonst hätte bezeichnen können. Es war das Absolute, das Gefühl, völlig die Beherrschung über sich selbst zu verlieren. Er liebte es. Er ließ sich treiben, bis die Sterne anfingen zu hüpfen und herumzuwirbeln und an ihm vorbeizurasen.

Die Kugeln aus farbigem Licht erzeugten ein flaches, elektronisches Knallen, wenn er in sie hineinstürzte. Hinter dem Knallen konnte er Musik hören: eine Gitarre — schnelle, dumpfe Töne, weit unten, in der Nähe des Sattels auf den tiefen Saiten angeschlagen. Natürlich war er es selbst, der da spielte. Es dauerte eine Weile, bis er das erkannte. Es war das Gitarrensolo aus dem letzten Mitschnitt des Albums *Sunsets,* ein Instrumentalstück mit dem Titel »Roadwork«.

Die Musik tropfte aus einem roten Neonrechteck. Sie strömte auf ihn zu und hinterließ Schweife von Nachbildern in der Dunkelheit. Er hätte sich ihr entziehen können, doch er sah keine Veranlassung dazu. Der Lichtklumpen schimmerte wie eine Elektrospule, seine Ränder waren in strahlendes Rot getaucht. Er schwoll an, bis er sein gesamtes Gesichtsfeld ausfüllte, und löste sich dann in winzige Punkte aus roten, grünen und blauen Strahlen auf, die über seinem Kopf tanzten. Durch die geschlossenen Augenlider nahm er einen verdunkelten Raum wahr. Dann verdichtete sich die Substanz seiner Augenlider so sehr, daß er sie öffnen mußte, um sehen zu können.

Er betrachtete wieder den Kreis aus farbigen Lichtern und wußte, wo er sich befand. Im Studio A bei Electric Lady, unter dem Zentrum von Greenwich Village in New York. Die Lichter waren auf etwas montiert, das wie die Unterseite einer fliegenden Untertasse aussah und direkt unter der sechs Meter hohen Decke schwebte. Riesige Zwischenwände unterteilten den Raum. Die Toningenieure hatten sie aufgestellt, so erinnerte sich Eddie, um einige unerwünschte Echos und ein Brummen in tieferen Bereichen auszuschließen.

Er spürte das Gewicht der Stratocaster auf seiner linken Schulter, die Kopfhörer über seinen Ohren und schließlich den Saitenbund unter seiner linken Hand. Sobald er sich darüber klar wurde, was geschah, verlor er die Beherrschung darüber. Sein kleiner Finger zuckte um die D-Saite, und er ließ die Hände seitlich heruntersacken.

Die Rhythmusuntermalung ging ohne ihn weiter, abgespult von dem superbreiten Abmischband, das in der Kabine ablief. Einen Augenblick später hielt es mit einem Knacken an. Gregg übertönte das Summen in seinen Kopfhörern und sagte: »Möchtest du das noch mal versuchen, Eddie?« Das Band quietschte und heulte bereits wieder an den Tonköpfen entlang zurück.

»Laß mich 'ne Minute ausruhen, okay?« Er wich zurück bis zu einem Hocker. Er hatte gewußt, daß er da stehen würde. Der aus Ahornholz bestehende Hals der Stratocaster fühlte sich in seiner Hand kühl und glatt an. Die Saiten waren wie Spinnweben, die seinen Fingern kaum Widerstand boten.

Er zog sich die Kopfhörer ab und legte sie sich um den Hals, dann fuhr er sich mit beiden Händen durch die Haare. Es waren viele Haare da. Einen Moment lang war es ein seltsames Gefühl, als ob er ein doppelt belichtetes Foto sei, die eine Version mit kurzem Haar und die andere mit langem, die eine mit einer schlichten, verstimmten Akustikgitarre, die andere mit der Stratocaster mit dem Sonnenstrahlenmuster.

Er wischte sich beide Hände an seinen Jeans ab und riß einen vorhandenen Schlitz weiter auf. Im Geiste konnte er hören, wie die Violinen bei der letzten Mischung eingeblendet wurden. Der Klang der Gitarre war süß und stark, modifiziert durch einen Marshall-Kopf und ein Zehn-Zoll-JBL. Die Verzerrung gab dem Ganzen Bauch und Herz, es war wie das Stocken in der Stimme eines Liebenden.

»Ja«, sagte er. »Los!« Das Schlagzeug lieferte die Vorgabe, einen abgehackten sanften Wirbel. Eddie schlug drei schnelle Harmonien an, die im Feedback verfielen, dann glitten seine Finger hinunter zum dritten Bund. Er stümperte am fünften Takt herum, doch er kannte die Noten, seine Finger kannten sie, und er war sicher, daß er sie richtig erwischte.

»Noch einmal«, sagte er. »Jetzt schneller. Laßt es mich so schnell hören, wie ihr könnt.« Sein Kopf nickte während des ganzen Abspielens auf der Zwei und auf der Vier. Das Schlagzeug fiel ein. Nach einer Schrecksekunde war er vollkommen drin. Diesmal packte er es, notengetreu, bis zum Ende. Er spielte an der Stelle, wo, wie er wußte, die Abblendung kam, einfach weiter, und setzte das Solo ohne Untermalung fort. Seine Hände waren schweißnaß, und sein rechter Fuß zuckte krampfhaft gegen die Querleiste des Hockers.

Schließlich hielt er inne und schlüpfte aus dem Riemen der Gitarre, um sie an den Verstärker zu lehnen. Er war wirklich gut drauf. »Habt ihr das mitgekriegt?« fragte er. Er hatte das Gefühl, laut schreien zu müssen. Mann, das war ein phantastisches Gefühl.

»Ja, wir haben es mitgekriegt«, sagte Gregg.

»Und?«

»Nicht schlecht. Ganz okay.«

»Komm, Mann, verarsch mich nicht! Was ist los?«

»Ich weiß nicht. Laß es uns noch einmal anhören, ja?«

»Scheißkerl!« sagte Eddie.

»Möchtest du mit in die Kabine kommen?«

»Ja, ich komme.« Er ging in den Korridor und zog sich eine Cola aus dem Automaten. Eine Sekunde lang kam es ihm komisch vor, daß sie nur einen Vierteldollar kostete und in einer bauchigen Wegwerfflasche herauskam. Sein Körper fühlte sich ebenfalls falsch an. Er wog 190 Pfund, das war das höchste Gewicht, das er überhaupt je erreicht hatte. Der Grund dafür waren Twinkies und Schlitz und White Castle Hamburgers, zuviel Herumsitzen und zuwenig nächtelanges Durchmachen.

Er stand unter einem Punktstrahler und kippte die Hälfte der Cola hinunter. Der Zucker zischte durch seine Adern wie die Flamme entlang einer angesteckten Zündschnur. Sein rechter Fuß bewegte sich wieder und stampfte in einem unhörbaren Rhythmus auf den orangefarbenen Teppich. Das Scheißzeug konnte einen wahnsinnig machen, dachte er. Aber es schmeckte toll.

Er nahm den Rest in der Flasche mit in den Kontrollraum. Die Wände waren mit hellem Holz getäfelt, und der Teppich war grau. Es waren bereits ein halbes Dutzend Leute darin. Gregg und ein Toningenieur, der wie ein Motorradfan aussah, saßen in Sesseln mit Rollen vor dem Mischpult. Das Mischpult erstreckte sich über fünf Meter entlang des Fensters, durch das man in den Aufnahmeraum hinausblickte. Es war mit Überblendreglern und VU-Metern für vierundzwanzig Spuren ausgestattet, obwohl immer noch nur sechzehn angeschlossen waren. Dick, Eddies Manager, saß mit ein paar Mädchen und Anson, dem Schlagzeuger, an der hinteren Wand. Anson hing immer hier herum und hoffte, jemanden zum Vögeln abschleppen zu können.

»Laß es laufen«, sagte Eddie.

Bei der ersten Abmischung war das Schlagzeug zu hoch und das elektronische Klavier zu tief. Eddie hörte andauernd die Phantomstreicher, die noch gar nicht eingeblendet worden waren.

»Ich dachte, vielleicht hier noch ein paar Streicher reinzunehmen«, sagte Gregg.

»Klar«, sagte Eddie.

»Bist du okay?«

»Ich habe gerade so was wie eine Déjà-vu-Scheiße«, erklärte Eddie. »Das gibt mir ein etwas gespenstisches Gefühl.« Gregg und Dick warfen sich Blicke zu. Eddie haßte es, wenn sie das taten. Haßte es, wenn die Leute einem nicht sagten, daß sie einen für bekloppt hielten, aus Angst, man könnte es wirklich sein. Dann kam es wieder über ihn, eine Erinnerung an die Zukunft, fünf Jahre später, als er in Timberlawn im Gras saß.

»Du nimmst doch nichts, oder?« fragte Dick. Dick war fünfunddreißig, früher Rechtsanwalt bei Epic Records. Seine Revers waren zu breit und seine Koteletten zu lang. Er trug eine preiselbeerfarbene Jerseyhose, weiße Schuhe und einen weißen Gürtel.

»Nein«, sagte Eddie. Er zwang sich, dem Playback zuzuhören. Alles andere hatte Zeit. »Es leiert irgendwie«, sagte er schließlich. »Das Tempo stimmt nicht oder so was.«

»Es hat nichts drin«, sagte Gregg. »Ich mein's nicht persönlich, verstehst du. Aber es hat nichts drin, es reißt einen nicht vom Hocker.«

»Mhm«, sagte Eddie. Er trank den Rest seiner Cola

und warf die Flasche in den Abfall. Der Abfallkorb war voller Flaschen von der gleichen Sorte und Zeitungen und Pizzaschachteln. Er roch das Oregano auf den Pizzaresten.

»Ich denke, für heute nacht könnten wir Schluß machen«, sagte Gregg.

»Nein«, sagte Eddie. Alle sahen ihn an. Plötzlich schwitzte und fror er gleichzeitig. Es muß heute nacht laufen, dachte er. So habe ich es wirklich *gemacht*. Er kam sich vor wie ein entgleister Zug.

»Eddie?«

Er erinnerte sich, wie es hätte sein sollen. Er kam zu spät. Lindsey war ins Hotel zurückgegangen. Sie hatten sich mal wieder gestritten, sich so richtig mit allen Gemeinheiten befetzt. Er schaffte das Solo bei der zweiten Aufnahme. Die erste war besser, doch er hatte dabei so heftig auf die Gitarre geschlagen, daß er sich buchstäblich mit der rechten Hand in den Saiten verhedderte.

Er konnte sich an die Wildheit erinnern, doch er konnte sie nicht nachempfinden. Dies ist alles Wirklichkeit, dachte er. Ich befinde mich in meiner eigenen Vergangenheit, und ich versaue alles. Wer wird das gottverdammte Album zu Ende bringen?

»Laß es uns morgen noch mal probieren«, sagte Gregg. »Es ist jetzt drei Uhr; heute nacht bringen wir nichts mehr zustande.«

Dick sagte: »Eddie wollte morgen frei nehmen.«

Sicher, dachte er, der freie Tag. Er könnte es anders einrichten. Der *echte* Eddie könnte das. Langsam leuchtete ihm ein, wie das lief. »He, Moment, das ist okay. Ich brauche keinen freien Tag. Aber ruft mich an. Falls ich vergessen habe, daß wir beschlossen haben, es morgen zu machen. Ruft mich früh an, am Mittag oder so.« Er sah, wie sich die beiden Vergangenheiten wieder verbanden, ein verstörter Eddie in der Mitte, der sich fragte, was aus seinem wahnsinnig guten Solo geworden war.

»Ich will dich wirklich nicht sauer machen«, sagte Gregg.

War ich wirklich ein solches Arschloch? dachte Eddie. Daß die Leute Angst vor mir hatten? »Ich denke, daß es vielleicht nicht schaden könnte«, sagte er.

Eins der Mädchen stand auf. Sie war dünn und blond und trug ausgefranste Jeans und ein Männersportjackett mit nichts darunter. Den unteren Knopf hatte sie aufgelassen. Als sie sich reckte, sah Eddie die nackte Haut bis zum unteren Rippenansatz.

»Möchtest du was machen?« fragte sie.

Eddie erinnerte sich nicht an ihren Namen. Nicht, daß er wichtig gewesen wäre. Er dachte an Lindsey, die ins Hotel zurückgegangen war. Sie schlief vermutlich bereits seit Stunden. In letzter Zeit war Sex zwischen ihnen beiden fast kein Thema mehr. Er war ziemlich sicher, daß sie mit allen möglichen Leuten gevögelt hatte, und, weiß Gott, er hatte es ebenfalls getan. Außerdem war er immer noch schlechter Laune wegen des Streits, obwohl er sich gar nicht richtig erinnern konnte, um was es dabei gegangen war.

»Klar«, sagte er. »Laß uns gehen!« Er verabschiedete sich mit einem Winken von den anderen. Anson hatte die Augen geschlossen und winkte nicht zurück. Eddie hatte das Gefühl, er müßte sich bei ihm entschuldigen. Dann kam er zu dem Schluß, daß er nichts dafür konnte, wenn Anson nicht zum Zuge kam.

Er brachte das Mädchen mit einem Lastenaufzug nach oben und führte sie in den unbenutzten Raum. Hendrix hatte hier gehaust, während er seine letzten Aufnahmen machte, die Sachen, die das Album *First Rays of the New Rising Sun* ergeben sollten. Jetzt war Jimi tot, man schrieb das Jahr 1973, und es sah nicht so aus, als ob diese neue Sonne jemals aufgehen würde.

Hendrix' Leute waren halb damit fertig geworden, das Studio C daraus zu machen. Sie hatten eine Zwischenwand mit Glasscheiben zum Kontrollraum eingezogen. Das vermittelte Eddie das Gefühl, beobachtet zu werden. An den Rändern der Tür fiel genügend Licht vom Flur herein, daß Eddie das Mädchen sehen konnte. »Warum ziehst du nicht deine Jacke aus und bleibst ein bißchen hier?« fragte er.

Das Mädchen lächelte und zog die Jacke aus. Sie war so dürr, daß Eddie ihre Rippen zählen konnte. Sie hatte jedoch hübsche Brüste mit blassen Brustwarzen, die zu ihm aufzublicken schienen. Eddie legte ihr die Hände um die Taille, und sie hob die Arme zu seinem Hals. An der Innenseite ihres Ellbogens war ein häßlicher blauer Fleck. Eddie fragte sich, was sie sich wohl gespritzt haben mochte. Nicht jetzt, ermahnte er sich. Paß auf! Er beugte sich vor, um sie zu küssen. Sie öffnete den Mund weit, noch bevor er bei ihr war, wie ein Vogelbaby, das einen Wurm erwartete.

Er küßte sie trotzdem. Ihr Mund schmeckte nach Zigaretten. Sie hatte eine flinke Zunge, die tat, was zu tun war. Sein Schwanz wurde augenblicklich steif. Er zerrte an ihren Jeans, und sie schlüpfte heraus und legte sich auf die nackte Matratze. Er zog sich ebenfalls aus. Es war kühl im Raum, und sein Herz pochte heftig. Er vibrierte am ganzen Körper wie eine E-Saite. Er sah sich nach etwas um, das er über sie legen konnte. Er entdeckte einen geblümten Schlafsack mit geöffnetem Reißverschluß und kuschelte sich mit ihr darunter.

Sie küßten sich wieder, und Eddie berührte ihre Brüste und ihren winzigen, festen Hintern. Sie war immer noch trocken. Sie befeuchtete einen Finger und streichelte sich damit. Ihre Augen schlossen sich, und ihre Hüften bewegten sich auf der Matratze. Eddie setzte sich auf und sah ihr zu. Sie berührte mit der anderen Hand ihre linke Brustwarze und zupfte sanft daran. Bald darauf sagte sie: »Okay, jetzt geht es.«

Fast hätte er ihr vorgeschlagen, daß sie ohne ihn weitermachen sollte. Statt dessen legte er sich auf sie, und sie ergriff seinen Schwanz und führte ihn ein. Nachdem er erst einmal in ihr war, war alles okay. Es fühlte sich unglaublich gut an. Sex, dachte er. Was für eine großartige Sache. Nach einer Weile rollte er sich auf den Rükken, und sie setzte sich auf ihn. Sie schien überhaupt nichts zu wiegen, aber sie fickte wundervoll, wie es oft bei dürren Frauen ist. Sie ritt auf ihm, bis sie beide kamen, dann stieg sie herunter und schmiegte sich in seinen Arm.

Ich bin nicht ich selbst, dachte Eddie. Das Bewußtsein, das seinen Körper lenkte, gehörte in eine andere Zeit, in einen anderen Kopf. Es war jemand, der mit jemandem schlafen und Spaß daran haben konnte, ohne sich in Schuldgefühlen oder Liebe oder der Suche nach dem gottverdamten Sinn des Lebens zu verstricken. Aber es war auch jemand, der beschissen Gitarre spielte. Tut mir leid, Junge, dachte er. Es ist die falsche Astralebene für die Gitarre. Du bist ein bißchen zu weit zurückgewichen, hast dich etwas zu sehr vom Karma losgesagt.

Eddie ließ dem Mädchen ein paar Minuten Zeit zum Einschlafen, dann zog er sanft den Arm unter ihr weg. Sie murmelte etwas und rieb ihren Kopf tiefer in den Schlafsack. Eddie stand auf und zog sich an. Er mußte für einen Moment innehalten und sich erinnern, welche Jahreszeit war. Spätfrühling. Sie würden den Sommer damit verbringen, die Mischung für das Album zu vollenden, die Streicher einzubauen, einige der Vokalpassagen neu zu schneiden. Im Herbst könnte es herauskommen.

Er fand ein grünes Sportjackett mit Fischgrätmuster im Schrank und ging hinunter. Mit dem Jackett kam er sich mehr als Teil des Ganzen vor. Er erinnerte sich, daß er es seit der High School besaß. Es war gut, es wieder mal anzuhaben.

Unten war alles dichtgemacht. Er ging durch die verdunkelte Halle, vobei an den geschwungenen Betonmauern und dem blauen und gelben kosmischen Wandgemälde, das Jimi so sehr gehaßt hatte. An der Tür stand ein Wachmann, ein großer Schwarzer in schwarzem Leder, mit Ketten und einer Motorradkappe, ein Relikt aus Jimis vom Verfolgungswahn bestimmten letzten Tagen. Er ließ Eddie auf die Achte Straße hinaus. »Sei um diese Zeit vorsichtig, Eddie«, sagte er.

»Na klar«, versicherte ihm Eddie. Er ging hinüber zur Sixth Avenue und trat von der Bordsteinkante herunter, um nach einem Taxi zu sehen. Der Wind zerrte an seinen Haaren und den Zipfeln seiner Jacke. Er war sich nicht bewußt, daß er ein bestimmtes Ziel im Sinn hatte, doch als neben ihm ein Taxi anhielt und er einstieg, sagte er: »Warwick Hotel.«

Sie fuhren geradeaus die Sixth Avenue entlang. Es stellte sich heraus, daß er viel Geld in der Brieftasche hatte. »Für Spesen«, hatte Dick gesagt, mit besten Empfehlungen von Epic Records. Er bezahlte den Fahrer mit einem Zwanziger und ging nach oben.

Lindsey schlief natürlich. Eddie ging unter die Dusche, ohne ein Geräusch zu verursachen, und brauste sich eine halbe Stunde lang dampfend ab. Anschließend starrte er in den beschlagenen Spiegel und versuchte, sich an die blasse Haut zu gewöhnen, die Fleischwülste seitlich über seiner Taille, den aufgedunsenen Bauch. Keine allzu verführerische Verpackung, dachte er. Zweiundzwanzig Jahre alt und schon in Auflösung begriffen.

Er rubbelte sich mit dem Handtuch trocken und ließ die Badtür einen Spalt offen, damit er etwas sehen konnte. Er zog sich frische Sachen an, Jeans mit ausgestellten Hosenbeinen und ein besticktes indisches Baumwollhemd. Er hatte das Gefühl, als ob er sich für eine lange Reise fertig machte. Sein Gehirn erkannte die psychedelische Logik seines Handelns und ließ sich vom Strom treiben.

Er setzte sich auf die Bettkante und betrachtete die schlafende Lindsey. Für einen Teil von ihm war es beinah zehn Jahre her, daß er sie das letztemal gesehen hatte. Sie hatte beim Schlafen die Arme über der Decke und hielt sie fest an ihren Körper gedrückt. Eddie hatte sie dafür stets gehaßt. Jedesmal, wenn sie sich umdrehte, zog sie ihm das ganze Bettzeug weg.

Ihre Haut roch warm und süß. Eine Strähne seines nassen dunklen Haars fiel quer über ihre Wange. Er strich mit der Hand über die nackte Haut ihres Arms, so leicht, daß er die kleinen Erhebungen einer Gänsehaut spürte. »Chch«, sagte sie und zog ihren Arm weg.

Eddie spürte, wie Zorn aus seinem *muladhara chakra* aufstieg. Es schien in einem Körper zu leben, ein selbständiges Wesen, das sich von Zucker und Koffein ernährte und niemals etwas vergaß. Als Eddie in den Körper einzog, nistete sich auch das Monster ein.

»Lindy«, sagte er. »Wach auf. Komm!« Er berührte ihr Gesicht und küßte sie auf den Hals.

»Laß das!« sagte sie. Sie schob ihn mit beiden Händen weg, ohne die Augen zu öffnen. Sie rollte sich von ihm weg, wobei sie die Decke mitnahm und ihren Rükken unbedeckt ließ.

Es hatte keinen Sinn. Selbst wenn er sie aufwecken würde, würde sie mit einer miserablen Laune aus dem Schlaf auftauchen. Ihre Stimmungen überwanden die schmale Schranke zwischen Wachen und Schlafen mühelos. Sie schlief leicht ein und hatte einen tiefen Schlaf, während ihr Körper die ganze Zeit angespannt blieb, als ob sie die Wut nicht weichen lassen wollte. Er schaltete das Licht im Bad aus und ging in den Flur hinaus.

Während der Fahrt im Aufzug hinunter legte er beide Hände flach auf die Holzverkleidung aus Mahagoni. Es hätte ihn nicht überrascht, wenn sie hindurchgegangen wären. Er war sich undeutlich bewußt, daß er auf einem Trip war, doch er erinnerte sich nicht, was er genommen hatte. Er wußte, daß er sich irgendeine Antwort davon versprach. Es ist nicht die Musik, dachte er. Es ist nicht Sex oder Liebe, falls es da einen Unterschied gibt. Also, was ist es dann?

Er wartete auf den großen Kick. Der beste Stoff war der, der ihn direkt ins Universum versenkte. Er transzendierte Worte und alles andere. Plötzlich wurde er zum Teil des Alls. Nicht wie Speed, bei dem er sich einbildete, alles vernunftmäßig im Griff zu haben, während es sein Gehirn zu Brei zermatschte. Die reine, verstandesmäßige Folgerichtigkeit. Er hatte das schon mal mit LSD und Pilzen erlebt; nachdem er runtergekommen war, war es vorbei. Diesmal jedoch, diesmal sollte der Hebel ein für allemal umgelegt werden.

Es geschah nicht. Statt dessen löste er sich von seinem Ich, stieß sein Karma ab wie Schuppen.

Er ging durch die kleine gedämpfte Eingangshalle des Warwick und hinaus auf die Vierundfünfzigste Straße. Die Nacht war klar und kühl und dunkel. »Xaman«, sagte Eddie, ohne zu wissen, woher das Wort kam. »Xaman, wohin?«

Er überquerte die Sixth Avenue in Richtung der Seventh und dem Broadway gleich dahinter. Dort würden Taxis stehen, und er könnte wieder dorthin fahren, wo etwas los war. Dort brodelte noch das Leben. Vielleicht spielte sogar noch jemand im »Scene«.

Er blieb stehen. Etwas schimmerte am Ende einer schmalen Seitenstraße. Das da hinten sah nach Menschen aus. Eddie blinzelte. Sie waren nackt, abgesehen von Lendentüchern und Federn im Haar. Der in der Mitte war ein sonnengebräunter Weißer, die anderen beiden waren Indianer. Der Anblick des mittleren mutete wie eine dürre Version von ihm selbst an.

Er trat einen Schritt auf sie zu und dachte, das ist verrückt. Du begibst dich um fünf Uhr morgens in New York in eine dunkle Gasse. Bist du lebensmüde?

Er machte einen weiteren Schritt. Sie schienen sich immer mehr von ihm zu entfernen, anstatt näher zu kommen. Er roch Müll und altes Motoröl. Er ging trotzdem weiter. Er sah die Mauern zu beiden Seiten nicht. Dann verblaßten die drei Männer zu nichts.

Er hielt inne und drehte sich um. Von der Hauptstraße fiel kein Licht mehr in die Gasse.

Er fing an zu laufen. Er schaffte vielleicht zwei Schritte, dann berührten seine Füße das Pflaster nicht mehr. Er stürzte.

Er rappelte sich durch die Kugeln aus farbigem Licht nach oben. Diesmal war es mühsamer. Es bedurfte seines ganzen Einsatzes. Er lag fast eine Stunde lang nackt auf der Erde, mit aufgerissenen Augen und weit aufklaffendem Mund, und zwang in langsamen, bewußten Stößen Luft in seine Lunge und wieder hinaus. Schließlich trieb ihn ein Druck im Gedärm in die Büsche. Er wischte sich so gut es ging mit einer Handvoll Blätter den Hintern aus und taumelte auf die Lichtung zurück.

Er konnte nicht schlafen. Es schien keinen Grund zu geben, die Augen zu schließen, also lag er einfach nur so da.

Es war die Hitze der Sonne, die ihn zurückholte. Er roch wie etwas, das gestorben war. Er erhob sich auf Hände und Knie und versuchte zu verhindern, daß ihm das Blut immer wieder in den Kopf stieg.

Er hatte nicht das Gefühl, daß er länger als ein paar Stunden dort gewesen war. Doch es hätten genausogut Tage sein können. Es war ein katatonischer Zustand gewesen, wie er ihn in Timberlawn erlebt hatte.

Zum erstenmal bekam er wirklich Angst. Ein wenig Raubbau an seinem Körper war nicht schlimm, doch er wollte nicht wieder wahnsinnig werden. Er war hungrig und ausgetrocknet und erschöpft, und er konnte nicht verhindern, daß ihm die Tränen in die Augen stiegen.

Ich muß damit aufhören, dachte er. Ich muß wirklich damit aufhören.

Als der Hubschrauber kam, war er immer noch mit der Körperpflege beschäftigt; er stand im hohen Gras, wo seine Hängematte gewesen war, und schrubbte sich mit dem Wasser aus dem merkwürdig geformten Behälter und den Resten seines T-Shirts ab. Er schlüpfte während des Laufens in seine Jeans.

Die anderen waren bereits zum Tempel der Inschriften und dem Waldpfad direkt daneben abgehauen. Sie kauerten auf dem Pfad, von wo aus sie die *ramadas* sehen konnten. Eddie ließ sich neben Chan Ma'ax niedersacken und verschränkte die Arme vor dem Bauch. Er war vielleicht fünfzig Meter weit gerannt und hatte einen heftigen Magenkrampf davon bekommen. »Was ist los?« fragte Eddie. »Steckt die Regierung dahinter oder was?«

Chan Ma'ax schüttelte den Kopf. Natürlich wußte er auch nicht mehr als Eddie. Jemand hustete und spuckte aus. Die Lacandonen hatten alle im Hocken die Arme um die Knie geschlungen und wippten leicht. Der Hubschrauber wurde leiser, dann wieder lauter. Er kreiste über ihnen. Plötzlich hallte sein Knattern von den Bergen wider wie Kanonenschüsse.

»Sie landen«, sagte Eddie.

Die meisten hatten die Augen geschlossen. Chan Ma'ax sah Eddie an und schloß dann ebenfalls die Augen. Okay, dachte Eddie. Er tat es ihm gleich. Er lauschte dem Gesumm der Insekten und gab vor, keine Angst zu haben. Es mußte wie die Wirkung des Mondscheins sein, oder wie die der Droge. Nach und nach vergaß er, wo er war.

Dann hörte er seinen Namen.

»O Gott«, sagte er. Er sprang auf und hielt sich an einem Baum fest, als sich alles um ihn herum zur Seite neigte. Es war Lindseys Stimme. Es war verrückt. Gerade jetzt, da er an sie gedacht hatte, ihre letzte Nacht im Hotelzimmer vor sich gesehen hatte. Die Stimme erklang zum zweitenmal, und er ging langsam den Weg entlang, wobei er sich mit der linken Hand an dem kühlen Stein der Pyramide abstützte.

Er trat hinaus ins Sonnenlicht, und da war Lindsey. Und Thomas. Und Chan Zapata und Oscar, der Pilot von San Cristóbal. »Hallo, Eddie«, sagte Thomas.

Eddie konnte nur nicken. Lindsey stand da in Jeans und einem Sweatshirt, das Gewicht auf ein Bein verlagert, und schob sich das Haar mit einer Hand aus dem Gesicht. Sie war zwei oder drei Meter von ihm entfernt. Wenn er seine Füße dazu bringen könnte, sich zu bewegen, könnte er zu ihr gehen.

»Geht's dir gut?« fragte sie. Ihre Augen zuckten hin und her, betrachteten abwechselnd sein linkes und sein rechtes Auge. Etwa bei jedem dritten Mal wanderte ihr Blick zu seinem Mund hinunter.

»Bestens«, sagte er. »Mir geht's bestens.« Seine Knie gaben nach, und er wankte zurück, um sich auf die Stufen zu setzen. »Bestens«, sagte er. »Mir geht es bestens.«

»Du lieber Himmel«, sagte Lindsey. »Könnt ihr Jungs ihn tragen? Wir müssen ihn in ein Krankenhaus schaffen.«

»Nein«, sagte Eddie. »Ich kann noch nicht weg.«

»Was heißt das?« fragte Lindsey. Sie ging nahe genug zu ihm, um ihn berühren zu können, schien jedoch nicht zu wissen, was sie als nächstes tun sollte.

»Kann nicht«, sagte Eddie. »Noch nicht.« Er mußte das Gesicht verziehen, um die Augen offen zu halten. Sie alle warfen einander Blicke zu, wie Dick und Gregg sich Blicke zugeworfen hatten. Lauf weg! sagte er zu sich. Hau ab, sieh zu, daß du von hier wegkommst!

Er versuchte aufzustehen und sank zu Boden.

Es war Nachmittag. Sie befanden sich im Schlaf-*ramada*, Eddie und Lindsey und Chan Zapata. Die anderen Lacandonen waren im Gotteshaus und verbrannten Kopal. Es roch nach Vorstadt-Kochdünsten. Eddie war verwirrt, durcheinander, und am Himmel hingen dichte Wolken.

Thomas und Oscar kamen aus dem Wald zu ihnen. »Was ist los?« fragte Lindsey.

»Es gibt ein Problem«, sagte Thomas. Eddie konnte sich gar nicht über Thomas' Aussehen beruhigen. Groß, wie ein ganzer Mann. Erwachsen.

»Heute morgen habe ich die Maschine vielleicht ein wenig zu hart hergenommen«, sagte Oscar. »Ich möchte nicht gleich wieder starten.«

Lindsey fühlte etwas Kaltes und Hartes im Magen, als ob sie soeben einen großen Eisklumpen geschluckt hätte. »O Gott!«

»Keine große Sache«, sagte Oscar. Es hörte sich nicht ganz überzeugt an. »Wahrscheinlich ist es lediglich eine verstopfte Benzinleitung. Ich muß sie nur ausbauen und reinigen, dann ist wieder alles in Ordnung.«

»Die Funkanlage funktioniert noch einwandfrei«, sagte Thomas. »Im schlimmsten Fall können wir Hilfe herbeirufen.« Er sah Oscar an. »Natürlich möchten wir das vermeiden, wenn es nicht unbedingt nötig ist.«

»Wegen des Hubschraubers, der ... der einen Unfall hatte«, sagte Lindsey.

Oscar nickte. »Es würde uns sowieso vermutlich besser bekommen, wenn wir uns hier diese Nacht flachlegten«, sagte er. »Ich habe nämlich gerade den Funk abgehört. Inzwischen kurven hier draußen überall jede Menge Hubschrauber und Flugzeuge herum.«

»Wir haben die Maschine mit Zweigen und solchem Zeug getarnt«, sagte Thomas. »Wenn ihr irgend etwas hört, geht in Deckung und zeigt euch nicht.«

»Ich glaube, ich kann das Ding bis morgen früh reparieren«, sagte Oscar. »Dann können wir schleunigst von hier verduften. Vielleicht nach Villahermosa, wenn es sein muß.«

»Okay«, sagte Lindsey.

»Lindy«, sagte Eddie.

»Ja, Schatz, ich bin hier«, sagte sie. Sie sah ihn an wie einen Hund, der von einem Auto überfahren wurde, als ob sie ihm helfen wollte, aber Angst hatte, ihn noch schlimmer zu verletzen. Oder Angst, sich mit Blut und Speichel zu beschmutzen. »So hat mich seit Jahren niemand mehr genannt.«

»Erinnerst du dich ... als wir in New York waren, um *Sunsets* zu machen? Erinnerst du dich daran?«

»Mhm, ich glaube schon.«

»Wir haben im Warwick gewohnt. Wir haben uns schrecklich gestritten. Ich war bis spät nachts im Studio, und als ich ins Hotel zurückkam, versuchte ich, dich zu wecken. Oder vielleicht auch nicht. Vielleicht bin ich gar nicht zu dir gekommen.«

»Wir haben uns häufig gestritten«, sagte sie.

»Erinnerst du dich nicht? Ob ich zurückgekommen bin? Und versucht habe, dich zu wecken?«

»Es ist lange her, Eddie«, sagte sie sanft. Sie sprach in dem Tonfall, in dem man zu Verrückten sprach. »Ist das denn so wichtig?«

Thomas sah ihn besorgt an, und Oscar wandte den Blick ab.

»Nein«, sagte Eddie. »Eigentlich nicht.«

Er streckte sich auf der Schlafmatte aus. Während er am Rand des Schlafes schwebte, fühlte er Lindseys zaghafte Hand auf seiner Stirn. Ein paar Sekunden später fing es an zu regnen.

Lindsey beobachtete, wie Eddies Blick verschwamm. »Eddie?« sagte sie. Es sah so aus, als ob er einen Kopfsprung von den Stufen der Pyramide machen wollte. Er stieß sich mit den Beinen ab und landete mit dem Gesicht zuerst auf der Erde.

Thomas rannte zu ihm und rollte ihn auf den Rücken. »Er ist weggetreten«, sagte er.

Lindsey stand da und schaute nur. »Was, um alles in der Welt, fehlt ihm denn bloß?«

»Willst du wissen, was ich vermute? Ich vermute, er hat von dem gottverdammten Pilz gegessen. Wenn es so ist, dann ist es ein Wunder, daß er nicht im Koma liegt.

Ein schmächtiger alter Mann in einem Nachthemd trat neben der Pyramide hervor. Er reichte ihr etwa bis zur Schulter. Drei weitere Indios folgten ihm. Chan Zapata näherte sich dem alten Mann bis auf etwa einen Meter und sagte etwas zu ihm. Es hörte sich an, als ob er an einigen der Worte zu ersticken drohte, und der Rhythmus war anders als im Spanischen. Sie war zufrieden mit sich, daß sie die Maya-Sprache wenigstens als solche erkannte, auch wenn sie sie nicht verstand.

Der alte Mann nickte Chan Zapata nur zu. Sie umarmten sich nicht, wie es Mexikaner sonst zu tun pflegten, und gaben sich nicht einmal die Hände. »Frag sie, was mit Eddie passiert ist«, sagte sie zu Thomas.

Thomas war bereits dabei aufzustehen. Er sagte etwas in der Maya-Sprache zu dem alten Mann, und Lindsey hörte darin den Namen Chan Ma'ax. Das überraschte sie. Sie konnte nicht glauben, daß das der große Zauberer sein sollte, von dem allgemein soviel Aufhebens gemacht wurde. Für sie sah er aus wie ein Zwetschgenmännchen, von dem nach dem Trocknen nur noch Runzeln übriggeblieben waren. Außer daß er immer noch dichtes, struppiges schwarzes Haar hatte.

Nachdem sie eine Weile miteinander gesprochen hatten, sagte Thomas: »Es sind tatsächlich die Pilze, verdammt. Chan Ma'ax sagt, er habe Eddie gewarnt, aber Eddie sei trotzdem gierig darauf gewesen. Er sagt, wir sollen ihn jetzt noch nicht transportieren, es wäre besser, wenn er noch ein paar Tage hierbliebe.«

Der alte Mann hatte sie immer noch nicht angesehen. Es war, als ob sie für ihn gar nicht vorhanden wäre. »Können wir ihn wenigstens vom Boden aufheben?« fragte sie.

Oscar und Thomas trugen ihn in eine der Hütten ohne Wände und legten ihn auf eine Matte. Lindsay setzte sich neben ihn auf den Boden. Er hatte hohe Temperatur, und sein Puls raste. Sie wußte nicht, ob sie ihn zudecken sollte. Der Morgen war schon sehr heiß.

Ihre Füße taten weh, und sie zog die Schuhe aus. So hatte sie es sich nicht vorgestellt. Wie hätte sie ahnen sollen, daß es Eddie so schlecht ging? Sie hatte sich sehr angestrengt, sich nicht von ihrer Hoffnung hinreißen zu lassen, hatte sich eingeredet, daß der Mann auf dem Foto letztendlich gar nicht Eddie war. Erst als Chan Zapata ihn erkannte, fing sie wirklich an zu glauben. Und ab diesem Zeitpunkt, nach allem, was sie hinter sich hatte, nachdem sie ihrem Ziel so nahe war, dachte sie, es würde alles in Ordnung kommen.

Zum Teil hatte die Erinnerung damit zu tun, vermutete sie. Sie hatte sich dazu gebracht, einiges von den wirklich abscheulichen Dingen zu vergessen. Wie sich Eddie damals um 1975 herum Heroin spritzte bis zum Gehtnichtmehr; er war so süchtig, daß er fast nicht mehr davon losgekommen wäre. Und seine Frauengeschichten, du lieber Himmel! Mindestens zweimal hatte er es absichtlich so eingerichtet, daß sie ihn mit einer erwischte, jedenfalls war sie damals sicher, daß es absichtlich geschah. Es stellte sich später heraus, daß es nicht so war, ebensowenig wie er wußte, daß er sich kaputt machte, während er ganze Zerstörungsarbeit leistete.

Thomas kam und legte ihr die Hand ins Genick, dort wo die Schulter anfing. Die Zärtlichkeit dieser Geste war unerwartet. Sie sah auf.

»Ich habe dir etwas zu essen gebracht«, sagte er. »Es ist so eine Art Eintopfgericht, vermute ich. Sei vorsichtig damit, es ist sehr scharf gewürzt. Hier ist etwas Wasser.« Er gab ihr ein Glas mit einem Comic-Kater darauf. Das Glas war angeschlagen, und der größte Teil der Farbe war abgegriffen. Das Wasser darin sah gelblich aus.

»Kann man das gefahrlos trinken?«

»So weit weg von jeder Zivilisation geht es wahrscheinlich einigermaßen. Ich habe ein paar Jodtabletten hineingeworfen, um ganz sicher zu gehen. Deswegen die seltsame Farbe. In dem Topf da drüben ist das Zeug, das sicher ist. Iß langsam und trinke zwischen den einzelnen Bissen etwas. Spuck nichts aus und laß dir nichts anmerken, wenn es dir nicht schmeckt, das würde ihre Gefühle verletzen. Okay?«

»Okay«, sagte sie.

Es war so etwas wie Suppe aus Schwarzen Bohnen mit Fleischstücken darin. Es war wirklich scharf. Es dauerte eine Minute oder so, bis die Schärfe voll durchschlug, und bis dahin fühlte sich ihr Mund bereits rauh und geschwollen an. Sie hatte das Gefühl, als ob der Pfeffer auf ihren Lippen buchstäblich Blasen verursacht hätte. Das Wasser roch wie Leukoplast frisch aus der Packung, mit dem Aroma von Plastik und Medizin. Sie schmeckte das Jod darin, auch noch nach dem Schlukken.

Thomas saß mit überkreuzten Beinen vielleicht zwei Meter weit weg und aß aus einer anderen Schüssel. Das Wasserglas mußten sie gemeinsam benutzen. Lindsey linderte die Schärfe mit vier dicken Tortillas und zwei Gläsern Wasser. Sie füllte das Glas mit Wasser aus dem großen Tontopf nach.

»Er wird wieder in Ordnung kommen«, sagte Thomas unvermittelt. »Eddie. Dafür spricht die Tatsache, daß er aufgestanden und herumgelaufen ist und gesprochen hat. Er wird es überstehen.«

»Wie geht es jetzt weiter? Fliegen wir heute nachmittag zurück?«

Thomas zögerte etwas, bevor er antwortete: »Ich glaube schon.«

»Stimmt etwas nicht?«

»Ich weiß nicht. Der Gedanke, Eddie zu transportieren, macht mich etwas nervös, schätze ich.«

»Wegen der Sache, die Chan Ma'ax angedeutet hat? Komm jetzt, Thomas, du glaubst doch nicht an diesen ganzen mystischen Quatsch, oder?«

»Was du nicht sagst! Und was ist mit dir und deiner Astrologie?«

»Das ist etwas anderes. Das ist nur Spaß. Ich lasse davon mein Leben nicht beeinflussen.« Thomas machte ein Gesicht, als ob er lachen wollte. »Naja, vielleicht habe ich es ein paarmal als Vorwand benutzt.«

Oscar kam mit einer Schüssel und setzte sich. Thomas rückte etwas von ihr ab, höchstens zwei Zentimeter, jedoch so, daß sie es merkte. Vor Oscar spielte er den Kühlen. Sie wollte, daß sich Thomas nicht als Problem erweisen würde, doch sie wußte, daß er eins sein würde.

Nach dem Essen sah Lindsey Oscar und Thomas nach, die zum Hubschrauber gingen. Von dem Eintopf hatte sie Sodbrennen bekommen, und sie wünschte, sie hätte ein paar Rolaids gehabt.

Chan Zapata kam herein und setzte sich, wobei er sich an einen der Stützholme anlehnte. Er war drüben bei den Indios gewesen, jedoch irgendwie abseits geblieben. Lindsey hatte das Gefühl, daß er einen Fehler gemacht hatte, indem er hierhergekommen war. Sie konnte ihn nicht danach fragen. Eddie war auf eine unbestimmte Weise in die Sache verwickelt, und sie war in ihre Beziehung zu Eddie verwickelt.

Ihre Segeltuchtasche lag neben ihren Füßen. Sie hatte ihr Spanisch-Lehrbuch eingepackt, um es im Bus zu lesen. Sie schlug es bei Kapitel Eins auf. Dieses Unterfangen erschien ihr jetzt ein wenig müßig, so kurz vor ihrer Abreise. Doch es ging ihr langsam auf die Nerven, daß sie nicht verstand, was rings um sie geredet wurde. Selbst wenn sie nur noch ein paar Tage in Mexiko verbringen würden, wollte sie soviel wie möglich lernen.

»Dieses Buch«, so las sie, »lehrt die Sprache, die unsere lieben Nachbarn in Spanisch-Amerika sprechen.« Sie dachte über ihre lieben Nachbarn nach, die sie am Morgen beinah vom Himmel geschossen hätten. Und über ihre lieben Nachbarn in Nicaragua, die Reagan gern ins Meer getrieben hätte. Ihre lieben Nachbarn in El Salvador mit ihren Todesschwadronen.

Sie blätterte weiter zu Kapitel Zwei. »*Cuanta cuesta la camisa?*« sagte sie leise. »*Cuanta cuesta el vestido?*«

Thomas und Oscar kamen mit dem Rest ihres Gepäcks zurück. Sie sagten, daß mit dem Hubschrauber etwas nicht stimmte, daß Oscar jedoch glaubte, es reparieren zu können. Sie müßten über Nacht bleiben. Thomas schien das nicht zu stören, entgegen all der Eile, die er zuvor an den Tag gelegt hatte. Lindsey vermutete, daß er immer noch in seine Ruine verliebt war.

Eddie wachte auf und fragte sie nach einer Begebenheit, die sich vor fünfzehn Jahren in New York abgespielt hatte. Sie gab ihm etwas Wasser zu trinken. Es gab einen unheimlichen Augenblick, als Thomas Eddie ansah und sie erkannte, daß zwischen den beiden noch viel Unerledigtes stand. Dann gingen er und Oscar weg, um einige Palmwedel um Eddies Zelt herum aufzuschichten, damit es aus der Luft nicht so gut zu sehen war.

Ein paar Stunden später kam Oscar zurück. Seine Hände waren ölverschmiert, und er wischte sie mit einem Stoffetzen ab, der nach Benzin roch. »Brauchen Sie dabei vielleicht Hilfe?« fragte er.

Lindsey las immer noch in ihrem Spanisch-Lehrbuch. »Ich dachte, Sie hätten etwas an dem Hubschrauber zu tun«, sagte sie.

»Der Benzinfilter ist ausgebaut und patschnaß. Im Moment kann ich nichts weiter tun.« Er hatte offenbar mitbekommen, daß zwischen ihr und Thomas etwas lief. Da sie immer noch mit Eddie verheiratet war, stempelte sie das zu einer Schlampe ab, die leicht für einen Fick zu haben war.

»Okay«, sagte sie zögernd. Sie tat alles, um ihm zu erkennen zu geben, daß sie nicht interessiert war, indem sie zum Beispiel zu viel Platz machte, damit er sich setzen konnte. Er nutzte jede Gelegenheit, ihre Knie oder Hände zu berühren. Davon und von zwei Stunden intensiven Spanischlernens bekam sie Kopfweh. Endlich ließ er sie in Ruhe.

Irgendwann im Laufe des Nachmittags sprangen die Indios auf und liefen wild durcheinander. Sie warfen Deckel auf die Gefäße mit den Räucherduftsubstanzen und rannten in den Schutz der Bäume. Dann hörte sie es auch — das tiefe, brummende Rattern der Hubschrauber. Sie blieb reglos unter dem mit Palmblättern gedeckten Dach sitzen und hielt weiterhin Eddies Hand. Die Hubschrauber flogen direkt über sie hinweg, wurden jedoch nicht langsamer und kamen auch nicht zurück, obwohl Lindsey noch eine halbe Stunde lang außer Sicht blieb. Sie fragte sich, ob sie auf der Suche nach Oscar waren, ob der Hubschrauber, der sie verfolgt hatte, wirklich abgestürzt war und ob jemand darin ums Leben gekommen war. Denk nicht daran! ermahnte sie sich. Du darfst nicht einmal daran denken!

Zum Abendessen gab es wieder das gleiche Eintopfgericht. Eddie war lange genug wach, um Bohnen und Tortillas zu essen. Anschließend führte Lindsey ihn wieder zum Zelt zurück, wo sie sich neben ihn auf den Boden setzte und seine Hand hielt.

»Ich war wieder dort«, sagte Eddie.

»Wie bitte?«

»Ich war wieder in New York«, sagte Eddie. »Als ich den Pilz gegessen habe.«

»War es das, worum es die ganze Zeit ging?«

»Ich habe dich dort gesehen. Im Hotel. Es war phantastisch.« Seine Augen waren feucht vor Ergriffenheit.

»Eddie«, sagte sie, »du bist wahnsinnig.«

Er lachte. »Wenigstens hast du keine Scheu, es laut auszusprechen. Wie Dick und Gregg.«

»Wer?«

»Egal. Wichtig ist einzig und allein der Stoff.« Seine Stimme war nur noch ein Flüstern. »Es muß einen Weg geben, ihn synthetisch herzustellen. Er beschert einem den phantastischsten Trip, den man sich vorstellen kann.«

»Er hätte dich fast umgebracht«, sagte Lindsey.

»Er nimmt einen ganz schön mit«, räumte Eddie ein, »aber so schlimm ist es auch wieder nicht. Die Sache ist es wert. Ich meine, kannst du dir das vorstellen? Du kannst in der Zeit zurückgehen und alles noch einmal erleben, was du willst. Du wirst in die Lage versetzt, dich selbst zu begreifen, einen Sinn in deinem Leben zu entdecken, es alles vor dir ausgebreitet zu sehen!«

»Es gibt ein Wort für so etwas«, sagte Lindsey. »Ego-Trip.«

»Nein, Menschenskind, es hat nichts mit Ichbezogenheit zu tun. Wenn du dich selbst verstehen kannst, ich meine wirklich *verstehen,* dann kannst du alles andere verstehen. Das ganze Universum. Es ist der erste Schritt.«

»Wir werden später darüber reden, ja? Jetzt solltest du erst ein bißchen schlafen.«

Eddie schloß die Augen. Bald darauf ließ ein scharrendes Geräusch vor dem Zelt Lindsey aufspringen. Es war vollkommen dunkel geworden, ohne daß sie es gemerkt hätte.

Thomas steckte den Kopf herein. »Komme ich ungelegen?«

»Nein, er schläft.«

»Komm, ich möchte dir etwas zeigen!«

»Ich sollte ihn wirklich nicht allein ...«

»Es ist alles okay mit ihm«, unterbrach Thomas sie. »Er wird nicht abhauen.«

Es fehlten nur noch ein paar Tage bis zum Vollmond. Lindsey staunte, wie hell es ringsum war. »Hier entlang«, sagte Thomas.

»Wohin gehen wir?«

»Du wirst es sehen.« Die Rückkehr nach Na Chan hatte ihn verwandelt. Er machte den Eindruck, hierher zu gehören. So wie er jetzt war, fröhlich und entspannt und geheimnisvoll, mochte sie ihn langsam wieder. Er führte sie an dem langen, flachen Tempel vorbei in ein Dickicht aus kleinen Bäumen und Gras. »Dort drüben ist der Ballspielplatz«, sagte er.

Sie erkannte eine längliche Fläche mit Steinhaufen zu beiden Seiten. »Baseball oder Fußball?« fragte sie.

»Korbball. Nur daß sie ihre Hände nicht gebrauchen durften. Du hast davon gehört, nicht wahr?«

»Nein.«

»Es gibt zwei verschiedene Versionen der Geschichte. Die eine besagt, daß die Verlierermannschaft geopfert wurde. Laut der anderen waren es die Gewinner.«

»Das gefällt mir«, sagte Lindsey. »Es ist irgendwie romantisch — auf eine perverse Art.«

Sie hörte eine Zeitlang das Rauschen von Wasser, bevor sie den Fluß tatsächlich sah. Er war etwa sechs Meter breit und verlief parallel zum Weg, im Mondlicht glitzernd wie Bergkristall.

»Hier entlang«, sagte Thomas. »Sei vorsichtig.« Er ging langsam rückwärts einen steilen Hang hinab. »Keine Angst«, sagte er, als sie zauderte. »Ich halte dich, wenn du ausrutschst.«

Sie folgte ihm hinunter. Das Rauschen des Wassers war jetzt entschieden lauter. Als sie unten angekommen war, sah sie, daß sie ganz nah bei einem Wasserfall war. Kleine Lichttropfen stoben von den Steinen auf wie Glühwürmchen. Ihr fehlten die Worte. Sie drehte sich langsam einmal im Kreis.

»Mund zu!« sagte Thomas.

Sie hielt die Hand ins Wasser. »Kann man ... kann man darin schwimmen?« Thomas nickte. »O Gott ...« Sie konnte der Verlockung nicht widerstehen. Sie streifte sich den Pullover ab und die Jeans und die Unterhose und watete hinein. Das Wasser war wundervoll kühl und prickelte auf ihrer Haut. Sie drehte sich auf den Rücken und dann auf den Bauch und tauchte zu dem sandigen Grund. Es war tief genug, daß sie den Druck auf den Trommelfellen spürte. Sie tauchte wieder auf und sah Thomas, der sie vom Ufer aus beobachtete.

»Nun«, sagte sie. »Worauf wartest du?«

Thomas zog sich aus, nahm seine Brille ab und tauchte hinein. Sie fühlte sich benommen und wie von Sinnen. Sie schwamm zu ihm, warf die Arme um ihn und küßte ihn. Er ließ sie nicht los, seine Füße berührten den Boden. Er lächelte nicht mehr. Er küßte sie leidenschaftlich und drückte sie so fest, daß sie glaubte, ohnmächtig zu werden. Das nächste, das ihr zu Bewußtsein kam, war, daß sie halb aus dem Wasser auf dem Rücken lag. Er küßte sie, und sie spürte die Leere der ganzen Welt zwischen den Beinen.

Thomas stützte sich auf die Arme auf. »Ich habe kein ...«

»Es ist okay«, sagte sie. »Ich bin wieder in Ordnung. Es war vorher nur so ... eine besondere Vorsichtsmaßnahme.«

»Bist du sicher?«

»Ich bin sicher, ich bin sicher. O Gott, Thomas, bitte ...«

Er glitt in sie hinein. Sie hielt seine nackten Hinterbacken fest, um das Gefühl zu verlängern. Es war, als ob sie ein Stück von sich zurückbekäme, das sie verloren hatte. Sie umfaßte sein Gesicht und fuhr mit der Zunge die Innenseite seiner Lippen ab, gierig nach seinem Fleisch. Er rieb ihre Brüste, bis sie das Gefühl hatte, in ihren Adern flösse geschmolzenes Metall, und pumpte flüssige Hitze in die Mitte ihres Körpers. Seine Bartstoppeln kratzten sie an Lippen und Kinn, und seine Hüften bohrten sich in ihr Becken. Die kleinen Schmerzen trieben sie zum Wahnsinn. Sie warf sich ihm entgegen und verspritzte Wasser um sie herum, stieß ihn fest in sich hinein, bis er am ganzen Körper steif war wie eine Schaufensterpuppe, und sie hörte auch dann nicht auf, als der Wahn ganz durch sie hindurchgelodert war und sie schlaff und schwer und kalt wurde.

Thomas rollte von ihr herunter und legte sich atemlos auf die Seite. Ohne die Brille hatte sein Blick etwas Verstörtes. Sie strich ihm das Haar aus der Stirn und küßte ihn auf die Brust und schwamm hinaus in die Mitte des Beckens. Sie spürte, wie sein Samen aus ihr herausfloß, und sie preßte die Schenkel zusammen, um ihn in sich zu halten. Noch nicht, dachte sie. Sie legte sich mit dem Gesicht nach unten flach hin und tat so, als ob es dort unten keinen Grund gäbe, und sie stellte sich vor, daß sie vergäße, den Kopf zum Luftholen zu heben.

Schließlich schwamm sie zurück an den Rand und spülte sich den Schlamm und den Sand vom Rücken. Sie zog Thomas hinaus ins Wasser, bis es ihm zur Taille reichte, und wusch ihn ebenfalls. Er küßte sie wieder, diesmal zärtlich. Dann stiegen sie hinaus und zogen sich an. Sie streckte die Hand aus, um sich an ihm festzuhalten, während sie versuchte, mit nassen Beinen in ihre Jeans zu schlüpfen. Er legte seine Hand auf ihre, und sie hielten sich während des ganzen Wegs zurück zum Lager bei den Händen.

Als sie den Reißverschluß des Zelts aufzog, schwenkte er ab.

»Kommst du mit hinein?«

Er schüttelte den Kopf.

»Wo wirst du schlafen?«

»Oscar verbringt die Nacht im Hubschrauber. Ich kann bei ihm bleiben. Außerdem gibt es eine Hängematte und ein Moskitonetz von Eddie. Ich komme schon zurecht.«

»Du kannst hier bleiben.«

Er sah in die Ferne, dann zu Boden. »Ich komme zurecht«, war alles, was er sagte.

Sie ging zu ihm und nahm ihn in die Arme. Seine Hände fuhren ihr über den Rücken, fast ohne sie zu berühren. »Gute Nacht«, sagte sie.

»Mhm.« Er lächelte, als er sich entfernte.

Oscar hatte einige Packungen Notverpflegung im Hubschrauber, deshalb gab es Rührei aus Eipulver zum Frühstück. Lindsey war froh, daß es nicht wieder der Eintopf war. Thomas bot den Lacandonen von dem Rührei an, und das Ganze wurde zu einer Party. Schließlich kochten sie alles, was sie hatten, und niemand konnte genug bekommen; alle saßen im Kreis auf dem Boden und lachten. Chan Zapata übersetzte soviel er konnte für sie ins Englische.

Es war etwas eigenartig, die einzige Frau unter so vielen Männern zu sein, doch es tat ihrem Ego ganz gut. Sie wurde mit sehr viel Aufmerksamkeit bedacht.

Nach dem Frühstück sagte Oscar: »Ich glaube nicht, daß wir heute noch hier rauskommen. Vielleicht morgen.«

»Bist du sicher, daß du nicht Hilfe anfordern willst?« fragte Thomas.

»Ich kann das Ding richten«, sagte Oscar. »Ich möchte niemanden wissen lassen, wo wir sind, wenn es nicht unbedingt sein muß. Verstehst du?«

»Soll mir recht sein«, sagte Thomas. »Es schadet bestimmt nicht, über die Dinge etwas Gras wachsen zu lassen.«

In diesem Moment überkam Lindsey ein absonderliches Gefühl, fast eine Vorahnung. Wir werden niemals mehr von hier wegkommen, dachte sie.

»Eddie geht es besser«, sagte sie. »Ich glaube, er ist reisefähig. Ich meine, sobald wir soweit sind.«

»Noch ein bißchen mehr Ruhe ist sicher nicht falsch für ihn«, sagte Thomas.

»Nein«, sagte Lindsey. »Wahrscheinlich nicht.«

Sie schienen nicht allzu erfreut darüber, Amerikaner hier anzutreffen. Sie riefen ihr Fragen auf spanisch zu. Sie schüttelte lediglich den Kopf und deutete auf ihr Spanisch-Lehrbuch und sagte: *»No hablo.«*

Die Gewehre jagten ihr eine Riesenangst ein. Noch

nie hatte jemand eine Waffe auf sie gerichtet. Sie wurde von keinem anderen Gedanken beherrscht als von der Überlegung, wie wenig nötig war, damit eine von ihnen losging. Nur ein Fingerzucken. Jemand mochte aus Versehen den Abzug bedienen, oder nur aus Jux und Tollerei, weil es so einfach war.

Ich werde sterben, dachte sie. Sie wußte nicht einmal, wer diese Menschen waren. Rebellen? Wahrscheinlich, aber wer wußte mehr über sie?

Niemand hat dieses Recht, dachte sie. Niemand hatte das Recht, einem anderen menschlichen Wesen dieses Gefühl der Hilflosigkeit zu geben. Hitze stieg ihr in die Augen, und sie mußte blinzeln, um nicht zu weinen. Ich könnte jeden einzelnen von ihnen umbringen, dachte sie. Ich könnte jeden umbringen, der mir dieses Gefühl gibt.

Der Soldat, der ihr am nächsten stand, deutete mit seinem Gewehrkolben auf ihre Füße. *»Bájale«*, sagte er.

»Ich verstehe nicht«, sagte sie und hoffte, daß es stimmte.

Er packte sie bei den Schultern und drückte sie auf die Knie. Du lieber Gott, was jetzt? Würden sie sie zuerst einmal vergewaltigen, hier vor allen anderen? Oder sie einfach gleich erschießen?

Der Soldat griff nach ihrem Arm, dann nach dem anderen, und legte sie ihr auf den Kopf. Dann stieß er sie nach vorn, so daß sie auf den Bauch fiel. Sie zitterte. Sie wollte nicht, daß sie ihre Angst bemerkten. Dazu haßte sie sie zu sehr.

Sie drehte den Kopf zur Seite. Sie befahlen allen Lacandonen ebenfalls, sich hinzulegen. Sie sah Chan Ma'ax, und dieser Idiot lächelte. Sie wußte nicht, ob sie das tröstete oder nicht.

»Lindsey?« sagte Thomas. Er war irgendwo vor ihr, aber sie hatte Angst, den Kopf zu heben. »Lindsey, bist du okay?«

»Ja, sie haben mich nicht ...« Etwas Hartes wurde ihr

in den Rücken gestoßen. Ihre Stimmbänder erstarrten. Sie spürte ihren Tod in nächster Nähe, am anderen Ende des Gewehrlaufs.

»*Cállate!*« sagte der Soldat.

»Okay«, sagte Lindsey.

Sie hörte, daß sich ringsherum Menschen bewegten, konnte aber nicht sehen, was sie taten. Sie hörte Thomas sagen: »*Cuidado, por favor. Está enfermo.*« ›*Enfermo*‹ bedeutete krank. Er sprach von Eddie.

Einer der Soldaten drückte sie zaghaft zu Boden. Er schien Angst zu haben, sie ungehörig zu behandeln. Er berührte kaum ihre Hinterbacken und drehte sie nicht einmal auf den Rücken, um seine Arbeit zu vollenden. Dann standen die Soldaten etwa fünf Minuten lang nur herum und warteten. Lindsey merkte, daß sie nicht wußten, was sie als nächstes tun sollten. Wir müssen sie erschreckt haben, wie der Teufel, dachte sie.

Eine Frauenstimme begann, Befehle zu brüllen. Die Männer, die sie bewachten, pfiffen und bedeuteten ihr mit Gesten, aufzustehen. Sie erhob sich und war im Begriff, den Dreck von sich abzuwischen. Der Soldat schlug ihre Hand mit dem Gewehrlauf weg. Es tat wirklich weh, aber sie hatte Angst, hinzufassen. Der Soldat zeigte ihr pantomimisch, daß sie die Hände auf den Kopf legen sollte. Lindsey verschränkte die Finger im Nacken. Sie rieb sich das getroffene Handgelenk behutsam am Hinterkopf.

Der Soldat trat zur Seite. Sie alle standen jetzt in einer gezackten Linie aufgereiht, mit Blickrichtung zu einer Frau, die auf den Stufen der Pyramide saß. Neben ihr lag eine grobe Holzkrücke, und einer ihrer Füße steckte in einem Verband. Der Fuß sah schlimm aus. Der Verband war vor Dreck und Schweiß fast schwarz geworden. Lindsey wußte, daß sie Schmerzen haben mußte. Das Gesicht der Frau war angespannt und gefurcht.

Carla, dachte Lindsey. Das ist Carla. In den Nachrichtensendungen zu Hause gab es von ihr nichts als Zeichnungen und Bilder aus der Zeit, als sie ein Teenager war. Lindsey hatte plötzlich das Gefühl, mitten in die Geschichte geraten zu sein.

Thomas stand links von ihr, ein paar Meter entfernt. Eddie saß mit überkreuzten Beinen neben ihm. Er war einigermaßen aufnahmefähig, machte jedoch den Eindruck, als ob er jeden Moment ohnmächtig werden würde. Carla fragte, ob jemand von ihnen spanisch spräche.

Thomas nickte und sagte etwas, dem Lindsey nicht folgen konnte. Zwischen ihm und Carla entwickelte sich ein Wortwechsel, und dann nickte Carla in Lindseys Richtung. Thomas wandte sich an sie und sagte: »Du weißt, wer diese Leute sind, oder nicht?«

»Carla?« sagte sie. Ihre Stimme kam als Flüstern heraus.

»Du hast es erfaßt. Sie sagt, sie wollen uns nichts tun, all diese üblichen Nettigkeiten. Aber sie müssen uns bewachen, bis sie beschlosen haben, was sie mit uns machen.«

»Wir sind also Geiseln?«

»So ungefähr sieht es aus.«

»Aber ... das ist irrsinnig. Es könnte passieren, daß wir uns plötzlich mitten in einem Krieg mit den USA befinden.«

»Carla sagt, das ist bereits der Fall. Sie behauptet, es sind amerikanische Truppen hier. Sie hat sie in Usumacinta gesehen. Sie sagt, sie sind hinter ihr her.«

»Was ist mit ...?« Sie warf einen Blick zu Oscar, dann wieder zu Thomas, da sie nicht wußte, wieviel sie preisgeben sollte.

»Mit dem Hubschrauber?« sagte Oscar. »Sie haben ihn längst gefunden. Sie haben die Benzinpumpe ausgebaut. Wir werden nirgends hinfliegen.«

»Wir sitzen also in der Scheiße, willst du das damit sagen?«

»Mhm«, bestätigte Thomas. »Wir sitzen in der Scheiße.«

Den Lacandonen schien es gleichgültig zu sein, ob jemand Gewehre auf sie gerichtet hielt oder nicht. Sie hatten am Rand ihrer Schlafhütte ein großes Feuer aufgebaut und wärmten wieder etwas von dem Eintopf auf. Chan Zapata betrachtete den Kreis von Bewachern um sie herum und sagte: »Sie sind draußen in der Kälte. Wir sind innen am Feuer. Ist es nicht besser, innen zu sein?«

Lindsey nickte. Niemand hatte ihr ernsthaften Schaden zugefügt, obwohl ihr Handgelenk und die Mitte ihres Rückens noch immer weh taten. Sie war nicht gefesselt. Sie hatten ihre Handtasche und ihr Gepäck durchsucht, aber nichts weggenommen.

Dennoch. Sie hatte das Gefühl, als ob ihr der Teppich unter den Füßen weggezogen worden wäre. Sie verstand nicht, warum dies alles geschah. Sie sollte eigentlich irgendwo an einem Flughafen sein und auf einen Flug zurück in die Vereinigten Staaten warten. Warum war es nicht so? Es ergab alles keinen Sinn.

Sie war nach Mitternacht noch immer wach. Ein Mitglied der Rebellengruppe, eine zierliche, ernste Frau, begleitete sie hinaus zum Abort. Dieser bestand nur aus einigen Brettern zum Draufsitzen über einer Grube mit irgendwelchen Chemikalien darin. Lindsey hatte eine Rolle Toilettenpapier aus ihrem Koffer genommen, und sie stopfte sie in ihr Hemd zurück, als sie fertig war. Solang sie noch Toilettenpapier hatte, war nicht alle Hoffnung verloren.

Als sie zurückkam, hatte Thomas die Augen auf. »Kannst du nicht schlafen?« flüsterte er.

Sie schüttelte den Kopf. Sie warf einen Blick zu ihren Bewachern, doch denen schien es egal zu sein, ob sie miteinander sprachen. Ohne Zelt war es kälter, als sie gedacht hatte. Sie zog einen Pullover an und schlang die Arme um ihre angewinkelten Knie, um sich so eng wie möglich zusammenzukauern; wenn ihr Moskitos zu nahe kamen, schlug sie danach.

»Es tut mir leid, daß es alles so gekommen ist«, sagte er.

»Es ist *meine* Schuld«, sagte Lindsey. »Ich habe dich hierhergeschleppt, erinnerst du dich?«

»So richtig geschleppt hast du mich eigentlich nicht.«

Nach einigen Minuten sagte sie: »Was war deine Frau für ein Mensch?« Und dann fügte sie hinzu: »Du brauchst nicht darüber zu reden, wenn du nicht willst.«

»Es macht mir nichts aus. Ich glaube, ich bin inzwischen so ziemlich darüber hinweg.« Er drehte sich in eine Stellung um, in der er den Kopf in eine Hand stützen konnte. »Sie war verrückt. Unzurechnungsfähig. Als ich sie kennenlernte, war sie eine fanatische Anhängerin der Kirche Christi. Gleichzeitig trank sie wie ein Loch. Wodka mit allem. Limonade, Eistee, alles. Und sie liebte Rock and Roll. Besonders glitzernde Rockstars wie David Bowie und Mott the Hoople und so was.«

»Was ist passiert?«

»Es war mein Fehler, nehme ich an. Sie hörte auf, in die Kirche zu gehen, als wir zusammenzogen. Ich dachte, sie wollte es so, aber sie tat es für mich. Und ich vermute, daß sie es mir ständig übelnahm. Nach und nach stellte sich heraus, daß sie meinen Übertritt zu ihrem Glauben anstrebte. Das kam für mich nicht in Frage. Genausogut hätte man von mir verlangen können, an den Osterhasen zu glauben, das wäre ebenso töricht gewesen.«

»Nicht ganz. Aber sprich weiter!«

»Ihre früheren Bekannten fehlten ihr, und ich arbeitete fast ununterbrochen. Am Schluß war das Ganze vollkommen verfahren. Sie fing wieder an, in der Kirche herumzuhängen, und traf sich mit einem alten Freund, und die beiden landeten schließlich miteinander im Bett. Ich meine, herrje, letztendlich ging sie nur wieder in die Kirche — noch dazu in eine Fundamentalistenkirche! —, um zu vögeln. Sie war total schizophren, was sie niemals zugegeben hätte.«

»Blieb sie dann bei diesem Freund?«

»Wenn es nur so einfach gewesen wäre! Wir machten das ganze Theater noch einmal durch, als sie mit ihm Schluß machte und wir es zum zweitenmal mit unserer Ehe probierten und zur Partnerberatung gingen. Es dauerte eine Ewigkeit, bis wir endlich voneinander loskamen.«

»Wann hat sie Geburtstag?«

»Jetzt fängst du doch wohl nicht bei mir mit diesem Quatsch an, oder?«

»Komm jetzt, es ist mitten in der Nacht. Alle schlafen. Sei ein bißchen nachsichtig mit mir. Wer wird davon erfahren?«

»Am dreiundzwanzigsten November.«

»Schütze. Das habe ich mir gedacht. Da hattet ihr beide überhaupt keine Chance. Ihr habt benachbarte Sternzeichen. Ihr Aszendent ist der Skorpion. Aber im Bett habt ihr euch wunderbar verstanden, stimmt's?«

»Stimmt.«

Sie stieß ihn in den Bauch. »Sag das nicht so sehnsuchtsvoll. Du bist doch darüber hinweg, oder?«

»Mhm.« Er schwieg eine Weile, dann sagte er: »Als ich sie kennenlernte, dachte ich, daß es für jeden Menschen im Leben nur eine einzige große Liebe gäbe. Was sagst du dazu?«

»Ich wußte gar nicht, daß du so romantisch bist.«

»Ich bin darüber hinweggekommen. Während sie mit dem anderen Typen zusammen war, war ich an der UT, und dort gab es viele Frauen. Prigogine war ebenfalls dort. Er bekam 1977 den Nobelpreis, und das warf ein strahlendes Licht auf jeden, der mit ihm arbeitete, obwohl wir nicht einmal in der gleichen Abteilung waren. Plötzlich interessierten sich Frauen für mich. Und auf einmal hatte ich den Eindruck, daß es viele verschiedene Frauen gab, die mich glücklich machen konnten.«

»Und? Taten sie es?«

»Eine Zeitlang. Hör mal, ich glaube immer noch an die Liebe und diese Dinge.« Es entstand eine Pause. Lindsey wußte, daß er überlegte, wie weit er in dieser Hinsicht zu gehen entschlossen war, ob er ihr sagen sollte, daß er sie liebte, oder nicht. Sie wollte es nicht von ihm hören. Jetzt nicht. Sie wandte den Blick ab.

»Ich meine«, sagte Thomas, »es gibt Menschen, die ich seit Jahren liebe. Die ich wahrscheinlich immer lieben werde. Aber ich glaube nicht mehr daran, daß ein Mann und eine Frau für immer zusammenbleiben können.«

Eddie schlief auf der anderen Seite neben ihr. Sie konnte nicht umhin, ihn anzusehen.

»Du verrätst über dich gar nichts«, sagte Thomas. »Das ist ein wenig einseitig.«

»Ich weiß nicht, was ich noch glaube«, sagte Lindsey. »Ich weiß, daß die Dinge nicht von allein funktionieren. Besonders in der Liebe. In Beziehungen. Es ist alles verdammt schwierig.« In ihrem Koffer lag ein großes schwarz und weiß gestreiftes Badetuch. Sie nahm es heraus und rollte sich darunter zusammen wie unter einer Decke. »Manchmal bin ich es leid, überhaupt nur darüber nachzudenken.«

»Als du das mit Eddie herausgefunden hast, hast du da ... ich meine, warst du da mit jemandem zusammen oder so?«

»Mit niemandem Bestimmten.«

»Du konntest einfach dein Zeug packen und von der Bildfläche verschwinden?«

»Das verstehst du nicht. Mein Leben ist nicht wie deins oder Eddies. Es war noch nie so. Ich brauche meinen Namen nicht in der Zeitung zu lesen, um zu wissen, daß ich wirklich existiere. Ich führe ein durchschnittliches kleines Leben. Ich bin Leiterin eines Schnellkopierladens im Geschäftszentrum eines Vororts. Ich lebe von einem Tag zum anderen. Eine meiner

Hauptsorgen ist, daß die Farbflüssigkeit in den Geräten nur ja nicht ausgeht. Ich habe Freundinnen, mit denen ich zum Essen ausgehe. Manchmal gehen wir in einen Club oder so, und manchmal lerne ich einen Mann kennen, und manchmal lasse ich ihn mit zu mir nach Hause kommen. Bei etwa der Hälfte von ihnen stellt sich heraus, daß sie verheiratet sind. Sie stehen immer gerade kurz davor, sich von ihrer Frau zu trennen, aber sie tun es nie.«

»Das hört sich sehr traurig an.«

»Es ist *nicht* traurig. Es ist langweilig. Es gibt Schlimmeres. Ich weiß verdammt genau, daß ich in diesem Moment lieber im guten alten langweiligen San Diego wäre.« Sie gähnte. »Hör mal, ich versuch jetzt, ein bißchen zu schlafen, okay?«

»Okay«, sagte Thomas.

Sie drehte ihm den Rücken zu und schloß die Augen; das Handtuch zog sie sich zum Schutz gegen Insekten übers Gesicht. Es schien endlos zu dauern, bis ihr Geist Ruhe gab.

Gegen Morgen hatte sich der Ort bereits verändert.

Allerlei Gerätschaften wurden durch das Gebüsch zwischen der großen Pyramide und dem Bau, den Thomas Tempel nannte, bewegt. Zelte und Überdächer aus Plastikplanen wurden aufgebaut und Küchen eingerichtet. Es gab Kinder und Hunde und Frauen in Kittelschürzen. Ein Mann mittleren Alters mit einer Mütze und einem Bart wie Fidel Castro humpelte herum und gab Anweisungen. Er versuchte offenbar, von den kleinen Bäumen so viele wie möglich stehen zu lassen, um das Lager nicht allzu sichtbar zu machen.

Inzwischen war die Zahl ihrer Bewacher auf drei verringert worden: zwei für die Lacandonen und einer für sie vier, ein dunkelhäutiger Jugendlicher mit Reggae-Locken, den sie Righteous nannten. Es war klar, daß niemand weglaufen würde.

Es gab kein Frühstück. Lindsey arbeitete den ganzen Vormittag über mit Oscar an ihrem Spanisch, und gegen Mittag war sie gereizt und schlecht gelaunt. Sie stand auf. Thomas las einen Spionageroman, den er im Koffer gehabt hatte, und Oscar zeichnete Handgranaten auf die Rückseite des Spanisch-Lehrbuchs. Der Bewacher sah sie schließlich an. Sie deutete zuerst auf sich und dann auf den Abort. Righteous zuckte die Achseln.

Als sie halbwegs über die Lichtung gegangen war, blickte sie zurück. Righteous achtete nicht auf sie. Sie werden dich nicht erschießen, redete sie sich ein. Du darfst nur nicht rennen oder in Panik geraten oder dich benehmen, als ob du weglaufen wolltest.

Sie ging auf eine Gruppe von Halbwüchsigen zu, die mit Buschmessern Brennholz zurechtschnitten. Sie sah sich ständig nach dem Mann mit der Mütze und dem Bart um, doch offenbar war er nicht in der Nähe. *»Hola«*, sagte sie. *»Dónde está Carla?«* Angst trocknete ihren Mund aus und zermatschte ihre Worte zu Brei.

»Mande?« sagte einer der Jugendlichen. Er war groß und dürr mit einem Schnauzbart, der nicht dunkler als ein Schmutzstreifen war. Ein Anfängerschnauzer, dachte sie. Er könnte das Darüberstreichen üben und sich daran gewöhnen, daß Essensreste darin haften blieben, und eines Tages wäre er ein Mann.

»Carla«, wiederholte sie. *»Dónde está?«*

Der Junge zuckte die Achseln und deutete tiefer in den Wald hinein.

»Gracias«, sagte sie. Sie kam sich idiotisch vor. Sie wäre genauso weit gekommen, wenn sie ihn auf englisch gefragt hätte, ohne ihre Würde zu verlieren, wozu sie auf dem besten Weg war.

Sie entfernte sich schlurfend, versuchte, weniger weiblich zu wirken, sich der Blicke, die sie verfolgten, bewußt. Sie würde nicht zu Righteous zurückschauen. Wenn er sie sähe, dann böte sich ihm das Bild, wie sie mit anderen Soldaten sprach und nicht weglief. Das wäre in Ordnung.

Es waren nicht allzu viele Zelte. Die Zahl der Rebellen schätzte sie auf fünfzig bis hundert, Frauen und Kinder und Babies mitgezählt. Genug, um ein paar Zivilisten als Geiseln festzuhalten, aber gegen eine echte Armee hätten sie keine Chance. Sie haßte immer noch ihre Waffen und ihre Brutalität, doch vor allem erweckten sie jetzt ihr Mitleid.

Das größte Zelt stand direkt vor ihr. Irgend etwas spielte sich offenbar darin ab, und die Soldaten, die es umringten, versuchten alle, hineinzusehen.

»Carla?« fragte Lindsey einen von ihnen. »Carla *esta aquí?*«

Der Soldat bedachte sie mit einer wegwerfenden Handbewegung und rasselte etwas herunter, das sie nicht verstand.

»Wir brauchen etwas zu essen«, sagte sie. »*Comida,* verstehst du? Ihr könnt uns doch nicht einfach verhungern lassen, mein Gott!«

Ihn interessierte entschieden mehr, was im Zelt vor sich ging. Lindsey blickte an ihm vorbei in das Dämmerlicht und sah acht oder zehn Leute, die um ein Feldbett aus Metall herumstanden. Einer von ihnen hielt einen Beutel, aus dem unten ein Schlauch herauskam, mit einer gelblichen Flüssigkeit hoch. Ein Lazarett, dachte sie. Und dann schlug ihr der Geruch von Blut entgegen. Sie hörte, wie es klatschend auf den Boden tropfte. Ihr leerer Magen hob sich.

Sie war unfähig, die Füße zu bewegen. Sie vernahm ein kratzendes Geräusch und das Aufklatschen weiterer Blutstropfen am Boden. Es herrschte Stille um das Feldbett. Dann ertönte ein Brüllen, das sich wie Flüche anhörte, und ein weiteres Brüllen, das sich wie Befehle anhörte. Jemand anderes stöhnte. Darin klang ebensoviel Furcht wie Schmerz mit. Eine junge Frau aus dem Kreis der zuschauenden Rebellen drehte sich um und rannte hinaus. Sie sah wie etwa sechzehn aus und war auf eine grobknochige Art zu dick. Sie stieß Lindsey zur Seite und rannte weiter. Die Vorderseite ihres Khakihemds war mit hellrotem Blut bespritzt.

Lindsey wich zurück. Alle liefen durcheinander, und jetzt kam der Mann mit der Mütze und dem Bart heraus und stand blinzelnd im Sonnenlicht. Er rang keuchend um Luft und blickte auf seine Hand hinunter. Darin hielt er einen abgetrennten Fuß. Der Fuß war direkt über dem Knöchel abgeschnitten worden. Haut hing in losen Fetzen an den Rändern des Schnitts. Mitten in dem Fuß war ein Loch, und die Haut darum herum war dunkel und von puderigem Aussehen, wie ein alter Pilz.

Er war im Begriff, ihn einem der Soldaten zu reichen. Der Soldat zuckte zurück und bekreuzigte sich. Der Mann mit der Mütze griff nach hinten in das Zelt und brachte ein Handtuch zum Vorschein, in das er den Fuß wickelte.

Lindsey rannte zurück. Sie rannte den ganzen Weg zur Hütte zurück und rollte sich zu einer Kugel zusammen.

»Was hast du denn?« fragte Thomas.

»Halt den Mund!« fuhr Lindsey ihn an. Sie war der Meinung, daß ihre Stimme sehr ruhig und vernünftig klang. »Halt den Mund und laß mich in Ruhe!«

Als man ihnen etwas zu essen brachte, war Lindsey in der Lage, ein wenig davon zu sich zu nehmen. Es waren Hühnersuppe und Tortillas. Eigentlich war die Brühe so dünn, daß es mehr die Ahnung einer Hühnersuppe war.

Das war vielleicht besser so, da Oscar sie darüber aufklärte, daß es sich in Wirklichkeit um Leguan handelte. »In diesem Teil von Mexiko muß man davon ausgehen, daß etwas Leguan ist, wenn man die Hühnerform nicht erkennt.« Lindsey war jenseits von Ekelgefühlen.

Nach dem dritten Versuch gab es Thomas auf sie zu

fragen, was passiert sei. Sie konnte nicht darüber sprechen. Auch nicht, wenn sie es gewollt hätte.

Sie betrachtete ihre Füße und stellte sich vor, wie es sein müßte, nur noch einen davon zu haben. Schluß mit dem Tanzen. Gab es nicht in einem Märchen jemanden, der weinte, weil er keine Schuhe hatte? Es gelang ihr nicht, sich aufzumuntern.

Für Carla mußte es noch schlimmer sein. Sie war fähig gewesen, eine Armee anzuführen, hier im Herzen einer blühenden Macho-Kultur, und jetzt war sie verkrüppelt. Lindsey fühlte sich schrecklich elend.

Sie gab Eddie den Rest ihrer Suppe und legte sich wieder hin. Sie konnte nicht aufhören zu weinen. Als Thomas versuchte, ihr Gesicht zu berühren, schlug sie mit aller Kraft seine Hand weg. Sie wollte mit ihren Gedanken allein sein, und das Wissen, daß das nicht möglich war, machte alles nur noch schlimmer.

Gegen Sonnenuntergang wurde sie sich bewußt, daß sie ein einzelnes grünes Palmblatt, das vom Dach herunterhing, unentwegt anstarrte. Die Sonne setzte ihm strahlende rote Glanzlichter auf, und selbst die Luft darum herum schien von gelbroter Farbe erfüllt. Sie konnte es ansehen, ohne etwas zu denken. Danach schaffte sie es, sich aufzurichten und etwas Wasser zu trinken.

»Ich möchte nur wissen, ob sie dir etwas zuleide getan haben«, sagte Thomas. »Ich werde dir keine weiteren Fragen stellen.«

»Nein«, sagte Lindsey. Es war, als ob ihr eine Vision zuteil geworden wäre. Sie fühlte sich jetzt anders, verwandelt. Leerer, gehärtet. »Sie haben mir nichts zuleide getan.«

Es war noch dunkel, als sie aufwachte und feststellte, daß Eddie verschwunden war. Righteous' Wachdienst war zu Ende, und der Mann, der ihn abgelöst hatte, war eingeschlafen. Lindsey wußte sofort, was geschehen war, dennoch ging sie hinaus zum Abort, um sich zu überzeugen, daß er nicht dort war.

Als sie zurückkam, rüttelte sie Thomas am Arm. Er öffnete die Augen und sagte nichts, sondern sah sie nur an. »Eddie ist weg«, sagte sie.

»Was?«

»Die Pilze! Verdammt, Thomas, er ist wieder zu den Pilzen gegangen.«

Er leckte sich über die Lippen und rieb sein Gesicht. »Wie hat er ...«

»Es ist mir *egal,* wie er es geschafft hat, wir müssen ihn finden.« Sie ging hinüber zu der anderen Hütte und weckte den alten Indio auf. »Eddie«, sagte sie. »Wo ist Eddie? *Dónde está?*«

Chan Ma'ax setzte sich auf. Lindsey hätte nicht zu sagen vermocht, ob er wirklich geschlafen hatte oder nicht. Thomas bot ihm eine Hand an, doch der alte Mann beachtete sie nicht und erhob sich ohne Hilfe. Zum erstenmal fiel Lindsey auf, wie alt er tatsächlich war.

»Sag ihm«, wandte sie sich an Thomas, »sag ihm, er soll uns zu Eddie führen.«

»Ich wußte damals, wo die Pilze standen«, sagte Thomas. »Wahrscheinlich finde ...« Der alte Mann war bereits auf dem Weg in den Dschungel.

Lindsey rannte ihm nach. Thomas holte sie ein und beleuchtete mit einer kleinen Taschenlampe den Weg vor ihnen. Für den Alten war das offenbar nicht nötig.

Sie kamen durch eine schmale Erdrinne, und dort lag Eddie nackt auf der Erde. Er sah tot aus. Eine Wolke von Moskitos hüllte ihn ein. Seine Kleider lagen ordentlich zusammengelegt neben ihm aufgestapelt, und er hielt die Hände friedlich gefaltet über seine Geschlechtsteile. Ein paar Meter von ihm entfernt standen die Pilze. Es mußten vierzig oder fünfzig sein, die häßlichsten Pilze, die Lindsey je gesehen hatte. Thomas schwenkte den Lichtstrahl darüber, und sie schimmerten wächsern.

Eddie lebte noch. Er schwitzte, und sein Gesicht war

heiß und rot. Lindsey legte das Ohr an sein Herz. Es pochte heftig. Sie sah zu Thomas auf. »Was machen wir jetzt? Was können wir für ihn tun?«

Thomas hob die Schultern. »Nichts.«

»Wie bitte?«

»Es gibt kein Gegenmittel. Einem der Jungen, die hier ihre Sommerferien verbracht haben, ist es genauso gegangen, damals, als ich hier war. Selbst mit Thorazin wird nichts erreicht. Man kann nichts anderes tun als warten, bis die Wirkung nachläßt.«

»O Gott. O mein Gott!«

»Er hat es schon mal überlebt. Vielleicht wird er es auch diesmal überleben. Wir werden es in ein paar Stunden wissen.«

Sie versetzte Eddie einen kräftigen Schlag quer über den Mund. »Verdammter Kerl! Du blödes Schwein!«

Thomas packte ihre Hand, bevor sie noch einmal zuschlagen konnte. »Komm!« sagte er. »Hilf mir, ihn zurückzubringen!«

Sie versuchten es, indem sie sich jeder einen Arm von Eddie um die Schulter legten, doch seine Füße schleiften schwer über den Boden. Schließlich hob ihn Thomas unter der Schulter an, und Lindsey nahm ihn bei den Füßen. Chan Ma'ax trug seine Kleidung.

Als sie ihn endlich in der Hütte hatten, färbte sich der Himmel hinter dem Palast bereits rosig. Lindsey deckte ihn mit dem großen Handtuch zu. »Er konnte es nicht sein lassen«, sagte sie. »Er konnte es einfach nicht sein lassen.«

»So war er immer schon.« Thomas legte ihm die Hand auf die Stirn. »Das Fieber läßt nach.«

»Das ist gut«, sagte Lindsey. »Oder nicht?«

Thomas schob eins von Eddies Augenlidern zurück und fühlte den Puls am Hals. »Scheiße!«

»Was ist los?«

»Er wacht nicht auf«, sagte Thomas. »Ich glaube, wir haben ihn verloren.«

Als Eddie nach der Zugabe hinter die Bühne kam, lehnte Hendrix an der Backsteinwand. Er applaudierte Eddie leise, wobei seine dicken Ringe klapperten. Eddie sah nichts anderes als diese gewaltigen, kraftvollen Finger. Dann schüttelte ihm Hendrix die Hand und sagte: »He, Mann, das war irgendwie geil oder so, verstehst du?«

»Danke«, sagte Eddie, siebzehn Jahre alt und wohl wissend, daß er sich eigentlich vor Angst in die Hose machen müßte. Aber er schwelgte immer noch in seinem Hochgefühl, wenn er daran dachte, wie er sie aus den Sitzen gerissen hatte, obwohl er doch nur zum Vorwärmen gespielt hatte und vor Hendrix noch »Soft Machine« kommen sollte.

Und übrigens war Hendrix keineswegs furchteinflößend. Trotz der dunklen, aknenarbigen Haut, des Fu-Manchu-Bartes, den schweren Augenlidern, diesen riesigen, riesigen Händen. Er machte selbst den Eindruck eines Kindes, sprühend vor wahnwitzig guter Laune.

»Mir gefällt es wirklich, wie du spielst, Mann«, sagte Hendrix. Wenn er sprach, kletterte sozusagen ein Wort über das andere. »Hör zu, hau nachher nicht ab, vielleicht hast du Lust, mit uns zu spielen. Wir könnnten was echt Gutes machen. Blues oder so was. ›Red House‹ oder so, du weißt schon.«

»Das wär' super«, sagte Eddie. Hendrix hatte eine hautenge rosafarbene Satinhose und ein cremefarbenes Seidenhemd mit bauschigen Ärmeln und fünfzehn Zentimeter hohen Manschetten an. Er hatte ein Tuch mit lauter Augen drauf um den Hals und trug eine Lederweste und ein Medaillon, das aussah wie eine fliegende Untertasse, aus der Strahlen sprühten. Er wirkte, als wäre er soeben einem Raumschiff entstiegen. Das behauptete er auch in seinen Songs, und Eddie glaubte daran.

Irgendwie war es wie ein phantastischer Traum, daß er hier stand und sich mit Hendrix unterhielt, als gäbe es nichts Normaleres. Hier war Eddies Welt. Er fühlte sich bei Hendrix wohler als bei seiner Familie, wohler als bei irgend jemandem von der High School. Das war der Grund, warum er, als er sechzehn geworden war, von zu Hause weglief und bei Stew und Stews geschiedener Mutter einzog, wo er den ganzen Tag Gitarre spielen konnte.

Ein Mädchen mit geglättetem blonden Haar, das ihr bis zur Taille reichte, legte einen Arm um Hendrix und fing an, an seinem Ohr herumzukauen. »Jimi ... komm!«

»Mhm. Also, Bruder, ich muß gehen. Bis nachher, okay?«

»Klar«, sagte Eddie.

Hendrix und das Mädchen gingen durch die Feuertür hinaus auf den Parkplatz. Ein kalter Lufthauch kam nach ihnen herein. Die Roadies von »Soft Machine« schoben die große Hammondorgel von der Seitenkulisse herein. Sie hatten Haare bis zu den Hintern und lange Koteletten und auffallende Overalls. Eddies Band machte sich mit zwei von Stews Freunden von St. Marks in lässigen Hosen und Madrashemden nützlich, indem sie sich als Bühnenarbeiter betätigten. Sie rollten Eddies Twin Reverb von der Bühne, während er seine Gitarre in den Kasten packte und die Saiten abrieb.

»Wo sind'n die Groupies, Mann?«

»Bei Hendrix«, sagte Eddie. »Was dachtest du denn?«

»Du hast uns Sex und Drogen versprochen, Mann. Her mit dem Zeug!«

Eddie brachte seine Gitarre in die Garderobe. Die drei Typen von »Soft Machine« standen im Gang und warteten auf ihren Auftritt. Der Schlagzeuger trug lediglich einen knappen schwarzen zweiteiligen Badeanzug und Tennisschuhe und hatte sich einen langen Mantel über die Schultern gehängt, um sich warm zu halten, solang er noch nicht auf der Bühne war.

Die Garderobe war voller zurückgelassener Hüte und

Kragen und Schuhe von *The Music Man.* Es roch nach Deodorants und Fettcreme und Puder. Aus irgendeinem unerfindlichen Grund hatte man die Show in die State Fair Music Hall verlegt, anstatt sie in der großen Halle im Zentrum aufzuführen. Und jetzt platzte der Bau aus allen Nähten. Seit mehr als zwei Jahren hatte in Dallas kein bedeutendes Rockkonzert mehr stattgefunden, seit Dylans Tournee 1965. Die aufgestaute Energie des Publikums war ungeheuer.

In der hinteren Ecke rauchten Mitchell und Redding, Hendrix' Schlagzeuger und Bassist, zusammen einen Joint. Als Eddie hereinkam, winkte Redding ihm zu. Jedenfalls glaubte Eddie, daß es Redding war. Beide waren blasse, magere englische Typen mit fransigen Haaren und Paisley-Klamotten, und sie waren schwer auseinanderzuhalten.

Stew war ebenfalls da, verschwitzt und edwardianisch aufgemacht mit Spitzen und schwarzem Samt, und betrachtete sich in dem Schminkspiegel, der über die ganze Länge des Raumes an der Wand angebracht war. »Was hat Hendrix zu dir gesagt, Mann?«

»Wir haben ihm gefallen«, sagte Eddie. »Woher hast du das Bier?«

Stew deutete auf einen grünen Plastikmülleimer voller Eis. »*Du* hast ihm gefallen, meinst du wohl.«

»Wir, Mann, *wir!* Wo sind die anderen?«

»Die Mädchen sind aufgetaucht.«

»Oh.« Eddie öffnete eine Flasche Schlitz und setzte sich. »Hendrix sagte, ich könnte vielleicht am Schluß noch was mit ihnen zusammen spielen.« Er sprach mit gedämpfter Stimme, weil er nicht wußte, was Mitchell und Redding davon halten würden. Er wollte sie nicht sauer machen und seine Chance verderben.

»Herrje, ist das dein Ernst?«

»Das ist mein Ernst. Er ist ein guter Typ, Mann. Ich wiederhole bloß, was er gesagt hat, vielleicht war er ja bekifft oder so.«

»Hast du gesehen, was er angehabt hat? Ich hoffe wirklich, daß er tatsächlich bekifft ist.« Stew kippte den Rest seines Biers hinunter und sagte: »Du bist zu gut, Eddie. Du spielst uns andere glatt an die Wand.«

»He, komm jetzt, Stew! Wir haben die beste Band in der ganzen Stadt, verdammt. Ihr seid echt super.« Es hörte sich schal an, wie sehr er auch davon überzeugt sein mochte.

Es war einfach so, daß sich die Dinge unheimlich schnell entwickelten. Nachdem er vier Jahre lang mit Ausgeflippten und Betrunkenen und Unbegabten nichts erreicht hatte, hatte er jetzt eine Band zusammen, die wirklich willens war, Erfolg zu haben. Plötzlich hatten sie Auftritte im ›Studio-Club‹ und im ›Cellar‹ und im ›LuAnne‹. Noch zweimal würden sie als Vorgruppe bei der Hendrix-Tournee spielen, und dann würde es abgehen nach San Francisco zu einer Plattenaufnahme in den Wally Heider Studios für Epic. Der Vertrag war bei Stew zu Hause an die Wand geheftet.

»Das stimmt vielleicht für den Augenblick«, sagte Stew. »Aber ich weiß nicht, wie lange wir anderen noch mithalten können.«

»Fang nicht mit so 'ner Scheiße an, Mann. Ich kann nicht *singen.* Ich könnte gar nicht im Vordergrund einer Gruppe stehen, selbst wenn ich es wollte.«

»Und was ist, wenn Hendrix dich auffordert, bei ihm mitzumachen?«

Eddie schüttelte den Kopf. »Ausgeschlossen, Mann. Er will keinen zweiten Gitarristen. Und ich will keine andere Band. Wir müssen ein paar Sachen anders machen, aber ich will *euch* auf keinen Fall gegen andere Typen eintauschen.«

Stew holte sich noch ein Bier und kam zurück. Er trank etwa die Hälfte davon und fing an, mit dem Fingernagel an dem Etikett herumzukratzen.

»Was müssen wir anders machen?« fragte er, ohne Eddie anzusehen.

»Wir brauchen mehr Originaltitel«, sagte Eddie. »Das weißt du so gut wie ich. Ich möchte in der Lage sein, ein Programm von zwei Stunden zu haben, ohne einen fremden Titel nachzuspielen. Im Moment bin ich nicht einmal sicher, ob wir genug für das Album haben.«

»Okay. Was noch?«

»Und wir müssen unseren Namen ändern. ›The Other Side‹ geht einfach unter. Es gibt bestimmt fünfhundert Gruppen, die sich ›The Other Side‹ nennen. Außerdem bedeutet der Name gar nichts.«

»Muß er denn etwas bedeuten? Wie ›Jefferson Airplane‹? Oder ›Strawberry Alarm Clock‹?«

»Was hältst du von ›Maya‹?«

»Was, wie die Indianer?«

»Das auch, nehme ich an. Aber es ist außerdem ein Begriff aus der indischen Philosophie. Er bedeutet grobgesagt die Illusion materieller Dinge.«

»Ach du Scheiße, Eddie, was liest du denn gerade?«

Eddie zuckte die Achseln. »Denk mal darüber nach, ja?«

»Okay, ich denke darüber nach.« Stew stand kopfschüttelnd auf. »Du bist ein komischer Typ, Eddie. Du kannst von Glück sagen, daß du Gitarre spielen kannst, sonst würdest du nie bei 'nem Mädchen landen. Apropos, ich mache mich jetzt mal auf die Suche nach Stoff und was fürs Bett, bevor diese englischen Arschlöcher sich alles an Land ziehen und ich nichts mehr finde.«

»Du warst schon immer der einfühlsame Typ.«

»Alles zur richtigen Zeit und am richtigen Ort. Jetzt ist Feiern angesagt.« Er ging zu Mitchell und Redding und sagte etwas zu ihnen, und dann schlenderten sie zu dritt lachend hinaus.

Die Gruppe »Soft Machine« fing an zu spielen. Von seinem Platz aus konnte Eddie nur den Baß mit einem dröhnenden Zweitonlauf hören, der sich ständig wiederholte. Er machte sich noch eine Flasche Bier auf.

Hendrix hatte seine Gitarren hier in der Garderobe

gelassen. Es waren ingesamt fünf, bestens aufeinander abgestimmte Stratocasters, die Saiten in umgekehrter Reihenfolge aufgespannt, mit jeweils einem Haken für den Riemen an der kurzen Seite des Ausschnitts und am Whammy-Steg, so daß er über die Brücke hinunterbaumelte. Eddie berührte die tiefe E-Saite mit einem Fingernagel. Sie fühlte sich wie ein Stahlseil an. Er konnte sich nicht vorstellen, wieviel Kraft Hendrix in den Händen haben mußte, um so schwere Saiten zu spielen.

Als er sich umdrehte, stand sein Bruder in der Tür.

Eddies erste instinktive Reaktion war, sich nach einer anderen Tür umzusehen. Es gab keine. Thomas kam mit einer ausgestreckten Hand auf ihn zu. Er trug ein weißes Ban-Lon-Hemd und einen blauen Blazer und Mokassins. Damit und mit seiner Brille mit dem Hornrahmen sah er so wenig ausgeflippt wie nur irgendeiner aus. »He, Eddie«, sagte Thomas. »Ganz schöne Scheiße, wenn man eine Eintrittskarte kaufen muß, um seinen Bruder mal zu sehen.«

»Was willst du?« Er ignorierte die Hand, und Thomas zog sie zurück. Gleich darauf kam sich Eddie wegen dieses Verhaltens wie ein Arschloch vor.

»Vielleicht wollte ich einfach mal hören, was du für Fortschritte machst. Ich hätte auch einer von denen da oben sein können, wenn ich nicht aufgehört hätte, Schlagzeug zu spielen.«

Eddie zuckte die Achseln. »Das ist lange her.«

»Da wir gerade von ›lange her‹ sprechen, wann warst du das letztemal zu Hause?«

»Vor ein paar Wochen.«

»So so. Vielleicht an Weihnachten? Eher vor zwei Monaten.«

Der ganze alte hilflose Zorn stieg wieder in ihm auf, als ob er nie von zu Hause weggegangen wäre. »Verschon mich mit dieser Scheiße, Mann! Sie haben mich rausgeworfen. Wenn sie mich unbedingt bei sich hätten behalten wollen, dann hätten sie sich nicht so verhalten dürfen.« Es war nicht so, daß er seine Eltern haßte. Es wäre ihm nur einfach lieb gewesen, wenn sie bei einem Autounfall umgekommen und aus seinem Leben verschwunden wären. Sie waren wie Treibsand, bewirkten, daß er den Boden unter den Füßen verlor.

»Sie fühlen sich beschissen deinetwegen, und das weißt du.«

»Also haben sie sich mit dem Fernsehen getröstet. Als ich das letztemal dort war, hat der Alte nicht einmal aufgeblickt. Komm zur Sache! Was treibt dich her?«

»Ich möchte, daß du nach Hause kommst. Heute abend. Jetzt gleich. Versuch die Dinge ins reine zu bringen.«

»Nein«, sagte Eddie. »Das war leicht. Was noch?«

»Hör mal zu, du kleiner Scheißer! Ich versuche, dir hier herauszuhelfen. Selbst wenn du es niemals zugeben würdest, du brauchst es. Du wirst nächstes Jahr achtzehn, und sie werden dich einberufen und nach Vietnam schicken. Du tätest also gut daran, langsam über deine Zukunft nachzudenken.«

»Die Zukunft heißt College, habe ich recht, wie bei dir? Ich habe einen verdammten Plattenvertrag, du Arschloch. Meine Zukunft heißt Gitarrespielen. Nur darum geht es mir. Wir fahren nächste Woche nach San Francisco, Mensch!«

»Ja. Wir haben davon erfahren. Von Stews Mutter. Aber ein Schallplattenvertrag verhindert nicht, daß du zur Armee mußt.«

»Komm jetzt, Mann! Ich gehe nach Kanada, okay? Warum kannst du mich nicht in Ruhe lassen? Mein ganzes Leben lang hast du immer versucht, mich niederzumachen, weil du eifersüchtig bist. Du bildest dir ein, für dich hat alles leicht zu sein, weil du der ältere bist. Diese Scheiße kannst du dir aus dem Kopf schlagen. Ich habe hierfür gearbeitet. Ich bin allein zu Hause in unserem Zimmer geblieben und habe Gitarre gespielt, während du dich mit deinen bescheuerten Freunden herumgetrieben und Wodka gesoffen hast und nach Hause gekommen bist und alles vollgekotzt hast. Das ist das einzige, was du schon immer konntest, alles vollkotzen. Aber das hier wirst du nicht vollkotzen, verstanden? Du wirst es mir nicht kaputtmachen.«

»O Gott, Eddie, ich glaube, du solltest mal zu einem Arzt gehen oder so.«

»Du kommst hier rein und wirfst mir diese ganze Scheiße an den Kopf, du tust alles, um mich auf die Palme zu bringen, und dann wunderst du dich, wenn ich mich aufrege? Verpiß dich, Tommy! Verpiß dich, und laß mich in Ruhe!«

Thomas hielt die Hände hoch. »Okay. Beim Hinausgehen sollte ich dir noch einen Tritt in den Arsch geben, aber ich werde es nicht tun. Erstens, weil ich glaube, daß du wirklich verrückt bist, und zweitens, weil du immer noch mein Bruder bist und das vielleicht eine Art Abschiedsgeschenk für dich sein soll.«

»Hau jetzt ab, verdammte Scheiße!« Eddie drehte ihm den Rücken zu und betrachtete Hendrix' Gitarren. Er konzentrierte sich darauf, als ob sie heilige Reliquien wären. Nach einigen Sekunden hörte er, wie die Tür zufiel.

Seine Hände zitterten. Warum hing er eigentlich hier in der Garderobe herum? Ich werde mich dadurch nicht fertigmachen lassen, redete er sich ein. Er trank den Rest des Biers aus, um Thomas genug Vorsprung zu lassen, daß er ihm nicht mehr begegnen würde.

Im Flur hörte man ›Soft Machine‹ um einiges lauter. Die Orgel hörte sich an wie ein Tier, das geschlachtet wurde. Eddie ging durch die Feuertür hinaus, durch die er zuvor Hendrix und das Mädchen hatte verschwinden sehen. Sie waren wahrscheinlich in einer Limousine auf dem Parkplatz beim Ficken. Wenn sie miteinander fertig waren, würden sie ihn vielleicht einsteigen lassen.

Es war, als ob er vergessen hätte, daß draußen Februar war. Die Luft war so dick und kalt, daß seine Kehle beim Einatmen schmerzte. Gleich vor der Tür war eine Laderampe, und er umfaßte das Metallgeländer, das den Rand säumte. Die Kälte kroch durch die Hände in ihn hinein, so daß er am ganzen Körper zitterte wie ein nasser Hund. Das ernüchterte ihn und löste etwas in seinem Hinterkopf.

Herrje, nachdem er all das ausgesprochen hatte, hatte er ein ganz starkes Gefühl.

Er wischte sich das Gesicht am Ärmel seines Hemdes ab, einem abscheulichen schwarzen Ding mit blauen Tupfen, das er bei Penny's in Northpark gekauft hatte. Die Üppigkeit und Farbenpracht seiner Erinnerungen erstaunte ihn. So viele davon waren ihm abhanden gekommen. Wie die Auseinandersetzung mit Thomas. Er hatte sie vergessen oder zumindest verdrängt.

Statt dessen erinnerte er sich daran, wie er mit Hendrix ›Peter Gunn‹ und ›Red House‹ heruntergefetzt und anschließend mit der Blonden mit dem geglätteten Haar auf dem Rücksitz von Hendrix' Limousine marokkanisches Hasch geraucht hatte. Hendrix war weggegangen und hatte sie beide allein gelassen, Eddie war vollkommen bekifft und noch nervöser, als er auf der Bühne mit Hendrix gewesen war. Und dann öffnete das Mädchen ganz nebenbei den Reißverschluß seiner engen Kordsamthose, und zum erstenmal machte es ihm jemand mit dem Mund. Eddie erschien es wie eine Art Einführungszeremonie, wie wenn man nach einer Äquatorüberquerung den Kopf geschoren bekommt. Er erfuhr dadurch eine tiefgreifende Verwandlung, wußte, daß dies — endlich — die Höheren Weihen waren, jedenfalls im Ansatz. Thomas und seine Eltern hatten keinen Bezug zu den Höheren Weihen, also wurden sie aus der Szene gestrichen.

Ich gehöre nicht hierher, dachte er. Irgendwie betrüge ich mein siebzehnjähriges Ich und dränge es ab, allein durch die Tatsache, daß ich hier bin, daß ich seinen Platz einnehme, da er doch so hart dafür gearbeitet hat. Dieser Trip entwickelte sich genau wie die anderen beiden, streifte alle Verbindungen von ihm ab, selbst diejenigen, die er gern aufrechterhalten hätte. Und immer noch gab es keine Auflösung.

Er ging die Stufen zu dem Asphaltparkplatz hinunter und blieb in der Dunkelheit zwischen den Straßenlaternen stehen. Laßt mich hier raus, dachte er. Ich bin bereit, zurückzukehren. Er versuchte sich an das Schwebegefühl zu erinnern, das gegen Ende des letzten Trips über ihn gekommen war. Er schloß die Augen, versuchte, es Wirklichkeit werden zu lassen.

Nichts.

Er ging weiter. Am anderen Ende des Parkplatzes sah er etwas schwach leuchten, und seine Kehle war wie zugeschnürt. Es waren wieder die drei schimmernden Männer. Das ist das Ende, dachte er, während er darauf wartete, daß sich das Pflaster unter seinen Füßen auflöste.

Statt dessen kamen sie einfach näher. Er konnte jetzt Einzelheiten erkennen, jenseits des Glitzereffekts des gelbgrünen Lichts. Der Mann in der Mitte, der Weiße, der wie er selbst aussah, winkte Eddie heran. Er holte mit dem Arm zu großen Gesten aus, als ob er im Zeitlupentempo etwas über seine Schulter werfen wollte.

Eddie fing an zu laufen. Das schien nichts zu bewirken. Sie sahen aus wie ein dreidimensional projiziertes Bild, ein Hologramm. Nur daß es er selbst war, den er projizierte, so daß er sich niemals einholen konnte.

Seine Turnschuhe erzeugten gespenstische, metallische Echos auf dem Asphalt. Es dauerte ein paar Sekunden, bis er merkte, daß sich die Straßenlaternen verflüchtigt hatten, daß das Ganze anfing, sich wieder genauso abzuspielen wie beim letztenmal. Er fiel und sah die Lichtkugeln.

Diesmal konnte er den Fall nicht bremsen.

Er fiel schnell, so schnell, daß ihm das Herz in der

Kehle pochte und die Augen aus den Höhlen traten. Das Ende des Lichttunnels hatte die gleiche gelbgrüne Farbe angenommen wie die schimmernden Männer. Ein Druck wie von einem geräuschlosen Wind lastete auf seinem Gesicht, den Schultern und der Brust, und er spürte, wie ihm das Blut in den Kopf sauste, seine Wangen anschwollen und seine Ohren zu platzen drohten. Er streckte die Hände vor sich aus, als ob sie irgendwie seinen Fall unterbrechen könnten.

Er hatte einiges über Erfahrungen mit dem Leben nach dem Tod gelesen. Dies war allzu ähnlich. Der Sturz mit dem Kopf nach unten, das Licht vor ihm. Chan Ma'ax hat dich gewarnt, dachte er. Du hast dir selbst vorgemacht, du hättest es im Griff, und jetzt mußt du sterben.

Er fiel lange Zeit.

Irgendwann verlor die Zeit jede Bedeutung. Er wußte nicht, ob seine Augen geschlossen oder offen waren, in welche Richtung er fiel, wo sich seine Hände befanden. Und nachdem er all dies erkannt hatte, stellte er fest, daß seine Augen letztendlich geschlossen waren.

Er öffnete sie im Sonnenlicht. Er lag auf einem Feld mit kurzgeschnittenem Gras, ringsum von Kalksteinwänden umgeben. Es war nicht der ausgebleichte, verwitterte Kalkstein der Ruinen, sondern glattpolierter Kalkstein, bemalt mit Kriegern und Göttern und Schlangen.

Wie damals, als Na Chan neu war.

Und dann sah er die beiden Männer mit den gefiederten Gewändern über ihm stehen und hatte nicht den geringsten Zweifel mehr daran, wo er war.

D·R·E·I

THOMAS SASS OBEN auf der großen Pyramide, wo ihn Faustinos Mann antraf. Er hatte die frühen Morgenstunden damit verbracht, die Tempel mit einer Schaufel, die er in einem der Räume gefunden hatte, zu säubern. Jemand, wahrscheinlich Eddie, hatte schon einige Vorarbeit geleistet. Mit Hilfe eines Buschmessers wäre er in der Lage gewesen, das Dach und die Seitenwände von den Pflanzen zu befreien. Er hatte jedoch nicht viel Hoffnung, an eins zu gelangen.

Faustino hatte Righteous geschickt, den dunkelhäutigen Jugendlichen mit der dreifarbigen Reggae-Strickmütze. Der Junge setzte an, über die steilen, schmalen Stufen der Pyramide heraufzuklettern, gab jedoch nach etwa dem ersten Dutzend auf, indem er sich auf sein Gewehr stützte und keuchte. »*Oye!*« brüllte er, nachdem er sich etwas verschnauft hatte. »*Su hermano!*«

Es ging also um Eddie. Thomas machte sich an den Abstieg.

Faustino hatte sich während der letzten drei Tage ständig um Eddie gekümmert. Er hatte eine altmodische Arzttasche aus Leder bei sich, die fast leer war. Ein Stethoskop und ein Blutdruckmesser mit einem gesprungenen Glas vor der Skala waren so ungefähr der gesamte Inhalt. Was auch immer er an Medikamenten einmal besessen haben mochte, war längst aufgebraucht.

Thomas hielt seine Bemühungen für reine Zeitverschwendung. Eddie war verloren, befand sich im Zustand undurchdringlicher Katatonie, wie jener andere Junge, der mit der Droge herumexperimentiert hatte. Jetzt gab es offenbar eine Neuigkeit. Die erste Ahnung, der nächstliegende Gedanke, der ihm in den Sinn kam, war, daß Eddie gestorben sei.

Als er noch zehn oder fünfzehn Schritte von dem Jungen entfernt war, sagte er: »Eddie?«

»*Sí*«, antwortete Righteous. Seine Bewegungen zuckten in einem Rhythmus, den ihm sein Inneres eingab. Er machte eine Pause nach dem *›Sí‹*, als wollte er noch *›Senor‹*, hinzufügen, sich aber unschlüssig war, ob das angebracht wäre. »Er ist aufgewacht«, sagte er auf spanisch mit Veracruz-Akzent.

»Um Himmels willen«, entfuhr es Thomas.

Die Öffnungsklappen des Zelts waren zurückgeschlagen, trotzdem roch es darin nach Fäulnis und Verfall, dachte Thomas, vermodert. Eddie sah aus, als ob fast alle Luft aus ihm gewichen wäre. Faustino war dabei, mit dem abgenutzten Gerät mit dem gesprungenen Glas seinen Blutdruck zu messen, während Lindsey versuchte, etwas auf spanisch zu ihm zu sagen. Sie konnte die Sprache eigentlich nicht, doch sie hatte versucht, sich mit Hilfe eines Buchs einige Kenntnisse anzueignen. Thomas vermutete, daß sie schon wegen des Versuchs Bewunderung von ihm erwartete. Die Kleidung hing ihr locker am Körper, und sie hatte Ringe um die Augen, die ihre Erschöpfung verrieten. Doch das machte sie nicht weniger begehrenswert.

»He, großer Bruder«, sagte Eddie.

Faustino schrieb etwas auf ein Stück liniertes Papier. Es war schon mit anderen Notizen fast vollgeschrieben und wies an den Faltlinien braune Verfärbungen auf. Er packte das Papier, das Stethoskop und den Blutdruckmesser wieder in seine Tasche. »Wenn er Ruhe hat«, sagte er auf spanisch, »wird er sich wahrscheinlich wieder vollkommen erholen.«

»*Gracias*«, sagte Thomas. »*Muy amable.*«

Einerseits gaben ihnen die Rebellen zu essen und ließen sie ansonsten so ziemlich in Ruhe. Andererseits waren sie tatsächlich so etwas wie Geiseln. Obwohl Carla ihnen gegenüer nichts über Lösegeld oder sonstige Forderungen geäußert hatte. Wegen ihrer kurzfristigen Entscheidung, nach Na Chan anstatt nach Nahá zu reisen, wüßte übrigens niemand, wo sie waren, nicht einmal Lindseys Eltern oder Shapiro von der Projektgruppe.

Es könnte Wochen dauern, bis jemand daran dächte, sie zu suchen.

Natürlich hätten sie den Versuch unternehmen können, durch den Dschungel abzuhauen, doch dann wären sie nicht ganz bei Verstand gewesen.

Faustino nickte und entfernte sich. Thomas sah zu Eddie hinunter, der mit seinem schwachen, selbstzufriedenen Lächeln dalag, und dachte daran, daß sie sich allein seinetwegen in ihrer gegenwärtigen Situation befanden. Und aus Dankbarkeit hatte er erneut etwas von dem Pilz gegessen. »Du bist ein Idiot«, sagte Thomas. »Weißt du das?«

»He, Mann«, sagte Eddie kraftlos. »Sei doch nicht sauer auf mich.«

»Warum sollte ich nicht? Dieser Shit ist Gift. Im wahrsten Sinne des Wortes ein Scheißzeug. Es hätte dich leicht umbringen können, ganz zu schweigen davon, welche Auswirkungen es auf dein Gehirn hat. Und du liegst da und grinst, als ob du gerade einen verdammten Marathonlauf gewonnen hättest oder so etwas.«

»Okay, Mann, immer mit der Ruhe! Wie lang war ich überhaupt weggetreten?«

»Drei Tage.«

Thomas stellte mit Erleichterung fest, daß Eddie noch Schrecken empfinden konnte. Seine Augen schienen sich in den Kopf zurückzuziehen. »Drei *Tage?*«

»Man hat dir Zuckerwasser eingeflößt«, sagte Lindsey.

»Sonst wärst du ausgetrocknet und hops gegangen«, sagte Thomas. »Die Dehydration hätte genügt, um dich umzubringen.«

»Ich habe nicht zum erstenmal davon gegessen, weißt du?« sagte Eddie.

»Ja«, sagte Thomas. »Das wissen wir.«

»Schon zweimal. Es war nicht so schlimm.«

»Unsinn«, sagte Thomas. »Du hättest dich mal sehen sollen. Du hast ausgesehen wie der Tod.«

»Thomas«, sagte Lindsey. »Komm, laß gut sein!«

»Ich kann nicht glauben, daß du dir so etwas antust«, sagte Thomas. »Ich kann es einfach nicht glauben.«

Er schwieg. Lindsey warf ihm einen Blick zu, der ausdrückte, daß er das längst hätte tun sollen. Schließlich hielt er es nicht mehr aus, und er fragte: »Was hast du gesehen?«

»Am Anfang waren es Dinge aus meinem Leben. Zuletzt eine Episode aus der High School-Zeit, und du warst dabei. Erinnerst du dich an das Hendrix-Konzert? Wir spielten als Vorgruppe?«

Thomas zuckte die Achseln. »Kann sein.«

»Dann wurde es wirklich unheimlich, es kamen Maya drin vor. Alte Maya. Es war die Zeit, als dieser Ort neu war und die Tempel alle bemalt waren und so.«

Thomas lief ein kalter Schauder über den Rücken. Das war ein Detail, das jemand, der sich nicht damit beschäftigte, normalerweise nicht wußte. Vielleicht hatte Eddie es irgendwo gelesen. Die meisten Leute waren der Meinung, die Maya-Bauwerke hätten immer schon aus glattem weißen Stein bestanden, so wie die Ruinen jetzt. Kaum jemand wußte, daß sie mit vielen Rot-, Gelb- und Purpurtönen bemalt gewesen waren.

»Beim vorigen Mal«, sagte Lindsey, »erlebte er in seiner Halluzination wieder die ganze Szene von damals in New York, in den siebziger Jahren.«

»Es war nicht wie eine Halluzination, Mann«, sagte Eddie. »Ich hatte das Gefühl, wirklich dort zu sein.«

»Eddie, komm in die Realität zurück«, sagte Thomas.

»Ich erzähle keinen Quatsch. Der große Macher dort hieß Chilam Sotz'. Wie sollte ich das sonst erfahren haben?« Er sprach es richtig aus, und es war ein denkbarer Name für einen Maya-Priester des Altertums. Thomas hatte keine Ahnung, wo er ihn aufgeschnappt haben könnte.

»Sie spielten ein Ballspiel«, fuhr Eddie fort. »Es war anders, als du es in deinem Buch beschrieben hast. Es waren viel mehr Spieler beteiligt. Einige durften die Hände benutzen, andere nicht. Sie waren auf viele verschiedene Arten gekleidet. Manche waren nackt. Ich habe ihnen etwa eine Stunde lang zugeschaut und bin dann in die Stadt gegangen.«

»Wie war das?« wollte Thomas wissen. »Ich meine, warst du ein Gespenst? Konnten die anderen Menschen dich sehen? Warst du schlicht der gute alte Eddie Yates, nur nackt? Oder wie?«

»Ich war einer von ihnen, Mann. Jedenfalls steckte ich in einem ihrer Körper. Außer daß er ziemlich helle Haut hatte. Nicht ganz so hell wie meine, aber für ihre Verhältnisse hell. Und er hatte Haare im Gesicht, so etwas wie einen dürftigen Bart, wie ein Fünfzehnjähriger oder so. Aber er war gekleidet wie sie, und sie schienen ihn — mich — nicht absonderlich zu finden. Ich weiß nicht, was mit dem Geist des Knaben los war, während ich mich in ihm befand.«

»Wie war die Stadt?« fragte Lindsey. »Was hast du dort gemacht?«

»Ich bin eine Zeitlang heraumgelaufen. Alles war farbig. Das wußte ich vorher nicht. Die Tempel waren alle bemalt und die Statuen auch und die komischen Säulen ...«

»Die Stelen«, sagte Thomas.

»Mhm. Es war erstaunlich. Und dann kam dieser Typ und führte mich zu einem der Tempel. Es war einer von der Gruppe dort droben auf dem Hügel, derjenige, der mit der Rückseite zu uns steht.«

»Der Tempel des Blattkreuzes.«

»Wie auch immer. Sie hatten ihnen keine Namen gegeben. Dieser Knabe Chilam Sotz' war dabei. Er stellte mir andauernd Fragen.«

»Konntest du ihn verstehen?« fragte Lindsey.

»Ja. Ihre Sprache unterschied sich von der der Lacandonen, aber nicht allzusehr. Etwa wie das mexikanische Spanisch vom spanischen Spanisch. Ich konnte ihm nicht sagen, was er von mir wissen wollte. Er fragte mich immer nach *Muschikana* oder so ähnlich.«

»O Gott!« sagte Thomas.

»Was ist?«

»So nannten sich die Azteken selbst. Es schreibt sich genauso wie ›Mexikaner‹. Von den Azteken — den Mexikanern — hörte man hier in dieser Gegend erst etwas gegen Ende des klassischen Altertums.«

»Aha«, sagte Eddie. »Du fängst also langsam an, mir zu glauben.«

»Wie kann ich dir glauben?« fuhr Thomas auf. »Ich meine, wie *könnte* ich es?« Er war nicht fähig, Eddie ins Gesicht zu sehen. »Erzähl weiter! Was geschah dann?«

»Das war alles. Ich war unheimlich müde und bin vollkommen weggetreten. Ich hatte das Gefühl, sehr lange weg gewesen zu sein, und dann wachte ich hier wieder auf.« Er gähnte. »Ich habe mich ungefähr so gefühlt wie jetzt. Ganz schön mitgenommen.« Er lächelte zufrieden. »Ich glaube, ich schlafe noch ein bißchen.«

Thomas merkte, daß Lindsey ihm nach draußen gefolgt war.

»Du glaubst ihm nicht, was?« sagte sie.

»Natürlich nicht. Verlangst du von mir, daß ich an die magische Natur dieser Pilze glaube?«

»Die Sache ist die«, sagte Lindsey, »daß du durchaus bereit bist, an nebulöses esoterisches Zeug zu glauben, wie Gott oder Schicksal oder Karma oder was weiß ich, aber du willst nicht an Zusammenhänge glauben, die du nicht begreifst.«

»Wie die Astrologie.«

»Zum Beispiel. Wie erklärst du dir all diese Einzelheiten, die Eddie berichtet hat? Vielleicht gibt es wirklich eine ›rationale‹ Erklärung für das, was geschehen ist.« Sie setzte das Wort »rationale« mit den Fingern in Anführungsstriche.

»Ich habe nach einer gesucht«, sagte Thomas. »Ich

habe mich bemüht. Ich habe mich mit diesen ›Psychophysikern‹ und all den anderen Typen, die sich wissenschaftlich mit New-Age-Fragen auseinandersetzen, unterhalten. Einer war dabei, der mich unbedingt davon überzeugen wollte, daß die Erinnerung genetisch weitervererbt wird. Er behauptete, wir alle hätten solche ›schweigenden Gene‹ in uns, von denen wir nicht wissen, was sie tun. Mit der richtigen Droge könnten sie geweckt werden, so daß sich vollkommen neue neurologische Pfade auftäten. Man ist heute der Ansicht, daß darauf die Flashbacks nach LSD-Trips beruhen könnten, eine Art von übersinnlichen Fähigkeiten, die wir brauchten, als wir in Höhlen lebten oder so, und die die Droge freisetzt.«

»Aber du glaubst nicht daran, nicht wahr?«

Thomas zuckte die Achseln. »Ein anderer Typ wollte mir weismachen, das ganze Universum sei nur ein Hologramm. Es gibt keine Körper, nur Störmuster. Weiter behauptet er, die Erinnerung sei holografisch, wir alle hätten das gesamte Universum in unseren Gehirnen, die Vergangenheit und die Zukunft. Denn jedes Teilstück eines Hologramms hat das ganze Bild in sich, nur nicht so detailliert. Wenn jemand die Droge nimmt, gerät er zunächst in so etwas wie ein zentrales Bild der holografischen Bibliothek, etwas aus der wirklichen Vergangenheit, wie eine Bühnenkulisse. Dann spielt er eine kleine halluzinierte Rolle in dieser Kulisse, und zwar nur in seinem Kopf.«

»Macht dich das nicht irgendwie neugierig?« fragte Lindsey. »Ich meine, ich begreife es nicht ganz, aber es hört sich nach einem höllisch guten Trip an.«

»Es fragt sich, welcher Unterschied besteht zwischen C.G. Jungs kollektivem Unbewußten und dieser anderen verwegenen Vorstellung, die man nicht beweisen kann. Vielleicht hat Eddie eine Art von kollektivem Unbewußtsein der alten Maya in sich geweckt. Aber was geschieht, wenn man keine Vorfahren bei den Maya hat?«

»Dann wird man vielleicht verrückt. Wie dieser Junge, den du immer wieder anführst.«

»Es ist ein amüsanter Zeitvertreib, darüber Spekulationen anzustellen, doch das wird Eddie nicht aus dem Koma retten, wenn er wieder etwas von dem Pilz ißt.«

»Weißt du, was ich glaube? Ich glaube, du bist neidisch. Ich glaube, du würdest ihn selbst gern nehmen. Du wünschst, du hättest den Mut, es auch zu probieren.«

»Bestimmt nicht. Ich bin nicht verrückt, wenn du mich auch dafür hältst. Ich möchte nur, daß du ihn daran hinderst, es noch einmal zu tun.« Er fragte sich, ob das wahr war, ob er wirklich nichts anderes wollte.

»Ich weiß nicht, ob ich ihn bewegen kann, etwas zu tun oder zu lassen.«

»Du mußt es. Abgesehen davon, was die Alkaloide in seinem Gehirn anrichten, ist dieses Scheißzeug voller kumulativer Toxine, das heißt Gifte, die sich im Körper anreichern. *Gifte!*«

»Mein Gott«, sagte Lindsey. »Du kannst wirklich manchmal ein arroganter Knochen sein!« Sie drehte sich um und ging ins Zelt zurück.

Thomas holte sich ein Handtuch und ging zu dem Badebecken. Er wollte noch etwas von dem Morgen retten, bevor er vollkommen verdorben wäre. Er zog sich aus und sprang vom Ufer aus hinein; das kühle Wasser spülte den Zorn aus ihm heraus.

Er konnte nicht umhin, an die Nacht zu denken, als er und Lindsey sich hier geliebt hatten. Seit dieser Zeit benahm sie sich ihm gegenüber wieder sehr kühl und ließ ihn wie einen liebeskranken Teenager schmachten. Er hatte im Innersten keinen Zweifel daran, daß der Streit, den sie soeben gehabt hatten, sich nicht um Eddie drehte; genau so gut hätten sie über Pferderennen sprechen können. Sie konnten aus purer sexueller Spannung jeweils Funken aus dem anderen schlagen.

Dann tauchten weitere Erinnerungen in ihm auf, die dieser Ort in sich barg, an das Jahr, das er hier zwischen 1973 und 1974 verbracht hatte. Er stand kurz vor seiner Doktorarbeit, und zwei Frauen, die gerade ihr Examen abgelegt hatten, waren an ihm interessiert. Schließlich ging er mit beiden, mit Gail ziemlich offen, mit Ann eher heimlich. Es war erstaunlich, daß er überhaupt noch zu wissenschaftlicher Arbeit kam.

Trotz der starken Gefühle, die ihn damals bewegt hatten, waren nur noch ein paar zusammenhanglose Einzelheiten in seinem Gedächtnis haften geblieben. Gail war groß und blond und benutzte einen blassen, aromatisierten Lippenstift. Er konnte sich an die Geschmacksrichtung nicht mehr erinnern. Ann badete zweimal am Tag, gebrauchte aber niemals Parfüm oder ein Deodorant oder Make-up. Ihr Haar hatte die Farbe von Walnußschalen, und die Intensität ihres Vergnügens richtete sich nach den Anstrengungen, die damit verbunden waren. Sie hatten sich auf den abgestorbenen Blättern des Dschungelbodens und aufrecht stehend in einem halb ausgegrabenen Tempel vereinigt. Er erinnerte sich, daß ihre Brüste klein gewesen waren, fast flach, doch er sah sie nicht vor sich, genausowenig wie er sich erinnerte, wie ihre Haut roch oder sich ihre Zunge anfühlte, wenn sie sich in seinen Mund drängte.

Wie wäre es wohl, all das noch einmal zu erleben? So, wie Eddie es beschrieben hatte? Thomas wünschte nur, er wäre zu jener Zeit aufmerksamer gewesen. Hätte sich alles genau eingeprägt. Umfangreiche spezifische Daten würden ihm erlauben, die Gefühle nachzuempfinden, stärker als jede Erinnerung an die Gefühle an sich je sein konnte.

Und dann, dachte Thomas, das andere. Die Stadt wieder zum Leben erweckt zu sehen! Sie wirklich zu sehen, wirklich zu glauben, daß man dort war! Wieviel wäre dieses Erlebnis wert? Was würde er dafür geben?

Er machte ein paar Schwimmzüge, vier vorwärts, vier

zurück. Nach einer Weile wurde das Wasser unangenehm kalt, und er ging hinaus und zog sich an. Er hatte keine Lust, ins Lager zurückzukehren. Wenn er Lindsey träfe, würden sie nur wieder streiten, und er hatte nichts anderes zu tun, als an den Tempeln zu arbeiten. Jetzt, da er in einiger Entfernung von ihnen war, sah er ein, wie müßig der Versuch war, sie ganz allein saubermachen.

Er warf kleine Kieselsteine ins Wasser. Die Strudel ließen sie tanzen, zwei Schritte nach rechts, kurz in die Höhe, dann seitlich abtrudelnd und untergehend. Wasserfälle spielten eine große Rolle in der Theorie des Urchaos, von der Prigogines und ebenso Thomas' Arbeit nur ein Teil waren. Nach der klassischen Physik müßten die Muster vorhersehbar sein, denn alles, was sie ausmachte, war quantitativ bestimmbar. Wasservolumen, Tiefe des Flußbetts, Fallwinkel, alles. Doch die Muster waren wie lebende Organismen, beeinflußt durch ihre eigene Vergangenheit und ihre Reaktionen aufeinander, und sie ließen sich in kein Schema pressen.

Was lehrt uns das? dachte er.

Er rappelte sich auf die Füße und war gerade im Begriff, sich ganz zu erheben, als er die Hand sah.

Sie war schwarz angelaufen und sah wächsern aus, einer der Finger war bis zum Nagelbett gespalten und mit getrocknetem Blut überkrustet. Der Arm, der daranhing, steckte in einem olivfarbenen Armeestoff. Thomas konnte ihn nur bis zum Ellbogen sehen, weil das dichte Gestrüpp am Flußufer den Rest verbarg.

Er sah sich in beide Richtungen um und kletterte hinauf, um ihn sich genauer anzusehen.

Der Rest des Körpers lehnte wie im Schlaf an einem Baum, bekleidet mit einem militärischen Tarnanzug, den Kopf in einem Winkel von etwa dreißig Grad nach hinten geneigt. Die linke Hand lag auf der Brust, und darunter war noch mehr getrocknetes Blut. Eine M 16 lag außer Reichweite hinter dem Kopf. Der Name POR-

TER stand in schwarzer Schablonenschrift über der linken Hemdtasche.

Der Mann hatte ein inzüchtiges Hillbilly-Gesicht — dicke Lippen, gebrochenes Nasenbein, ausgeprägter Knochenwulst über den Augen. Selbst in geschlossenem Zustand sahen die Augen klein aus und standen zu dicht beisammen. Das Gesicht war über und über mit Dreck und Fett verschmiert. Fliegen krabbelten über eine Backe, die bis aufs rohe Fleisch abgeschürft war und gerade anfing zu vergrinden.

Es war ein US-Amerikaner, dessen war Thomas sicher. Carla hatte gesagt, daß US-Soldaten hier wären, daß sie sie aus Usumacinta vertrieben hätten, und Thomas hatte geglaubt, daß sie unter Verfolgungswahn litt und phantasierte.

All seine unverarbeiteten Gefühle bezüglich Vietnam stiegen wieder in ihm hoch. Hier hatte er sich immer gefragt, wie es wohl sein mußte, dort zu sein, inmitten des Todes und unsäglichen Grauens, sich zu verändern wie jeder seiner Bekannten, der dort gewesen war. Und jetzt zingelte ihn der Krieg ein, als ob der Geist von Vietnam beschlossen hätte, ihn heimzusuchen.

Er betrachtete erneut Porter. Wie kam die Leiche überhaupt hierher? Warum hatte niemand etwas davon gesagt? Carla hätte getobt, wenn sie erfahren hätte, daß sich US-Soldaten innerhalb ihres Gebiets aufhielten.

Doch eigentlich, als er es genau überdachte, war es nicht so schwer zu verstehen. Einer von Carlas Leuten hatte im Dschungel eine Bewegung vernommen und geschossen. Porter war verwundet weggekrochen, die Rebellen hatten seine Leiche nicht gefunden und angenommen, daß es sich um ein Tier oder vielleicht auch nur den Wind gehandelt habe. Porter hatte den Fluß erreichen wollen und war gestorben, bevor er es schaffte.

Dann sah er, daß sich die Brust des Mannes noch hob und senkte, in krampfhaftem Rhythmus zuckend.

O nein, ich will nichts damit zu tun haben, dachte

Thomas. Was ich auch machen werde, es wird falsch sein. Er wich einen Schritt zurück, dann einen zweiten. Er wird in ein paar Stunden ohnehin tot sein, es gibt keine Rettung für ihn. Dann werden ihn Carlas Leute wegen des Gestanks finden.

Ein Zweig knackte unter Thomas' Stiefel, und Porter öffnete die Augen. Der Mann blinzelte und bewegte die Lippen, doch nichts drang heraus.

Ich mache das nicht, dachte Thomas, während er sich neben ihm hinkniete.

»Amerikaner?« flüsterte der Soldat.

»Ja«, antwortete Thomas. »Porter? Heißt du so?«

Der Kopf sackte einen Zentimeter tiefer. »Brauch 'nen Doktor. Keinen von den Bohnenfressern. 'nen weißen Arzt.«

»Okay«, log Thomas. »Keine Angst. Ich hole jemanden. Du bist gerettet.«

»Waffe«, sagte Porter.

Thomas tat so, als ob er sich umsähe. »Ich sehe keine. Mach dir keine Sorgen. Hier passiert dir nichts.«

Porter schloß die Augen, und Thomas stand auf. Auf der anderen Seite des Baums, wo Porter ihn nicht sehen konnte, bückte er sich und hob die M 16 auf, ohne seine Schritte zu verlangsamen.

Bohnenfresser, dachte er.

Das Gewehr in seiner Hand fühlte sich gut an. Es war, wie wenn man zum erstenmal in einen wirklich gut geschneiderten Anzug schlüpft. Er erinnerte sich an die Spielzeuggewehre, die er als Kind gehabt hatte, das Gefühl der Vollständigkeit, wenn er sie in der Hand hielt. Er trug das Gewehr bis zum Wasserfallbecken mit sich, als ihm bewußt wurde, was er tat. Die Rebellen würden ihn erschießen, wenn er damit ins Lager kommen würde.

Er schob es unter einen Busch und bedeckte es mit abgestorbenen, braunen Blättern. Selbst wenn Porter wieder aufwachen würde, könnte er es nicht finden.

Thomas wollte sich einreden, daß er die Waffe nur versteckte, um Porter zu schützen, aber es gelang ihm nicht. Allein das Wissen darum, wo sie lag, verlieh ihm ein überwältigendes Gefühl der Macht.

Die Dinge fingen an, die richtige Wendung zu nehmen.

Während des Tages war das Lager verlassen. Die meisten der Soldaten machten Patrouillengänge oder waren auf der Jagd. Ein dicker Mann mittleren Alters mit schütterem Haar und einem Schnauzbart saß auf den Stufen des Palastes und reinigte sein Gewehr. Er hieß Gonzáles. Er hatte Thomas irgendwann erklärt, daß er nichts von den Decknamen hielte, die die anderen benutzten, daß er sie albern und kindisch fände. Wahrscheinlich weil ihn alle Gordo nannten, den Dicken.

Er sah Thomas argwöhnisch an. »Wo bist'n gewesen, eh?« fragte er in nachlässigem Spanisch. In der Ferne ertönte ein Schuß. Höchstwahrscheinlich schoß jemand auf einen Affen, doch Thomas dachte an Porter und die Blutflecken auf seiner Brust. Er spürte, wie ihm das Schuldgefühl aus den Augen blitzte.

»Schwimmen«, antwortete Thomas.

»Hat dir Spaß gemacht, das Schwimmen?« fragte Gonzáles. »Während wir anderen arbeiten?« Thomas sagte nichts. Es ertönte abermals ein Schuß, und Thomas' Schultern zogen sich unwillkürlich zusammen. Er konnte sich an den Klang einfach nicht gewöhnen.

»Wo ist Carla?« fragte er. Wenn die US-Truppen im Vormarsch waren, dann hatte er ein Recht, es zu erfahren. Vielleicht würde er ihr sogar von Porter berichten, um sein Gewissen davon zu befreien.

»Spricht mit dem *brujo*«, sagte Gonzáles. »Schätze, sie will herausfinden, wie wir den Krieg gewinnen sollen ohne was zu essen und ohne Soldaten.«

Oscar lag in einer Hängematte in dem nächstgelegenen *ramada* und las eines von Lindseys Taschenbüchern.

Er hatte den Umschlag ganz nach hinten umgeschlagen, so daß er es mit einer Hand halten konnte, während er die andere unter den Kopf gelegt hatte. »He«, sagte er, als Thomas vorbeikam.

»He«, sagte Thomas.

»Was tut sich?«

»Nichts«, antwortete Thomas und ging weiter.

Chan Ma'ax und Chan Zapata saßen mit überkreuzt untergeschlagenen Beinen auf Matten in dem anderen *ramada,* dem Gotteshaus, Carla hatte beide Beine vor sich ausgestreckt, das rechte auf einen Rucksack hochgelegt, um den verbundenen Stumpf aus dem Dreck herauszuhalten. Thomas blieb bei einem der Stützpfeiler stehen und wartete auf die Erlaubnis zum Eintreten, bevor er weiterging.

Chan Ma'ax blickte zu ihm hoch. »*Hola,* Tomás«, sagte er auf spanisch. »Wir unterhalten uns über das Ende der Welt.«

»Es steht kurz bevor, nicht wahr?« sagte Thomas. »In fünfundzwanzig Jahren.« Der Langzeitkalender lief am Heiligen Abend des Jahres 2011 aus.

»Aber schon jetzt«, sagte der alte Mann, »lösen sich die Dinge auf. Obwohl es noch gar nicht das Ende ... des großen Kreises ist. Entschuldigung, mein Spanisch ist nicht das beste. Ich behaupte, daß Carla und ihre Leute hier sind, um die Auflösung voranzutreiben.«

»Wenn die Dinge einen ausreichend schlimmen Zustand ereicht haben«, sagte Carla, »ist es vielleicht Zeit, daß sie zum Ende kommen.«

»Ah, *sí.* Ich sage nicht, daß ihr schlecht seid, oder das, was ihr tut. Es ist an der Zeit.« Er strich mit der Hand die Erde vor ihm glatt. »Macht das Bestehende kaputt, errichtet etwas Neues. Aber ihr müßt sehr sorgfältig überlegen, was ihr in die neue Welt mitnehmt. Ihr müßt das Alte und das Neue ... zusammenbringen.« Er schlug die Hände zusammen wie zu einem christlichen Gebet.

»Ich verstehe dich, alter Mann«, sagte Carla. Doch das Alte gehört in die alten Zeiten. Wir errichten etwas Neues. Wir überlassen das Alte den Ausländern und den Kapitalisten.«

Chan Ma'ax sagte: »Ich spreche nicht von diesem Alten. Du denkst an die Nordamerikaner, an — *cómo se dice?* — ›United Fruit Company‹. Ich meine etwas viel Älteres. Eine Denkweise, die davon ausgeht, daß alle Dinge Wurzeln haben, die tief in den Boden reichen. Die Wurzeln laufen alle zusammen. Wenn man einen Mahagonibaum fällt, stürzt ein Stern vom Himmel. Verstehst du?«

Thomas hätte erwartet, daß Carla über soviel Mystizismus verächtlich schnauben würde, doch sie schien davon beinah gebannt. »Was ist mit diesem Ort hier?« fragte sie. »Man hat Bäume gefällt, um diese Tempel zu bauen.«

»Es war die Zeit, um Tempel zu bauen. Als es nicht mehr die Zeit dafür war, gingen alle weg.«

Thomas hockte sich neben Carla auf den Boden. »Wohin?« fragte er Chan Ma'ax.

»La selva«, sagte der alte Mann. »Zurück in die Wälder. Um wieder Wurzeln in den Boden zu senken.«

»Wie?« wollte Thomas wissen. »Wodurch wußten sie, daß die Zeit dafür gekommen war?«

Chan Ma'ax lächelte.

»Gab es Kämpfe?« fragte Thomas. Er war im Begriff, den Namen Haawo' auszusprechen, und Chan Zapata schien es zu ahnen. Er legte die Hand auf Thomas' Arm und schüttelte den Kopf.

»Er wird nicht darüber sprechen«, sagte Chan Zapata.

Thomas sah ein, daß er recht hatte. »Warum nicht? Was macht es denn aus? Wenn er es mir nicht sagt oder irgend jemandem sonst, dann wird sein Wissen mit ihm sterben. Was ist damit erreicht?«

Zehn oder fünfzehn Sekunden lang saßen sie schweigend da. Thomas sah den alten Mann an, Wut und Enttäuschung nagten innerlich an ihm. Verdammt, das hier war wichtig. Wenn Volkstum oder Überlieferung eine Untermauerung für seine verwegene Theorie liefern würde, könnte er tatsächlich etwas *beweisen*. Die alte akademische Leidenschaft ließ ihm Schweiß in die Handflächen treten.

Der alte Mann wandte den Kopf zu Chan Zapata um, blickte jedoch weiterhin Thomas an. Er flüsterte etwas, das Thomas nicht verstand, dann erhob er sich und entfernte sich.

»Nun?« sagte Thomas. »Was hat er gesagt?«

Chan Zapata machte ein verlegenes Gesicht. »Er hat gesagt, frag deinen Bruder. Frag Eddie.«

»Was hat er damit gemeint?« fragte Carla.

»Nichts«, antwortete Thomas. »Vielleicht hat er Spaß gemacht.« Er fragte sich manchmal, wie es der alte Mann geschafft hatte, so lange zu leben.

»Es wird behauptet, dein Bruder nimmt die Pilze«, sagte Carla.

Thomas wechselte das Thema. »Hör mal«, sagte er. »Was ist mit den nordamerikanischen Soldaten? Wie nah sind sie?«

»Warum willst du das wissen?«

»Ich wollte nur gern erfahren, ob wir hier in einen Krieg verwickelt werden.«

»Ihr seid sicher«, sagte Carla.

Thomas kam zu der Ansicht, daß heute nicht sein Tag war, um Antworten zu erhalten.

»Beruhige dich, verdammt noch mal!« sagte Oscar.

Thomas konnte nicht stillhalten. Alles, was während der letzten beiden Wochen geschehen war — die vorläufige Einstellung des Projekts, Sex mit Lindsey, die Rebellen, jetzt der Soldat mit dem Gewehr — das alles schien sich aneinanderzureihen, wie ein Pfeil, der auf jemanden zielte, den er noch nicht richtig erkennen konnte. Jede neue Wendung hatte ihn höher geschraubt, und jetzt war er kurz vor dem Wahnsinn.

Das Problem war, daß es ihm gefiel. Er hatte sich noch nie so klarsichtig, so wach und voller Energie gefühlt. Jahrelang hatte er einen Winterschlaf gehalten, hatte sein Leben vertan. Jetzt war er wirklich lebendig.
»Laß uns einen Spaziergang machen«, sagte Thomas. »Okay?«

»Wohin?«

»Zum Beispiel in die Richtung des Hubschraubers.«

Oscar blinzelte ihn an. »Was hast du vor, Mann?«

»Ich habe einfach das Bedürfnis zu reden.«

Oscar wälzte sich zögernd aus seiner Hängematte, und Thomas ging voraus zwischen den Stümpfen gefällter Bäume hindurch. »Hast du irgendwo Speed gefunden, oder was?« fragte Oscar.

»Es geht nicht um Speed«, sagte Thomas.

»Ich weiß nicht, was Carla mit mir anstellen wird, wenn sie erfährt, daß ich bei der Maschine bin. Ich glaube, das Luder würde mir gern den Arsch aufreißen. Wenn sie der Meinung wäre, daß das von Vorteil sei. So wie sie es praktisch fände, wenn sie mit Foltermethoden mein Können aus mir herausquetschen und es einem ihrer Leute eintrichtern könnte, damit sie das Ding fliegen könnten.«

Thomas ging im Zickzack zwischen den Bäumen hindurch, um nicht am Zelt der Rebellen vorbeizukommen. »Hast du ihnen nicht gesagt, daß ich auch fliegen kann?«

»Fällt mir gar nicht ein. Ich tue diesen Arschlöchern doch keinen Gefallen. Zweimal am Tag zwingen sie mich zum Ideologie-Unterricht. Eine Menge Drohungen und Versprechen. Sie sind klug genug, die Hände von mir zu lassen. Wenn sie mich fertigmachen, kann ich überhaupt nicht mehr fliegen.«

»Hör zu!« sagte Thomas.

»Hm?«

»Es tut sich was. Ich habe heute nachmittag etwas gefunden.«

»Mach's nicht so spannend, Mann! Was hast du gefunden?«

»Einen Soldaten. Am Fluß.«

»Einen US-Soldaten?« Thomas nickte. »Tot?«

»Beinah.«

»Dann überläßt du ihn am besten seinem Schicksal.«

Direkt vor ihnen war die Lichtung, wo der verstümmelte Hubschrauber unter einem Netz und einer Geschicht Gestrüpp und Palmblätter stand. »Denk mal kurz nach«, sagte Thomas. »Was macht er hier? Wie viele von ihnen sind außer ihm hier? Werden wir bald angegriffen? Was wird Carla tun, wenn sie ihn findet?«

»Ich weiß nicht einmal, warum du mich all diesen Scheiß fragst.«

»Ich denke, wir sollten ihn vielleicht irgendwo verstecken. Versuchen, ihn am Leben zu halten, etwas von ihm zu erfahren. Zum Beispiel, wo sich Marsalis wirklich aufhält. Zum Beispiel, ob er weiß, daß wir hier sind, und was er beabsichtigt, in dieser Hinsicht zu unternehmen.«

»Was hast du gedacht, wo wir ihn verstecken sollen?«

»Ich habe überlegt, ob vielleicht der Hubschrauber dafür geeignet wäre.«

»Bist du übergeschnappt?«

»Ich kann ihn doch nicht einfach da draußen zum Sterben liegen lassen. Wenn er bereits tot gewesen wäre, hätte ich mich nicht darum geschert. Aber er ist ein menschliches Wesen, du lieber Gott. Selbst wenn er einer von Marsalis' Schweinebande ist.«

Oscar schüttelte den Kopf. »Wie sollen wir ihn in den Hubschrauber hineinbekommen?«

»Er wird nicht mehr beobachtet. Sie wissen, daß man damit nicht wegfliegen kann. Es ist allen verboten, hineinzugehen. Wir könnten ihn dort tagelang verstecken.

Es gibt sogar einen Erste Hilfe-Kasten da drin, oder nicht?«

»Kann sein. Sofern sie ihn nicht gefunden haben, wo ich ihn versteckt hatte. Was geschieht, wenn sie uns erwischen?«

»Und wenn schon? Wir versuchen nur, einem der Unsrigen zu helfen.«

»Einem der *Deinen,* willst du wohl sagen. Ich bin nämlich alles andere als begeistert, daß ihr Scheißtypen von Gringos euch hier unten herumtreibt. Und sie sind es genausowenig. Mach dir nichts vor. Komm den *companeros* in die Quere, dann prügeln sie dich zu Tode. Und erwarte nicht, daß Carla dich rettet. Sie alle sind nur schlichte Bauern, und es paßt ihnen nicht besonders, daß eine Frau ihnen Befehle erteilt. Wenn sie ihnen die Leinen zu straff zieht, dann ist sie ebenfalls weg vom Fenster. Hier geht es nicht um edle Gesinnung und politische Ideale und solche Scheiße. Hier geht es um viele hungrige, betrogene, zu allem fähige verzweifelte Menschen. Bilde dir nicht ein, daß du ihr Handeln irgendwie beeinflussen kannst.«

»Hilfst du oder nicht?« fragte Thomas.

»Ich muß darüber nachdenken. Wann hast du vor, ihn herzuschaffen?«

»Es muß heute nacht geschehen. Dieser Pfad da drüben führt direkt zum Fluß. Der Mond ist immer noch fast voll. Wir können ihn in zehn, allenfalls fünfzehn Minuten hertragen. Wir können aus einer Decke eine Art Bahre machen oder so.«

»Es ist eine Bahre im Hubschrauber.« Oscar hielt die Hand hoch. »*Falls* ich mich entschließe, mitzumachen.«

»Ja, okay. Wegen des Erste Hilfe-Kastens ...«

»Was? Willst du ihn jetzt gleich?«

»Nur ein paar Sachen. Genug, um ihn bis heute nacht am Leben zu erhalten.«

Es war ungefähr eine Stunde nach Mittag. Thomas hatte Magenschmerzen vor Nervosität und Hunger. Die Rebellen gaben ihnen nur zweimal am Tag etwas zu essen, morgens und dann erst wieder etwa bei Sonnenuntergang. Thomas hatte sich noch nicht daran gewöhnt.

Der Pfad führte etwas nördlich vom Wasserfall an den Fluß. Thomas fand den Weg zurück zu Porters Körper, und als er dort ankam, hatte er den Eindruck, daß es viel zu spät sei. Porter sah so weiß aus wie das Fleisch von gedämpftem Fisch, und die Wunde in seinem Bauch hatte angefangen zu stinken. Doch als Thomas den Arm des Mannes berührte, spürte er, wie sich die Muskeln krampfhaft strafften.

Er holte in einem Blechbecher Wasser vom Fluß. »Trink!« sagte er. Er neigte den Becher, bis Wasser über Porters Brust floß. Endlich zwängte sich Porters Zunge durch die schorfigen Lippen, und er leckte das Wasser auf. Thomas flößte ihm die Hälfte aus dem Becher ein, dann schüttete er den Rest dort über Porters Hemd, wo es mit getrocknetem Blut am Bauch klebte.

Er zog das Hemd ab, und Porters rechtes Bein zuckte im Reflex. Thomas wäre am liebsten weggelaufen. Ich weiß nicht, wie ich mit so etwas umgehen soll, dachte er. Die Wunde war ein daumennagelgroßer Krater direkt unter den Rippen, dem Herzen gegenüber.

Thomas öffnete die braune Plastikflasche mit Superoxid, die Oscar ihm gegeben hatte. Alle Medikamente in dem Kasten waren primitiv. Thomas goß das Superoxid in die Wunde. Seine Hände bewegten sich mit kleinen, seltsamen Zuckungen, wie die eines Kindes. Porters Augenbrauen hoben sich in dumpfem Staunen, als das Superoxid dick und weiß aufschäumte. Thomas goß immer weiter nach, bis die Flasche leer war. Er tupfte das Loch mit einem Gazebausch trocken und spritzte dann etwas Betadyne hinein. Er verstrich es mit einem Finger und rieb den Finger anschließend an seiner Hose ab.

Porter saß während der ganzen Zeit unbeweglich da,

wobei seine Augen nur sehr träge verfolgten, was Thomas tat. Das Ganze ist lächerlich, dachte Thomas. Wahrscheinlich richtete er mehr Schaden an, als daß er half. Wenn der Magen oder der Darm verletzt war, dann hätte er ihm nicht einmal Wasser geben dürfen. Thomas legte mehrere Schichten Gaze auf das Einschußloch und stand auf.

Porters Arm hing schlaff weg und ragte deutlich sichtbar aus dem Gebüsch heraus. Thomas schob ihn an die Seite des Mannes und zog einen Ast als Tarnung daneben.

Eine Fliege hüpfte bereits über einen karamelfarbenen Fleck, den das Betadyne am Rand des Verbandes gebildet hatte. Es ist hoffnungslos, dachte Thomas. Ein Klümpchen getrockneten Schleims hatte sich in Porters rechtem Augenwinkel festgesetzt, und Thomas widerstand dem Drang, ihn wegzuwischen. Porter schien es noch entschieden schlechter zu gehen als vor zwei Stunden.

»Gch«, hauchte Porter. »Gch.« Dann verzerrte er das Gesicht, als ob er schreien wollte, und Thomas holte die Spritze aus dem Kasten. Er zog etwas lockere Haut an Porters Arm hoch und stach mit der Nadel hinein, wobei er die Spritze wie einen Wurfpfeil hielt. Er drückte den Kolben hinunter. Oscar war überrascht gewesen, daß das Morphium sich noch im Kasten befunden hatte. Wenn die Rebellen das Morphium gefunden hätten, dann hätten sie auch alles andere mitgenommen.

Er ließ etwa die Hälfte des Morphiums in der Spritze und schob die Plastikhülle über die Nadel. Seine Hände zitterten. Er verstaute alles in einer von Porters Taschen und stand auf, um zu gehen.

Der klang von Stimmen ließ ihn wieder auf die Knie sinken.

»Geht's?« hörte er Lindsey sagen.

»Ja.« Das war Eddies Stimme.

»Paß auf!«

Thomas beobachtete, wie sie den Hang hinunterkletterten. Als sie beide ihm den Rücken zuwandten, zog sich Thomas weiter zwischen die Bäume zurück. Er achtete darauf, daß seine Füße nur Stein berührten, um kein Geräusch zu erzeugen.

Ihm war klar, daß er irgendeine Erklärung hätte abgeben müssen. Er hatte genausoviel oder -wenig Veranlassung hier zu sein wie sie. Doch beim Anblick von den beiden gemeinsam schien sich etwas in seinem Innern zu verknoten, und er wollte beobachten, was weiter geschah.

Eddie setzte sich am Fuß des Uferfelsens nieder. »Laß mich einen Moment ausruhen«, sagte er. Seine Stimme hallte deutlich vom Wasser wider, so daß sie sich näher anhörte, als sie wirklich war. Lindsey ging an den Rand des Beckens und machte sich daran, ihr Hemd aufzuknöpfen.

Es war wie bei der Beobachtung eines Unfalls. Thomas konnte den Blick einfach nicht abwenden. Sie drehte sich um und ließ das Hemd fallen, und Thomas sah unregelmäßige Sprenkel von Sonnenlicht auf ihren kleinen, zarten Brüsten. Die Sonne stand fast senkrecht am Himmel. Sie zog die Jeans aus und hüpfte dabei einen Augenblick lang auf einem Bein herum. Es lag eine gespielte Schüchternheit in der Art, wie sie Eddie den Rücken zugewandt hatte, die auf Thomas nicht glaubhaft wirkte. Sie schlüpfte aus der Unterhose und tauchte ins Wasser.

Sie planschte eine Weile lang herum und drehte sich dann auf den Rücken. Ihre Brustwarzen waren durch die Kühle des Wassers aufgerichtet. Aus dieser Entfernung wirkte sie vollendet, wie ein Bild in einer Zeitschrift. »Komm!« forderte sie Eddie auf. »Es ist wundervoll.«

Eddie watete ins Becken. Er trug Jeans mit abgeschnittenen Beinen, ein T-Shirt und keine Schuhe. Mit seinem stoppeligen Haar sah er wie ein kleiner Junge aus. Er zog das Hemd aus, ließ die Hose jedoch an.

Gut für dich, dachte Thomas. Dann sagte er sich: Hör mal zu, was machst du eigentlich hier? Du solltest jetzt verschwinden, bevor das hier wirklich häßlich wird.

Eddie saß im seichten Wasser und neigte sich nach hinten, bis es ihm bis unters Kinn reichte. Lindsey kam herangeschwommen und zog ihn sanft in die Mitte des Beckens. Eddie war entsetzlich mager, und Thomas sah, wie er vor Kälte zitterte.

Nach ein paar Minuten kamen sie heraus. Es gab ein kleines Stück Sandstrand am Ufer. Es war unvermeidlich und abscheulich, wie die Wiederholung eines stümperhaft gemachten Films im Fernsehen. Thomas wußte, was jetzt geschehen würde, und es bereitete ihm leichte Übelkeit. Aber das Ganze kam ihm nicht so wirklich vor, daß er hätte aufstehen und weggehen können.

Eddie stand auf dem Sand, während Lindsey vor ihm kniete und ihm die Shorts bis zu den Füßen herunterstreifte. Seine Erektion wirkte wie ein geschmackloser Scherz, ein Penisersatz an einem Laborskelett. Lindsey nahm ihn in den Mund.

Thomas setzte sich auf die Blätter am Boden. Dabei verursachte er ein leises Rascheln, doch unter den gegebenen Umständen machte das nichts aus. Er widmete dem Geschehen äußerste Aufmerksamkeit. Es war schließlich etwas, das zu beobachten den meisten Männern nicht jeden Tag vergönnt war. Sein Blut fühlte sich sehr, sehr kalt an, doch abgesehen davon war er konzentriert und hellwach.

Lindsey hielt Eddies Hände fest und zog ihn mit sich, während sie sich rückwärts in den Sand legte. Keiner von beiden sprach etwas, wofür Thomas dankbar war. Eddie ließ sich auf ein Knie fallen. Er stützte sich mit den Ellbogen zu beiden Seiten ihres Brustkastens ab und küßte sie auf den Mund. Sie erwiderte seinen Kuß, dann zog sie seinen Kopf weg und führte ihn hinunter zu ihrer Brust. Er nahm eine ihrer Brustwarzen zwischen die Zähne und zog daran, wobei er die lose Haut ihrer Brust zu einem gleichschenkligen Dreieck dehnte. Als er in Mexico City mit ihr geschlafen hatte, genau vor einer Woche, hatte sie seinen Kopf zu derselben Brust geführt, der linken.

Gegen Ende schien Lindsey alles um sich herum vergessen zu haben. Sie warf den Kopf von einer Seite zur anderen, und ihr Atem war ein lautes Keuchen. Thomas stand auf und ging weg, zurück zum Hubschrauber und zum Lager.

Thomas kletterte die Stufen des Tempels der Inschriften hinauf mit der Absicht, bis zum Abendessen zu arbeiten. Er stieg zu dem zerfallenen Dach hoch und löste abgerutschte Platten heraus, wobei er den Stiel der Schaufel als Hebel benutzte. So kam er nach draußen, von wo aus er beobachten konnte, wie Lindsey und Eddie ins Lager zurückkamen. Sie gingen Hand in Hand. Er blickte ihnen nach, bis sie in Eddies Zelt verschwanden, dann bückte er sich wieder über seine Schaufel.

Gegen vier Uhr, nach dem Regen, kam Chan Zapata, um ihm zu helfen. Er hatte sich bis auf das Lendentuch ausgezogen und hielt, o Wunder, ein Buschmesser in der Hand.

»Das haben sie dir gelassen?« fragte Thomas.

»Lacandonen machen keine Schwierigkeiten. Sie betrinken sich gern, und manchmal streiten sie miteinander, aber sie machen keine Schwierigkeiten.« Thomas konnte nicht unterscheiden, ob er es ironisch meinte oder nicht. »Das weiß die ganze Welt.«

Als Thomas das nächste Mal nach unten sah, bemerkte er Carla, die sie beobachtete. Auf irgendeine Weise war sie an einen Klappsessel aus Aluminium mit einer rot-gelb-grünen Bespannung gekommen. Der Gegensatz zu ihrem Khakihemd, der schwarzen Baskenmütze und dem Gewehr war eher befremdend als komisch.

Nach einer Weile schickte sie Gonzáles, den Dicken mit dem Schnauzbart, hinauf zu ihnen. Sie hatte ihm nicht erlaubt, sein Gewehr mitzunehmen, und Thomas hatte beobachtet, wie er deswegen mit ihr gestritten hatte. Als er endlich auf dem Gipfel der Pyramide angekommen war, schwitzte er und war wütend.

»Carla sagt, ich soll helfen«, erklärte er Thomas. »Du blöder *gabacho cabrón*. Was hast du hier oben vor?«

Thomas wies Gonzáles an, die kleineren Teile eines Bogens an ihrem Platz zu halten, während er und Chan Zapata die Decksteine aufsetzten. Es war eine leichte Arbeit, aber Gonzáles beschwerte sich ununterbrochen. Als Thomas sagte, daß sie fertig seien, spuckte er aus, schüttelte den Kopf und kletterte eilends hinunter in die Ebene.

Es herrschte eine lange Phase der Dämmerung zwischen der Zeit, da die Sonne zwischen den Bäumen versank, und der Zeit, da sie tatsächlich hinter El Chichón unterging. Thomas saß mit Chan Zapata zusammen, und sie schlugen nach Moskitos. Sie beobachteten die Rebellen, die ins Lager zurückkehrten, einige von ihnen mit etwas zu essen.

»Schön, was?« sagte Chan Zapata und streckte beide Hände in Richtung Dschungel aus.

Thomas nickte. Zum Teufel mit ihr, dachte er. Er konnte allein ganz gut zurechtkommen.

Jeden Tag waren sie beim Abendessen eine oder zwei Personen mehr. Die Lacandonen aßen im Gotteshaus, und in dem anderen *ramada* waren Thomas und Lindsey und Oscar versammelt, und außerdem Carla und Faustino und ein kleiner Mann mit wichtigem Gehabe namens Ramos. An diesem Abend waren noch sechs weitere Rebellen anwesend. Thomas begriff, daß dies eine Art Auszeichnung für erfolgreiches Jagen oder Tapferkeit oder politischen Gehorsam war.

Eddie war zum Essen zu den Lacandonen gegangen.

Entweder hatte er Lindsey gesagt, daß sie dort nicht willkommen wäre, oder sie war selbst zu der Ansicht gelangt, daß sie Thomas lieber ohne ihn gegenübertreten wollte. Sie saß neben Thomas, hielt jedoch geflissentlich Abstand.

»Heute gibt es allerlei Neuigkeiten«, verkündete Ramos auf spanisch. »Es wurde aufgedeckt, daß Ihr Land heimlich Waffen in den Iran verkauft. Das war Teil eines sehr komplizierten Handels, um Geiseln aus Beirut freizubekommen. Ihrem Präsidenten ist das äußerst peinlich. Was fühlen Sie dabei?«

Thomas hob die Schultern. Es erschien ihm nicht schlimmer als die üblichen Lügen und dunklen Machenschaften der Regierung. »Ich versuche, mich aus der Politik herauszuhalten.«

»Es tut mir leid«, sagte Ramos, »doch Sie haben in Wirklichkeit keine Wahl mehr. Politik hat auf Ihr Leben übergegriffen. Wir sind alle betroffen, oder nicht?«

Sie alle saßen auf Matten und aßen mit den Händen. Es gab einen großen Topf mit dem gebratenen Fleisch irgendeines Vogels, vielleicht Wildente, und dazu Tortillas. Von der körperlichen Arbeit war Thomas hungrig geworden, doch Lindseys Nähe hatte seinen Magen zugeschnürt. Jedesmal, wenn sein Blick auf sie fiel, sah er sie mit geschlossenen Augen und wippenden Haaren vor sich.

»Was ist mit uns?« fragte Oscar. »Welche Voraussetzungen müssen erfüllt sein, damit ihr uns gehen laßt?«

»Wir haben Ihnen bereits erklärt«, sagte Ramos, »daß Sie keine Geiseln sind. Es besteht für uns lediglich die Notwendigkeit, Sie noch einige Tage lang hierzubehalten.«

»Okay«, sagte Oscar.

»Natürlich, wenn Sie in bezug auf den Hubschrauber zur Kooperation bereit wären, könnten wir alle um einiges schneller diesen Ort verlassen.«

»Leck mich im Arsch!« sagte Oscar.

Ramos lief puterrot an, und es sah so aus, als wollte er die Hand ausstrecken und Oscar eine Ohrfeige versetzen, wenn nicht gar ihn erschießen. Carla starrte auf irgendeinen Punkt zwischen ihnen, mit dunklen und sehr indianisch aussehenden Augen. Sie hatte Angst, erkannte Thomas. Ihm fiel ein, daß es Oscar war, der darauf hingewiesen hatte, auf wie wackeligen Füßen ihre Führerschaft stand. Sie würde sich nicht gegen Ramos auflehnen. Thomas wußte nicht, wieweit Scherereien möglicherweise ausarten würden, wenn es zu welchen käme.

»Kann ich eine Tortilla bekommen?« fragte Lindsey.

Ramos sah sie an und dann wieder Oscar. Er reichte ihr den grünen Plastikteller mit den Tortillas, und die Spannung war gebrochen.

Thomas aß, soviel er konnte. Ramos und Carla unterhielten sich über das Waffengeschäft mit dem Iran und seine Bedeutung. Das Gespräch war steif und hörte sich an, als ob sie es geprobt hätten. Sie waren in fast allen Punkten unterschiedlicher Ansicht. Carla hoffte, daß die USA dadurch ein wenig von Mittelamerika abgelenkt würden, während Ramos befürchtete, daß alles nur noch schlimmer würde. Die Auseinandersetzung endete — wie immer — mit dem Thema Nicaragua. Ramos hatte eine lange Liste mit statistischen Zahlen, um zu belegen, daß der einzige wirtschaftliche Aufschwung in der ganzen Region den Sandinisten zu verdanken war. Carla war der Meinung, daß die Revolution betrogen worden sei. Ingesamt war die Unterhaltung eine dröge Angelegenheit.

Thomas überlegte sich, welche Folgen es wohl hätte, wenn sie von dem verwundeten Soldaten erführen. Er versuchte ständig, Oscars Blick in seine Richtung zu ziehen. Endlich trafen sich ihre Augen, und nach ein paar Sekunden nickte Oscar — ja, er würde mitmachen.

Thomas bekam Angst.

Nach dem Essen, als alle Rebellen gegangen waren, zog sich Thomas ein langärmeliges schwarzes Hemd an, das er noch im Koffer gehabt hatte. Er warf Oscar einen dunkelblauen Pullover zu.

»He, phantastisch, Mann«, sagte Oscar. »Machen wir uns auch die Augen schwarz, wie echte Guerillas?«

Thomas sagte: »Wir wollen es hinter uns bringen. Wir können es erledigen und wieder zurück sein, bevor irgend jemand etwas merkt.« Allein die Erwähnung, daß es irgendwann vorüber sein würde, beruhigte ihn etwas.

»Was immer passiert«, sagte Oscar, »vergiß nicht, daß das deine Idee war, Mann!«

Sie nahmen Handtücher und eine Taschenlampe mit zum Fluß, als ob sie sich waschen wollten. Niemand schien sich um sie zu kümmern. Als sie außer Sichtweite des Lagers waren, schwenkten sie zum Hubschrauber ab und holten die Bahre. Jedes Rascheln und Knacken im Dschungel ließ Thomas' Puls in eine andere Richtung davonjagen.

Thomas hielt die Zeit fest, die sie für die Strecke vom Hubschrauber zum Wasserfall brauchten. Acht Minuten. Mehr als doppelt so lang konnte es mit einer beladenen Bahre auch nicht dauern. In einer halben Stunde, so redete er sich ein, wird alles in Ordnung sein.

Oscar stellte die Bahre neben dem Körper ab und entrollte sie. Thomas verdeckte den Strahler der Taschenlampe mit der Hand, bevor er sie anschaltete.

»Um Gottes willen!« sagte Oscar.

Thomas tastete nach Porters Handgelenk. Porter entriß es ihm, bevor er den Puls fühlen konnte. »Jedenfalls lebt er«, sagte Thomas.

»Wasser«, sagte Porter.

Thomas ging mit dem Faltbecher zum Becken. Er stand an der Stelle, an der Eddie und Lindsey gevögelt hatten. Er ging in die Hocke, um Wasser zu schöpfen. Er bildete sich ein, den schwachen Eindruck von Lindseys Hintern immer noch im Sand zu erkennen.

Der Mondschein war fast so hell wie Tageslicht. Alles war von eindringlicher Deutlichkeit. Er hatte das Gefühl, einen Güterzug in sich zu haben, der ihn weitertrieb.

Anstatt das Wasser auf direktem Weg zu Porter zu bringen, ging er zu dem Busch, wo er die M 16 versteckt hatte. Nur um zu sehen, ob sie noch da war. Er setzte das Wasser und die Taschenlampe ab und tastete mit beiden Händen zwischen den Blättern herum. Seine Finger berührten hartes Plastik.

Er mußte gewußt haben, was er tun würde. Sobald er die Waffe in den Händen hatte, konnte er sie nicht zurücklassen. Es war etwas Schlimmes, für das die Zeit reif war. Er warf sich den Riemen über die Schulter und brachte Porter das Wasser.

Oscar blickte auf und sah das Gewehr. »Was, zum Teufel, machst du da? Woher hast du das Ding?«

Thomas kniete nieder und flößte Porter das Wasser ein. »Es ist seins«, sagte er.

»Bist du verrückt? Sieh zu, daß du es los wirst!«

»Nein«, sagte Thomas. Porter konnte kaum schlukken. Das Wasser rann ihm übers Gesicht und den Hals.

»Das einzige, was du damit erreichst, ist, daß wir beide erschossen werden.«

»Wenn sie uns dabei erwischen«, entgegnete Thomas, »wie wir diesen Kerl auf einer Bahre mitten in der Nacht durch den Dschungel tragen, dann werden sie auf jeden Fall schießen. Hiermit können wir vielleicht etwas Zeit gewinnen, sie veranlassen, die Köpfe in Deckung zu halten, so daß sie uns nicht erkennen.«

»Verdammte Scheißwaffen«, sagte Oscar. »Du bist auch nur ein Cowboy, wie die anderen alle.«

Sie sahen sich im Mondlicht an. Thomas wurde bewußt, wie sehr er Oscar in diesem Moment haßte. Er konnte sich nicht vorstellen, ihn nicht zu hassen. Der Haß, wie alles andere auch, war von so lebensnaher

Eindringlichkeit wie ein Blitz. Er schmeckte ihn in der Kehle.

»Laß es uns erledigen«, sagte Oscar. »Wir wollen es schnell hinter uns bringen.«

»Okay«, sagte Thomas. Er packte Porters Schultern, und Oscar nahm die Füße, und so hoben sie ihn auf die Bahre. Das Gewehr rutschte von Thomas' Schulter und streifte den Boden, während er sich mit dem Gewicht des sterbenden Mannes abmühte. Porter sackte in der Mitte zusammen, als sie ihn anhoben, und Thomas bildete sich ein zu hören, wie die Wunde erneut aufriß.

Er warf sich das Gewehr wieder über und packte die Griffe der Bahre. Oscar drehte ihm den Rücken zu und griff nach seinem Ende. »Los!« sagte er, und Thomas richtete sich auf.

Der Körper war schwerer, als er ihn sich vorgestellt hatte. Seine Muskeln schmerzten von den vielen Stunden Arbeit am Nachmittag, von nicht ausreichender Ernährung. Ihm fiel wieder ein, daß er beim Abendessen nicht in der Lage gewesen war, genügend zu sich zu nehmen, und dabei fiel ihm wieder Lindsey ein. Er näherte sich dem Wahnsinn und scherte sich nicht mehr darum, was aus ihm wurde.

Sie machten auf ihrem Weg zum Flußufer ziemlich viel Krach. Dann verfehlte Oscar den richtigen Pfad, und sie mußten zurückgehen, um ihn zu suchen. Nachdem sie ihn gefunden hatten und in den dichten Wald eingeschwenkt waren, herrschte vollkommene Dunkelheit.

»Ich muß die Taschenlampe haben«, sagte Oscar.

»Na gut, okay«, antwortete Thomas.

Sie setzten Porter ab. Oscar klemmte sich die Taschenlampe in die Achselhöhle, und sie setzten ihren Weg fort, dem Kreis aus gelbem Licht folgend. Thomas fragte sich, wieweit es wohl zu sehen war. Er brauchte nichts anderes zu tun, als zu gehen, wohin die Bahre ihn zog, und das ließ ihm viel Zeit zum Nachdenken.

Das Unangenehmste war, daß er ständig über Steine und Zweige auf dem Pfad stolperte. Es war nie so schlimm, daß er hinfiel, doch jedesmal durchfuhr ein Stoß seine schmerzenden Arme und Beine, und seine Brille hüpfte hoch. Er konnte nicht auf die Uhr schauen. Das war vielleicht besser so. Er wußte, daß er den Eindruck haben würde, die Zeiger bewegten sich überhaupt nicht.

Er malte sich aus, was er tun würde, wenn er hier herauskäme. Zurückkehren in die Vereinigten Staaten, das als erstes. Mit Espinosa hatte er ja vielleicht noch einigermaßen umgehen können, doch Carla und Ramos hatten ihm mit ihrer kleinen Tyrannei die Laune verdorben. Er hatte den Geschmack an diesem Land verloren. Wenn er etwas — irgend etwas — von Chan Ma'ax herausbekommen könnte, könnte er einen neuen Förderantrag stellen und an die UT Austin gehen. Wo es Winter gab und manchmal schneite. Wo es Tex-Mex-Essen gab, *tamales* und Hackfleisch-*tacos,* wie man sie auf dieser Seite der Grenze nicht bekam. Zeitschriften. Jeden Sonntagmorgen Trickfilme von Warner Brothers, die er von seinem überbreiten Bett in seinem klimatisierten Schlafzimmer aus sehen konnte.

Sie mußten den falschen Pfad eingeschlagen haben. So lange konnte es doch gar nicht dauern! Er spürte seine Hände nicht mehr. Er hielt angestrengt Ausschau nach irgendwelchen Anzeichen, die ihm verraten würden, daß sie bald da wären, doch alle Bäume sahen gleich aus.

Dann schwenkten sie leicht nach links ab, und Thomas sah den Mond wieder. Der Dschungel wurde immer lichter, bis zum Nichts, und Thomas blieb stehen und hätte Oscar beinah die Griffe aus der Hand gerissen. »Das Licht«, zischte er. Sie mußten die Bahre absetzen, damit Oscar die Taschenlampe abschalten und in seinen Gürtel schieben konnte.

Da stand der Hubschrauber, direkt vor ihnen. Thomas reckte die Hände, sie fühlten sich an, als ob sie voller Messer steckten.

»Ich sehe nach, ob die Luft rein ist«, sagte Oscar.

»Okay.« Thomas bot ihm die M 16 nicht an, und Oscar bat nicht darum. Thomas kauerte sich neben die Bahre und horchte auf Oscars Schritte, die sich krachend entfernten. Er überprüfte nicht, ob Porter noch am Leben war, weil er es nicht wissen wollte. In diesem Stadium hätte es sowieso keinen Unterschied mehr gemacht.

Etwas Metallisches quietschte und ächzte. Thomas wartete auf das Knallen von Schüssen. Statt dessen hörte er, daß Oscar zurückgerannt kam. Oscar hob sein Ende der Bahre an und sagte nichts.

Thomas legte das Gewehr neben Porter, und sie trugen ihn auf die Lichtung hinaus. Die Ladeklappe war offen. Oscar legte die Griffe seiner Seite auf dem Rand der Klappe auf und kletterte hinein. Gemeinsam hievten sie Porter auf den Boden der Kabine hoch. Thomas stieg hinein, schloß die Tür und nahm die M 16 wieder in die Hand. Er hatte ein so starkes Verlangen nach einem Drink, wie er vielleicht noch nie nach irgend etwas Verlangen gehabt hatte. Vielleicht hatten die Lacandonen etwas dabei. Bald, tröstete er sich. Bald.

»Hast du ihm alles Morphium gegeben?« fragte Oscar.

»Die Hälfte«, sagte Thomas. »Der Rest ist in seinem Hemd.«

Oscar knipste die Taschenlampe an und hielt sie an dem Ende mit der Birne fest. Seine Finger schimmerten in dem Licht rot. Er fischte mit der anderen Hand die Spritze aus Porters Hemdtasche und hielt sie ihm vor die geöffneten Augen. »He, *ombre*«, sagte Oscar. »Wach auf!« Von unten beleuchtet, wirkte Oscars Gesicht dämonisch, sein langes Haar wie eine Masse sich windender Schlangen.

»Doktor?« sagte Porter.

»Noch nicht. Wir werden dir einen holen. Aber wir haben diese Spritze hier. Dadurch fühlst du dich viel besser.« Porter schloß die Augen. »He, Mann, vorher mußt du ein bißchen sprechen, verstehst du?« Porter öffnete die Augen wieder und schien den Kopf zu bewegen. »Gut«, sagte Oscar. »Also. Gehörst du zu Marsalis?«

»... salis«, sagte Porter.

»Um Gottes willen«, sagte Thomas.

»Warte draußen, wenn du willst«, sagte Oscar. »Scheiße, geh zurück ins Lager, wenn du willst. Wir haben ihn so weit gebracht, jetzt will ich auch, daß der Scheißer redet.«

Thomas blieb, wo er war.

»Angst«, sagte Porter.

»Was?« sagte Oscar.

»Hab' Angst«, sagte Porter. »Ich sterbe, nicht?«

»O Mann«, entfuhr es Thomas. »Das dürfen wir nicht tun!«

»Es war deine Idee«, erinnerte ihn Oscar. »Finde dich damit ab.« Er sah wieder Porter an. »Du wirst gesund werden. Laß uns jetzt über Marsalis sprechen.«

»Was ... wißt ihr über Marsalis?« murmelte Porter.

»Wir sollen uns bei ihm melden. Nachschub. Du befindest dich in einer Huey, okay?« Oscar ließ den Schein der Lampe kurz über die Wände schweifen. »Aber wir kennen seinen derzeitigen Standort nicht.«

»Südlich«, sagte Porter, begleitet von einem gurgelnden Geräusch tief in seiner Brust. »Südlich von Usumacinta. Etwa zwanzig Meilen.«

»Wo liegt Usumacinta?« wollte Thomas wissen.

»Ungefähr vierzig Meilen nordwestlich von hier«, erklärte Oscar. »Verdammt zu nah!«

»Die Kommies verstecken sich irgendwo in Ruinen«, sagte Porter. Sein lichter Moment war vorüber. »Zermatscht sie zu Scheiße!«

Das war der Auslöser. Das gab Thomas den Rest. Es

war, als ob er den Tod vor sich sähe, mit einer Sense und einem Stundenglas und einem auf Scheiße gierigen Grinsen. Die Chemikalien, die den ganzen Tag über in seinem Gehirn herumgerührt worden waren, verwandelten sich in Adrenalin. Er riß die Ladeklappe auf und war halb draußen, als ihn ein Lichtstrahl aus dem Dschungel traf.

Er zog den Fuß zurück, knallte die Tür zu und krabbelte über die Konsole zum Pilotensitz.

»Was soll die Scheiße?« sagte Oscar.

»Rebellen, Mann, sie sind draußen», antwortete Thomas.

»Was hast du vor?«

»Ich haue ab!« sagte Thomas. »Kommst du mit?«

»Was machen wir mit diesem Kerl hier?«

»Verrecken soll er!« sagte Thomas. Er riß die Tür auf und sprang hinaus in die Nacht. Er war jetzt auf der den Rebellen abgewandten Seite des Hubschraubers, und es bestand immerhin die schwache Möglichkeit, daß sie ihn nicht gesehen hatten. Er rannte in Richtung des Dschungels. Die Kugeln schlugen hinter ihm ein, bevor er ihn ganz erreicht hatte. Die Blätter um ihn herum tanzten in einem Wind, den er nicht spürte. Die Geschosse, dachte er. Das kommt von den Geschossen.

Er hielt die M 16 mit beiden Händen an die Brust gedrückt und warf sich ins niedere Gestrüpp. Seine Brille rutschte halb runter, und er schob sie sich mit einer heftigen Bewegung wieder auf die Nase. Als er sich umsah, zählte er vier Gewehre, die in der Dunkelheit gelb aufblitzten. Er zielte mit der M 16 über ihre Köpfe und bediente den Abzug. Es tat sich nichts. Sicherheitshebel, dachte er. Der größte Teil seines Gehirns hatte beim ersten Schuß ausgesetzt. Er ertastete direkt über seinem Daumen einen Schalter und schob ihn in die eine Richtung und dann in die andere, bis er ein zweifaches Klikken hörte. Diesmal gab das Gewehr ein hohes Knattern von sich und wurde nach unten und nach oben und nach rechts gerissen. Das Mündungsfeuer erhellte die Bäume um ihn herum.

Er rollte sich ein Stück weiter, dann stand er auf und rannte nach links, tiefer in den Wald hinein. Irgendwo zwischen den Bäumen stieß er mit dem linken Knie an etwas Hartes, und es tat schrecklich weh. Ja, scheiße, sie waren hinter ihm her. Wenigstens verschaffte er Oscar eine Chance, zu entkommen. Das Arschloch, warum rannte er nicht weg?

Er feuerte eine zweite kurze Salve auf sie ab. Er erinnerte sich, daß er irgendwo gelesen hatte, die Mündung würde überhitzt, wenn man zu lange feuerte. Er wußte nicht, wie lange es möglich war, er wußte nicht einmal, wieviel Schuß er noch übrig hatte.

Er sprang wieder nach rechts. Du kannst das nicht durchhalten, dachte er. Sein Fuß vollführte einen kleinen nervösen Tanz, der nicht seinem bewußten Willen unterworfen war. *Mach was, los! Los!*

Er dachte wieder an Lindsey, wie Eddie sie dort auf der Erde gerammelt hatte. Er dachte an Ramos, der gefragt hatte, was er dabei fühle. An Porter, der gesagt hatte, zermatscht sie zu Scheiße!

Er wandte den Rücken in Richtung des Lagers und rannte nach Norden in den Dschungel.

RINGSUM WAR FLACHLAND, ausgedörrt und von einem öden Graugrün. Die Bäume waren so oft zurückgeschnitten worden, um die Straße frei zu machen, daß sie in einer Art von vegetativer Verzweiflung in sich selbst zurückgewachsen waren, knorrig und dicht und niedrig.

Carmichael befand sich eine Fahrstunde südlich von Usumacinta in einem gemieteten Volkswagen Safari. Auf dem Sitz neben ihm lag eine handgezeichnete

Landkarte. Die Straße war befestigt, zumindest mehr oder weniger, doch er hatte seit Verlassen der Stadt kein anderes Fahrzeug gesehen.

Das diente nicht gerade zur Beruhigung seiner Nerven.

Seit einer Woche versuchte er, eine Story über Marsalis zusammenzutragen, ohne ihm persönlich begegnen zu müssen. Er hatte in Usumacinta mit allen möglichen Leuten Interviews geführt, die irgendwie mit Marsalis' Männern zu tun gehabt hatten, auf dem Markt und an der Tankstelle und im Schnapsladen. Er hatte sich mit den halbprofessionellen Nutten unterhalten, die tagsüber in einer Wäscherei arbeiteten, und dabei ihre Angebote höflich abgelehnt, obwohl er schon ziemlich lange nicht mehr mit einer Frau geschlafen hatte.

Er versah seine Karte jeweils an den Stellen mit einem X, von denen er einigermaßen sicher war, daß sie dort ein Lager aufgeschlagen hatten. Er hatte Anhaltspunkte, um ihre Truppenstärke zu schätzen, und ahnte, daß sie sich eine Zeitlang in dieser Gegend aufhalten würden. Und er bekam die Bestätigung für seine Vermutung, was ihre Mission betraf. Sie waren hinter Carla her.

Er rief jeden Tag in L.A. an, um weitere Hintergrundinformationen über Marsalis anzufordern. Er fand heraus, daß Marsalis Mitglied einer Vereinigung war, die sich ›Christliche Gesamtkirche Und Himmlische Gemeinde‹ nannte und in der Gegend von Malibu ihren Sitz hatte, sowie des Rates ›Der Weltfreiheit und der Antikommunistischen Liga‹. Er war geschieden und hatte zwei Kinder, die die Montessori-Schule besuchten. Viel mehr gab es über ihn nicht zu berichten.

Nun war während der vergangenen beiden Tage der Waffenhandel mit dem Iran aufgeflogen, und Pam hatte ihn darüber auf dem laufenden gehalten. Darin steckte, das mußte Carmichael zugeben, eine wahnsinnige Story. Was ihn vor allem beschäftigte, war der Umstand, daß die USA allem Anschein nach bei der Sache einen gewaltigen Profit gemacht hatten und niemand wußte, wo die Riesensummen abgeblieben waren. Es war typisch für diese Zeit, daß nach allem, was Reagan auf dem Kerbholz hatte — angefangen mit dem Kriegstreiben in Granada über das Anheizen des Wettrüstens bis zur Unterstützung des Terrorismus in Nicaragua — ein stümperhafter Kuhhandel dazu führte, daß die Öffentlichkeit schließlich gegen ihn aufgebracht wurde. Und selbst dann wäre das vielleicht nicht geschehen, wenn dabei eine bessere Bilanz herausgekommen wäre.

Wie auch immer, Carmichael wußte, daß er die Iran-Affäre nicht mit irgendwelchem Gemunkel aus zweiter Hand von der Aufmacherseite verdrängen konnte. Um zwei Uhr an diesem Morgen wurde ihm bewußt, warum er das, was er tun mußte, immer noch hinausschob — er hatte Angst. Nachdem ihm diese Erkenntnis gekommen war, hatte er eigentlich keine Wahl mehr.

In einiger Entfernung bemerkte er eine Verfärbung des Asphalts, und er nahm den Fuß vom Gaspedal. Als er auf der Höhe der Spuren war, erkannte er, daß sie von den Reifen der Jeeps stammten, die er in der Stadt gesehen hatte. Sie kamen aus einem unbefestigten Seitenweg heraus und führten nach Westen. Er überprüfte seine Landkarte, und alles schien seine Richtigkeit zu haben.

Der Highway erstreckte sich meilenweit schnurgerade und flach in beide Richtungen. Der Dschungel wuchs in voller Dichte bis auf einen Meter an den Straßenbelag heran. Er sah keine Möglichkeit, den Wagen zu verstecken.

Seine Muskeln krampften sich zusammen, er verspürte die gleiche Art von Angst wie damals, als er sich in Usumacinta in dem Wandschrank versteckt hatte und darauf wartete, von einem Bajonett aufgespießt oder, noch schlimmer, gefoltert zu werden. Er fuhr ein paar Meter an der Abzweigung vorbei und stellte den Wagen so am Rand ab, daß er mit zwei Rädern auf dem befestigten Teil stand. Er öffnete die Motorhaube und löste ein Ende des Kabels, das vom Verteiler zu einem der Kolben führte. Eine Panne, oder? Alles, was seine Verbindung zu *Rolling Stone* verraten hätte, befand sich in seinem Hotelzimmer.

Sein Mund war sehr trocken. Er holte die Feldflasche, die Kamera und einen einzigen Ersatzfilm aus dem Wagen. Ein echter Tourist würde nicht mehr mit sich herumtragen.

Er verharrte einen Moment lang an der Stelle, wo der Weg in den Highway mündete. Die Sonne brannte von einem wolkenlosen Himmel auf ihn herab. Er roch den Staub und die bitteren Blätter der Büsche, die die Straße säumten. Die Insekten hörten sich an wie winzige Elektromotoren.

Schließlich setzte er sich in Bewegung.

Er hielt sich dicht an den Straßenrand. Wenn er rechtzeitig gewarnt würde, könnte er sich ins Gebüsch schlagen, obwohl das nicht ohne blutige Kratzer abgehen würde. Er wünschte, er hätte sich eine lange Hose anstatt der Wandershorts angezogen.

Früher oder später, so sagte er sich, mußte es irgendeine Spur geben, die von der Straße wegführte. Nachdem er fast eine Meile zurückgelegt hatte, fand er eine. Er bückte sich und untersuchte die Stiefelabdrücke in dem weichen Boden. Die Profile der Sohlen waren immerhin so deutlich abgebildet, daß sie für einen Experten aufschlußreich sein könnten. Er ging weiter und machte eine Aufnahme, da er nicht wußte, ob er sonst noch etwas zu sehen bekommen würde.

Als er aufsah, zielte ein Gewehrlauf auf sein Gesicht.

»Herrje!« sagte er. »Ihr habt mir einen Schreck eingejagt. Ich bin wirklich froh, euch Jungs hier zu treffen. Ihr seid Ameri ...«

»Schnauze!«

Sie waren zu dritt. Derjenige, der das Gewehr hielt,

hatte schmutzig-blondes Haar, das ihm bis auf die Schultern reichte und von einem Stirnband zurückgehalten wurde. Er hatte einen einige Tage alten rötlichgelben Bart und trug ein T-Shirt in einem verwaschenen Olivton und Bluejeans, die fast zu Weiß verblichen waren. An einem der Knie war sie mit einem Fetzen eines indianischen Schultertuchs geflickt. Er hätte derselbe sein können, der Carmichael in der Woche zuvor in Usumacinta entdeckt hatte.

Der zweite Mann sah wie ein Mittvierziger aus, ein Weißer mit braunem Haar und khakifarbener Arbeitskleidung. Der dritte war ein Schwarzer Mitte Zwanzig, mit einer tarnfarbenen Militärhose und einer grellen orangeroten Weste mit vielen Taschen. Zwei von ihnen hielten solche stromlinienförmigen Infanteriegewehre in Händen, wie er sie in der Stadt gesehen hatte, der ältere Weiße hatte eine M 16.

»Zeig ma' die Kamera!« sagte der Blonde.

Carmichael reichte sie ihm. Langsam schmerzten seine Beine von der verkrampften Kauerstellung. Er hatte Mühe zu verhindern, daß sie zitterten. »Ich bin nur zufällig hier«, erklärte er. »Mein Wagen ...«

»Ich sagte: Schnauze!« Der Blonde ließ die Kamera zu Boden fallen und trat mit dem Absatz die Linse ins Gehäuse. Das erzeugte ein Geräusch wie eine Bierdose voller Glasscherben. Dann sagte er: »Okay, steh auf! Gene, taste ihn ab!«

Der Ältere klopfte Carmichaels Taschen ab, ohne besonders behutsam oder gründlich zu sein. Er fand den Film und reichte ihn dem Blonden, der sagte: »Untersuch ihn!« Gene brachte seine M 16 in Anschlag, und der Blonde klemmte sich seine Waffe unter die Schulter. Er zog den unbelichteten Film als langes, silbernes Band aus der Spule. »Nix«, sagte er, während er ihn gegen das Sonnenlicht hoch hielt. »Nix drauf.« Sie alle lachten. »Diesen Spaß wollte ich mir immer schon mal machen«, fuhr er fort. »Wo ist dein Wagen?«

»Auf dem Highway.«

Der Blonde ließ den Film zu Boden fallen, und Gene reichte ihm Carmichaels Brieftasche und sein Notizbuch. Er blätterte als erstes das leere Notizbuch durch und gab es zurück. Dann öffnete er die Brieftasche und betrachtete Carmichaels Führerschein. »John Carmichael. Hast du was dagegen, wenn ich dich John nenne? Hast du irgendwelchen Stoff im Auto, John?«

»Wie bitte?«

»Hast du Pot dabei, Johnny? Du weißt schon, Gras. Was zu rauchen?« Er ahmte pantomimisch das tiefe Inhalieren eines Joints nach und machte dazu ein lautes Sauggeräusch.

»Tut mir leid«, sagte Carmichael. Auch seinen Stoff hatte er im Hotel gelassen.

»Ich wette, daß doch.« Er reichte Carmichael die Brieftasche. »Los, gehn wir!«

Sie mußten auf dem schmalen Pfad einzeln hintereinander hergehen. Der Schwarze ging vornweg, dann folgten Carmichael und der Blonde. Gene trottete mit einigem Abstand hinterher. Die Bäume waren an keiner Stelle höher als einen Meter achtzig oder allenfalls zwei Meter fünfzig und schützten Carmichael nicht gegen die grelle Sonne. Der Pfad war jedoch einigermaßen ausgetreten, und bald verfiel er in einen lockeren Querfeldeinschritt. Wenn sie ihn erschießen würden, dann bestimmt nicht sofort.

Der Pfad endete in einem Basislager, das sich offensichtlich noch im Aufbau befand. Am Rand einer Lichtung langen ringsherum Stapel brennenden Gestrüpps, und rußverschmierte Männer arbeiteten mit Buschmessern und Kettensägen. Auf der größten freigeräumten Fläche standen drei Hubschruber in militärischem Grün. Soweit Carmichael es beurteilen konnte, waren sie von derselben Sorte wie die Hueys, die die USA damals in Vietnam eingesetzt hatten.

Der Rest des Lagers bestand hauptsächlich aus langgestreckten GI-Mannschaftszelten, mit dichten Strohmatten am Boden und bis zum Dach aufgerollten Seitenwänden. Im Inneren standen Klapptische und Faltstühle und Feldbetten. Es waren insgesamt fünf Zelte, und in jedem befanden sich ungefähr zwanzig Männer, die mit Lesen oder Waffenreinigen oder Kaffeetrinken beschäftigt waren. Ihre Zahl erwies sich als ungefähr doppelt so hoch wie die nach Carmichaels Schätzung. Einige waren wohl mit den Hubschraubern eingeflogen. Sie alle gafften ihn an, als er vorbeiging, und einige pfiffen und johlten.

Am anderen Ende der Lichtung stand ein Viermannzelt mit heruntergelassenen Seitenwänden, aber offener Eingangsklappe. Der Boden bestand aus Sperrholz, und Carmichael sah einen Holztisch und einen Sessel im Innern.

Der Schwarze ging als erster hinein. Carmichael hörte eine Zeitlang gedämpfte Stimmen, dann kam der Mann wieder heraus. »Der Colonel sagt, wir sollen ihn reinbringen.«

Der Blonde gab Carmichael mit dem Gewehrlauf ein Zeichen und folgte ihm ins Zelt. Als er sich umblickte, sah Carmichael, daß die anderen beiden davonschlenderten.

Im Innern des Zeltes herrschte zwanghafte Ordnung. Es gab einen Kartenschrank mit breiten, flachen Schubladen und einen Kaffeespender auf einer aufrecht gestellten Holzkiste. An der hinteren Wand hingen drei gerahmte Drucke in gleichmäßig ausgerichteten Abständen in Carmichaels Augenhöhe. Ihren Abmessungen nach hätten sie aus einem Bildband stammen können, und sie waren in dem grellbunten, leuchtenden Stil ausgeführt, der Carmichael an religiöse indische Gemälde erinnerte, wie zum Beispiel im *Bhagawadgita*. Das Gesicht auf der linken Seite war das herkömmliche Jesus-Antlitz: leicht sonnengebräunte Haut, lockiges Haar, Rehaugen und Vollbart. Das Gesicht auf der rechten

Seite erkannte Carmichael nicht. Es handelte sich offenbar um einen Europäer mit straff zurückgekämmtem Haar und einem hochgezwirbelten Schnurrbart.

Das Bild in der Mitte war eine Art Allegorie. Die obere Hälfte bedeckte eine Reihe von farbenprächtigen konzentrischen Kreisen, von deren Mittelpunkten weiße Strahlen ausgingen. Der untere Teil zeigte eine Landschaft mit einer weißgewandeten Gestalt, die dem Anschein nach von purpurroten Flammen verzehrt wurde und in einem Zylinder aus weißem Licht emporstieg. Was für ein schrecklicher Kitsch für das Büro eines militärischen Befehlshabers, dachte Carmichael.

Marsalis persönlich saß aufrecht in seinem Sessel und hatte beide Arme bequem auf den Schreibtisch vor sich gelegt. Seine Haut war tiefschwarz, und ihn zierte ein schmaler, ordentlich gestutzter Schnauzer. Seine Haare waren geglättet und kurzgeschnitten, durch einen Seitenscheitel geteilt. Er trug einen sorgfältig gebügelten Khakianzug ohne Rangabzeichen, doch auf der Mütze auf der Hutablage prangten zwei Adler. Der Schreibtisch war leer mit Ausnahme eines Stapels von grün markierten Computerausdrucken auf der einen Ecke und einem wuchtigen smaragdgrünen Kristall, mit dem sie beschwert waren.

»Carmichael«, sagte Marsalis. »Was für ein erfreulicher Zufall. Ich hoffe auf eine Begegnung mit Ihnen, seit ich gehört habe, daß Sie sich in unserer Gegend hier aufhalten. Übrigens, Ihre Story über Count Basie letztes Jahr hat mir gut gefallen. Obwohl ich mit Ihren Artikeln mit politischem Schwerpunkt leider gewisse Schwierigkeiten habe.«

Vorsicht, dachte Carmichael. »Ich hatte eine Panne mit meinem Wagen«, sagte er. »Auf dem Highway.«

»Wie mir zu Ohren gekommen ist«, fuhr Marsalis fort, »haben Sie einen ziemlich eindrucksvollen Coup gelandet. Ein Interview mit Carla persönlich.«

»Von wem haben Sie das gehört?« fragte Carmichael.

»Oh, kommen Sie, John, tun Sie nicht so naiv. Ich weiß natürlich, es wäre verstiegen zu erwarten, daß Sie die Bänder tatsächlich *dabei* haben. Doch wenn Sie mir verraten, wo sie sind, dann kann ich jemanden schikken, um sie abholen zu lassen.«

Den Unwissenden zu spielen schien die reine Zeitverschwendung zu sein. »Die Story ist abgeschlossen und abgeliefert. Ich habe die Bänder bereits überspielt. Es tut mir leid.«

»Ach, wirklich?« sagte Marsalis. »Das kommt mir merkwürdig vor. Ich hätte angenommen, daß Sie sie sich zum Andenken aufbewahren.« Carmichael zuckte die Achseln. »Nun, das ist ein Problem. Dadurch werden die Dinge wesentlich erschwert.«

»Was meinen Sie damit?«

»Na ja, wenn Sie die Bänder nicht mehr haben, müssen wir das Interview aus dem Gedächtnis rekonstruieren.«

»Oh, mein Gedächtnis war noch nie besonders gut.«

Marsalis lächelte. »Da habe ich vielleicht eine Überraschung für Sie. Sie werden staunen, wie gut sich Menschen unter gewissen Bedingungen erinnern können.«

»Was haben Sie vor?« fragte Carmichael. »Wollen Sie mich foltern lassen?« Die Worte kamen für eine hämische Bemerkung in einer etwas zu hohen Tonlage heraus.

»Billy?« wandte sich Marsalis an den Blonden. »Bring John irgendwohin, wo du ihn für einige Stunden im Auge behalten kannst. Er soll über das Ganze nachdenken.«

»Mein zuständiger Redakteur weiß, wo ich mich aufhalte«, sagte Carmichael. »Es ist bekannt, daß Sie hier sind. Wenn mir etwas zustößt, weiß man, wo man zu suchen hat.«

»Damit ist Ihr Märchen von der Autopanne geplatzt, was, John? Nicht, daß irgend jemand es Ihnen wirklich abgekauft hätte, das sowieso nicht. Und was *Rolling Sto-*

ne betrifft, so werden Sie verzeihen, daß dieses Blatt nicht ganz auf meiner Linie liegt. Nun, Billy?«

»Los!« sagte Billy.

Am wahrscheinlichsten war, daß sie Drogen gebrauchten, dachte Carmichael. Foltermethoden waren zwangsläufig aufwendig und unzuverlässig. Das war in den achtziger Jahren nicht mehr die angemessene Art, jemanden zum Sprechen zu bringen.

Er saß in einem Zweimannzelt auf einem Feldbett, während Billy draußen unter einem Baum *El Libro Sentimental* las, einen mexikanischen Liebes-Comic in Groschenheftformat in leicht ranzig riechendem braunen Druck. Es war zwei Uhr, beinahe Zeit für den Nachmittagsregen. Der Himmel bewölkte sich immer mehr, und der Wind war kräftig genug, um an den Seitenwänden des Zeltes zu rütteln.

Billy hob den Blick zu den Wolken und legte das Comic-Heft beiseite. Er lehnte sein Gewehr gegen den Baumstamm und stand auf. »Om«, sagte er und legte die Handflächen vor der Stirn zusammen, während er das Wort zu einem Summen ausdehnte.

Was soll das, zum Teufel? dachte Carmichael.

»Ma, Hum«, sagte Billy und führte die flach aneinandergelegten Hände zu seinem Hals und weiter zur Brust. Er hörte sich ein wenig wie die Insekten in den Bäumen an. »Vasra«, sagte er und vollführte mit den Fingern eine schnelle Abwärtsbewegung, wie ein Klavierspieler, der einen Akkord anschlägt. Es war eine sonderbar zarte Bewegung für jemanden von seiner massigen, sonnengegerbten und roh aussehenden Gestalt. »Guru«, sagte er und richtete die Handflächen nach oben. »Padme«, fuhr er fort, begleitet von der Geste einer Acht, dargestellt durch die Berührung von Zeigefingern und Daumen, vor dem Bauch. Und weiter: »Sidhe«; dazu zwei Okay-Zeichen mit getrennten Händen. Bei »Hum« kamen die Handballen wieder zusammen.

Er vollführte das Ganze noch einmal von vorn, immer wieder, bis der Regen einsetzte. Dann brachte er das Gewehr und das Comic-Heft ins Zelt.

»Was bedeutete das da vorhin?« fragte Carmichael.

»Meinst du die Mudras?« sagte Billy. »Zum Versiegeln meines Lichts. Kurz vor dem Unwetter sind so besondere Vibrationen in der Luft, verstehst du? Die bereiten mir ein ganz komisches Gefühl.«

Wenn niemand in der Nähe war, den es zu beeindrukken galt, machte er einen ganz umgänglichen Eindruck.

»Ist es okay, wenn ich mich mit dir unterhalte?« fragte Carmichael. »Ich meine, ich will nicht, daß du Schwierigkeiten bekommst.«

»Ach was, Scheiße«, sagte Billy. »Dem Colonel würde es wahrscheinlich gefallen. Unterhalten wir uns über Carla?«

»Nein«, sagte Carmichael. »Nicht über Carla.«

»Wie du willst. Später wirst du sowieso über sie sprechen.« Billy lachte, und Carmichael spürte, wie sich sein Magen zusammenkrampfte.

»Was seid ihr eigentlich für Typen? Was hat es mit den Bildern auf sich, die bei Marsalis im Zelt hängen? Der erste ist Jesus, oder? Aber wer ist der andere?«

»St. Germain.«

»Meinst du ... Moment mal. Sprichst du etwa von dem Kerl, der angeblich das Vorbild für *Dracula* war?«

»Genau. Aber dabei war viel Scheißaberglaube im Spiel. St. Germain ist einer der aszendierenden Meister.«

»Aszendierende Meister, aha.«

»Ja, die Große Weiße Bruderschaft. Du kennst dich doch aus, oder? Ich meine nicht ›weiß‹ im Sinne von irgendso einem faschistischen Mist, sondern ›weiß‹ wie bei ›weißem Licht‹.«

Carmichael saß eine Weile lang schweigend da und ließ das Gehörte in sich sinken. »Willst du damit sagen, daß ihr alle daran glaubt?«

»Mehr oder weniger. Wenn der Colonel darüber spricht, ergibt das Ganze einen überzeugenden Sinn. Ich meine, letztendlich geht es nur ums Anzapfen des eigenen Potentials, darauf läuft es hinaus. Der ganze mystische Quatsch, das ist nur so was wie eine Krücke oder so.«

»Hat das irgend etwas mit dieser Kirche zu tun? Der Himmlischen Gemeinde, oder wie sie heißt?«

»Ja, Marsalis hat früher dazugehört. Man hat ihn rausgeworfen. Seine politischen Ansichten haben den Leuten nicht gepaßt. Aber er sagt, man braucht nicht Mitglied einer Kirche zu sein, man kann es genausogut allein machen.«

»Wie bist du dazu gekommen?«

Billy lehnte sich zurück und verschränkte die Hände hinter dem Kopf. »Die meisten von uns waren zusammen in Nam. Dort ging es ziemlich beschissen zu, aber in mancher Hinsicht war es auch irgendwie cool. Ich meine, wenn man sich mal freigemacht hat von der Tatsache, daß uns die Schlitzaugen ständig einen reingewürgt haben und die Leute umgebracht wurden und so. Aber das ist nun mal Karma, verstehst du? Nachdem sie dort drüben waren, hatte sich in den Köpfen vieler Leute eine Menge geändert. Die Leute haben voll aufgedreht, der ganze materielle Scheiß war nicht mehr wichtig, sie wollten sich verändern, dachten darüber nach, was der Sinn von dem Ganzen ist, verstehst du? Nicht nur in Nam, sondern auch zu Hause. Und dann kamen die siebziger Jahre, und alle schienen die Sache leid zu sein.«

»Die meisten Leute schon«, bestätigte Carmichael. »Jeder wollte einen BMW und einen VCR.«

»Genau. Alle diese Abkürzungen aus Großbuchstaben, alles das mußte man haben. Aber der Colonel sagt, es ist noch nicht alles vorbei. Es ist nur von der Oberfläche verschwunden. Die Leute haben erkannt, daß sie die Welt nicht ändern können, also haben sie mit dem

Versuch begonnen, sich selbst zu ändern. Hast du zum Beispiel diesen Stein auf dem Schreibtisch des Colonels gesehen?«

»Ja. Er sah so ungefähr wie ein Smaragd aus.«

»Er besteht aus einem Haufen von Smaragdkrümeln, die in Säure aufgelöst und dann zu einer einzigen großen Masse rekristallisiert wurden. Transformiert, verstehst du? Das Wesentliche bleibt erhalten, es wird lediglich etwas Besseres daraus gemacht. Ich meine, denk doch nur mal an euch Typen beim *Stone.* Ihr nehmt inzwischen kaum noch ein Blatt vor den Mund, aber trotzdem habt ihr Prinzipien und so ein Zeug. He, Mann, ich bewundere das. Ich meine, es gibt jetzt ein ganzes weitgespanntes Netz von Leuten, die so denken wie wir.«

Carmichael war sich nicht sicher, ob er zu diesen ›wir‹ gehören wollte. »Es gibt ein Netz von euch?« fragte er.

»Ja, ja, gibt es. Sieh mal, der Colonel sagt folgendes: Amerika hat eine besondere Bestimmung. Die Bruderschaft, die aszendierenden Meister, sie halten Wacht über uns, und unsere Aufgabe ist es, das Zeitalter des Wassermanns anbrechen zu lassen. Und darum geht es hier unten eigentlich nur. Der Kommunismus, das läßt sich nicht abstreiten, ist eine ziemlich öde, wenig erleuchtete Lebensform. Wir müssen Amerika davor bewahren, sonst fährt der Kahn ohne uns ab.«

»Der Kahn?«

»Wir sprechen hier vom Ende des Zeitalters der Fische, mein Freund«, erklärte Billy. »Zweitausenddreizehn. Entweder du packst es und schaffst den Sprung, oder du verpaßt die Transzendenz und fällst für weitere zweitausend Jahre in den Graben zurück.«

»Meinst du das wörtlich, die Transzendenz?« fragte Carmichael Billy mit zusammengekniffenen Augen. »Ich möchte wissen, ob ihr wirklich an einen anderen Ort verfrachtet werdet.«

»Ja, in einem Wirbel kosmischen Staubs. Nirwana,

weißt du ... Wahrscheinlich werden sie uns mit UFOs abholen. Ich bin mir nicht ganz sicher, ob ich an diesen Teil so richtig glaube, aber, Mann, beim Colonel hört es sich unheimlich überzeugend an. Es gibt alle möglichen Beweise dafür. Die Maya, weißt du, die glauben das gleiche. An das Ende der Welt, Anfang des einundzwanzigsten Jahrhunderts. Bei den Ägyptern gibt es auch so etwas, den gleichen Kalender und alles. Das liegt daran, daß man die Spuren von beiden bis nach Atlantis zurückverfolgen kann. Das ist eine Tatsache, Mann.«

»Das ist ... ähm ... ein ganz schöner Hammer«, sagte Carmichael.

»Du solltest daran glauben. Es wird so kommen. Hör mal, hast du nicht doch vielleicht ein bißchen Stoff dabei? Man kommt hier verdammt schlecht dran.«

Carmichael schüttelte den Kopf.

Nach einer Weile ließ der Regen nach, und Billy ging wieder hinaus. Carmichael beobachtete ihn, während er einige weitere Mudras durchging und sich dann mit verschränkten Beinen hinsetzte, um eine Yoga-Atemübung durchzuführen.

Carmichael nahm das kleine Spiralnotizbuch aus seiner Gesäßtasche und kritzelte einige Bemerkungen hinein. Man würde es ihm wahrscheinlich irgendwann wegnehmen, aber sei's drum. Allein die Handlung des Niederschreibens half ihm dabei, sich die Dinge einzuprägen.

Er füllte fünf Seiten und legte sich dann zurück, wobei er den Kopf auf die Faust aufstützte. Irgend etwas hatten die Tropen an sich, dachte er. Vielleicht lag es an bestimmten Pollen oder Duftstoffen oder auch nur an der ständigen Hitze. Es schien betäubend auf die höheren Gehirnfunktionen zu wirken. Die verrücktesten Dinge hörten sich mit einemmal vernünftig an. Jim Jones in Guyana oder die Azteken mit ihren unblutigen Blumenkriegen und blutigen Menschenopfern. Und übrigens, was war mit den Fundamentalisten in den Südstaaten der USA und den vielen ausgeflippten Teenagern in Florida und Kalifornien? Hatte nicht auch ihnen allen die Hitze den Verstand geraubt?

Man holte ihn am späten Nachmittag ab. Zu diesem Zeitpunkt war Carmichael so verängstigt, daß er nicht einmal mehr sprechen konnte. Billy packte ihn am linken Arm und ein junger Latino am rechten. Gene bildete wieder das Schlußlicht. Sie gingen nicht übermäßig grob mit ihm um, schubsten ihn nicht einmal, sondern taten einfach geschäftsmäßig ihre Arbeit.

Sie führten ihn in Marsalis' Zelt und ließen ihn auf einem Metallklappstuhl Platz nehmen. Noch bevor sich seine Augen an das Dämmerlicht gewöhnt hatten, spürte er, wie eine Nadel in seinen Bizeps drang. Er versuchte, wegzuzucken, doch Billy hielt seinen Arm noch immer fest.

Der Mann mit der Nadel war groß und dürr, schätzungsweise Mitte Fünfzig. Er trug einen cremefarbenen Safarianzug. Sein Haar war überwiegend weiß und der Ansatz bis zur Schädelhälfte zurückgewichen. Er hatte einen dichten weißen Schnauzbart, der bis über die Unterlippe hing und gelbgefleckt von Nikotin war. Seine Augen lagen tief in den Höhlen und vermittelten Carmichael den Eindruck von Grausamkeit.

Die Nadel wurde herausgezogen, und Billy ließ ihn los. Carmichael rieb sich den Arm. »Pentothal?« fragte er.

Der Mann in dem Safarianzug antwortete: »Ach was. Pentothal taugt überhaupt nichts. Die Leute erzählen einem alles mögliche und wissen gar nicht, was sie daherreden. Das gleiche passiert mit Scopolamin, es führt zu Sinnestäuschungen und Paranoia.« Er legte die Spritze in eine Plastikschachtel und schob sich mit einer Hinterbacke auf die Ecke von Marsalis' Schreibtisch.

»Also?« sagte Carmichael. Er fühlte sich bereits etwas

benommen, war jedoch sicher, daß das psychosomatisch sein mußte. Die Zeit hatte noch nicht ausgereicht, als daß schon eine Wirkung einsetzen konnte.

»Übrigens«, sagte Marsalis, »dieser ganze Mist ist ziemlich aus der Mode. Stimmt es nicht, Rich?« Marsalis war in der Dunkelheit hinter seinem Schreibtisch fast nicht auszumachen. Carmichael sah lediglich den Smaragdklumpen in seiner Hand.

»Absolut«, sagte der Mann in dem Safarianzug. »Schon mal was von MDMA gehört?«

»Bekannt unter dem Namen ›Ecstasy‹, stimmt's?« sagte Carmichael.

»Stimmt. ›A.k.a.‹ oder ›Adam‹. Eine dieser neuen Designerdrogen. Verstehen Sie, man kann die Zusammensetzung einer verbotenen Droge geringfügig verändern, und schon wird sie vom Gesetz nicht mehr erfaßt. Wie zum Beispiel das künstliche Demerol, das in Florida hergestellt wird. Es war spottbillig, weil es legal war. Nur daß es die Substantia nigra zerstört und den Menschen die Parkinsonsche Krankheit beschert. Mit MDMA hatte man jedoch Glück. Es ist ein interessantes Zeug. Man könnte sagen, MDMA ist im Vergleich zu LSD das, was ein milder Chablis im Vergleich zu einem billigen Whiskeyfusel ist.«

»Was Sie soeben bekommen haben«, sagte Marsalis, »ist allerdings auch nicht direkt Ecstasy. Ich bin eigentlich kein Freund von synthetischen Drogen.«

»Ganz Ihrer Meinung«, sagte Carmichael und dachte: du setzt jemandem die Pistole auf die Brust und gibst ihm einen Schuß Wahrheitsserum, aber es muß die richtige *Sorte* Wahrheitsserum sein, was? Marsalis war der Typ, der dafür sorgte, daß feinster Honig verwendet wurde anstatt gewöhnlichem Zucker, wenn er jemanden über einem Ameisenhaufen pfählen ließ.

»Man nennt so etwas ein endogenes Äquivalent«, sagte Rich. »Es handelt sich um ein hydroxiliertes Serotonin, das der Körper auf natürlichem Wege selbst produziert. MDMA ahmt diesen Effekt lediglich künstlich nach.«

»Gut zu wissen«, sagte Carmichael. Eigentlich fühlte er sich keineswegs unwohl. Er merkte, daß sein Adrenalinspiegel etwas hoch war, aber das war nicht anders zu erwarten. Abgesehen davon bekam er langsam den Eindruck, daß er das Ganze unbeschadet überstehen würde. »Woher bekommen Sie das Geld für derartiges Zeug?«

»Für manche Dinge braucht man kein Geld«, sagte Rich. »Die Gesellschaft, für die ich arbeite, ist sehr an der Erprobung dieser Mittel interessiert.«

Die Art, wie er das Wort »Gesellschaft« aussprach, erweckte den Eindruck, als ob es in Großbuchstaben geschrieben würde. CIA, dachte Carmichael. Natürlich. »Wie diese Experimente mit LSD, die Sie in den sechziger Jahren durchgeführt haben.«

»Einen Pluspunkt für den Reporter«, sagte Rich.

Marsalis sagte: »Geld ist ohnehin kein ernsthaftes Problem.«

»Aber es ist illegal, daß sich Leute wie Sie hier herumtreiben. Der Kongreß hat ausdrücklich beschlossen, daß Kontrarebellen in Lateinamerika nicht mehr finanziell unterstützt werden.«

»Ach, John«, sagte Marsalis, »jetzt sind Sie aber wieder recht naiv. Eine finanzielle Unterstützung muß nicht unbedingt vom Kongreß gebilligt werden.«

Heilige Scheiße, dachte Carmichael. »Das Geld aus dem Waffenhandel mit dem Iran«, sagte er. »Es ist Ihnen zugeflossen.«

Seine Augen hatten sich jetzt an das Dämmerlicht gewöhnt. Er sah den Blick, den Marsalis Rich zuwarf, und bemerkte, daß beide lächelten. »Ganz schön schlau«, sagte Marsalis. »Rich, du solltest eine Notiz darüber machen. ›Droge fördert den Scharfsinn.‹ In Wirklichkeit ist es so, mein Sohn, daß wir das Geld mit den Contras teilen mußten. Auch denen hat der Kongreß den Hahn zugedreht. Und wir hatten im Dezember ein kleines Unternehmen durchgeführt, für das wir noch etwas zu bezahlen hatten.«

Dezember. Carmichael spürte, daß sich ein weiteres Teilstück ins Ganze einfügte. »Acuario. Ihr Kerle habt Acuario umgebracht.«

»Nicht wir persönlich«, entgegnete Rich. »Obwohl es wahrscheinlich um einiges billiger gewesen wäre, wenn wir es selbst gemacht hätten. Gar nicht zu reden davon, was wir uns mit unserem gedungenen Helfer für eine Laus in den Pelz gesetzt haben.«

»Wer war das?«

»Ein gewisses unzufriedenes Mitglied der Guardia. Ein Mann, der am Ende mehr aus der Sache herausholte, als wir geplant hatten.«

»Venceremos«, sagte Carmichael.

»Weißt du, Rich«, sagte Marsalis, »vielleicht haben wir diesen Jungen hier unterschätzt. Ich hoffe, es erweist sich nicht als ein Problem, daß er sich so gut auskennt.«

Carmichael schüttelte den Kopf. »O nein, nein, kein Problem.« Er verspürte das dringende Verlangen, ihnen zu helfen, sie zu schützen. »Ich meine, es ist doch alles nur Politik, nicht wahr? Ihr Kerle habt unter den gegebenen Umständen doch nur euer Bestes gegeben.«

Rich und Marsalis lächelten sich erneut an. Carmichael wurde wieder von einer Woge äußersten Wohlwollens durchflutet. Es war die Droge, die das auslöste. Aber er fand daran nichts Unechtes. Warum, um alles in der Welt, sollten die Menschen denn nicht gut miteinander auskommen?

»Ja«, sagte Rich. »Sie haben es durchschaut. Natürlich hat Venceremos nicht selbst abgedrückt. Er ließ das von einem seiner Jungen erledigen. Doch er behielt den größten Batzen Geld. Man kann sich der feinen Ironie, die darin liegt, nicht entziehen. Ich meine, selbst wenn Venceremos siegt, haben wir ihn letztendlich in der

Hand. Er ist dem Verderben geweiht. Seine Kameraden würden ihn auf der Stelle fallenlassen, wenn sie die Wahrheit erführen. Ist das nicht zum Brüllen komisch?«

»Geht es Ihnen gut?« fragte Marsalis.

»Ja«, sagte Carmichael und nickte. »Mir geht es gut, wirklich.«

»Das ist erfreulich«, sagte Marsalis. »Denn Sie können uns helfen, wenn Sie es wollen.«

»Das will ich gern«, sagte Carmichael. »Falls ich es kann. Wirklich.«

»Haben Sie Lust, über Carla zu sprechen?«

»Aber sicher«, sagte Carmichael. »Was wollen Sie wissen?«

Es war mitten in der Nacht, als er aufwachte. Im ersten Moment dachte er, er hätte das Ganze geträumt. Aber sein linker Arm schmerzte etwas, sein Kopf tat weh, und da wußte er, daß alles wirklich passiert war.

Allzuviel habe ich nicht gewußt, tröstete er sich. Es ist ja nicht so, als daß ich irgendwelche Geheimnisse preiszugeben gehabt hätte.

Es half nichts.

Er setzte sich auf und schaute durch die vordere Zeltklappe hinaus. Draußen war ein neuer Wachtposten, ein großer Weißer mit einem Vollbart und einer Lederjacke. Er bewegte sich ein wenig hin und her, als ob er Carmichael kundtun wollte, daß er auf ihn achtgab.

Carmichael war in Schweiß gebadet. In der nächtlichen Brise fühlte sich seine Haut unangenehm kalt und klebrig an. Der Mond stand hoch am Himmel, und gedämpfte Geräusche von Vögeln und Insekten drangen aus dem Dschungel. Ein wesenloser Soldat hustete in der Dunkelheit.

Carmichael fühlte sich abscheulich. Gleichzeitig als Verratener und Verräter. Du kannst nichts dafür, redete er sich ein. Du kannst nichts dafür.

Er rief sich alles ins Gedächtnis zurück, was er gesagt

hatte. Schließlich kam er an den Punkt, an dem Marsalis über das Geld aus dem Irangeschäft gesprochen hatte, über Acuario und Venceremos.

Sein Puls legte einen schnelleren Gang ein. Er hatte die Story des Jahrzehnts auf Lager, und es gab keine Möglichkeit, sie nach L.A. zu bringen. In diesem Moment, dachte er, würde ich jemanden umbringen, nur um an ein Telefon zu kommen.

Sein nächster Gedanke war: Würdest du das tun? Würdest du das wirklich tun? Und er wußte, daß das eine Frage war, die er beantworten mußte. Bald.

LINDSEY SASS MIT EDDIE IM ZELT, als sie die Schüsse hörte. Sie wußte sofort, daß etwas nicht stimmte. Es war das erstemal, daß nachts tatsächlich geschossen wurde, und es wurde ausgiebig geschossen. Sie legte ihr Spanisch-Lehrbuch mit der aufgeschlagenen Seite nach unten auf den silberfarbenen Boden des Zelts und ging hinaus.

Die Schüsse klangen von dort, wo der Hubschrauber stand, herüber. Ein halbes Dutzend Lagerfeuer erhellte die Nacht um sie herum, und in ihrem Licht sah sie Köpfe, die in die Richtung der Schießerei gewandt waren. Einige der Rebellen nahmen ihre Gewehre und rannten los, um zu erkunden, was passiert war.

Lindsey ging ins Zelt zurück. Sie hatte Magenschmerzen vor Anspannung. Eddie schlief noch, und sie bewegte sich behutsam, um ihn nicht zu wecken. Die Luft war heiß und stickig von dem Rauch der Lagerfeuer, doch sie fror plötzlich. Sie zog sich ein Flanellhemd an und spürte, wie ihr vor Nervosität der Schweiß in den Achselhöhlen ausbrach.

Eine halbe Stunde später wurde sie abgeholt. Es waren vier Männer. Gordo, der Dicke, und drei andere, die sie schon mal gesehen hatte, deren Namen sie jedoch nicht kannte. Sie kamen einfach ins Zelt und befahlen ihr, hinauszugehen. Eddie schaffte es, während des ganzen Vorfalls weiterzuschlafen.

»*Qué pasa?*« fragte sie, als sie draußen waren, doch sie erhielt keine Antwort, sondern nur die Anweisung, weiterzugehen. Die Rebellen saßen jetzt wieder um ihre Lagerfeuer, tranken Kaffee und benahmen sich, als sei nichts geschehen. Dann waren es also keine Amerikaner gewesen. Heute nacht keine Rettung.

Man brachte sie in Carlas Zelt. Carla saß auf einem knarrenden Feldbett aus Holz und Segeltuch, ihr Fuß war auf ein Kissen gebettet. Es roch nach Schweiß und verdorbenem Fleisch. Lindseys erster Gedanke war, daß sich die Amputationswunde am Fuß entzündet hatte, daß Carla dicht vor dem Delirium stand. Ihre Augen waren stumpf und starrten ausdruckslos an Lindsey vorbei.

Faustino war da, Ramos ebenfalls. Sie sahen aus wie eine Latino-Version von Dick und Doof mit Bärten und einheitlichen Jeans und khakifarbenen Hemden. Faustino war groß mit hängenden Schultern, Ramos war klein und voller Energie und hatte die Arme vor der breiten Brust verschränkt. Beide waren sichtlich müde und ängstlich, doch Ramos wirkte außerdem noch ungeduldig. Und dazu noch über irgend etwas verärgert. Die vierte Person im Zelt war ein kleines Mädchen, vielleicht zehn oder elf Jahre alt, mit nackten Füßen und dem dreckigsten weißen Kleid, das Lindsey je gesehen hatte.

Carla murmelte sehr leise etwas vor sich hin, die Worte waren genuschelt. Das kleine Mädchen sah Lindsey an und sagte: »Sie will wissen, woher er die Waffe hat.«

»Wie bitte?«

»Die Waffe. Woher hat er die Waffe?«

»Welche Waffe? Wovon sprichst du?«

»Dein Freund Tómas. Er schießt mit dem Gewehr auf Menschen.«

»Thomas? Du spinnst.«

Es dauerte noch zehn Minuten, bis sie die ganze Geschichte von ihnen erfuhr. Thomas war weg, im Dschungel verschwunden mit einem Maschinengewehr. Er hatte Oscar gemeinsam mit einem sterbenden US-Soldaten im Hubschrauber zurückgelassen.

Lindsey konnte es nicht glauben. So etwas würde Thomas niemals tun. Sie lauschte buchstäblich mit aufklaffendem Mund den Einzelheiten, aus denen sich die Geschichte zusammensetzte. Dann blitzte in ihrem Gedächtnis wieder der Ausdruck in Thomas' Gesicht auf, als sie und Eddie vom Wasserfall zurückgekommen waren. Hatte er geahnt, daß sie es miteinander getrieben hatten? War er ihretwegen durchgedreht?

Selbst Ramos mußte zu der Erkenntnis gelangen, daß sie in diesem Moment zum erstenmal davon hörte. Trotzdem ließen sie noch eine Stunde lang nicht von ihr ab, stellten immer wieder dieselben Fragen, und Lindsey hatte große Mühe, sich mit Hilfe des verstümmelten Englischs des kleinen Mädchens verständlich zu machen.

Endlich ließ man sie gehen. Sie ging zum Zelt zurück, um ihren Koffer und eine Decke zu holen. Damit ging sie in das *ramada* und rollte sich dort zusammen, nur für den Fall, daß Thomas zurückkäme. Gordo und die anderen drei blieben die ganze Zeit über bei ihr; sie setzten sich schließlich mit überkreuzten Beinen auf den Boden und beobachteten sie, während sie versuchte zu schlafen.

Oscar war natürlich verschwunden. Wahrscheinlich bearbeiteten sie ihn irgendwo im Dschungel mit den Gummischläuchen. Sie lag auf dem seltsam leeren Platz, wo Thomas hingehört hätte. Damit blieb nur noch Chan Zapata übrig, der sich immer noch von den Lacandonen abgesetzt hatte, weil sie das Verbrechen begangen hatten, ihn nicht einzuladen. Er lag wach auf der anderen Seite des *ramada*, etwa sechs Meter von ihr entfernt. Er hatte die ganze Nacht über kein einziges Wort gesprochen. Er schien sich immer mehr in sich selbst zurückzuziehen.

Dieser Ort hier macht ihn verrückt, dachte sie. Wie uns alle.

Sie kam nicht viel zum Schlafen. Eine Zeitlang blickte sie jedesmal auf, wenn sie eine Bewegung hörte, in der Hoffnung, es könnte Thomas sein. Irgendwann nach Mitternacht döste sie etwas ein und wurde durch ein schreiendes Baby wieder geweckt.

Das Geräusch preßte ihr das Herz zusammen. Sie stand auf und folgte ihm bis zu einem schwelenden Lagerfeuer hundert Meter weit im Waldesinneren. Lindsey hob das Baby hoch und drückte es an sich.

»Schsch«, sagte sie. Das Baby gab einen fragenden Laut von sich und verbarg dann das Gesichtchen in Lindseys Hemd.

Es war ein Mädchen, kaum älter als ein Jahr. Es hatte einen kleinen Strampelanzug an, ohne Unterwäsche, ganz zu schweigen von Windeln. Die Vorbereitung auf ein Leben im Dreck, dachte Lindsey, wie ein Tier. Wer mochte sein Kind an einen solchen Ort mitnehmen, ständig auf der Flucht, immer in Gefahr, verletzt oder getötet zu werden, im Ungewissen, wie lange noch jemand da sein würde, der sich seiner annahm?

Andererseits, dachte Lindsey, stand es ihr weiß Gott nicht an, über gedankenlose Eltern zu urteilen. Sie hatte vor kurzem noch sowohl mit Thomas als auch mit Eddie ohne die geringsten Vorsichtsmaßnahmen geschlafen. Und das auch noch genau in der Mitte von ihrem Zyklus. Seit Februar nahm sie die Pille nicht mehr. Es war eigentlich nicht ihre Art, sich auf ein Risiko einzulassen. Etwa die Hälfte der Frauen, die in ihrem Bekanntenkreis Abtreibungen hinter sich hatten, verdankten es solchem

Leichtsinn, und sie hatte immer aufgepaßt, sich immer geschworen, daß ihr das nicht passieren würde. Sie mußte sich Gedanken darüber machen, ob sie ihr Unterbewußtsein womöglich zu einer Entscheidung trieb, die zu treffen ihr Bewußtsein sich weigerte.

Sie war zweiunddreißig. Wenn sie Kinder haben wollte, dann wurde es allmählich Zeit. Sie hatte einen entsprechenden Reiz verspürt, wenn sie ihre Freundinnen mit ihren Babies sah und sie selbst auf den Arm nahm. In solchen Momenten spielten ihre Hormone verrückt, Wellen von Sehnsucht schwappten in ihr hoch.

Selbst dieses Baby, schmutzig, verrußt, mit dem scharfen Atem und dem dreckigen Strampelanzug, wirkte auf sie in dieser Weise.

Wenn du schwanger wärst? dachte Lindsey. Wenn es geschehen wäre? Was für ein Kind würde das werden? Sie rechnete die Monate aus und kam auf das Sternzeichen Widder. Impulsiv, sexy, dynamisch. Das wäre ihr recht gewesen. Sie versuchte, in sich hineinzuhorchen, zu spüren, ob etwas in ihr vorging. Sie empfand keinen Unterschied zu sonst. Sie war müde, verängstigt und hungrig. Wie hätte sie sich anders fühlen sollen?

Das Baby war wieder eingeschlafen. Lindsey legte es zu seiner Mutter zurück und ging wieder in das *ramada*. Es war schon fast Tag, als die Erschöpfung sie vollkommen übermannte, und dann hatte sie eindringliche, angstvolle Träume von Thomas und ihren Eltern und einem Freund, den sie seit Jahren nicht gesehen hatte.

Sie wurde geweckt durch die Geräusche von Scharren, Hacken und Hämmern. Oscar kniete neben ihr, eins seiner Augen war halb geschlossen und an den Rändern gerötet, seine Lippen waren aufgeplatzt und geschwollen. Es war neun Uhr dreißig.

Sie setzte sich auf und zog sich die Decke zu den Schultern hoch. »Geht es dir gut?« fragte sie ihn.

»O ja«, antwortete Oscar. »Es ist mir noch nie besser gegangen.«

Rings um sie herum räumten Carlas Leute zwischen den Ruinen auf; sie gruben Steine aus und hievten sie dorthin zurück, wohin sie gehörten. Die Frauen und Jugendlichen rupften die letzten Schößlinge zwischen dem Tempel der Inschriften und dem Palast heraus, hackten die Stümpfe und Wurzeln ab und glätteten den Boden. Carla selbst saß in der Mitte der neuen Lichtung in einem tiefen Sessel aus Aluminium und Plastik und führte die Oberaufsicht. Chan Ma'ax kauerte neben ihr und zeichnete mit einem Stock Diagramme in die Erde.

Oscar sagte: »Hat er dich in sein Vorhaben eingeweiht?«

»Meinst du Thomas? Nein. Ich habe letzte Nacht zum erstenmal davon gehört. Was ist das für ein Soldat, von dem sie sprachen?«

»Er heißt Porter. Irgendso ein Gringo, den Thomas in der Nähe des Wasserfalls gefunden hat. Offensichtlich ist er einer von Marsalis' Leuten.«

Die Erwähnung des Wasserfalls stürzte Lindsey für einen kurzen Moment in Panik. Nein, dachte sie. Er kann uns nicht gesehen haben. Das wäre einfach zuviel. Sie stand auf und ging zu dem Tongefäß in der Ecke, wo sie ihr Gesicht wusch und sich die Zähne putzte. Das Gefäß war fast leer, stellte sie geistesabwesend fest. Sie mußte Wasser nachfüllen. Sie blickte auf und sah Chan Zapata auf dem Gipfel der großen Pyramide, von wo aus er seinen eigenen Arbeitstrupp befehligte.

»Das ist der reine Wahnsinn«, sagte Lindsey. »Warum treiben sie einen solchen Aufwand mit diesen Ruinen, wenn die Amerikaner bereits so nah sind?«

»Wenn du meinst, daß es dich nervös macht, dann solltest du mal Ramos dazu hören. Er ist kurz davor zu platzen. Überall ringsum ist die Kacke am Dampfen.«

»Was soll das heißen?«

»Die Revolution. Sie findet tatsächlich statt. Das Radio lief, während sie mich in der Mache hatten, und alle hielten inne, um zu lauschen. Alle Nordamerikaner mußten aus Acapulco ausgeflogen werden. Die Rebellen haben Piedras Negras und Taxco besetzt, und in Mérida und Juárez und Cuernavaca wird es heiß hergehen. Cuernavaca, Mann! Das liegt nur eine Stunde von Mexico City entfernt!«

»Ich weiß«, sagte Lindsey. »Wir waren erst kürzlich dort.« Sie dachte an den Hauptmann der Guardia, der Thomas' Projekt übernommen hatte. Er war derjenige gewesen, hatte Thomas gesagt, der ihn von der Notwendigkeit überzeugt hatte, Eddie zu suchen. Offenbar hatte er recht gehabt. Sie fragte sich, was man wohl mit ihm machte, sofern er überhaupt noch am Leben war. Der Gedanke, daß der Krieg seinen Tod verursacht haben könnte, war merkwürdig. Dadurch wurde das Ganze so persönlich.

»Weißt du, wer Venceremos ist?« fragte Oscar sie.

»Ich habe lediglich den Namen schon mal gehört«, antwortete Lindsey.

»Früher sprach jeder von Carla, als ob sie die Revolution persönlich sei, sie ganz allein. Jetzt steht dieser Venceremos voll im Rampenlicht. Er ist der Chef der FPML, die eine Art von Schirmherrschaft innehat, verstehst du? Etwa wie die Sandinisten in Nicaragua. Also, dieser Venceremos hat diesen Typen Ramos total in der Hand. Und Venceremos ist der Ansicht, daß Carla auf den Putz hauen sollte, anstatt sich zu verstecken. Selbst wenn das bedeutet, so ein Provinzkaff wie Usumacinta einzunehmen, nur damit irgendwo in Chiapas die Fahne der Rebellen flattert.«

»Was ist mit den amerikanischen Soldaten?«

»Ich glaube, weder Venceremos noch Ramos nimmt sie ernst.«

»Aber es *gibt* sie wirklich, oder nicht?«

»Diesen Porter gibt es wirklich. Und er ist ein echter Scheißkerl, das kann ich dir sagen.«

»Was bedeutet das für uns?«

»Ich weiß nicht«, sagte Oscar. Seine Stimme klang sehr ruhig. »Vielleicht stecken wir ganz schön tief in der Scheiße. Wenn Carla nicht aufhört, ihre Mätzchen zu machen, wird es unweigerlich zu ihrer Ablösung als Anführerin kommen. Sie fordert es mit ihrem ganzen mystischen Kram geradezu heraus. Um sie herum baut sich eine echte Macho-Verschwörung auf.« Lindsey fand, daß sich das aus Oscars Mund fast komisch anhörte. Dann fuhr er fort: »Wenn Ramos das Sagen hat, dann bringt er uns vielleicht der Einfachheit halber um, damit wir aus dem Weg sind.«

»Hör auf, Oscar! Langsam machst du die Pferde scheu.«

»Wirklich? Ich jage dir Angst ein? Na ja, es wird auch verdammt Zeit, denn ich hatte vom ersten Moment an Angst, als diese Arschlöcher hier auftauchten. Ich zittere wie ein Idiot, seit Thomas letzte Nacht diese Scheiße durchzog. Und heute morgen? Heute morgen fürchte ich mich zu Tode.«

Das Frühstück bestand aus kalten Bohnen und Mehlfladen. Die Mehlfladen waren so zäh wie Schuhsohlen. Sie hatte ohnehin keinen großen Appetit.

Oscar rollte sich trotz seiner Angst in der Sonne zusammen und schlief ein. Lindsey nahm den Tonkrug mit zum Fluß, spülte ihn aus und füllte ihn neu. Das Wasser kam ihr wärmer vor als zuvor, doch sie traute ihren eigenen Wahrnehmungen nicht mehr. Zwei der Rebellen folgten ihr, doch keiner bot an, den Krug zu tragen. Als sie ins *ramada* zurückkam, warf sie zwei Jodtabletten ins Wasser, so wie Thomas es ihr beigebracht hatte.

Anschließend ging sie zu Eddies Zelt. Die Wachtposten saßen davor und warteten. Eddie spielte Gitarre. Seine Augen hatten etwas an sich, das ihr nicht gefiel. Sie bewegten sich nicht genügend. Sie hefteten sich auf etwas und blieben so stehen. Sie erkannte die Melodie nicht, die Eddie spielte. Es hörte sich eher nach einem planlosen Gezupfe an. Er schlug die Noten der Akkorde einzeln nacheinander an, als ob er etwas aus ihnen heraushören wollte. Plötzlich hörte er mit der rechten Hand zu spielen auf und sah sie an. Seine linke Hand fuhr weiterhin über den Gitarrenhals hinunter und herauf, und ließ die Saiten quietschen. Er schien es nicht zu bemerken.

»Lindy«, sagte er.

»Hallo, Eddie. Alles okay mit dir?«

»Klar, mir geht's gut.« Er sah nicht aus, als ob es ihm gut ginge, und er lächelte nicht, während er das sagte.

»Stimmt das, Eddie? Du siehst ... müde aus.«

»Mir geht es gut.«

»Wann hast du zum letztenmal etwas gegessen?«

»Ich weiß nicht. Gestern abend, nehme ich an. Ich habe eigentlich kaum noch Hunger.«

Das war sicher eine Langzeitnebenwirkung der Droge, dachte sie. Sie mußte ihn unbedingt in ein richtiges Krankenhaus schaffen. »Bist du kräftig genug zum Gehen? Oder sogar notfalls zum Rennen?«

»Wieso sollte ich rennen müssen?«

»Es könnte Scherereien geben. Die Rebellen fangen an, sich kreuz und quer in die Haare zu kriegen. Und die US-Armee ist schon ziemlich nah. Könnte sein, daß hier gekämpft wird, es könnte jederzeit losgehen.«

»Das richtet sich nicht gegen uns.«

»Eddie, wenn hier Artilleriegeschosse einschlagen, dann ist es egal, zu welcher Seite du gehörst. Und Carla ist vielleicht die einzige, der etwas daran liegt, uns am Leben zu erhalten.«

»Es gibt auch noch Chan Ma'ax.«

»Chan Ma'ax kann gegen Waffen nichts ausrichten, Eddie! Finde endlich in die Realität zurück!«

»Dieser *Ort* hat nichts mit der Realität zu tun«, sagte Eddie. »Er ist heilig. Er ist bedeutender als dieser ganze politische Quatsch. Wenn du ein Gefühl für diesen Ort entwickeln, den Geist in dir aufnehmen könntest, könnte nichts von alledem dir etwas anhaben.«

»Eddie …« Sie kniete sich vor ihn hin und streifte mit den Armen an seinen Beinen entlang. »Eddie, ich mache mir wirklich Sorgen deinetwegen.« Aus dieser Nähe sah sie, wie blutunterlaufen seine Augen waren. Seine Haare standen unnatürlich ab, und seine Haut wirkte gelblich. So schlecht hatte er nicht mehr ausgesehen, seit er aus dem Koma erwacht war.

Er legte die Gitarre beiseite und sagte: »Mach dir keine Sorgen.« Er legte die Arme um sie.

Sie hob das Gesicht und küßte ihn. Sein Atem roch ein wenig faulig, und seine Bartstoppeln piekten sie wie Nadeln, doch sein Mund war dem ihren vertraut, wie es nie ein anderer gewesen war. »Ich liebe dich«, sagte sie.

Seine Arme umfaßten sie fester. Sie ließ sich gegen ihn sinken. Er hielt sie eine Zeitlang, bis sie spürte, daß es ihm unbehaglich wurde. Schließlich ermöglichte sie ihm, sich zurückzuziehen.

»Ich habe den ganzen Morgen an einem Song gearbeitet«, sagte er. Sein Blick war so eindringlich, daß es sie Mühe kostete, ihm standzuhalten. »Es ist ein neuer, er handelt von dir. Möchtest du ihn hören?«

Sie nickte. Ihre Kehle war wie zugeschnürt, und sie befürchtete, keinen Ton herauszubringen. Er nahm die Gitarre zur Hand und spielte ein paar Einführungsakkorde. Sie erkannte sie sofort. »Es gibt Orte, an die ich mich erinnere«, sang er. Sie spürte, wie ihr Tränen in die Augen traten. Er sang alle Strophen von Lennons »In My Life«, wobei er ein paarmal die Worte verdrehte. Die Tränen brachen aus ihr heraus und rannen ihr übers Gesicht.

Schließlich endete er. Er legte die Gitarre weg und knetete seine Hände sanft durch, wobei er schüchtern lächelte. »Hat es dir gefallen?« fragte er.

Sie konnte ihn nicht ansehen. »Es ist schön«, sagte

sie. Eddie nickte zufrieden. »Hör mal«, sagte sie. »Ich muß jetzt gehen. Ich komme bald wieder, okay?«

»Okay«, sagte Eddie.

Sie griff nach seinen Händen, hielt sie eine Sekunde lang fest und stand dann auf. Sie mußte sich den Weg nach draußen ertasten. Alles vor ihr war verschwommen und hatte sich in Wasser verwandelt.

Sie setzte sich mit ihrem Spanisch-Englisch-Wörterbuch nieder und schrieb sich einige Sätze auf spanisch auf. Wo befinden sich die nordamerikanischen Soldaten? Bitte nicht schießen, ich bin kein Soldat. Er ist mein Ehemann. Er ist mein Freund. Bitte tun Sie ihnen nichts zuleide.

Dann schrieb sie eine Reihe anderer Wörter auf, Wörter, an die sie sich erinnern wollte, wenn sie sie hörte. Töten. Gerichtsverhandlung. Urteilsvollstreckung. Verräter. Spion.

Während sie das tat, wußte sie, daß das ein Akt reinster Verzweiflung war. Doch Eddie war nicht in der Verfassung, ihr zu helfen. Thomas war verschwunden. Damit blieben nur Oscar und Chan Zapata übrig, die einigermaßen Englisch sprachen, und sie konnte nicht damit rechnen, daß die sich genau in dem Moment in der Nähe befanden, wenn es zu Schwierigkeiten kam. Also war sie allein auf sich gestellt.

Überrascht stellte sie fest, daß das nicht das schlechteste aller Gefühle war.

Der Regen setzte um halb zwei ein. Carla entließ die Arbeiter aus ihren Pflichten, und Chan Zapata rannte zu Lindsey, die unter dem Dach des *ramada* saß. Die Arbeit tat ihm offenbar gut. Dadurch schwitzte er den Aguardiente-Mief aus, den er aus San Cristobál mitgebracht hatte, und sie lenkte seine Gedanken von der geringschätzigen Behandlung ab, die ihm durch die anderen Lacandonen widerfahren war. Wie er so dastand, mit gerötetem Gesicht, heftig keuchend und vom Regen durchnäßt, sah er gesund und schrecklich jung aus.

Wie immer hatte der Regen unvermittelt angefangen, und es goß in Strömen. Er trommelte mit Hunderten von kurzen Klatschgeräuschen auf das Strohdach. Chan Zapata schöpfte mit einem Glas Wasser aus dem Tonkrug und verzog das Gesicht. »Riecht komisch«, sagte er.

»Ich habe es heute morgen erst frisch eingefüllt«, sagte Lindsey. »Ich finde an seinem Geruch nichts auszusetzen.«

»Wie … wie verbrannte Streichhölzer.«

Er reichte Lindsey das Glas, und sie schnupperte daran. Diesmal fiel es ihr auch auf; neben dem Jod nahm sie einen schwachen Geruch nach Schwefel wahr. Sie erinnerte sich daran, wie warm ihr das Wasser des Bachs vorgekommen war. Sie fragte sich, ob das etwas zu bedeuten hatte.

Chan Zapata ließ sich ihr gegenüber auf der Matte nieder. »Es wird Scherereien geben«, sagte er.

»Nicht zu knapp«, bestätigte Lindsey.

»Heute morgen hat Carla Gordo, den dicken Kerl, angewiesen, eine Arbeit an den Tempeln zu verrichten, und er hat sich geweigert. Im Beisein aller anderen. Er nahm sein Gewehr und ging in den Wald. Alle beschweren sich über die Arbeit, und sie geht nicht darauf ein. So kann sie nicht weitermachen.«

»Aber dein Vater unterstützt sie. Berät sie, was sie tun soll.«

»Chan Ma'ax treibt stets ein Spiel. Nicht immer das gleiche Spiel, aber irgendwie spielt er immer. Vielleicht denkt sie, daß er und sie das gleiche Spiel spielen. Aber … das stimmt nicht.«

Der Regen war wie ein weiterer Dschungel, ein Dschungel aus Wasser, der um sie herum gewachsen war. Oscar schlief immer noch in einer Ecke, ansonsten waren sie allein. Lindsey konnte die Umrisse des Gotteshauses, das nur ein paar Meter entfernt war, kaum ausmachen. »Was will er?« fragte sie. »Was versucht er zu erreichen?«

»Das weiß ich nicht«, sagte Chan Zapata. »Sie sprechen nicht mehr mit mir. Aber ich glaube, es geht um Eddie. Eddie und *los hongos.* Die Pilze.«

Gordo kam genau in dem Moment ins Lager zurück, als der Regen aufhörte. Ein breites Grinsen stand ihm im Gesicht. Aus seiner linken Hand baumelte der hübscheste Vogel, den Lindsey je gesehen hatte.

Er hatte die Größe eines kleinen Papageis. Der größte Teil seines Halses und ein Teil eines Flügels waren weggeschossen. Er war leuchtend grün. Als die Sonne für einen Augenblick durch die Wolken brach, leuchtete das Grün fast türkisfarben mit einem metallenen Schimmer auf. Er hatte auf dem Kopf einen üppigen Kamm, sein Bauch war rot, und seine Schwanzfedern mußten fast fünfzig Zentimeter lang gewesen sein.

»Quetzal«, flüsterte Chan Zapata.

»Mein Gott!« Lindsey wurde sich bewußt, daß auch sie flüsterte. »Ich wußte gar nicht, daß es noch welche davon gibt.«

Chan Zapata schüttelte den Kopf. »Nicht mehr viele. Ich habe vor diesem erst zwei gesehen. Als ich ein Kind war. Jetzt schon seit Jahren nicht mehr. Ich kann es nicht fassen, daß dieser Hurensohn ihn umgebracht hat.«

Gordo sprach mit lauter Stimme davon, daß er den Vogel essen wollte. Lindsey wußte nicht, ob er meinte, daß er ihn aufgetischt haben wollte, oder ob er beabsichtigte, ihn auf der Stelle zu garen und zu verzehren. Die anderen Rebellen kamen aus ihren Zelten und Unterschlupfen und standen am Rand der Lichtung, von wo aus sie ihn schweigend ansahen.

Das laute Geprahle hatte Oscar aufgeweckt. Er stand neben Lindsey und strich sich die langen schwarzen Haare mit beiden Händen aus dem Gesicht. »Herrje«, sagte er. »Sieh dir das bloß an!«

Dann ging Chan Ma'ax auf den Dicken zu und nahm ihm wortlos den Vogel aus der Hand. Gordo brauchte ein paar Sekunden, bis er begriff, was vor sich ging, und inzwischen hatte sich Chan Ma'ax bereits von ihm entfernt; er strich dem Vogel sanft über die Federn und sprach leise zu ihm. »*Oye*«, sagte Gordo, »*qué haces?*« Er sagte es nicht so laut, daß er gezwungen gewesen wäre, etwas zu unternehmen, daß es eine wirkliche Herausforderung bedeutet hätte. Chan Ma'ax ging einfach weiter.

Der alte Mann trug den Vogel unter das Dach des Gotteshauses. Er hielt ihn locker in einer Hand, während er mit der anderen in seiner geflochtenen Einkaufstasche aus Vinyl kramte. Endlich brachte er ein Paar weißer Schuhbänder zum Vorschein, die noch in ihrer Plastikhülle eingepackt waren. Er machte eine Schlaufe für den Vogel, indem er die Schuhbänder unter den Flügeln hindurchführte und die Enden zusammenband. Daran hängte er ihn an einem der Dachstützen auf, mit Blickrichtung zu den Zelten der Rebellen.

Dort schwebte der Vogel in einem sonderbaren Winkel, mit herausgestreckter Brust und baumelnden Flügeln, als ob er versuchte, sich aufrecht in die Luft zu erheben. Der Kopf war zu einer Seite abgekippt, und die leblosen Augen glitzerten schwärzlich.

Gordo hatte immer noch nicht begriffen, was vor sich ging. Seine Freunde waren jetzt bei ihm, hatten ihn bei den Armen gegriffen und versuchten, ihn umzudrehen. Er fing an, *Los Indios* zu verfluchen. Lindsey war so angetan von ihrer Leistung, ihm folgen zu können, daß sie eine Weile brauchte, um zu merken, daß sich die Dinge zuspitzten. Gordo sah Carla, die im Gotteshaus saß, und er brüllte sie an.

»O je«, sagte Oscar.

»Worum geht es?« fragte Lindsey. »Habe ich das richtig verstanden, daß er sie gefragt hat, ob sie jetzt auch eine Indianerin ist?«

»Genau«, sagte Oscar. »Ich glaube nicht, daß er auf diese Weise sehr weit kommt. Die meisten von uns haben zumindest ein Teil indianischen Blutes in sich. Carla müßte damit eigentlich umgehen können.«

Doch sie schaffte es nicht. Faustino ging zu ihr, wobei er sich nervös am Bart kraulte, und sie sagte leise etwas zu ihm. Faustino schüttelte den Kopf. Carla diskutierte eine Weile mit ihm, und schließlich trat er aus dem Schutz des Gotteshauses hervor und sagte mit lauter Stimme: *»Volvemos a trabajar.«*

»Ich kann es nicht glauben«, sagte Oscar.

»Sie schickt sie an die Arbeit zurück?« fragte Lindsey. »Beschwört sie damit nicht unweigerlich Probleme herauf?«

»Darauf kannst du Gift nehmen«, sagte Oscar.

Gordo nahm dem ihm am nächsten stehenden Mann die Schaufel aus der Hand und warf sie zu Boden. *»No!«* brüllte er. *»Ya basta! No más!«* Er rief nach Ramos. Es folgte noch einiges, das Lindsey nicht verstand.

»Das ist seltsam«, sagte Oscar. »Er beschimpft Ramos wegen irgend etwas. Behauptet, Ramos schulde ihm noch etwas. Sagt, er braucht sich diese Scheiße nicht gefallen zu lassen. Faselt irgend etwas von Mexico City.« Oscar schüttelte den Kopf. »Ich begreife nicht, was hier gespielt wird.«

Lindsey war sich nicht darüber klar, was als nächstes geschehen würde. Gordo hatte sein Gewehr erhoben. Vielleicht würde er einen Schuß auf Carla abfeuern, obwohl es nach Lindseys Einschätzung eigentlich nicht so aussah. Niemand schritt ein. Alle, die sich zwischen Carla und Gordo befanden, rannten entweder davon oder warfen sich zu Boden. Lindsey kauerte sich hinter einen Eckpfeiler des *ramada,* unfähig, den Blick abzuwenden.

Gordo stand so dicht bei ihr, daß sie mit einem Stein auf ihn hätte einschlagen können. Sie sah den Schweiß auf seiner Oberlippe, direkt über dem dichten Schnauzbart. Sie sah seine Hände an dem Gewehr, die vor Wut zitterten.

Dann trat Ramos vor ihn hin und schoß ihm in den Kopf.

Der Schuß erfolgte aus nächster Nähe, vielleicht aus zwei Meter fünfzig oder drei Meter Entfernung. Ramos benutzte eine militärische .45er Automatikpistole, dunkel und eckig und tödlich aussehend. Die Kugel erwischte Gordo links neben der Nase, direkt unter dem Auge. Sie durchquerte seinen Kopf. Als sie am Hinterkopf wieder austrat, drückte sie eine Handvoll rotes und gelbes Fleisch heraus. Gordo drehte sich um die eigene Achse und fiel aufs Gesicht. Während seines Falls feuerte sein Gewehr eine Salve in die Erde, ein paar Zentimeter von Ramos' Füßen entfernt. Ramos zuckte nicht einmal zusammen.

Lindsey spürte, wie ihr Magen absackte, als wollte er ihr aus dem Körper plumpsen. Sie befürchtete, daß ihr schlecht werden würde, doch nichts dergleichen geschah. Sie fühlte sich nur innerlich kalt und leer.

Es herrschte Stille, abgesehen vom Summen der Insekten. Einige Fliegen hatten das Loch in Gordos Hinterkopf bereits entdeckt und krochen an seinem Rand entlang. Ramos schob seine Pistole wieder in den Halfter, und langsam erhoben sich alle und klopften sich den Staub von der Kleidung. Jemand lachte, was leicht hysterisch klang. Niemand fiel ein.

»*Okay*«, sagte Faustino. »*Andamos!*« Die Leute setzten sich schlurfend in Bewegung. Doch niemand ging in Richtung der Tempel.

Ramos hielt die Hand wie ein Verkehrspolizist hoch, und alle hielten wieder inne. Er rief Faustino etwas zu, das Lindsey nicht verstand.

»Was hat er gesagt?«

»Er fordert eine Versammlung des Komitees«, erklärte ihr Oscar.

»Was bedeutet das?«

»Es bedeutet«, sagte Oscar, »daß er bereit ist, seinen Zug zu machen.«

Niemand rührte den Toten an. Man ließ ihn einfach im Dreck liegen. Lindsey sah ihn von der Stelle, wo sie saß, fünf Meter hoch auf einem Treppenabsatz des Tempels der Inschriften. Der einzige tote Mensch, den sie bis dahin je gesehen hatte, war ihre Großmutter, als sie im Sarg lag. Noch nie hatte sie beobachtet, wie jemand starb. Und schon gar nicht, wie jemand ermordet wurde. Das waren ziemlich viele erstmalige Erlebnisse für einen einzigen Tag. Sie war sich nicht sicher, ob sie noch mehr davon ertragen könnte.

Ramos gestaltete seine Versammlung mit einer dem dramatischen Augenblick angemessenen Umsicht. Chan Ma'ax, Lindsey, Oscar, Faustino und Carla saßen in einer Reihe auf der rechten Seite der Bühne, mit einem unauffälligen Wachtposten an jedem Ende. Auf der linken Seite war eine Reihe von Rebellen in Jeans und Khakihemden aufgebaut, alle in gespannter Haltung. Ramos' getreuer engster Kreis, wie Oscar sagte. Sie waren dabei gewesen, als Ramos ihn über Porter verhört hatte, und die meisten von ihnen hatten irgendwann einmal mit Ramos im *ramada* gespeist.

Ramos selbst stand auf dem untersten Treppenabsatz, auf einer Höhe mit Lindsey, jedoch weiter zur Mitte hin. Er hatte eine klassische Haltung eingenommen, mit weit gespreizten Beinen, mit der rechten Faust entweder in der Luft herumfuchtelnd oder sich in die linke Handfläche schlagend. Carlas gesamte Armee, bestehend aus ungefähr achtzig Männern, Frauen und Kindern, saß ihm zu Füßen.

Lindseys Beine baumelten über den Rand des Treppenabsatzes. Sie zuckte damit auf und ab, da sie die Ernsthaftigkeit des Ganzen nervös machte. Oscar saß zu ihrer Rechten, Chan Ma'ax zu ihrer Linken. Chan

Ma'ax wirkte wie ein Kind, er schien sich innerlich köstlich zu amüsieren, wie er so dasaß, zurückgelehnt und mit ausgestreckten Armen nach hinten abgestützt. Er beobachtete die Vögel oder die Wolken, alles mögliche, nur nicht Ramos' Inszenierung.

Lindsey fragte sich, ob die Reden wohl die ganze Nacht über dauern würden. Sie hatte schon mal eine Schilderung über derartige Versammlungen gehört, mit den endlosen ideologischen Diskussionen, den Machtkämpfen, der Selbstdarstellung. Das ging nun schon seit einigen Stunden so, und die Sonne stand schon ziemlich tief, so daß sich die Schatten lang über die Lichtung erstreckten.

»Was erzählt er denn alles?« wollte sie von Oscar wissen.

»Er sagt, daß Carla Mist macht. Er ist der Meinung, daß sie die Berge verlassen und sich mit der FPML vereinigen müssen. Er behauptet, der *tercerismo* haut nicht hin.«

»Was haut nicht hin?«

»*Tercerismo.* Das ist einfachstes Revolutionsvokabular, Mann. Die alte Taktik heißt *montoneros,* die Methode des Hinhaltekriegs. Wie in Cuba. Man versteckt sich in den Bergen, greift an und zieht sich wieder zurück. Nach der neuen Methode agiert man von den Städten aus, mit Streiks, Demonstrationsmärschen, all so was. Proletarische Revolution. *Tercerismo* ist der ›Dritte Weg‹. Ein Modewort aus Nicaragua. Angeblich sind darin beide Arten des Kampfes vereint, was in einem ›spontanen‹ Aufstand des Volkes gipfeln soll. Carla hält sehr viel davon, sie strebt ständig nach dieser neuen Synthese und so weiter. Sehr modern, sehr in. Ramos ist der typische Urmarxist, der die harte Linie vertritt.«

»Wenn also Ramos das Ruder übernimmt ... und diese FPsowieso ...«

»FPML.«

»... FPML gewinnt, dann gehen sie den kommunistischen Weg. Mit russischen Beratern und allem, was das so mit sich bringt?«

»Eigentlich sozialistisch, aber ja, so wird es wahrscheinlich sein.«

»Das läßt sich die US-Regierung nicht gefallen.«

»Das kann ich mir auch nicht vorstellen.«

»Es kommt also zum Krieg. Wie gehabt.«

»So sieht es aus.«

»Und wenn es nach Carla geht?«

Oscar zuckte die Achseln. »Wer kann das wissen? Es hängt dann vom Präsidenten ab, schätze ich. Die USA hatten ihre Chance in Nicaragua, und die Leute dort waren überzeugtere Marxisten als Carla. Die Sandinisten baten die USA um Hilfe, und die USA hat sie abblitzen lassen. Daraufhin baten sie die Russen um Hilfe. Und in dem Moment wurden Hammer und Sichel am Fahnenmast gehißt. Was hätten sie sonst machen sollen? Aber Carla würde mit den USA Ball spielen, wenn sie die Chance bekäme.«

Er schaute nach rechts, wo Carla saß. Auch Lindsey sah zu ihr hin. Carlas Augen waren glasig, sie saß schlaff in gekrümmter Haltung da. Oscar schüttelte den Kopf. »Jedenfalls hätte es die frühere Carla getan. Ich weiß nicht, ob sie jetzt noch das Zeug dazu hat.«

»Ich dachte, du könntest sie nicht leiden«, sagte Lindsey.

Oscar hob die Schultern. »Ich habe diese Revolution nicht gewollt. Ich brauchte sie nicht. Mir ging es davor nicht schlecht, verstehst du? Aber wenn sie schon stattfinden muß, dann lieber mit Carla als mit irgendeinem Arschloch wie Ramos oder Venceremos.«

Ramos hatte einen Gedanken zu Ende geführt, und Applaus erschallte, begleitet von einigen Zurufen und einem oder zwei Jubelschreien. Carla bemühte sich aufzustehen, und Faustino half ihr auf die Krücke. Ihre Stimme war nicht besonders kräftig, doch die Steinkulisse ringsum wirkte wie eine Art natürlicher Verstärker.

»*Compañeros*«, fing sie an.

Oscar übersetzte während ihrer Rede. Sie sprach vom Verrat an der nicaraguanischen Revolution, vom Verlust der Ideale in Cuba. »Sie sagt, jedes Land muß seine eigene Revolution machen.« Oscar hatte die Stimme gedämpft, er flüsterte fast. »Jeder von uns muß seine persönliche Revolution in sich selbst finden. Unser Land muß ablegen, was jeder von uns als Mensch ablegen muß. Die Gier nach materiellen Dingen. Den Haß und die Eifersucht, die wir unseren Brüdern gegenüber empfinden. Die Ketten, mit denen uns jene gebunden haben, die mächtiger sind als wir.«

Soweit lief es ganz gut. Alle hörten ihr zu. »Für Nationen und für Menschen gilt: man kann seinen Ursprung niemals vergessen. Das macht uns tapfer, gibt uns den Mut, gegen jene zu kämpfen, die uns zahlenmäßig überlegen sind und über die besseren Waffen und mehr Geld verfügen. Das befähigt *la publica,* sich sowohl gegen die Vereinigten Staaten als auch gegen die Sowjetunion aufzulehnen, gibt dem Volk die Freiheit, zu dem zu werden, was wir daraus machen wollen.« Diesmal erntete sie sogar spärlichen Applaus.

»*Este lugar*«, sagte Carla, und Lindsey spürte, wie die Worte die Menge durchdrangen, wie sich die Zuhörer strafften und von ihr zurückwichen. Carla hatte offenbar nichts davon bemerkt, denn sie sprach weiter. »Sie sagt, hier ist der Ort unseres Ursprungs«, übersetzte Oscar. »Hier sind das Wissen und die Weisheit, die wir nötig haben. Wir brauchen das, was dieser Ort uns bietet.«

In den Reihen der Leute wurde jetzt gesprochen, zunächst leise, doch das Geraune wurde immer lauter, und Bewegung kam in die Menge.

»Hier ist Magie im Spiel«, sagte Oscar, und machte dazu ein angewidertes Gesicht.

Im selben Moment erhob sich jemand aus der Menge und schrie: »*Mierda!*«

In Sekundenschnelle brach ein Tumult aus. Dreißig

Menschen waren gleichzeitig auf den Beinen, brüllend und mit fuchtelnden Armen. Carla versuchte weiterzusprechen, doch es hatte keinen Sinn. Faustino hatte mit einigem Abstand neben ihr gestanden, jetzt nahm er ihren Arm und drückte sie sanft auf ihren Sitz zurück.

Endlich beruhigte Ramos die Leute. Er ließ sie nicht vollkommen zur Ruhe kommen, sondern stand nur mit erhobenen Armen da, bis er ihre Aufmerksamkeit auf sich gelenkt hatte, dann griff er ihren Zorn auf und benutzte ihn.

»Er erzählt ihnen, daß sie die Macht haben«, erklärte Oscar. »Er sagt, daß die Entscheidung bei ihnen liegt. Ob sie wollen, daß Carla ihre Anführerin bleibt und sie hier hält, um weiter mit Steinen zu spielen ...« — Lindsey konnte ihn kaum verstehen, so laut war das Geschrei der Menge —, »oder ob sie dem Sieg entgegenmarschieren und de la Madrid in die Knie zwingen wollen.« Die Buhrufe und das Murren verwandelte sich in begeisterten Jubel. Am lautesten, so bemerkte Lindsey, kam er von den bewaffneten Männern auf dem anderen Sims der Pyramide.

Lindsey brauchte Oscars Übersetzerhilfe nicht, um Ramos' nächste Worte zu verstehen. »Und wer«, schrie er auf spanisch, »soll euer Anführer sein?«

Gehorsam antworteten sie im Rhythmus: »Ra-mos, Ra-mos!« Inzwischen waren alle auf den Beinen. Es ging immer weiter. Lindsey zog die Beine an und schlang die Arme um die Knie. »Werden sie sie umbringen?« fragte sie.

»Das bezweifle ich«, sagte Oscar. Er mußte schreien, um bei dem Lärm gehört zu werden. »Sie ist zu sehr ein Symbol. Sie ist Acuarios Frau. Sie können die Frau ihres Märtyrers Nummer eins nicht umbringen.«

Faustino stellte sich neben Ramos und legte diesem die Hand auf die Schulter. Er machte einen gefaßten Eindruck. Er streckte der Menge die Hände entgegen und ergriff das Wort.

»Er sagt, Carla akzeptiert ihre Entscheidung. Ohne Bitterkeit, behauptet er. Brüder im gemeinsamen Kampf.«

Carla hatte überhaupt nicht mit ihm gesprochen, seit sie sich gesetzt hatte. *»Et tu, Faustino?«*

»Er muß so etwas schon hundertmal erlebt haben, in häßlichen kleinen Lagern wie diesem überall in diesem Teil der Welt. Wenn man einmal eine Revolution beginnt, wo soll sie enden? Wenn man einen Bauern erst einmal davon überzeugt hat, daß er sich von der Regierung nichts gefallen zu lassen braucht, wieviel wird er sich dann noch von einem selbst gefallen lassen? Man lernt es, mit dem Strom zu schwimmen. Die Revolution ist wichtiger als das Einzelwesen, stimmt's? Jetzt erklärt er, daß sie ihre Führerschaft aufgibt und in den Reihen ihrer Soldaten mitkämpfen wird.«

»Sie hat nur ein Bein!« sagte Lindsey. »Wie soll sie gegen irgend jemanden kämpfen?«

»Das ist nur so eine beschissene Phase, durch die sie hindurch muß. In Wirklichkeit ist zu erwarten, daß sie fünf oder zehn Leute um sich schart und damit ihre eigene *tendencia,* ihre eigene Splittergruppe gründet.«

»Und so wird Geschichte gemacht«, sagte Lindsey.

Oscar sah sie mit einem Achselzucken an und deutete auf sein Ohr. Der Lärm war inzwischen so laut, daß er sie nicht mehr verstehen konnte. Ramos führte jetzt ihr Jubelgeschrei an: *»Viva la republica! Viva la libertad!«*

Plötzlich geriet der Jubel ins Stocken. Fünf oder sechs Leute sahen nach oben, und gleich darauf wandten alle den Blick gen Himmel. Und dort, direkt über ihnen, in einer Höhe von einigen hundert Fuß, war ein olivbraun-gelber Hubschrauber der US-Army.

In der plötzlich einsetzenden Stille neigte er sich, drehte ab und flog nach Norden davon.

Eddie kroch aus dem Zelt und versuchte, sich zu übergeben. Eigentlich war kaum etwas in seinem Magen. Ein Wachtposten beobachtete ihn gelangweilt von einer der Stufen der Pyramide aus. Die Sonne war soeben über die Baumwipfel gekommen, und der Boden war noch kühl vom Tau. Eddie spürte jeden einzelnen Grashalm, der in die nackte Haut seiner Handgelenke und Knie stach.

Er schaffte es zurück bis zum Wasserkrug und spülte sich den Mund mehrmals aus. Das Wasser brachte ihn etwas zu sich, gab ihm ein wenig Kraft. Er fand ein sonnenbeschienenes Fleckchen und legte sich dort auf den Rücken. Die große Pyramide ragte golden im Morgenlicht auf. Darüber kräuselte sich eine schmale Rauchwolke aus El Chichon, dem toten Vulkan.

Irgend etwas an der Pyramide sah anders aus, und er brauchte eine Weile, bis ihm auffiel, was geschehen war. Man hatte daran gearbeitet. Er drehte den Kopf und stellte fest, daß auch die über die ganze Breite gehende, zwölf Meter hohe Reihe von Stufen an der Vorderseite des Palastes gesäubert und ausgebessert worden waren. Die beiden Tempel sahen jünger und stärker aus, und ihr Anblick brachte Eddies verwirrtes Zeitgefühl noch mehr durcheinander.

Er war in jeder Hinsicht in einer sehr schlechten Verfassung. Tatsächlich war er ziemlich überzeugt davon, daß er sterben müsse. Der Gedanke an etwas zu essen oder zu trinken bereitete ihm Übelkeit im Magen. Das einzige, von dem er sich vorstellen konnte, es sich in den Mund zu stecken, war der Pilz. Er malte sich aus, daß er nur ein kleines Scheibchen davon äße, und bildete sich ein, daß all seine Schmerzen vergingen.

Fang nicht damit an! ermahnte er sich.

Am Nachmittag zuvor hatte sich hier irgendein großes Ding abgespielt. Eddie hatte das Schreien und den Applaus gehört, doch ihm war nicht danach zumute gewesen, aufzustehen und nachzusehen, was los war.

Jetzt war das ganze Gelände verlassen. Sogar die Lacandonen waren weg.

Der Gedanke kam ihm, daß sie vielleicht einfach ihre Sachen gepackt hatten und in der Nacht nach Hause zurückgekehrt waren. Warum eigentlich nicht? Die Rebellen hätten es bestimmt nicht gemerkt. Und Chan Ma'ax war Eddie keinerlei Erklärung schuldig. Das hatte er deutlich klargemacht.

Allmählich wärmte ihn die Sonne, obwohl das nicht gegen die Spinnweben in seinem Gehirn half. Er richtete sich auf, setzte sich in Halblotusstellung hin und machte ein paar Atemübungen. Schließlich fühlte er sich stark genug, um den Versuch zu unternehmen, ein bißchen herumzulaufen.

Er stand auf und streckte sich, während er sich fragte, wo Lindsey wohl sein mochte. Sie hatte keine der beiden letzten Nächte bei ihm verbracht. Er hatte sie seit damals, als sie unten am Fluß miteinander gefickt hatten, kaum noch gesehen. Selbst seine Erinnerung daran war verschwommen. Das einzige, an das er sich halbwegs erinnern konnte, waren seine Pilz-Trips.

Er beschloß, am Fluß nach ihr zu suchen. Wenn er es langsam anging und zwischendurch immer wieder eine Pause machte, würde er es bis dorthin wahrscheinlich schaffen. Der Rebell, der ihn bewachen sollte, war eingeschlafen. Eddie sagte sich, daß es nicht der Mühe wert war, Schuhe anzuziehen, und er machte sich in seinem T-Shirt, den abgeschnittenen Jeans und barfuß auf den Weg.

Am anderen Ende der Palaststufen sah er einen Leguan, und er pirschte sich an ihn heran. Er war eine echte Schönheit, fast einen Meter lang, wenn man den Schwanz mitrechnete, und von dem gleichen staubigen Weiß wie der Kalkstein des Tempels. Auf seinem Rükken zeichneten sich die langen Wirbel ab, die sich hin und her verschoben, wenn er sich bewegte. Jedesmal, wenn er den Kopf wandte, ging Eddie ein paar Schritte näher an ihn heran. Plötzlich drehte er nach hinten um und starrte ihn aus schwarzen Echsenaugen an.

Als erstes fand er die Tempel restauriert. Jetzt spielte er Haschmich mit einem Dinosaurier. Was wäre das nächste? fragte sich Eddie.

Er war auf anderthalb Meter an das Tier herangekommen, als ein Schuß krachte und der Leguan einen Satz machte. Der Schuß kam aus dem Palasthof, links von Eddie. Er schlich in diese Richtung, wobei er sich im Schatten der Nordwand des Palastes hielt.

Dort waren Ramos und Faustino und Carla, die sich auf ihre Krücke stützte. Sie standen in einer Reihe mit vier anderen Soldaten in Jeans und Khakihemden. Direkt vor ihnen war ein Mann auf Knien, und ein anderer lag auf dem Bauch auf der Erde. Ihnen gegenüber auf der anderen Seite der Lichtung stand ein weiteres Dutzend Soldaten, arme Bauern mit zerlumpter Kleidung und Stricken als Gürtel und billigen Leinenschuhen. Nur ein paar von ihnen hatten glänzende neue Automatikgewehre, wie sie die Offiziere besaßen. Die anderen waren mit Schrotflinten und .22ern ausgerüstet.

Auch hier hatte jemand gearbeitet. Das schlimmste Dickicht aus Unkraut und Dornengestrüpp zwischen den Steinbrocken der zusammengebrochenen Haupttribüne war gerodet. In einer Ecke des Innenhofes hatte man ein Loch gegraben. Es hatte die Ausmaße und Form eines flachen Grabes.

Ramos stand vor dem knienden Mann, mit einer .45er Automatikpistole in der einen Hand und einem Notizbuch mit rotem Plastikeinband in der anderen — »... befindet dich dieses Gericht«, las er aus dem Buch vor, »des Verbrechens der Desertation für schuldig, und darauf steht die Todesstrafe. Hast du noch irgend etwas zu sagen?«

Der kniende Mann hielt die Hände fest in seinen Schoß gepreßt. Seine Arme wurden von Krämpfen geschüttelt, und die Vorderseite seines Hemdes bebte mit ihnen. Ramos setzte dem Mann die Pistole an die Schläfe. Er wartete einen qualvollen Moment lang, dann drückte er ab, wobei er, während er den Abzug bediente, die Waffe zurückriß, als ob es eine Spielzeugpistole wäre. Der Knall erreichte Eddie den Bruchteil einer Sekunde nach dem Bild, etwas zeitverschoben, und das Echo hallte von den Steinwänden des Palastes wider. Blut sprudelte aus dem Gesicht des Toten, und einen schauderhaften Moment lang sah es so aus, als wollte er aufstehen, doch es war lediglich so etwas wie eine Muskelzuckung, die seinen Rücken gestrafft hatte und ihn dann in das frischgeschnittene Unkraut warf.

Ramos steckte die Pistole zurück ins Halfter und knöpfte den Verschluß zu. »Erzählt allen, was ihr hier heute gesehen habt«, sagte er zu seinem zerlumpten Publikum. »Du und du, ihr vergrabt die Leichen.« Die beiden Angesprochenen traten vor und streckten den ersten Getöteten ungeschickt auf dem Rücken aus. Der Mann am Kopfende vermied es, mit der Haut des Toten in Berührung zu kommen. Er packte eine Handvoll seines Hemdes und trug ihn auf diese Weise.

Eddie wandte sich ab. Er hätte den Hof durchqueren müssen, um zum Fluß zu gelangen, und dazu hatte er keine Lust. Er fragte sich, ob sich Ramos wohl der Ironie bei der Sache bewußt war. Ob er wußte, daß die Maya ihr Menschenopfer genau an derselben Stelle dargebracht hatten, vielleicht sogar aus denselben Gründen. Die Gleichstellung der alles an Bedeutung übertreffenden Mächte, der politischen Macht und der Macht über Leben und Tod.

Es war offensichtlich, daß Ramos jetzt die Zügel in der Hand hielt. Sein Finger am Abzug der Pistole kündete davon. Carlas Schweigen und ihre starr zu Boden blickenden Augen kündeten davon. Eddie wußte, daß das eine schlechte Neuigkeit war, obwohl er sich nicht darüber klar war, wie schlecht sie war oder was sie genau bedeutete.

Er ging langsam denselben Weg zurück, den er gekommen war. Seine Augen und seine Lunge brannten, und er hörte seinen Puls in den Ohren pochen. Er erwog, sich wieder zum Schlafen hinzulegen, doch seine Muskeln versagten ihm den Dienst. Vielleicht lag das nur an seiner Angst, daß er womöglich einschlief und nicht wieder aufwachte.

Anstatt ins Zelt zu kriechen, wanderte er zwischen den struppigen Bäumen im nördlichen Teil der Lichtung im Kreis herum. Er fühlte sich körperlich und geistig niedergeschlagen, wie nach einem langen LSD-Trip.

Wenn du noch einmal von den Pilzen ißt, wirst du sterben, sagte er sich.

Er hörte vor sich das Scharren von Schaufeln. Er sah Chan Ma'ax und die Hälfte der Lacandonen, die in einem Graben arbeiteten. Ma'ax García war dabei und Nuxi', der sich ein Palmblatt um den Kopf gebunden hatte. Sie alle waren bis auf die Lendentücher ausgezogen. Eddie war erleichtert, als er sie sah. Der Graben war über drei Meter lang und wuchs nach beiden Seiten hin. Chan Ma'ax stand in der Mitte, aufgestützt auf ein Armeewerkzeug zum Ausheben von Schützengräben.

»*Tal in wilech*«, sagte er zu Chan Ma'ax.

»Alle mal hersehen«, sagte der alte Mann in der Maya-Sprache. Er hielt das Handgelenk in einem Winkel abgespreizt, daß er aussah wie ein Clown oder ein Verrückter. »Kukulcán kehrt aus dem Osten zurück, genau wie es immer behauptet wurde.«

»Kukulcán?« wiederholte Eddie.

»Paß auf!« sagte Chan Ma'ax. »Sie werden auch dich zur Arbeit zwingen.«

Zwei Soldaten beobachteten die Szene. Sie saßen mit den Rücken an Bäume gelehnt, rauchten und schienen sich nicht im mindesten für Eddie zu interessieren. Offenbar hatten sie keine Befehle, was ihn betraf. Eddie kauerte sich nach Art der Maya an den Rand des Grabens. »Was sollte das mit Kukulcán heißen?«

»Du weißt doch«, sagte Chan Ma'ax. »Die Azteken nennen ihn Quetzalcoatl. Die gefiederte Schlange. Ein weißer Mann, der aus dem Westen kommt, um uns zu retten. Aber er betrinkt sich und bumst mit seiner Schwester und wird mit Schimpf und Schande davongejagt. Er reist nach Osten davon, mit dem Versprechen, eines Tages zurückzukehren. Und jetzt bist du gekommen.«

»Ich kann mich nicht einmal selbst retten«, sagte Eddie. »Was macht ihr hier?«

»Wir graben Löcher«, antwortete Chan Ma'ax. »Damit sich die Soldaten verstecken können, wenn die Nordamerikaner kommen.«

»Hast du Lindsey gesehen. Oder Thomas?«

Der alte Mann schüttelte den Kopf. »Wahrscheinlich arbeiten sie irgendwo. Alles hat sich verändert. Ramos ist jetzt der Chef. Das Ende ist nicht mehr fern.«

»Ich dachte, damit hat es noch fünfundzwanzig Jahre Zeit.« Eddie versuchte, ein Scherzchen zu machen, doch es kam nicht an.

Chan Ma'ax leckte sich am Daumen und rieb über eine Schnittwunde am Knöchel seiner linken Hand. »Auch das Ende hat irgendwo seinen Anfang.«

»Andale«, sagte einer der Wachtposten. Chan Ma'ax sah Eddie noch eine lange Weile an, dann beugte er sich vor und fing an, Erde aus dem Graben zu schaufeln.

Welchen Sinn hatte es, fragte sich Eddie, *t'o'ohil* zu sein, wenn man dennoch den Befehlen irgendeines Jungen mit einer Maschinenpistole gehorchen mußte? Auf seinem Rückweg über die Lichtung hob er eine Handvoll Blätter auf und zerdrückte sie, bis seine Finger weh taten.

Alles war in Auflösung begriffen. Einschließlich seines Körpers. Er fühlte sich so entsetzlich schwach. Er ließ sich auf dem Pfad nieder. Ein spitzer Stein bohrte sich in seine Hüfte. Der Schmerz war angenehm, tröstend, verkündete ihm, daß er noch lebte. Er legte sich auf den Bauch, drückte sich fest an die Steine und die Erde und die verfaulenden Blätter. Er fühlte kaum etwas. Er rieb die Innenfläche seiner linken Hand an einem Klumpen Kalkstein, hin und her, immer wieder, bis er merkte, wie der Stein glitschig von Blut wurde.

Er rollte sich auf den Rücken. Seine Füße bewegten sich, als ob sie den Takt eines unhörbaren Songs mitschlügen. Er mußte sie gewähren lassen, sonst hätte er in den Beinen einen Krampf bekommen. Die Bartstoppeln in seinem Gesicht piekten, und die Kopfhaut tat ihm weh, wo er beim Schlafen falsch auf seinen Haaren gelegen hatte. Er hatte Lust, Fleisch zu essen, sich zu betrinken, mit Lindsey zu vögeln. Er berührte den Zwickel seiner abgeschnittenen Jeans. Sein Penis war schlaff. Wahrscheinlich lag das an der Unterernährung oder war vielleicht ein weiterer Nebeneffekt der Droge.

Er spürte, wie sich ein langer, ausgedehnter Schrei in seiner Lunge formte, doch als er den Mund öffnete, kam nichts heraus.

Er erinnerte sich nicht daran, wie er in den Pilzhain gelangt war. Jedenfalls war er jetzt da. Er ließ sich vor den Pflanzen nieder. Wirklich, er sollte sich wenigstens von Lindsey verabschieden. Sie hatte gesagt, daß sie ihn immer noch liebte und so. Aber schließlich hatte er ja versucht, sie zu finden, und sie war nirgends aufzutreiben gewesen. Allzuviel hätte er ihr sowieso nicht zu sagen gehabt, einfach nur Lebewohl.

Er brach sich ein daumengroßes Stück von einem Pilz ab und aß es. Dann aß er noch mal eins. Seine linke Hand blutete nicht mehr. Er schlug sich damit sanft gegen das Bein, im Rhythmus seiner zuckenden Füße. Er aß noch ein kleines Stück, nur für alle Fälle.

Okay, dachte er. Das müßte reichen.

Er legte sich auf die Ellbogen gestützt zurück und wartete, und nach ein paar Minuten bewegte sich die Erde unter ihm.

Er lag in einer Hängematte, die zwischen den Steinwänden eines Raums aufgespannt war. Der größte Teil der vorderen Wand war bis nach oben hin offen. Er sah Wolken und Sonnenlicht und Baumwipfel.

Er hob mit einem Schwung die Beine über den Rand der Hängematte. Einen Augenblick lang war ihm schwindelig, doch das ging vorüber. Er steckte die Füße in Sandalen, die bereit lagen, und stand auf.

In der gegenüberliegenden Ecke des dreiseitigen Raums war ein Mann, angetan mit einem Jaguarfell und leuchtend grünen Quetzalfedern. Sein Haar war auf der Stirn abrasiert und der Rest zu einem Knoten geschlungen, damit seine lange, schräge Stirn zur Geltung kam. Er sah Eddie mit müden Augen an. »Du bist wach«, sagte er.

»Ja.«

»Du hast drei Tage lang geschlafen. Deine Arme und Beine haben sich bewegt wie die eines Tieres.«

Eddie nickte. Er erinnerte sich daran, daß er hierhergetragen worden war, aber sonst an kaum etwas. Er ging vorsichtig zu der offenen Seite des Tempels und hielt sich an dem Balken über seinem Kopf fest, um nicht das Gleichgewicht zu verlieren.

Er befand sich in einer Gruppe kleinerer Tempel östlich der großen Pyramide. Zwei Treppenfluchten führten hinunter zu der gepflasterten Straße unter ihm. Sein Tempel und der nebendran waren aus dem Hang eines Hügels herausgebaut worden. Er überblickte den ganzen südlichen Teil der Stadt. Ihm gegenüber erhoben sich zwei Tempel auf flachen Pyramiden. Ihre steilen Dächer waren mit Steinmetzarbeiten versehen und mit historischen Szenen bemalt, und darüber spannten sich die kunstvollen Gitter aus Ziegelstein, die die Dachfirste zierten. In mittlerer Entfernung sah er den Herrschersitz mit seinem Turm, und jenseits davon die große Pyramide.

Im Westen schloß sich Baumbewuchs an, die Obstplantagen von Ramón und Chicozapote. Zwischen den Bäumen lagen die Familienbehausungen, strohgedeckte Holzhütten auf Erdfundamenten, die alle zu einem zentralen Platz hin ausgerichtet waren. Die größeren Anwesen gehörten den besseren Familien, und diese lagen auch am nächsten zu den Tempeln. Manche waren bis auf die Grundmauern abgebrannt, aus der Asche stieg noch Rauch. Jenseits davon erstreckten sich Tausende von Bauernhütten und *milpas* und Obstgärten bis zum Horizont.

Es war früher Nachmittag, und das grelle Sonnenlicht verwischte die strahlenden Rot- und Gelbtöne der Tempel. Wenn Eddie die Augen zusammenkniff, sah es aus, als hätten sie überhaupt keine Farbe. Das erinnerte ihn an irgend etwas, aber ihm fiel nicht ein, an was.

Die Armee hatte ihr Lager auf dem Hauptplatz aufgeschlagen, zwischen dem Herrscherpalast und der großen Pyramide. Die meisten Männer schliefen. Die am schlimmsten verwundeten wurden verbunden und gefüttert. Es erschien ihm alles fremd und gleichzeitig vertraut. Eddie wußte nicht, warum die Armee hier war, mitten in der Stadt mit all ihren Waffen, aber es hatte offenbar seine Richtigkeit, daß sie hier war.

»Erinnerst du dich an irgend etwas?« fragte ihn der gefiederte Mann. »Erinnerst du dich an mich?«

»Chilam ...«, sagte Eddie, und dann schüttelte er den Kopf. »Ich weiß nicht.«

»Chilam Sotz«, sagte der Mann. »Ich bin Hoherpriester. Weißt du wenigstens, wie du selbst heißt?«

»Eddie«, sagte er. »Ich glaube, ich heiße Eddie.« Er hatte es kaum ausgesprochen, da hörte es sich schon irgendwie falsch an.

»Das ist kein richtiger Name«, sagte Chilam Sotz.

Jedesmal, wenn sich Eddie zu konzentrieren versuchte, verlor er den Faden seines Gedankens. Er konnte sich lediglich an einen kleinen alten Mann erinnern, der wie ein Affe aussah. »Es gibt noch einen anderen

Namen ... Kukulcán. So kannst du mich auch nennen.«

»Weißt du, wie du hierhergekommen bist?«

»Nein.«

»Einige Soldaten haben dich aufgegriffen, als du in der Stadt herumgeirrt bist. Du warst wie ein echter Mensch angezogen, doch deine Haut war so blaß, daß sie dich für ein Gespenst hielten. Deshalb haben sie dich zu mir gebracht. Ich soll herausfinden, ob du ein Gespenst bist oder nicht.«

»Bist du schon zu einem Schluß gekommen?« fragte Eddie.

»Ja. Du bist kein Gespenst. Wenn du ein Gespenst wärst, würdest du die Maya-Sprache nicht so schlecht sprechen.«

»Warum sind ... warum sind hier überall Soldaten?«

»Wegen des Krieges.«

»Was für ein Krieg?«

»Wir kämpfen gegen unser eigenes Volk.«

Eddie wurde wieder von einem Schwindelgefühl gepackt. »Euer eigenes Volk?«

»Ich weiß nicht, was ich dir darüber erzählen soll«, sagte Chilam Sotz. »Ich weiß nicht, was dir davon unbekannt ist.«

»Erzähl mir alles! Erzähl mir von dem Volk, gegen das ihr kämpft!«

»Es sind junge Leute. Die meisten. Bauern. Sie behaupten, es gäbe zu viele Priester. Das ist ein Punkt. Zu viele Adlige, zu viele Tempel. Sie sagen, die Welt ist aus dem Gleichgewicht geraten. Sie sagen, die Götter haben uns den Rücken gekehrt. Deswegen ist angeblich die Ernte schon seit etlichen Jahren schlecht, gibt es so wenig Tiere.« Chilam Sotz lehnte den Kopf an die Wand hinter sich. Er war alt, fiel Eddie plötzlich auf. Vielleicht doppelt so alt wie Eddie. Alt und sehr müde.

»Sie haben eine neue Religion«, fuhr Chilam Sotz fort. »Sie haben so komische Vorstellungen von der

Zeit. Jeder weiß, daß sich die Zeit im Kreis bewegt, doch sie glauben, die Zeit kann nicht für sich selbst sorgen. Sie bilden sich ein, wir müssen die Städte verlassen und uns in den Dschungel zurückziehen, alles vergessen, was wir wissen. Damit, wenn sich der Kreis schließt, alles wieder so wie am Anfang ist. Die Menschen sollen wie Tiere sein, im Dreck leben.«

»Ich habe es gesehen«, sagte Eddie plötzlich.

»Was?«

»Das Ende des Kreises.« Das überraschte ihn ebensosehr wie Chilam Sotz. »Es ist wahr, was sie sagen. Die Tempel werden vom Dschungel überwuchert sein. Die Menschen werden abgeschieden in Hütten leben. Sie werden keine Priester haben. Sie werden sich nicht an die Namen der Götter erinnern. Sie werden sich nicht einmal an die Lange Zählung erinnern.«

»Aha«, sagte Chilam Sotz.

»Es tut mir leid. Das hört sich an, als ob diese Stadt — all diese Schönheit — als ob all das nichts sei. Doch andere Menschen werden sich an euch erinnern. Menschen mit der Hautfarbe von Gespenstern. Wie die meine, sogar noch heller.«

»Das macht nichts«, sagte Chilam Sotz. »Der große Kreis hat keine Bedeutung. Er existiert, das ist alles. Man sollte sich nicht allzu viele Sorgen über den eigenen Platz darin machen. Sonst könnte man leicht verrückt werden.« Er stand auf und rückte seinen gefiederten Haarschmuck zurecht. »Wenn du dich kräftig genug fühlst, sollten wir zum Herrscher gehen. Er wollte, daß ich ihm Bescheid sage, wenn du aufwachst.«

»Warum nicht?« sagte Eddie.

Die Luft auf dem Platz roch nach Rauch und schwitzenden Soldaten und Staub, der in der Sonne brütete. Die Soldaten trugen Lendentücher und gewebte Kopfbänder. Die einzigen Waffen, die Eddie sah, waren Speere, einige davon mit Spitzen aus Obsidian, einige lediglich geschärft und im Feuer gehärtet. Sie alle wichen zurück, wenn Eddie an ihnen vorbeiging, aus Angst vor seiner blassen Haut.

Der Platz war mit Kalksteinquadern gepflastert. Eddie spürte durch seine Sandalen, wie die Hitze von ihnen aufstieg. Auf der nördlichen Seite, in gehörigem Abstand von den Soldaten, sah er Händler und Verkäufer, die noch versuchten, ein Geschäft zu machen. Sie hatten ihre Matten ausgelegt und Töpfereiwaren und Federn und Ohrgehänge und Ringe und Halsbänder, Muscheln und gelegentlich Jadestücke darauf ausgebreitet. Niemand kaufte etwas.

Die Tempel überragten sie alle, dem Dschungel trotzend, der Zeit trotzend. Hoch oben auf dem Tempel der Inschriften konsultierten zwei adelige Herren einen Priester. Die Adeligen trugen Pelzstiefel und kurze Umhänge und knielange Hosen aus Stoff, bemalt mit stilisierten Schriftzeichen. Sie hatten kunstvolle Hüte auf, die aus Hirschköpfen gefertigt waren. Die Tiere schienen die Hälse nach hinten zu neigen, um zu etwas aufzublicken. Die Priester trugen Jaguarstiefel wie Chilam Sotz sowie einen Kopfschmuck mit Pfauenfedern. Sie alle waren mit Ohrgehängen und Halsketten aus Jade angetan.

Überall gab es Halbreliefes, auf dem Dach der Tempel, an den Seiten der Treppen, auf Steinstelen, die höher als Eddie waren und aufrecht auf dem Platz standen. Eddie blieb vor einer der Stelen stehen. Die Schriftzeichen, die einer Reihe von dicken, gewundenen Käfern glichen, waren in Rot- und Brauntönen aufgemalt. Sie umgaben die Figur eines Edelmannes mit roter Haut und grünen Federn und schwarzen und gelben Pelzen.

»Diese Richtung«, sagte Chilam Sotz. Sie stiegen die Stufen des Palastes hinauf. Zwei Wachtposten am oberen Ende der Treppe nickten ihm zu und traten beiseite, um ihn vorbei zu lassen. Eddie folgte ihm durch einen Raum mit einer hohen, gewölbten Decke und anschließend durch einen grasbewachsenen Innenhof. Der Turm erhob sich in der südwestlichen Ecke. Männer befanden sich im obersten Stockwerk, je einer an den vier Fenstern, und blickten hinaus in die Ferne.

Sie stiegen einige Stufen höher und betraten eine andere Flucht von Räumen. Weitere Reliefs bedeckten die Wände, die Abbilder früherer Herrscher. Eddie blieb stehen, um sich einen von ihnen genauer anzusehen. Der Mann war im Profil dargestellt, wie immer, um die lange Stirn zur Geltung zu bringen, die sanft in die hakenförmige Nase überging. Sein Kopfschmuck strotzte vor Meeresvögeln und Fischen. In der rechten Hand hielt er etwas, das wie ein Schwert aussah, abgesehen davon, daß ihm Zweige entsprossen wie einem Baum.

»Pacal«, sagte Chilam Sotz. »Er machte diese Stadt zur größten des Reiches. Nach ihm hat es nie wieder einen solchen Herrscher gegeben.« Eddie sah zwei weitere Wachtposten, die auf sie zukamen. Chilam Sotz' Kehle entrang sich ein leiser Ton. »Bis jetzt natürlich.« Die Wachtposten verneigten sich vor Chilam Sotz und betrachteten Eddie argwöhnisch.

»Wo ist der Herrscher?« fragte Chilam Sotz sie.

»Im Dampfbad, Herr.«

Chilam Sotz nickte und führte Eddie tiefer in den Palast hinein. Die meisten der Räume, durch die sie kamen, waren leer oder vollgestopft mit allerlei Gegenständen, Tonwaren und Pelzen und Rollen gefärbten Stoffs. Hier schienen keinen Staatsgeschäfte abgewikkelt, keine Gesetze niedergeschrieben, keine Verfügungen erlassen, keine Gesandten empfangen zu werden.

Vor der Tür zum Bad hing eine gewebte Matte. Im Innern bekam man fast keine Luft. Die Wände waren glasiert, wie Keramik. Nackte männliche Sklaven trugen vom Küchenhaus Schalen mit glühender Kohle heran. Sie schütteten sie in Steintröge und gossen Wasser darüber, wobei Dampfwolken und der Geruch nach nasser

Asche aufstiegen. Eddie brach am ganzen Körper der Schweiß aus.

Der Herrscher saß auf einer Steinbank, nackt, abgesehen von seinem Schmuck und Quetzalfedern, die ihm ins Haar geflochten waren. Er war groß, und sein Gesicht war ebenmäßig und wohlproportioniert. Man hätte ihn gutaussehend nennen können, hätte er nicht einen so gewaltigen Bauch und eine so fette Brust gehabt. Seine Augen waren klein, und sie zeugten von fröhlichen Ausschweifungen. Eine untersetzte Frau mit breiter Taille, ebenfalls nackt, streichelte ihm mit einer Handvoll Federn die Brust, die Ohren und den Hals. Wasser perlte auf ihrer Haut, auf ihren kleinen, muskulösen Brüsten, auf dem dunklen Haarbüschel zwischen ihren Schenkeln. Eine andere Frau kauerte zwischen den Beinen des Herrschers und bearbeitete seinen halbsteifen Penis mit Lippen und Zunge.

Chilam Sotz fiel auf die Knie, überkreuzte die Arme vor der Brust, berührte mit dem Kopf den Boden. Eddie machte es ihm ungelenk nach. »Der Fremde, Herr«, sagte Chilam Sotz und ließ sich auf die Fersen zurückfallen. »Er sagt, sein Name sei Kukulcán.«

Eddie verharrte noch eine Weile in seiner vornüber geneigten Stellung. Dicht am Boden war die Luft kühler, und das Atmen fiel ihm auch leichter, wenn er die nackten Frauen nicht sah. Als er sich aufrichtete, sagte er: *»Utz-in puksiqual.«* Mein Herz ist gut. Schweiß tropfte ihm von den Händen, als er sie mit den Innenseiten nach oben ausgestreckt hielt.

Der Herrscher nickte zerstreut. Chilam Sotz sagte: »Er hatte im Schlaf eine Vision. Er hat die großen Städte am Ende des Kreises in Ruinen gesehen.«

»Was ist denn mit seiner Haut los?« fragte der Herrscher. »Ist er Mexikaner?«

»Nein, Herr, ein Mexikaner hätte eine kleine Nase und keine Stirn.«

»Vielleicht ist er krank.« Der Herrscher nahm einen

Becher und trank schlürfend. Eddie roch die Schokolade, und sein Magen rumorte. »Bist du krank?« fragte ihn der Herrscher.

»Nein, Herr«, antwortete Eddie.

Der Herrscher sah Chilam Sotz an. »Nun denn. Er scheint keine Angst zu haben. Was sollen wir mit ihm machen?«

»Wir sollten ihm weitere Fragen stellen, Herr. Seiner Vision kommt womöglich große Bedeutung zu. Wenn es ein wahrer Traum ist ...«

»Ich halte nichts von Träumen«, sagte der Herrscher. »Aber du kannst mit ihm machen, was du für richtig hältst.«

»Herr, wenn es wahr ist, daß die großen Städte am Ende des Kreises ausgestorben sein werden, dann sollten wir vielleicht darauf hören, was ...«

»Am Ende des Kreises wirst du und werde ich zu Erde geworden sein.« Der Herrscher riß die Augen weit auf, als ob er sich selbst beim Einschlafen ertappt hätte. »Nimm deinen Mexikaner und geh! Erzähle mir nichts mehr vom Ende des Kreises!«

»Ja, Herr.« Chilam Sotz verneigte sich erneut, und Eddie gleichfalls, dann entfernten sie sich rückwärts in die Halle.

Chilam Sotz führte Eddie ins Küchenhaus zum Essen. Es lag hinter dem Palast und war auf einem niedrigen Fundament aus Erde errichtet, länglich und an den Ekken abgerundet, wie die Bauernhütten. Rauch entwich durch Ritzen in den Wänden und durch das getrocknete braune Stroh, mit dem das Dach gedeckt war.

Eddie saß auf einer Bodenmatte zwischen den Herdstellen. Es gab drei männliche Köche und Frauen und Kinder, die überall, wo ein freies Fleckchen war, Mais zerrieben und Gemüse schnitten. Ihnen allen schien die Anwesenheit von Chilam Sotz und Eddie unangenehm bewußt zu sein. Alle paar Minuten rannte ein Diener mit einer Schale voller Kohlen für das Dampfbad hinaus.

»Möchtest du Fleisch?« fragte Chilam Sotz. Eddie schüttelte den Kopf. »Gut. Es gibt zur Zeit nicht allzuviel Fleisch.« Er reichte Eddie Bohnen und Fladen und Streifen von getrocknetem Kürbis und einen bauchigen Krug mit Maniok.

Er beobachtete Eddie eine Weile beim Essen und fragte dann: »Welchen Eindruck hattest du vom Herrscher?«

Eddie sah ihn an. Er verstand die Frage nicht ganz. Herrscher waren wie der große Kreis. Sie waren nichts, über das man eine Meinung hatte. »Es hatte den Anschein, als ob er dir nicht richtig zugehört hätte«, sagte er schließlich.

»Genau«, sagte Chilam Sotz, »das hat er auch nicht. Er hat Angst zu hören, daß er sich möglicherweise geirrt hat. Er hat vor vielen Dingen Angst. Jeden Tag mehr. Er ist dazu erzogen worden, gut zu essen und kleine Herrscher zu zeugen und sich an alle religiösen Feiertage zu erinnern. Er hat nicht gelernt, mit Schwierigkeiten umzugehen, wie wir sie jetzt haben. Es gab niemanden, der ihm das hätte beibringen können.«

Eddie sah sich um. Alle taten so, als hätten sie diese Blasphemie nicht gehört. »Ich verstehe nicht, warum er mit mir sprechen wollte«, sagte Eddie. »Wenn er Angst vor dem hat, was ich zu sagen habe.«

»Er wollte herausfinden, ob du gefährlich bist«, sagte Chilam Sotz. »Wenn er den Eindruck gewonnen hätte, daß du es bist, hätte er dich töten lassen.«

»Oh«, entfuhr es Eddie.

»Das ist das einzige, was er wirklich beherrscht. Eine Wand aus Priestern und Edelleuten trennt ihn von der wirklichen Welt. Wenn etwas diese Wand durchdringt und ihn erschreckt, läßt er es töten.«

»Du bist also der Ansicht, daß sich der Herrscher irrt«, sagte Eddie leise. »Du bist der gleichen Meinung wie die anderen. Diejenigen, die die Stadt verlassen wollen.«

»Ich bin der Oberste Hohepriester. Der Oberste Hohepriester hat sein Leben dem Herrscher verschrieben.«

»Wie du meinst. Diese Leute, die ›anderen‹, von denen du gesprochen hast, haben sie einen Namen für die neue Religion?«

»Sie sprechen nicht von einer Religion. Sie bezeichnen sich als Clan.«

»Clan?« sagte Eddie. Das Wort bereitete ihm Unbehagen.

»Ja. Sie nennen sich nach dem Waschbären, dem *haawo'*.«

Eddie war jetzt schon eine ziemlich lange Zeit wach. Lang genug, um das letzte Tageslicht schwinden zu sehen und zu spüren, wie die Hitze allmählich nachließ. Chilam Sotz schnarchte leise in einer Hängematte auf der anderen Seite des Tempels, offensichtlich immun gegen die Moskitos, die Eddie fast zum Wahnsinn trieben.

Das Essen hatte ihm gutgetan, ebenso wie ein ausgedehntes Nachmittagsschläfchen, während dessen Chilam Sotz etwas erledigt hatte, über das er nicht sprechen wollte. Eddie fühlte sich gestärkt, sein Kopf war ein wenig klarer. Er hatte das Gefühl, als ob Teile seiner Persönlichkeit von einem anderen Ort nach und nach zurückströmten.

Er ging hinaus und setzte sich auf die oberste Stufe, um in die Nacht hinauszublicken. Von Fackeln rund um den Platz loderten hohe, zuckende Flammen auf, wenn der Wind in Böen zwischen den Gebäuden hindurchfegte. Es gab nur wenige Wachtposten. Die meisten Soldaten waren dort eingeschlafen, wo sie gerade saßen.

Der Wind ächzte, und eine Fackel auf der anderen Seite des Weges erlosch. Einen Moment lang glaubte Eddie, eine Bewegung in der Dunkelheit an einer Ecke des Palastes wahrgenommen zu haben. Schatten, beruhigte er sich.

Auch in seinem Kopf waren Schatten. Der kleine Affenmann. Die Stadt in Ruinen. Eine Frau mit gelbbraunem Haar.

Eddie sah sich um, und sein Herz machte vor Angst einen Satz. Ein Mann kam von der Seite des Tempels her auf ihn zu.

Er war nackt bis auf ein Lendentuch. Er bewegte sich, als wollte er nicht mit seinem ganzen Gewicht auftreten, als hätte er Obsidiansplitter unter den Füßen. Anstelle eines Speeres hatte er einen Bogen und eine Handvoll Pfeile bei sich. Wo hatte er die denn her.

»Bist du Kukulcán?« fragte der Mann.

Eddie war noch zu fassungslos, um antworten zu können. Eine Stimme hinter ihm sagte: »Ja. Das ist er.«

Es war Chilam Sotz, eingehüllt in seinen Jaguarumhang. Der Wind zerrte an seinen Federn und ließ den Jaguarschwanz tanzen. »Folge diesem Mann«, sagte er. »Er wird dich aus der Stadt führen.«

»Er ist einer der anderen«, sagte Eddie. »Ein *haawo'*.«

»Ja.«

»Du stehst auf ihrer Seite.«

»Ich glaube, daß die Vision, die du mir geschildert hast, wahr ist. Niemand kann die Zukunft verändern. Das einzige, was man versuchen kann, ist ein Teil davon zu sein. Der Herrscher ist am Ende. Die Stadt ist am Ende. Selbst die Götter, sofern es sie gibt, sind am Ende. Folge diesem Mann!«

»Danke«, sagte Eddie. Er hatte ein merkwürdiges Verlangen, Chilam Sotz' rechte Hand in seine rechte Hand zu nehmen. Er wußte nicht warum. »Du bist ein *hach winik*.«

Chilam Sotz lächelte. Es war ein Lächeln voller Bitterkeit. »Geh jetzt!« sagte er.

Der Haawo' führte ihn um die Rückseite des Tempels herum in den Wald. Der Mond war fast voll, und sein Schein reichte aus, um einigermaßen als Beleuchtung zu dienen.

»Wohin gehen wir?« flüsterte Eddie.

»Leise!« sagte der Mann. »Beweg dich leise!«

Eddie sah den Pfad, wenn er sich nicht allzu angestrengt bemühte, ihn zu sehen. Der Haawo' ging so schnell, daß Eddie immer wieder ins Laufen verfallen mußte, um Schritt zu halten. Er war nicht daran gewöhnt, so schnell in Sandalen zu rennen, und er hatte das Gefühl, daß sie ihm jeden Moment von den Füßen fallen würden.

Als sie fast am Gipfel des Hügels angekommen waren, traten sie aus dem Wald. Eddie sah die Stadt, die sich unter ihnen ausbreitete und im Fackelschein flakkerte. In dem kurzen Moment, während dessen er in diesen Anblick vertieft war, rutschte seine Sandale auf einem bemoosten Stein aus, und er fiel hin. Brocken von Kalkstein polterten den Hügel hinunter.

Jemand rief von fern. »Dort entlang!« sagte der Haawo' mit deutender Hand. »Lauf schnell!« Eddie rappelte sich auf und rannte wieder in den Wald zurück. Eine Weile hörte er den anderen Mann noch hinter sich, dann erklangen erneut Rufe, und er lief allein weiter. Er hörte das Klappern von Speeren und noch mehr Rufe. Zwei Schreie. Einer davon brach unvermittelt ab, und er vernahm das Tappen vieler rennender Füße, die alle in seine Richtung kamen.

Eddie wußte, daß seine Tolpatschigkeit soeben den Tod eines Menschen verursacht hatte. Aber irgendwie konnte er das nicht ernst nehmen. Dies war nicht sein Kampf. Er hatte nicht darum gebeten, aus der Stadt gebracht zu werden. Ihm ging es um nichts anderes, als am Leben zu bleiben.

Er verließ den Pfad und lief zwischen den Bäumen hindurch, wo die Abstände breit genug waren. Er wurde bei einem Palmendickicht langsamer und spürte eine Hand auf seinem Arm. Er verschluckte sich und hätte fast aufgeschrien, als sich eine schmutzige Hand über seinen Mund legte. »Still!« sagte eine Stimme, und Eddie nickte.

Die Hand entfernte sich, und er drehte sich um. Es waren drei Männer, alle jung und mit Lendentüchern bekleidet. Ihre Stirnen waren glattgeschoren, doch sie trugen die Haare lose fallend und nicht zu Knoten zusammengebunden.

Einer von ihnen deutete in die einzuschlagende Richtung und ging los. Die anderen beiden nahmen Eddie zwischen sich und stießen ihn sanft an, damit er sich ebenfalls in Bewegung hielt. Sie versetzten ihm jedesmal wieder einen kleinen Stoß, wenn er langsamer wurde oder aus dem Tritt kam. Sie gingen immer weniger sanft mit ihm um, und Eddie fragte sich besorgt, was das zu bedeuten haben könnte.

Schließlich erreichten sie ein *milpa.* Einige der spärlichen Maisstrünke, die dort wuchsen, waren vom heftigen Regen geknickt. Die Kolben waren klein und mißgestaltet. Hinter dem Maisfeld lag eine Siedlung von fünf oder sechs Hütten. Eddie roch den Rauch der Herdfeuer.

Sie führten ihn über den Platz in der Mitte. Frauen in langen weißen Bauerngewändern hockten am Boden, ihre nackten Kinder in den Armen. Sie alle beobachteten schweigend, wie die Männer ihn vorbeitrieben.

»Kann ich etwas zu essen bekommen?« fragte Eddie. »Und vielleicht etwas Wasser?«

»Jetzt noch nicht«, sagte einer der Männer. »Du mußt erst mit dem *t'o'ohil* sprechen.«

Alle Hütten waren auf Fundamenten aus fester Erde in einigem Abstand vom Boden errichtet. Das reichte, um sie während der Regenzeit vor Überschwemmung zu schützen. Sie alle sahen aus wie das Küchenhaus in der Stadt: strohgedeckte Dächer, senkrecht aneinandergereihte Stöcke, die die Wände bildeten. Eddie war erschöpft und bekam kaum Luft. Seine Wadenmuskeln schmerzten, als er auf das Fundament der Hütte des *t'o'ohil* kletterte.

Einer der Haawo'-Krieger schob ihn durch die Tür. Im Innern brannte ein halbes Dutzend Feuer in Tongefäßen. Die Luft war erfüllt von dem Harzgeruch brennender Nadelhölzer.

Den Tongefäßen gegenüber saß ein schmächtiger, runzeliger alter Mann, der wie ein Affe aussah.

»Hallo, Eddie«, sagte Chan Ma'ax.

THOMAS VERBRACHTE DIE ERSTE NACHT in einem Baum.

Er war zwei Stunden lang gelaufen und hatte sich eingeredet, daß Carlas Leute ihn nicht bis zum Morgen verfolgen würden, wenn überhaupt. Er redete sich eine Menge Dinge ein. Er redete sich ein, daß die großen Raubtiere des Dschungels so ziemlich alle ausgestorben seien und daß die wenigen, die es vielleicht noch gab, bei den Geräuschen, die er verursachte, fliehen würden.

Geräusche verursachte er jedenfalls genug.

Vor allem redete er sich ein, daß ihm nichts passieren würde; er wiederholte es immer wieder, wie ein Mantra. Schließlich besaß er ja eine Waffe. Zwischen den verschiedenen Indianersiedlungen sowie den Geländen der Holz- und Ölgesellschaften gab es überall Straßen. Früher oder später mußte er auf eine stoßen.

Der Baum, den er sich ausgesucht hatte, sah wie eine Art Eiche aus. Er warf sich die M 16 über die Schulter und sprang hoch, um sich an den untersten Ast zu klammern. Er hatte seit Jahren nicht mehr versucht, auf einen Baum zu klettern. Die Rinde scheuerte die Haut an der Innenseite seiner Handgelenke auf, und er schaffte es mit Mühe und Not, die Beine über den Ast zu schwingen. So hing er da, mit dem Kopf nach unten, so daß sich darin das Blut staute. Als seine Hände allmählich gefühllos wurden, kletterte er mit verzweifelter Anstrengung in den Baum, wobei er sich die Hemdtasche abriß.

Endlich setzte er sich in ein dichtes Gewirr von Zweigen, den Fuß auf einem Ast, den Hintern auf einem anderen, die verschränkten Arme und den Kopf auf einem dritten. Er schlief sogar ein wenig, zehn oder fünfzehn Minuten durchgehend, und träumte, daß er immer noch wach sei und in die Dunkelheit hinausschaute. Gegen Sonnenaufgang wachte er auf, er zitterte, und seine Kleidung war vom Tau durchnäßt. Eine Karawane winziger schwarzer Ameisen hatte ihre Route über eins seiner Knie gewählt. Er richtete sich auf und schlug auf sie ein und wischte sie mit der rechten Hand weg, während er sich mit der linken weiter festhielt. Seine Kleidung war so naß, daß danach auf seinen Händen Wasser perlte.

Jeder Muskel tat ihm weh, und es gab kaum eine Stelle unbedeckter Haut, die nicht mit Moskitostichen übersät war. Er hatte nicht einmal eine Feldflasche dabei. Er spielte mit dem Gedanken, zurückzukehren. Was würde ihn dort erwarten? Ein Erschießungskommando? Er war sich nicht einmal sicher, ob er den Weg finden würde.

Verzweifelt kaute er auf seinem Hemd herum, um die Feuchtigkeit herauszusaugen.

Am frühen Nachmittag fand er einen Hain mit wilden Orangenbäumen. Die Schale der Früchte war überwiegend grün und gelb und nicht so künstlich leuchtend orangefarben, wie er es vom Supermarkt her gewöhnt war. Das Fleisch schmeckte jedoch einigermaßen süß, und er aß, soviel er konnte, und steckte sich weitere fünf oder sechs ins Hemd.

Nachdem er etwa eine halbe Meile gegangen war, stieß er auf die Ruinen eines Steinhauses. Er hatte keine Ahnung, wie alt das Gebäude sein mochte. Es hatte kein Dach mehr, doch die Balken waren noch alle an Ort und Stelle. Eine Schicht Erde bedeckte den Steinfußboden, und etwas Unkraut und kleine Bäume wuchsen daraus hervor. Thomas trat die Pflanzen nieder und stampfte den Boden mit den Stiefeln glatt. Der Himmel bewölkte sich vor dem täglichen Regenguß. Er sammelte genügend Blätter und Zweige, um die Hälfte der vorhandenen Balken mit einem Dach zu belegen. Inzwischen hatte es angefangen zu regnen.

Nachdem er einige Zweige vor den Eingang geschichtet hatte, fühlte er sich verhältnismäßig sicher. Sein halbes Dach leckte ein wenig, doch die hinterste Ecke blieb trocken. Er schloß die Augen und redete sich ein, daß er ruhig ein wenig schlafen könnte. Doch dazu kam es nicht.

Die Frage ließ ihn nicht los, wer wohl in dieser Behausung gewohnt haben und was aus den Menschen geworden sein mochte. Sie hatten nichts zurückgelassen außer der Ruine und den Orangenbäumen. Falls sie eine Straße gebaut hatten, so war nichts mehr davon zu sehen. Die Maya hatten wenigstens *etwas* an Persönlichem hinterlassen, Kunst und Schrift und Tonwaren und Knochen.

Aber die Maya waren schließlich eine ganze Zivilisation gewesen. Hier hatte nur eine einzige Familie gelebt, wer immer das gewesen sein mochte. Vielleicht auch nur eine einzige Person. Und wieviel, dachte Thomas, läßt ein Mensch wirklich von sich zurück?

Als der Regen aufhörte, war er eingeschlafen.

Die zweite Nacht verbrachte er in dem Haus, und gemessen an den Umständen schlief er recht gut. Er hätte noch einen oder zwei Tage bleiben können, wenn er sich damit begnügt hätte, sich ausschließlich von Orangen zu ernähren. Bis jetzt hatte er noch kein anderes Lebewesen zu Gesicht bekommen. Er hatte Vögel und Affen in den Bäumen gehört, doch sie hatten sich nicht gezeigt.

Die Sonne stieg hinter dem Haus auf. Thomas versuchte, ihre Position in bezug zu El Chichón zu bringen, das er noch immer in der Ferne sehen konnte. Er war tags zuvor nach Westen gegangen. Wenn er sich jetzt ein wenig nach Norden wandte, müßte er auf Usumacinta stoßen. Von dort aus würde er sicher einen Weg finden, mit Marsalis Kontakt aufzunehmen, ihn zu warnen, daß in Na Chan zivile Geiseln festgehalten wurden, und ihn davon abzubringen, einen Angriff zu unternehmen.

Er warf sich die M 16 über eine Schulter und sein Hemd, das als Beutel für frischgepflückte Orangen diente, über die andere. Gegen neun Uhr entdeckte er einen Pfad, und gegen zehn stieß dieser Pfad auf eine Holztransportstraße.

Vor zwölf Uhr mittags griff ihn eine von Marsalis' Patrouillen auf.

Er ließ im Geist Musik spielen, Motown, Talkin Heads, alles mit einem eingängigen, gleichen Rhythmus, um seine Füße in Bewegung zu halten. Plötzlich lag er mit dem Gesicht nach unten am Boden, und seine Brille war weg. Er spürte, wie ihm die M 16 weggerissen und ein Fuß mitten auf den Rücken gestellt wurde. Er drehte den Kopf zur Seite, um nach oben zu blicken.

Er sah ohne Brille nicht richtig scharf, doch er hatte den Eindruck, als segle sein Gewehr durch die Luft. Es wurde von einem Jungen in einer ausgebeulten Drillichhose und einem verwaschenen olivfarbenen T-Shirt aufgefangen. Dann drückte eine flache Hand mit schwarzen Fingern und hellerer Innenfläche die Seite seines Gesichts auf den Straßenbelag.

Zunächst kam Thomas nur die Frage in den Sinn, ob er vielleicht laut gesungen und sich lächerlich gemacht hatte. Er war so erschöpft, daß er sich nicht erinnern konnte.

Er blinzelte zwischen den Fingern hindurch und sah verschwommen ein rundes, schwitzendes afrikanisches

Gesicht. »Bleib schön so liegen, Süßer«, sagte der Mann. Die M 16 flog zum zweitenmal durch die Luft. Sie warfen sie hin und her wie einen Baseball auf dem Spielfeld.

»Woher hat dieser Wichser eine M 16?« fragte jemand.

»Das ist Porters Waffe«, sagte ein anderer. »Sind seine Kerben von Nam drin.«

»Für jedes Schlitzauge eine Kerbe?«

»Klaro!«

»Für jedes getötete oder jedes gefickte Schlitzauge?«

»Getötet, Blödmann! Die anderen Kerben macht er sich doch in den Schwanz.«

»Das sieht Porter ähnlich.«

»He, Jamie!«

Der Mann, der jetzt statt des Fußes das Knie in Thomas' Rücken gedrückt hatte, sagte: »Was?«

»Glaubst du, dieser Wichser hat Porter umgebracht? Sollen wir ihm die Eier abschneiden?«

»Also, Süßer?« sagte Jamie. »Was hast du mit Porter gemacht?«

»Rebellen haben ihn erschossen«, brachte Thomas heraus. Das Sprechen war mühsam, da sein Gesicht unvermindert nach unten gedrückt wurde.

»Was für Rebellen?«

»Carla.«

Pfiffe und Wolfsgeheul erklangen. »Ich kann es kaum erwarten, diese Nutte zu ficken. Ich heb mir meinen Steifen schon seit Monaten dafür auf.«

»Ist er tot, Süßer?«

»Noch nicht. Er lebte noch, als ich wegging.«

»Weg von wo? Wann?«

»Vorletzte Nacht. Die Rebellen sind in Na Chan. In den Ruinen.«

»Und wo wolltest du mit Porters Kanone hin?«

»Ich habe euch gesucht. Ihr gehört doch zu Marsalis, oder?«

»Er lügt nicht«, sagte Jamie. »Zumindest das mit Na Chan stimmt.« Er nahm die Hand von Thomas' Gesicht. »Was meint ihr, was sollen wir mit ihm machen?«

»Seine Eier abschneiden!«

»Ihn erschießen!«

»Ihn ficken!«

»Ihn zusammenschlagen und dann erschießen!«

»Erst erschießen!«

Thomas wartete, bis sie sich ausgetobt hatten. Endlich ließ der Druck auf seinen Rücken nach. Er setzte sich auf der Straße auf und wischte sich den Sand und die Steinsplitter von der Brust und der linken Gesichtsseite. Seine Brille lag direkt vor ihm. Er band das Hemd mit den Orangen darin auf und putzte damit die Gläser. Sie schienen unbeschädigt zu sein. Er setzte die Brille auf und warf sich das Hemd über die Schulter.

Die Patrouille bestand aus fünf Männern. Keiner von ihnen trug so etwas wie eine normale militärische Uniform. Jamie hatte eine M 16, doch die anderen hatten lediglich fast albern wirkende grüne Plastikflinten bei sich. Sie sahen aus, dachte Thomas, wie eine Bande von Anhängern der Überlebensbewegung, die das Leben nach der Bombe üben.

Jamie holte einen Walkie-talkie in der Größe eines Seifenstücks heraus und sagte: »Sag dem Colonel, daß wir hier jemanden haben, der aus Carlas Lager entkommen ist. Einen Schlappschwanz aus den Staaten.« In Thomas' Ohren hörte sich die Antwort wie Störgeräusch an, doch Jamie sagte: »Okay, verstanden. Roger.« Er machte den Empfänger wieder an seinem Gürtel fest. »Also gut, Jungs, macht's euch bequem!«

Die Patrouille ließ sich am Straßenrand nieder. Jemand zündete einen Joint an und reichte ihn herum. Der Mann, der Thomas am nächsten saß, nahm einen Zug und sagte: »Willste auch?«

»Danke«, sagte Thomas. Das Zeug brannte ihm in der Kehle und drehte ihm den Magen um, doch gleich darauf fühlte er sich ruhiger. Als die Reihe erneut an ihm war, nahm er noch einen Zug, und danach noch einen dritten. Beim letzten Durchgang war er geschafft. Sein Magen fühlte sich wie eine offene Wunde an.

»Habt ihr vielleicht was zu essen?« fragte er. Ein grobschlächtiger Weißer, der am Ende der Reihe saß, reichte ihm einen Schokoriegel und eine Feldflasche. Thomas setzte zum Trinken an und zögerte, als ihm der Geruch in die Nase stieg. »Was ist denn da drin?«

»Saft«, sagte der Mann ganz außen. »Vogelbeere. Überdeckt den Geschmack von dem gottverdammten Jod. Außerdem richtiger Zucker, nicht irgendso ein Scheißsüßstoff.«

Thomas trank und aß dazu die Süßigkeit. Er kam sich vor wie ein Zehnjähriger. Das Koffein in der Schokolade und der viele Zucker wirkten auf ihn wie eine Dosis Speed.

Etwa zehn Minuten später kam ein Jeep auf der Straße herangefahren und hielt knapp vor der Stelle, wo Thomas saß. Eine Staubwolke schwebte noch kurze Zeit hinter dem Wagen, dann setzte sie sich langsam. Mit Buchstaben und Zahlen in Comicschrift stand auf der Seitentür des Jeeps FIGHTING 666TH. Der Fahrer war ein blondes Muskelpaket mit einem einige Tage alten Bart und schulterlangem Haar, das von einem Stirnband gehalten wurde. Neben ihm saß ein elegant aufgemachter Schwarzer in einem Khakianzug und einer Uniformmütze mit zwei Adlern über dem Schirm. Marsalis, dachte Thomas. Auf dem Rücksitz saß ein Zivilist, ein junger Mann mit dunkelblondem, rasiermesserkurz geschnittenem Haar und einem Schnauzbart. Er gehörte offenbar zu der verwöhnten, gutaussehenden Sorte mit einem schlanken, doch muskulösen Körper, die Thomas an Kalifornien erinnerte und an die Werbeleute aus der Plattenbranche, die mit Eddie durch die Gegend zu ziehen pflegten.

Sobald der Jeep zum Stillstand gekommen war,

sprang die Patrouille auf die Beine. Nicht in Habachtstellung oder zum Salutieren, sondern nur in einer automatischen, fast unbewußten Geste des Respekts.

»Ist das der Mann?« fragte Marsalis.

»Jawoll, Sir«, sagte Jamie. »Er kam einfach so die Straße heraufgeschlendert. Mit Porters Gewehr. Er sagt, die Rebellen haben Porter ziemlich schlimm erwischt, aber vielleicht lebt er noch.«

Marsalis musterte Thomas. »Wie heißen Sie?«

»Thomas Yates.«

»Ach ja? Etwa der Yates, der *Herren des Waldes* geschrieben hat?«

»Ja, genau der«, antwortete Thomas überrascht.

»Ich hab's nie gelesen, obwohl ich das immer vorhatte. Billy setz dich doch für eine Weile nach hinten zu Carmichael. Ich übernehme jetzt mal das Fahren.«

»Jawoll, Sir«, sagte der Blonde. Er stieg aus, und Marsalis rutschte ans Steuer.

»Springen Sie rein!« sagte Marsalis.

Thomas kletterte in den Wagen. Er wünschte jetzt, er hätte kein Marihuana in sich. Sein Kopf war wie aufgeblasen, seine Zunge fühlte sich geschwollen an, und er konnte keinen klaren Gedanken fassen. Marsalis wendete den Jeep vorsichtig und winkte dann der Patrouille zu, als wären sie seine Kinder, die er mal eben an einem Einkaufszentrum abgesetzt hätte. Er arbeitete sich langsam durch die Gänge hoch, doch innerhalb von fünf Minuten hatten sie eine atemberaubende Geschwindigkeit erreicht. Die schlimmsten Unebenheiten der Straße warfen Thomas buchstäblich aus dem Sitz.

Marsalis deutete mit durchgebogenem Daumen hinter sich. »Das ist John Carmichael. Er ist Reporter für die Zeitschrift *Rolling Stone*.« Thomas warf einen Blick zurück zu Carmichael. Carmichael nickte und sah weg.

Thomas fragte sich, was er davon halten sollte. Gestattete Marsalis wirklich, daß *Rolling Stone* über seine Unternehmungen berichtete? Carmichael machte sich keine Notizen, er hatte weder eine Kamera noch einen Kassettenrecorder bei sich. Irgendwas war hier faul, doch Thomas konnte sich noch keinen Reim auf das Ganze machen. Billy, der neben Carmichael saß, schien die Fahrt zu genießen; er klatschte mit der linken Hand fröhlich gegen die Seite des Jeeps.

»Nebenbei, wie viele von euch hat Carla eigentlich dort oben?« fragte Marsalis.

»Noch zwei weitere Nordamerikaner«, sagte Thomas. »Außerdem ungefähr ein Dutzend Indianer.« Er wußte nicht so recht, ob er Oscar und den Hubschrauber jetzt schon erwähnen sollte.

»Ich hätte nicht geglaubt, daß sich in diesem abgelegenen Teil des Urwalds noch Gringos aufhalten.«

»Wir waren auf der Suche nach meinem Bruder. Er ... er ist so etwas wie ausgestiegen, zurück zur Natur, könnte man vielleicht sagen. Er lebte bei einem Lacandonen-Stamm, in der Gegend des Nahá-Sees. Die Indianer unternahmen eine Art Pilgerreise nach Na Chan, und Eddie ging mit ihnen.«

»Wir?«

»Ich und ... Eddies Frau. Meine Schwägerin.«

»Bei welchen Lacandonen war er? Im Norden oder Süden?«

»Norden«, sagte Thomas. »Er hat ungefähr drei Jahre bei ihnen verbracht.«

»Gar nicht blöd. Diese Kerle haben ganz schön was drauf.« Marsalis sah Thomas an, um dessen Reaktion zu beobachten. »Ich habe hier unten nicht nur dumm herumgelungert, mein Freund. Ich habe Forschungen angestellt. Wir mußten in Nam einige schmerzliche Lektionen lernen, zumindest all jene von uns, die es überlebten.«

Thomas hörte das abgehackte Dröhnen eines Hubschraubers, drehte sich um und sah nach hinten. Ein Huey stieß aus dem Himmel auf sie herab. Thomas' leerer Magen krampfte sich zusammen, als ihm das Bild eines Krieges vor Augen kam, an dem er nicht teilgenommen hatte. Am liebsten wäre er unter den Sitz gekrochen. Der Hubschrauber senkte sich so weit zu ihnen herab, daß Thomas den vom Rotor erzeugten Luftwirbel wie einen körperlichen Schlag spürte.

Marsalis schaute nicht einmal nach oben. Er winkte lässig mit der Hand, und der Hubschrauber wackelte als Antwort mit dem Heckteil. Gleich darauf war er verschwunden.

»Wohin bringen Sie mich?« fragte Thomas.

»In unser Lager. Ich muß mir noch etwas einfallen lassen, was ich mit Ihnen und dem Wunderknaben da hinten mache. Wir haben heute abend eine Show, und ich habe keine Lust, für euch beide den Hirtenhund zu spielen.«

»Eine Show?«

Marsalis warf Thomas einen Seitenblick zu und lächelte. »Wir werden da raufgehen und Carla Dampf unterm Arsch machen.«

Thomas war fassungslos. »Und was ist mit Lindsey und Eddie?« brachte er schließlich heraus. »Was ist mit den Lacandonen? Und mit den Ruinen, herrje! Sie können doch nicht einfach da reinstürmen und die Tempel zusammenschießen!«

»Erzählen Sie mir nichts von den Tempeln«, sagte Marsalis. »Es war Carlas Idee, sich dort zu verstecken. Wenn irgend etwas von ihrem wertvollen Erbe zunichte gemacht wird, muß sie das auf ihre Kappe nehmen. Und was die Zivilisten betrifft, das muß ebenfalls Carla verantworten. Die USA haben sich angewöhnt, sich jedesmal wegzudrehen und den toten Mann zu spielen, wenn irgendein Halunke ein paar Geiseln in seine Gewalt bringt. Auf lange Sicht gefährdet diese Einstellung nur noch mehr Leben und führt zu weiteren Toten.«

»Das darf doch wohl nicht Ihr Ernst sein«, sagte Thomas. »Ich kann nicht glauben, was ich da höre!«

Marsalis lehnte sich zurück, ließ den linken Arm zur

Seite hinausbaumeln und lenkte den hüpfenden, schlingernden Jeep mit dem rechten Handballen. »Ich versichere Ihnen, ich scherze nicht. Die Leute scheinen einfach unfähig zu sein, die Dinge im Hinblick auf ihre langfristigen Konsequenzen zu beurteilen. Sie denken einfach nicht bis zu Ende. Zum Teufel, sie denken überhaupt nicht! Die Männer, die sich mir angeschlossen haben, nun — wir halten uns ebenso für Philosophen wie für Soldaten. Stimmt's, Billy?«

»Das stimmt, Sir.«

»Das ist der helle Wahnsinn«, sagte Thomas. »Sie sprechen vom Leben unschuldiger Zivilisten, um die es hier geht. Von Ihrem eigenen Mann Porter, der sich ebenfalls dort oben befindet, ganz zu schweigen. Sie müssen sie schützen ...«

»Mein lieber Freund«, sagte Marsalis. »Ich muß absolut gar nichts.« Er klang eher gelangweilt als verärgert. »Wenn mir Ihr Gewinsel zu sehr auf die Nerven geht, dann werde ich auf der Stelle anhalten, Sie aus dem Wagen zerren und Ihnen eine Kugel ins Gehirn jagen. Und wenn es Carmichael nicht gefällt, kann er auch aussteigen. Wir sind hier in Lateinamerika. *Aquí, cada día se desaparecen,* kapiert?«

Thomas hatte verstanden. Hier verschwanden jeden Tag Menschen.

Als sie in das Lager einbogen, sah es plötzlich so aus, als würde sich die Straße vor dem Jeep plötzlich aufbäumen. Marsalis trat mit aller Wucht auf die Bremse. Alle vier Räder hoben sofort vom Boden ab. Der Jeep machte einen unsanften Satz, und der Motor erstarb. Marsalis drehte wie wild am Lenkrad, um zu verhindern, daß sie gegen einen Baum prallten.

»Was war das denn, zum Teufel?« sagte Billy.

»Temblor«, sagte Marsalis. »Ein Erdstoß.« Er bediente den Anlasser, und der Motor sprang an. »So etwas passiert in dieser Gegend schon mal.« Sie waren gerade

wieder angefahren, als ein Nachbeben folgte und den Jeep sachte hin und her schüttelte.

Thomas war auf seinem Sitz erstarrt. Er mußte unweigerlich an Mexico City denken, an den Geruch von Rauch und Betonstaub.

Marsalis stellte den Wagen mitten im Lager ab. Thomas hielt den Blick starr geradeaus gerichtet, wo vier frisch gestrichene, überholte Hubschrauber standen. Es waren drei UH-1 und eine schmale, mit schweren Waffen ausgerüstete Kampfmaschine des Typs Cobra. Die Cobra und zwei der UH-1 waren wegen des Windes angepflockt, ein Rotor schlug gegen den hinteren Teil eines Rumpfes. Der dritte Hubschrauber war der Huey, der auf der Straße über sie hinweggebrummt war. Die Mannschaft reichte Versorgungsnachschub durch die Frachtpforte hinaus. Bei dem Erdstoß war eine der Kisten aufgebrochen, und Thomas sah die metallenen Munitionsbehälter darin.

»Billy?« sagte Marsalis. »Bring diese beiden Männer irgendwo unter, bis ich mir klar darüber geworden bin, was mit ihnen geschehen soll.«

»Jawoll, Sir.«

»Kann ich vielleicht etwas zu essen bekommen?« fragte Thomas. »Ich habe seit Tagen nichts Richtiges mehr zu mir genommen.«

»Und gib ihnen Nahrung. Noch etwas?«

»Ich wäre Ihnen dankbar, Sir«, sagte Thomas, »wenn Sie noch einmal über die Zivilisten nachdächten.«

Marsalis schüttelte angewidert den Kopf. »Abführen! Und, Carmichael, Sie sollten es sich gut überlegen, bevor Sie unserem Dr. Yates hier Ihr Herz ausschütten.«

Carmichael sagte immer noch nichts.

Einige der langgestreckten Mannschaftszelte neigten sich in einem etwas sonderbaren Winkel, doch ansonsten schien das Erdbeben nicht viel Schaden angerichtet zu haben. Billy führte sie zu einem Zweimannzelt und setzte sich davor ins Gras, von wo aus er sie beobachten konnte. Thomas und Carmichael setzten sich einander gegenüber auf zwei Feldbetten. Thomas sah, wie Billy einen kleinen Latino heranwinkte und etwas zu ihm sagte, wobei er auf Thomas deutete. Das war bestimmt der Auftrag, mir etwas zu essen zu bringen, dachte Thomas hoffnungsvoll. Der Junge war etwa im gleichen Alter wie die *correos*, die Carlas Leute einsetzten.

»Was sollte das heißen, daß du nicht mit mir reden sollst?« fragte Thomas.

»Ich habe gestern etwas herausgefunden, was ein verdammt heißes Eisen ist. Marsalis hat recht, weißt du. Wenn ich mit dir rede, dann mache ich die Situation noch schwieriger für dich, als sie ohnehin schon ist.«

»Ich weiß nicht, ob das möglich ist«, sagte Thomas. Anfangs hatte er gedacht, Carmichael sei einer dieser armseligen kleinen reichen Söhnchen auf der Suche nach einem politischen Abenteuer. Jetzt hatte er den Eindruck, daß Carmichael ziemlich tief in der Sache drinsteckte. »Ich gehe das Risiko ein«, sagte Thomas. »Sofern du Lust hast, mich einzuweihen.«

»Du mußt es wissen«, sagte Carmichael. »Ich will nicht verhehlen, daß ich versessen darauf bin, es jemandem mitzuteilen. Je mehr Leute es erfahren, desto größer ist die Chance, daß die Sache ans Tageslicht kommt. Wie lang warst du dort oben bei Carla?«

Thomas mußte nachdenken. »Nur eine Woche, glaube ich. Aber es kommt mir eher wie ein paar Monate vor.«

»Dann hast du nichts von dem Waffengeschäft mit dem Iran gehört?«

»Dem was?«

Carmichael schilderte ihm die finsteren Machenschaften und die Stümperhaftigkeit der Regierung, die schlimmer waren als im Watergate-Skandal. Sie wurden unterbrochen, als der Latinojunge Thomas einen Teller mit Hot dogs und Bohnen brachte. Hot dogs! Thomas konnte es kaum glauben. Außerdem brachte der Junge kaltes Bier für sie beide. Es schmeckte alles so hervorragend, daß die Ungeheuerlichkeit von Carmichaels Geschichte etwas gemildert wurde.

»Und sonst weiß niemand etwas davon?« wollte Thomas wissen.

»Ich glaube, selbst in der Regierung weiß kaum jemand darüber Bescheid. Vielleicht hat man sogar Reagan aus der Sache herausgehalten, obwohl ich das bezweifle. Er ist so verliebt in die Contras, daß sie es ihm sagen mußten. Wie auch immer. Diese Revolution steht wirklich inzwischen unter Volldampf, und eine Geschichte wie diese könnte sie über den Berg bringen. Hast du gehört, daß sie Cuernavaca in ihre Gewalt gebracht haben?«

»Nein«, sagte Thomas.

»Sie haben irgendso eine Anlage der Nordamerikaner bis auf die Grundmauern niedergebrannt. Angeblich war es irgendein Projekt der Genetikforschung oder so was.«

»Du lieber Himmel!« entfuhr es Thomas.

»Was ist los?«

»Ich habe dort gearbeitet«, sagte Thomas. »Vorletzte Nacht habe ich noch überlegt, ob ich wieder dorthin zurückkehren sollte oder nicht, wenn ich das Ganze hier überlebe. Diese Entscheidung ist mir nun wohl abgenommen.«

»Das tut mir leid«, sagte Carmichael.

»Es ist verrückt, weißt du. Dieses Projekt hätte Leben retten können. Wenn sie nur nicht soviel Angst vor Fremden und vor der Technik hätten. Es hätte die Voraussetzungen geschaffen, daß ihre Revolution funktionieren könnte.«

»Vielleicht kommen sie irgendwann drauf zurück.«

»Ja«, sagte Thomas. »Vielleicht.«

»Jedenfalls«, sagte Carmichael, »verstehst du jetzt, warum ich Bedenken hatte, dir das alles zu erzählen. Gott weiß, was sie mit mir anstellen werden. Höchstwahrscheinlich werden sie mich einem mexikanischen Gefängnis übergeben. Und dich jetzt auch.«

Thomas lehnte sich weit vor, um sicherzugehen, daß Billy nichts hören konnte. »Also«, sagte er, »gehe ich davon aus, daß du von hier verschwinden willst.«

»Du hast ja keine Ahnung«, sagte Carmichael, »was ich alles tun würde, um von hier verschwinden zu können.«

Plötzlich wurde Thomas nervös. Solange er sich neutral verhielt, konnte man ihm nichts anhaben. »Ich kann einen Hubschruber fliegen«, sagte er.

»Ehrlich?«

»Ich habe es auf einem Huey, wie sie da draußen stehen, gelernt.«

»Warst du in Vietnam oder so?«

»Nein, es war ... ein privates Unternehmen. Hier in Mexiko. Aber wenn es sich machen läßt, wenn man uns die Möglichkeit gibt ...«

»Es ist ein schöner Gedanke«, sagte Carmichael. »Aber ich glaube nicht, daß man sie uns geben wird.«

»Man weiß nie. Sei jedenfalls bereit, wenn es losgeht.«

Der Regen setzte ein, bevor Thomas mit dem Essen fertig war. Es war ein gutes Gefühl, im Trockenen zu sitzen und weder Hunger noch Durst zu verspüren. Einen Platz zum Hinlegen und jemanden, mit dem man sich unterhalten konnte. Eigentlich reicht das vollkommen, dachte er, zum Wohlbefinden.

Carmichael ging an den Zelteingang. »Möchtest du nicht aus dem Regen gehen?« fragte er Billy.

Thomas sah, daß Billy unter einem Baum saß. Er war klatschnaß. Er lächelte Carmichael an und sagte: »Was für'n Regen?«

Carmichael zuckte die Achseln und setzte sich wieder hin. Er fing an, von seinem Interview mit Carla zu erzählen, berichtete über den Angriff aus der Luft, bei dem sie verletzt worden war, über seine Begegnung mit Raul Venceremos. Dann erzählte Thomas ihm, daß Carla der Fuß abgenommen werden mußte und daß sie sich seither auf einer Art von mystischem Trip befand.

»O Mann«, sagte Carmichael. »Das ist wirklich ein Ding! Ich weiß nicht, ob sie mit nur einem gesunden Bein noch viel erreichen kann.«

Thomas sah ihn entgeistert an. »Bist du verrückt geworden? Wenn Marsalis mit ihr fertig ist, dann wird *nichts* mehr übrig sein.« Er hörte, daß sich jemand näherte, und lehnte sich schuldbewußt zurück.

Marsalis' Stimme drang von draußen herein: »Okay, ihr Kerle könnt jetzt herauskommen.«

Thomas folgte Carmichael hinaus in den rasch abflauenden Regen. Die Sonne brach bereits wieder durch die Wolken, und Thomas wurde nur noch von einzelnen Tropfen getroffen, die scheinbar aus dem Nichts kamen. Neben Marsalis stand ein Mann, der eine Brille mit verspiegelten Gläsern und auf Hochglanz polierte Motorradstiefel trug. Er wirkte wie Anfang Dreißig. Sein schwarzes Haar war kurzgeschnitten und mit Pomade zurückgekämmt. Er lächelte dünnlippig, und an seiner Seite hing ein Pistolenhalfter mit Klappe.

»Dies ist Captain Fowler«, stellte Marsalis vor. »Der linke ist Carmichael, der mit der Brille ist Yates.«

»Wohin soll ich sie bringen?« fragte Fowler.

»Nach Veracruz. Lassen Sie sie beide einsperren. Offizielle Geheimdienstsache. Sie kennen das Vorgehen.«

»Ich habe nichts getan«, sagte Thomas voller Angst.

»Ich befürchte, Sie waren länger als eine Stunde mit Carmichael allein zusammen. Wer weiß, was er alles ausgespuckt hat.«

»Sie haben das alles so inszeniert«, sagte Thomas. »Den ganzen Ablauf. Sie haben Carmichael im Jeep mitgebracht, haben uns im Zelt allein gelassen. Um einen Vorwand für meine Festnahme zu haben.«

»Na, na«, sagte Marsalis. »Wir wollen doch nicht paranoid werden.«

»Ich habe Ihnen vertraut«, sagte Thomas. »Ich kam, um Sie um Hilfe zu bitten. Und Sie führen Ihren Plan unbeirrt durch. Wenn dabei ein paar unschuldige Zivilisten ums Leben kommen, dann ist das eben schade.«

»Billy, würdest du die beiden wohl zu Captain Fowlers Hubschrauber begleiten?«

»Jawoll, Sir. Soll ich mitfliegen?«

»Nein, ich brauch dich hier. Ich kann mir nicht vorstellen, daß einer der beiden Captain Fowler Schwierigkeiten bereiten wird, du?«

»Nein, Sir«, sagte Billy. »Ich glaube nicht.«

Thomas sah ein, daß er durch weiteres Reden nichts erreichen konnte. Er schritt durch das nasse Gras auf die Hubschrauber zu.

»Du«, sagte Fowler zu Carmichael. »Du bist doch Reporter. Du möchtest sicher vorn sitzen, um alles aus der Vogelperspektive zu sehen, was?«

Carmichael warf Thomas einen Blick zu. »Nein, danke«, sagte er. »Mir wird beim Fliegen schlecht.«

Fowler schüttelte den Kopf. »Ach du liebe Güte, dann geh nach hinten. Und kotz nicht alles voll.«

Thomas ging automatisch auf die andere Seite des Hubschraubers, zum linken Sitz. »Halt, Kumpel«, sagte Fowler. »Du bleibst auf dieser Seite. Ich fliege lieber von links.« Thomas nickte und stieg ein.

Fowler setzte die Kopfhörer auf und begann mit den Flugvorbereitungen. »Kennst du dich mit Hubschraubern aus?« fragte er.

»Bin nur ein paarmal mitgeflogen«, sagte Thomas unschuldig.

»Die meisten versuchen, auf der rechten Seite einzusteigen, wie bei einem Auto, verstehst du. Ich habe mir in Nam angewöhnt, von diesem Sitz aus zu fliegen. Ich sehe lieber den Boden unter mir als ein paar zusätzliche Instrumente.«

Thomas nickte, als ob ihm das alles nichts sagte. Fowler erklärte, daß bei einem Kampfhubschrauber die Instrumententafel auf der linken Seite ein paar Anzeigen weniger habe, damit der Copilot durch die Luke im Fußraum freie Sicht nach unten hatte. Stell dich dumm, ermahnte sich Thomas.

Thomas schnallte sich an. Er schaute sich im Cockpit um, als ob das alles für ihn fremd und faszinierend sei. Fowlers Pistole in dem Halfter war links neben ihm, direkt in Reichweite.

Er wollte nicht daran denken. Aber da war sie. Und er mußte die Waffe haben.

Thomas kannte die Spielregeln, auch wenn er selbst nie mitgespielt hatte. Wenn es ihm gelang, die Pistole an sich zu bringen, mußte er auch bereit sein, sie zu benutzen. Sonst hatte das Ganze keinen Sinn. Wäre er dazu in der Lage? Zielen, den Abzug betätigen, jemanden töten? Fowler nur ins Bein zu schießen, war nicht genug. Wenn er die Chance bekam, mußte er im Geist bereit, die Entscheidung mußte gefallen sein.

»Paß nur gut auf, daß du nichts berührst«, sagte Fowler, während er den Motor anließ. »Und komm nicht auf irgendwelche schlaue Gedanken. Dies hier ist nicht wie im Fernsehen. Du kannst nicht damit rechnen, daß dich jemand über Funk anweist, wie du das Ding runterbringst. Du stürzt im Bruchteil einer Sekunde ab.«

Thomas nickte. Es wäre leichter gewesen, wenn er in Fowler einen Schuft hätte sehen können, doch Fowler war nichts als ein gewöhnlicher Soldat, der seine Pflicht erfüllte. Selbst Marsalis, trotz all seiner versponnenen Ideen, haftete keineswegs der Geruch des Bösen an. Ebensowenig wie Billy oder Jamie oder all den anderen. Darin liegt die Gefahr, dachte Thomas, wenn man den Feind zu gut kennenlernt.

Fowler bediente beim Abheben den Blattverstellhebel, so daß sie gleichzeitig nach vorn geschoben und nach oben getragen wurden. Er überflog die Lichtung in geringer Höhe und neigte sich dann in einem Winkel von hundertachtzig Grad zur Seite und schwenkte scharf über die Straße, bevor sie weiter steil aufstiegen. Er warf einen Blick nach hinten zu Carmichael. »Tut mir leid, Kumpel.«

Thomas wandte den Kopf um. Carmichael saß vornübergebeugt in seinem Sitz, mit schlaffen Mundwinkeln und halbgeschlossenen Augen. Zu seinen Füßen stand ein geöffneter Werkzeugkasten.

Es gab jetzt kein Zurück mehr. Die Dinge nahmen ihren Lauf. Thomas empfand eine Sekunde lang die gleiche Art von Haß, die er gegenüber Oscar empfunden hatte, als sie den verwundeten Körper weggetragen hatten. Haß, weil sie beide ihn jeweils beim Wort genommen, sein Handeln erzwungen und ihm keine Gelegenheit gegeben hatten, Angst zu haben oder seinen Sinn zu ändern.

Etwas Glänzendes schob sich neben seinen rechten Fuß, zwischen der Kante des Sitzes und der Tür. Es war ein Schraubenschlüssel. Carmichael setzte sich wieder aufrecht hin und hielt sich den Kopf.

Wie lange konnte er es noch hinauszögern? Sie flogen nach Nordwesten, fast entgegengesetzt zu Na Chan. Jede Minute führte sie weiter in die falsche Richtung.

Er ließ die rechte Hand nach unten sinken, bis er das kühle Metall des Schraubenschlüssels berührte.

Fowler drehte weiterhin den Kopf ruckartig hin und her, blickte ständig von einer Seite zur anderen. Typische Vietnamreflexe, vermutete Thomas. Er zwang sich, an Lindsey und Eddie und Chan Ma'ax zu denken. Sie würden sterben, wenn er sie nicht dort herausholte. Dieser Schweinehund Marsalis ...

Er wartete, bis Fowler den Kopf ganz nach links gedreht hatte. Jetzt! dachte er und versuchte, den Schraubenschlüssel herauszuziehen, doch mit einemmal wog er hundert Pfund, und er konnte ihn nicht anheben.

Ich schaffe es nicht, dachte er. Er schloß die Augen. Wenn er nach hinten blickte, würde er Carmichael sehen, Carmichael, der wartete, Carmichael, der seinen Teil beigetragen hatte, bereits ein Risiko eingegangen war.

Ich werde bis zehn zählen, sagte er sich. Das war die Methode, mit der er an kalten Wintermorgen aufzustehen pflegte. Eins. Zwei. Er öffnete die Augen.

»Drei.« Seine rechte Hand kam hoch, und sie hielt den Schraubenschlüssel. Schimmerndes Chrom. Vier.

Fowler wandte sich zu ihm um, sah den Schraubenschlüssel. »Was soll das, zum Teufel?«

Thomas holte aus. Der Schraubenschlüssel federte leicht an Fowlers Kopfhörer ab und schlug ihm die Sonnenbrille mit den verspiegelten Gläsern halb herunter. Der Hubschrauber schlingerte und sackte zur Seite ab, als Fowlers Hände die Hebel losließen. Thomas konnte sich kaum bewegen, er war mit den Gurten fest an seinen Sitz gebunden. Er nahm den Schraubenschlüssel in die linke Hand und holte erneut aus, während er mit der rechten nach dem Rotorverstellhebel griff und ihn auf neutrale Position stellte. Fowlers Brille hing jetzt nur noch an einem Bügel.

Fowler blinzelte, benommen, doch nicht bewußtlos. Blut rann aus einer Platzwunde auf seiner Stirn. Thomas löste seinen Sicherheitsgurt. Er hatte das Gefühl, unter Drogen zu stehen oder zu träumen. Fowlers Hand zuckte zur Klappe seines Pistolenhalfters. Thomas schlug ihm mit dem Schraubenschlüssel aufs Handgelenk.

Bevor er selbst die Pistole herausziehen konnte, war Carmichaels Hand da. »Bedien die Hebel, um Himmels willen!« schrie Carmichael. »Ich habe die Kanone!«

Thomas drehte sich blitzschnell in seinem Sitz herum. Sie waren tiefer gefallen, als ihm bewußt gewesen war. Die Baumwipfel kamen mit rasender Geschwindigkeit auf sie zu. Er ließ den Schraubenschlüssel fallen und zog mit der linken Hand den Rotorverstellhebel, während er gleichzeitig beschleunigte. Er vergaß, den dadurch entstehenden Drall auszugleichen, und die Nase des Hubschraubers schlug aus.

»Bist du sicher, daß du weißt, was du tust?« schrie Carmichael.

»Halt den Mund!« schrie Thomas zurück. Er hätte Oscars Angebot annehmen und den Huey von San Cristobál aus fliegen sollen. Er war seit Jahren keine solche Maschine mehr geflogen. Der Motor erschien ihm schwerfällig und zu schwach im Vergleich zu dem wendigen kleinen Robinson, den sie für ihr Projekt benutzt hatten. Endlich gelang es ihm, den Hubschrauber zu fangen, und er sah sich nach einer Stelle zum Landen um.

Er riskierte einen kurzen Blick zu Fowler hinüber. Carmichael hielt dem Mann einen .38er Revolver an den Kopf. Fowler blinzelte immer noch. Thomas konnte den Anblick nicht ertragen. »Wenn du gezwungen bist zu schießen«, sagte er, »paß auf, daß du die Instrumente nicht erwischst.« Er wollte Fowler damit andeuten, wie entschlossen und blutrünstig er war. Allerdings bezweifelte er, daß Fowler sie überhaupt hörte.

Sie waren einem unbefestigten Weg gefolgt. Thomas kehrte zu ihm zurück und entdeckte eine einsame Kreuzung, die groß genug für die Landung war. Er brachte den Hubschrauber so sanft zu Boden, wie er konnte, trotzdem hüpfte er etwas auf den Kufen.

»Laß ihn aussteigen«, sagte er. Die Vibration der Hebel verhinderte, daß Carmichael sah, wie heftig seine Hände zitterten. Er war so sehr mit den Nerven am Ende, daß es ihn kaum in seinem Sitz hielt.

Carmichael bekam mit Mühe die linke Tür auf, dann krabbelte er soweit nach vorn, daß er Fowler mit dem Fuß hinausstoßen konnte. Fowler fiel taumelnd zu Boden und blieb auf der Seite liegen, immer noch blinzelnd.

»Ich glaube, irgendwas stimmt nicht mit ihm«, sagte Carmichael.

»Mach die Tür zu!« sagte Thomas.

Carmichael schloß die Tür und gurtete sich auf Fowlers Sitz an.

Thomas startete wieder in die Luft. »Er lebt«, sagte er. »Mehr kann er nicht verlangen.« Er blickte zurück, um sich zu vergewissern, daß Fowler immer noch am Boden lag und nicht etwa an den Kufen hing. Sie entfernten sich etwa eine Meile von der Stelle, bevor er wieder in Richtung Südosten steuerte. Er wollte kein Risiko eingehen.

Nach einer Weile gab Thomas Carmichael die zweiten Kopfhörer und erklärte ihm, wie er die Fußtaste für den Intercom bedienen mußte.

»Wohin fliegen wir?« fragte Carmichael.

»Nach Na Chan.«

»Hör mal, ich muß diese Story durchgeben. Unbedingt und sofort.«

»Und ich muß versuchen, die Leute aus Na Chan herauszubekommen.«

»Bildest du dir wirklich ein, sie lassen zu, daß du einfach kommst und sie abholst?«

»Ich muß es versuchen«, sagte Thomas. »Und das bedeutet, daß ich es nicht wagen kann, dich irgendwo abzusetzen. Wenn irgend jemand diesen Hubschrauber sieht, könnte er auf die Idee kommen, mich einfach abzuknallen.« Er sah Carmichael an. »Es tut mir leid. Es geht um Leben und Tod.«

Carmichael hielt noch immer die Pistole in der Hand. Thomas warf einen Blick auf die Waffe und dann wieder auf Carmichael.

»Gestern noch«, sagte Carmichael, »dachte ich, ich könnte jemanden umbringen, nur um diese Story an den Mann zu bringen.« Er nahm die Munition aus der Waffe und warf sie nach hinten. »Ich schätze, ich habe mich getäuscht.«

V·I·E·R

LINDSEY VERBRACHTE AUCH DIESE NACHT wieder unter dem Dach des *ramada,* obwohl sie inzwischen davon überzeugt war, daß Thomas nicht zurückkehren würde. Wahrscheinlich war er tot. Sie schaffte es nicht, Gefühle irgendwelcher Art aufzubringen.

Ramos' neues Regime begann im Morgengrauen. Er hatte alle an die Arbeit geschickt, mit Ausnahme von Eddie, der offensichtlich zu krank war, als daß er an ihn einen Gedanken hätte verschwenden müssen. Er lag im Sterben, dachte Lindsey. Auch das war eine Vorstellung, die sie verdrängte.

Sie und Oscar und die Lacandonen waren mit Werkzeugen zum Ausheben eines Grabens ausgerüstet worden, kleinen Schaufeln mit einklappbaren Blättern, so daß sie wie Hacken benutzt werden konnten. Ramos hielt es für das Wichtigste, daß die Ruinen zunächst einmal unangreifbar gemacht wurden, was bedeutete, daß sie ringsum von einem Graben umgeben sein mußten.

Gegen zehn Uhr glichen ihre Hände rohen Steaks. Sie stank, und ihre Kleidung war über und über dreckverspritzt. Ramos hatte ihr nicht einmal gestattet, sich die Fingernägel zu schneiden, und mindestens die Hälfte davon war inzwischen abgebrochen, einige bis unter die Fingerkuppen. Am Anfang dachte sie, die kleinen Schaufeln wären leicht zu handhaben. Jetzt empfand sie für diese Werkzeuge einen leidenschaftlichen Haß, der dem Haß gleichkam, den sie für Ramos empfand. Ihr Kopf schmerzte von den ständigen Erschütterungen, die er erlitt, wenn die Schaufel auf Stein stieß.

Gegen Mittag war sie am Ende ihrer Kräfte. Sie kletterte aus dem Graben, setzte sich unter einen Baum und wandte all die ihr noch verbliebene Energie auf, ihre Tränen zurückzuhalten. Das war für sie eine Sache des Prinzips.

Mit ihr arbeiteten noch vier andere im selben Graben. Zwei Jungen und zwei Mädchen, alle etwa im Alter von sechzehn Jahren. Der Junge, der sie beaufsichtigte, war vielleicht zwanzig, doch er trug Jeans und das übliche Khakihemd wie ein alter Rebell. Sein Name war Rigoberto.

»Können Sie nicht mehr?« fragte er sie auf englisch.

»Nein«, antwortete sie und zeigte ihm ihre Hände.

»Wissen Sie, wo *la cocina* ist? Sie wissen schon, *comida* und all das?«

»Die Küche«, sagte sie. »Ja, ich weiß.«

»Dort ist eine Frau, heißen Graciela. *Una veija.* Sie sagen ihr, ist in Ordnung, daß Sie arbeiten dort. Okay?«

»Okay«, sagte sie. »Danke.« Jetzt war sie wirklich nahe daran zu weinen. Die Anstrengung des Aufstehens nahm sie so sehr in Anspruch, daß ihr seine Freundlichkeit nicht voll bewußt wurde.

Die alte Frau wies sie an, den Arbeitenden etwas zu essen und zu trinken zu bringen. Das Essen bestand aus Orangenschnitzen und Streifen von bananenähnlichem *plátano.* Sie beförderte alles in wiederaufgearbeiteten Industriekanistern. Sie hatte nicht das Gefühl, besonders aufmerksam beobachtet zu werden. Sie richtete es so ein, daß sie bei Einsetzen des Regens in der Nähe von Eddies Zelt war. Bei dieser Gelegenheit unterbrach sie ihre Tätigkeit und schlüpfte ins Zelt.

Eddie war verschwunden. Zunächst versuchte sie sich einzureden, daß er zum Badebecken gegangen oder sich den Lacandonen angeschlossen hatte, doch sie wußte, daß es nicht so war.

Das ist das Ende, Eddie, dachte sie. Damit hast du es mir einmal zuviel angetan.

Mit einemmal kam es ihr zu Bewußtsein, daß alles, was sie je gemacht hatte, wegen eines Mannes geschehen war. Angefangen damit, daß sie mit siebzehn mit Eddie auf Wanderschaft gegangen war, bis hin zu ihrem Verzicht auf das kleine Kätzchen letztes Jahr, weil sie damals mit einem Typen ging, der dagegen allergisch war. Von der Art, wie sie sich kleidete und frisierte, bis zu der Tatsache, daß sie in San Diego immer einige Flaschen Budweiser im Kühlschrank vorrätig hatte. Und daß sie sich jetzt irgendwo in einer Einöde in Mexiko befand, wieder mal nur wegen Eddie. Es war ganz einfach und offenkundig, doch bisher hatte sie es sich noch nie in dieser Deutlichkeit klargemacht. Bei dieser Erkenntnis wurden ihre Wangen tatsächlich rot, so sehr schämte sie sich.

Das einzige, das ich je wirklich selbst wollte, war ein Kind.

Und dann ermahnte sie sich, mit ihren Wünschen etwas vorsichtiger zu sein. Denn dieser könnte in Erfüllung gehen, gerade jetzt.

Etwa eine Stunde, nachdem der Regen aufgehört hatte, hörte sie den Hubschrauber.

Sie befand sich am nördlichen Rand der Ruinen. Dort gab es nur einen einzigen Graben. Man erwartete allgemein einen Angriff aus dem Westen, wo das Gelände eben war, doch Ramos wollte keinerlei Risiko eingehen. Den ganzen Tag über hatte eine düstere Ahnung in der Luft gelegen, und als sie den Hubschrauber hörten, hielten alle in ihrer Arbeit inne, sahen einander an und hoben dann den Blick gen Himmel.

Lindsey durchfuhr ein Erinnerungsblitz an ihren neunten Geburtstag, am 24. Oktober 1962. Es war gerade zwei Tage her, daß der amerikanische Präsident von Castro verlangt hatte, auf sowjetische Raketen zu verzichten. Jeder rechnete damit, daß es Krieg geben würde. Sie erinnerte sich, daß sie in der Schule war, auf dem Schulhof mit der roten Erde, und spielte, als sie nach oben schaute und das größte Flugzeug erblickte, das sie je in ihrem Leben gesehen hatte. Damals, 1962 flogen nicht allzuviele Flugzeuge über Athens, Texas, und schon gar nicht solche von dieser Größe. Sie hatte einfach starr dagestanden, vor Angst unfähig zum Weglaufen, überwältigt von der Ungerechtigkeit, erst neun Jahre alt zu sein und schon sterben zu müssen.

Sie war jetzt ebensowenig bereit dazu wie im Alter von neun Jahren.

Es war nur ein einzelner Hubschrauber, der niedrig und langsam aus Norden herangeflogen kam. Mein ganzes Leben war eine Vorbereitung auf diesen Moment, dachte Lindsey. Die Fernsehberichte über die Kubakrise und den Vietnamkrieg hatten sie gelehrt, daß der Tod vom Himmel kam und daß es keine Möglichkeit gab, ihm zu entkommen.

Als sie die weiße Fahne sah, die aus dem Fenster flatterte, war es für sie fast eine Enttäuschung. Sie erkannte, daß es Thomas war. Wer hätte es auch sonst sein können? Er war gekommen, um sie zu holen. Sie ließ die Kanister fallen und rannte zu der Lichtung, wo der Hubschrauber landete.

Ramos und Faustino und noch etwa zehn andere Rebellen waren bereits dort. Alle bis auf Ramos hatten ihre Gewehre auf die Kabine des Hubschraubers gerichtet und warteten darauf, daß die Männer, die darin saßen, aussteigen würden. Ramos trug kein Gewehr mehr bei sich, nur noch die Pistole, mit der er Gordo in den Kopf geschossen hatte.

Lindsey sah Oscar im Schatten des *ramada*. Neben ihm war eine Frau mittleren Alters in einem gestreiften Kleid. Sie hatte zwei Kinder bei sich, keins davon älter als drei Jahre. Die beiden klammerten sich jeweils an einer ihrer Hände fest. Sie beobachtete den Hubschrauber mit müder Geduld und ohne jede Neugier.

Thomas stieg auf der rechten Seite des Hubschraubers aus. Er hielt beide Hände in Schulterhöhe hoch. Er sagte etwas auf spanisch. »Ich habe Neuigkeiten«, war der Sinn seiner Worte. »Ich muß mit Carla sprechen.«

Ramos antwortete ihm. Lindsey verstand das Wesentliche. Er erklärte, daß Carla auf die Führung verzichtet habe und er sich, sehr zu seiner eigenen Überraschung, an den Platz des Anführers gestellt sah.

Lindsey trat ein paar Schritte auf Thomas zu. Er blickte zu ihr herüber, und an seinem Gesichtsausdruck war deutlich zu erkennen, daß er wußte, was zwischen ihr und Eddie geschehen war. Das veranlaßte sie, stehenzubleiben und die Entfernung zwischen ihnen nicht weiter zu verringern, sondern am Rand der wachsenden Menge zu warten.

Oscar kam heran und stellte sich neben sie. Einen Moment lang hatte sie Angst, er könnte vielleicht etwas Törichtes tun und zum Beispiel den Arm um sie legen. Es war ihm zur Gewohnheit geworden, für sie zu übersetzen, was in gewisser Weise eine Beziehung zwischen ihnen geknüpft hatte. Eine, in der sie die Abhängige war und er alle Karten in der Hand hatte.

Doch sie hatte sich in ihm getäuscht. Er wollte lediglich wissen, ob bei ihr alles in Ordnung war. Sie zeigte ihm ihre Hände. »Mit dieser Ausnahme«, sagte sie. »Und bei dir?«

»Ich glaube schon. Weißt du, was mit diesem Soldaten Porter passiert ist? Er ist letzte Nacht gestorben. Ramos wollte ihn zum Sprechen bringen. Ich schätze, er hat es ein wenig zu unsanft versucht.«

»Das tut mir leid«, sagte Lindsey. »Ich habe ihn nicht einmal gesehen.«

»Er war ein Stück Scheiße«, sagte Oscar. »Aber deswegen wird mir Ramos kein bißchen sympathischer.«

Ein zweiter Mann stieg aus dem Hubschrauber. Er sah sehr gut aus, auf die Art der jugendlichen Helden in Schnulzenfilmen. Blondes Haar, das die Ohren frei ließ, gepflegter Schnauzbart, Wandershorts und -stiefel, die im Dschungel etwas albern wirkten, ein graues Mickymaus-T-Shirt, das die Sache noch schlimmer machte. Er konnte nicht älter als fünfundzwanzig sein.

»*Teniente* Ramos«, sagte der Mann mit einer gewissen Nervosität in der Stimme. »*Cómo va?*«

Teniente, dachte Lindsey, bedeutete Leutnant. Sie wußte nicht genau, in welchen Rang sich Ramos befördert hatte, doch es paßte ihm offensichtlich nicht, mit seinem früheren Titel angesprochen zu werden. Er nickte, wobei sich sein Kopf vielleicht einen halben Zentimeter bewegte, und sagte: »*El estimado Senor* Carmichael.«

»Faustino«, sagte Carmichael. Er streckte die Hand aus, und Faustino ergriff sie, ein wenig zögernd, wie es Lindsey schien.

Dann kamen Thomas und Ramos zur Sache. Lindsey hörte ihren eigenen und Eddies Namen, verstand vom Rest jedoch kaum etwas. »Thomas sagt, Marsalis wird in wenigen Stunden angreifen«, übersetzte Oscar. »Nach Einbruch der Dunkelheit.« Lindsey nickte, ihr Kopf war plötzlich wie benebelt. »Er will uns von hier wegholen. Und ich habe so eine Ahnung, daß der hübsche Junge eine Art von Journalist ist, der vor einigen Wochen ein Interview mit Carla gemacht hat. Thomas sagt, wenn wir hier alle unbeschadet rauskommen, nutzt das der Revolution mehr, als wenn wir festgehalten werden.«

»Und was sagt Ramos dazu?«

»Das kannst du dir ungefähr vorstellen. Unmöglich. Nicht zu machen. Er schlägt vor, daß Thomas mit dem Hubschrauber Marsalis entgegenfliegt. Was Thomas ablehnt.« Oscar lächelte sie mißvergnügt an. »So was nannten wir in Texas ein mexikanisches Patt.«

Ramos drehte sich um und ließ den Blick über die Menge schweifen, bis er auf Lindsey haften blieb. »Sie da«, sagte er auf spanisch, »kommen Sie mal her!«

»Vielleicht läßt er sich auf einen Handel ein«, sagte Lindsey.

»Das bezweifle ich sehr«, sagte Oscar. Er schritt hinter ihr her, während die Rebellen zur Seite wichen, um den Weg frei zu machen. Sie sahen weniger wie Soldaten aus als vielmehr wie Gefangene beim Freigang. Viele von ihnen waren bis zur Taille nackt und hatten sich verschwitzte Tücher um Kopf oder Hals gebunden. Die

Atmosphäre war angespannt. Das mußte zum Teil mit Ramos' Gesichtsausdruck zu tun haben. Er sah vor allem furchtsam aus, als ob er sich mehr von seinen Nerven und seinem Instinkt beeinflussen ließe als von seinem Verstand. Inzwischen wichen alle von ihm zurück und ließen einen freien Raum von ungefähr zwei Metern zwischen ihm und Thomas.

Sie stand vor Ramos. Er vollführte mit dem Zeigefinger eine Rührbewegung in der Luft. Offenbar wollte er, daß sie sich umdrehte.

Sie drehte sich um. Es war sehr still. Sie hörte, wie der Wind durch die Bäume auf der anderen Seite der Lichtung streifte. Ramos legte ihr beide Hände auf die Schultern und drückte sie auf die Knie nieder.

Sie wehrte sich nicht. Ringsherum standen Männer mit Gewehren. Ramos nahm die rechte Hand weg. Seine linke blieb auf ihrer Schulter liegen. Sie hörte ein Klacken und das Reiben von Metall gegen Leder. Sie spürte den Lauf seiner Pistole an ihrem Ohr.

Ramos sagte wieder etwas. Sie verstand ihn nicht. In ihrem Kopf war das Geräusch von fließendem Wasser. Im Geist sah sie das Bild von Gordos Gesicht in dem Moment, als ihn die Kugel traf. Sie sah Thomas an in der Erwartung, daß er erklären möge, was Ramos sagte. Er wich ihren Augen aus. Er sah Oscar an. Als sie den Kopf umwandte, bohrte sich der Pistolenlauf in ihre Haut.

»Er sagt«, erklärte Oscar, »daß er dich töten wird, wenn Thomas den Hubschrauber nicht fliegt.«

Ihr eigener Tod war für sie immer unvorstellbar gewesen. Mit wessen Augen würde sie ihn sehen? Wenn sie sich ihn vorzustellen versuchte, lief er wie ein Film ab, bei dem sich die Kamera langsam zurückzog. Doch sie wußte, daß Filme nicht Wirklichkeit waren.

Wenn sie ihn sich wirklich hätte vorstellen können, hätte sie vielleicht mehr Angst gehabt. Statt dessen war sie einfach wütend. Sie war es satt, so behandelt zu werden, als wären ihre Gedanken und Gefühle völlig unbedeutend. Sie griff nach oben und umschloß den Pistolenlauf. Ihre Hand war kraftlos und zitterte, doch die Ursache dafür konnte ebensogut Wut wie Angst sein.

Sie schob die Pistole weg.

Ramos war zu verblüfft, um zu reagieren. Sie stand auf. »Sag's ihm«, wandte sie sich an Thomas. »Sag's ihm, los! Sag ihm, daß du nicht fliegen wirst!«

Ihre Stimme war schrill und bebte, wie ein unterdrückter Schrei. Die Tränen, die sie den ganzen Tag über zurückgehalten hatte, rannen ihr jetzt über die Wangen. »Wenn er meint, er muß mich erschießen, dann soll er es tun. Aber er wird mich nicht für seine Zwecke benutzen. Niemand wird mich jemals mehr benutzen. Sag ihm das!« Am liebsten hätte sie Thomas eine Ohrfeige gegeben, um sicherzugehen, daß er sie gehört hatte.

»Mande?« sagte Ramos hinter ihr. *»Que dice?«*

»Sag es ihm!« wiederholte sie und setzte sich in Bewegung. Oscar machte Platz für sie. Es war ihr gleichgültig, ob Ramos sie erschießen würde oder nicht. Es war ihr wirklich gleichgültig. Sie würde sich nicht mehr in den Spielen der Männer demütigen lassen. Sie könnten sie umbringen, aber, bei Gott, sie würde ihre Spiele nicht mehr mitspielen.

Sie hatte den halben Weg zu Carlas Zelt zurückgelegt, als ihr bewußt wurde, daß sie nicht tot war.

Es war ihr nicht einmal jemand gefolgt. Sie konnten es nicht, dachte sie. Sie hatten sich in eine Richtung senkrecht zum Universum entfernt. Ihr schwindelte vor Erleichterung. Ich muß unsichtbar geworden sein, dachte sie. Einfach von der Welt verschwunden.

Sie ging in Carlas Zelt. Sie wußte nicht genau, was sie hergetrieben hatte, doch als sie Carla von Angesicht zu Angesicht gegenüberstand, löste sich etwas in ihr. Sie setzte sich auf den Rand des Feldbetts und tastete nach Carlas Hand.

Sie fing an zu lachen und zu weinen, immer abwechselnd, jeweils nur ein paar Sekunden. Zum erstenmal in ihrem Leben war sie frei. Und in wenigen Stunden würde Marsalis kommen, und dann würde sie sowieso sterben. Carla bewegte sich auf dem Feldbett, richtete sich auf und nahm Lindsey langsam in die Arme. Lindsey legte die Stirn an Carlas Hals, schloß die Augen und ließ sich trösten.

Endlich richtete sie sich auf, holte ihr Taschentuch heraus und putzte sich die Nae. Sie hielt Carlas rechte Hand weiterhin mit ihrer linken fest.

Carla hatte sich verändert. Es war nicht die Amputation, die sie tötete, erkannte Lindsey. Es war der Druck, die Befehlsgewalt zu haben. Nachdem er jetzt von ihr genommen war, wirkte sie ausgeruhter, stärker. Sie schien zu glühen. Doch eigentlich glühte alles. Die Luft war voller Gerüche, und die Berührung mit der Erde vermittelte selbst durch ihre Schuhsohlen und den Zeltboden hindurch ein Gefühl von Vibration und Lebendigkeit.

»Thomas *regressa*«, sagte Lindsey. Ihre Aussprache war schlecht, und sie war sich nicht sicher, ob sie die richtige Konjugation gebraucht hatte. Sie würde das Ganze langsam erklären, dann würde Carla sie bestimmt verstehen.

»*Está solo?*«

»Nein«, antwortete Lindsey. »*Con journalista.*« Carla schüttelte den Kopf. Wie übersetzte man das? »*Periodista.*«

»Ah«, sagte Carla. »*El Chico de* Rolling Stone? *Muy guapo?*«

Lindsey zuckte die Achseln. Sie deutete auf Carla. »*Y tu*«, sagte sie. »*Estás mejor?*«

Carla nickte. »*Si, me siente mucho mejor. Anoche, me dormí toda la noche.*« Sie stellte pantomimisch Schlaf dar, indem sie sich eine Hand an die Wange legte und die Augen schloß. »*La primera vez en ... muchas semanas.*« Das erstemal seit Wochen.

Lindsey nickte. Das Aufbäumen ihrer Gefühle und die mühsame Unterhaltung hatten sie erschöpft. Sie fragte sich, ob sie es wohl noch schaffen würde, von Marsalis und dem bevorstehenden Angriff zu sprechen. Wäre es überhaupt sinnvoll? Bevor sie zu einem Schluß kam, hörte sie draußen Stimmen.

Thomas kam herein, gefolgt von Ramos und einigen anderen Rebellen. Thomas sah Lindsey an und wandte den Blick gleich wieder ab. »Wir müssen miteinander reden«, sagte er auf spanisch zu Carla.

»*Claro*«, sagte Carla. Lindsey drückte Carlas Hand und ging auf die andere Seite des Zelts. Ramos ließ einen Schwall von Worten in spanisch auf Carla herabprasseln, und sie bedeutete ihm mit einer Bewegung, zu schweigen.

Thomas setzte zu einer umständlichen Erklärung an. Während er sprach, kamen Oscar, Faustino und Carmichael ebenfalls herein. Zwischen ihnen allen war jetzt kaum noch Platz zum Bewegen. Thomas hatte Lindsey den Rücken zugekehrt, doch sie hatte Carlas Gesicht im Blick. Sie beobachtete, wie sich hintereinander fünf oder sechs verschiedene Gefühlsregungen darin widerspiegelten, obwohl sie sich die ganze Zeit über anstrengte, sie nicht zu zeigen.

»Was soll das alles?« fragte Lindsey Oscar. »Was geht hier vor sich?«

»Dieser Carmichael hat gerade herausgefunden, daß Venceremos Carlas Ehemann umgebracht hat«, erklärte er in einem Ton, als ob er selbst nicht besonders überrascht darüber wäre, als ob er so etwas mehr oder weniger erwartet hätte. »Acuario. Vielleicht hast du mal von ihm gehört. Er war früher der Kopf dieser ganzen Bewegung. Die CIA hat Venceremos für die Tat bezahlt, damals im Dezember in Mexico City.«

»O mein Gott!« Sie war immer noch von starken Gefühlen bewegt. Ihr Gehirn arbeitete auf Hochtouren. »Diese Sache mit Gordo gestern. Erinnerst du dich? Er erwähnte etwas davon, daß Ramos ihm noch etwas schulde. Er sprach von Mexico City.«

»Natürlich«, sagte Oscar. »Natürlich, so läuft das hier immer. Das Geld bleibt bei denen da oben, und die Scheiße sickert bis zu den Kleinsten nach unten durch. Die CIA gibt Venceremos den Auftrag. Venceremos schiebt den Schwarzen Peter weiter an Ramos. Ramos heuert den Dicken an, damit er die Schmutzarbeit macht.«

Obwohl Oscar flüsterte, hörte Ramos seinen Namen. Den Ausdruck, den sein Gesicht daraufhin annahm, würde Lindsey bis an ihr Lebensende nicht vergessen. In ihm mischten sich Angst und Haß und verschmolzen in einem unendlichen Massengrab. In Gedanken zählte er Leichen.

Oscar ging einen Schritt auf Carla zu. Ramos' rechte Hand glitt hinunter zu seiner Waffe. Lindsey war dem Ersticken nahe. Die Luft in dem dämmerigen, stickigen Zelt reichte nicht für so viele Menschen. Sie bekam nicht genug davon in die Lunge, um schreien zu können. Das einzige, was sich rauh ihrer Kehle entrang, war der Name »Faustino!« und ein Warnruf, den sie in den Straßen San Diegos gehört hatte und an den sie sich dunkel erinnerte. »*Cuidado!*«

Faustino folgte ihren Augen. Oscar duckte sich und drehte sich instinktiv um, die Augen weit aufgerissen. Die Pistole kam in diesem Moment aus dem Halfter. Lindsey blickte in die Mündung der Waffe, die ein paar Minuten zuvor noch auf ihren Kopf gerichtet war. Wie konnte eine einzige Hand etwas so Ungeheures halten?

Faustino packte mit beiden Händen Ramos' Arm und zog ihn nach unten. Etwas explodierte. Lindsey schloß unwillkürlich die Augen. Als sie sie wieder öffnete, erwartete sie Blut zu sehen, das über die Vorderseite ihres Hemdes rann. Statt dessen war ein Loch in der Zeltplane zu ihren Füßen, und drei Männer zerrten Ramos zu Boden.

Sie hielten Ramos fest, während Oscar die Zusammenhänge mit Gordo erläuterte. Bevor er geendet hatte, hielt Faustino die Pistole in der Hand und drückte sie gegen Ramos' Schläfe. Er hatte ein Büschel von Ramos' Haaren gepackt und zog damit das Gesicht des Mannes zum Zeltboden hinunter. Lindsey war froh, daß sie seine Augen nicht zu sehen brauchte.

Sie setzte sich auf eine Kiste in der Nähe des Eingangs. Sie hatte das Gefühl, einer Ohnmacht nahe zu sein.

Carla ließ nicht zu, daß man ihn erschoß. Sie schickte jemanden los, um ein Seil zu holen, und man fesselte Ramos so lange, bis ihm keine Bewegung mehr möglich war: Hände und Füße und große Schlingen um Brust und Beine. Sie ließ es nicht einmal zu, daß sie dabei grob mit ihm umgingen. Dann befahl sie allen Rebellen mit Ausnahme von Faustino, das Zelt zu verlassen.

Faustino stand auf der linken Seite des Zeltes. Thomas und Carmichael waren bei Carlas Feldbett. Oscar ging in die Hocke und übersetzte leise.

»Faustino will wissen, ob sie bereit ist, wieder ihre Anführerin zu werden. Sie sagte: vielleicht. Faustino sagt: Schluß mit dem ganzen mystischen Quatsch. Sie sagt ja: Schluß damit! Thomas sagt: Marsalis wird in wenigen Stunden hier sein. Ob sie uns nicht gehen lassen will? Sie sagt: nein. Sie möchte, daß Thomas den Hubschrauber fliegt, nur zur Beobachtung, um über die Lage zu berichten. Thomas lehnt ab.«

Thomas drehte sich um. »Was ist mit dir, Oscar? Ich werde es nicht tun, aber du könntest es machen. Wenn du wolltest.«

»Sie bearbeiten mich schon seit Tagen deswegen«, sagte Oscar.

»Bisher war das etwas anderes. Bis jetzt bestand noch Hoffnung, hier herauszukommen.«

»Warum tust du es dann nicht?«

»Aus persönlichen Gründen«, erwiderte Thomas. »Mehr habe ich dazu nicht zu sagen.«

»Wie lautet also das Angebot?« fragte Oscar. »Wenn ich einwillige, wird man mich dann gehen lassen?« Es wurde noch einiges in spanisch hin und her gesprochen, dann sagte Oscar: »Mit anderen Worten, vielleicht. Wenn sie entscheiden, daß sie mich nicht mehr brauchen.«

»Das ist das Äußerste, was du dabei herausschlagen kannst«, sagte Thomas. »Sie wird uns nicht einfach so von dannen ziehen lassen, jedenfalls nicht uns alle. Sie glaubt immer noch, sie kann sich hinter uns verstecken. Ich habe versucht, ihr das auszureden, doch sie hört nicht auf mich. Sie kann es einfach nicht glauben, daß Marsalis keinerlei Rücksicht darauf nimmt, was mit uns geschieht.«

»Scheiße!« sagte Oscar. Er stand auf und machte ein paar Schritte, wobei er ihnen allen den Rücken zuwandte. Er schob die Hände in die Taschen und trat gegen eine Nahtstelle im Boden. Thomas war offenbar willens, das Schweigen weiter anhalten zu lassen. Endlich drehte sich Oscar wieder um. »Scheiß drauf, Mann, wenn ich hierbleibe, werde ich auf jeden Fall umgebracht. In der Luft ist meine Chance immerhin etwas größer.«

Er sah Lindsey an, als ob er von ihr die Bestätigung erwartete, daß er recht hatte. Sie sagte nichts. Nicht sie hatte diese Entscheidung zu fällen. »Also, okay«, sagte er. »Wenn sie mir meinen Hubschrauber zurückgeben, dann mache ich es.« Er sah Thomas an. »Das heißt, daß deiner hierbleibt für den Fall, daß etwas passiert. Für den Fall, daß du Gelegenheit bekommst, dich abzusetzen.«

»Stimmt«, sagte Thomas. »Das bedeutet, sorge du dich nur um dich selbst. Kümmere dich nicht um uns.«

Carla und Faustino gerieten in Aufregung, und es entstand ein heftiger Wortwechsel. Lindsey schnappte hin und wieder ein Wort auf, nicht genügend, um alles zu verstehen, doch immerhin so viel, daß sie sich nicht vollkommen hilflos vorkam.

Niemand ist vollkommen hilflos, dachte sie. Das habe ich heute gelernt.

Carla erhob sich und stützte sich auf ihre Krücke. Lindsey stand ebenfalls auf. Oscar umarmte Thomas und blieb dann vor ihr stehen. »Vielleicht sehen wir uns mal wieder«, sagte er.

Lindsey umarmte ihn. »Bis bald, Oscar. Danke.«

»Mhm«, sagte Oscar. »Carmichael? Willst du mitkommen?«

»Im Ernst?«

»Warum nicht? Es ist ein Himmelfahrtskommando, Mann, aber ich glaube, du hast mit mir da oben bessere Karten, als wenn du hier mitten in die Schießerei gerätst.«

»Zum Teufel, das stimmt. Das nächste Gefährt nach irgendwohin, nur weg von hier, ist mir recht.«

Er ging auf Lindsey zu und schüttelte ihr die Hand. »War nett, Sie kennenzulernen, schätze ich. Soweit sich das unter den gegebenen Umständen beurteilen läßt. Sie haben jedenfalls Nerven, meine Dame!«

Lindsey nickte und blickte auf ihre Füße hinunter. Carmichael schüttelte Thomas die Hand und ging mit Oscar und Faustino davon.

Vielleicht sollte ich mit ihnen gehen, dachte Lindsey. Aber ihre Füße weigerten sich, sich zu bewegen, und dann war der Augenblick vorbei und alles war wieder still. Sie hörte das Zirpen der Zikaden und in der Ferne das Schreien eines Papageis.

»Bei dir alles okay?« fragte Thomas sie. Sein Tonfall hatte etwas Gleichgültiges, das ihr andeutete, daß er sich zwar um sie kümmern wollte, aber nur bis zu einem gewissen Punkt.

»Ja«, sagte sie. »Bei mir ist alles okay.«

»Wo ist Eddie?« Er sagte es auf eine Art, die nicht direkt verbittert war. So, als ob er sich sehr anstrengte, es nicht zu sein.

»Rate mal«, sagte sie.

»Bei den Pilzen.«

»Du hast es erfaßt!«

»Herr im Himmel, von allen Dummheiten ...« Er ließ den Satz unvollendet. »Carla will uns aus dem Weg haben. Sie will die Lacandonen zusammentreiben und uns alle an dem sichersten Platz unterbringen, der ihr einfällt.«

»Sicher? Was ist sicher vor Raketen und Hubschraubern und Artilleriefeuer?«

»Na ja«, sagte Thomas. »Carla dachte, vielleicht der Tempel der Inschriften.«

Lindsey saß direkt außen vor der Tür des Tempels und ließ den Blick über die Steinterrassen der Pyramide nach unten wandern. Thomas saß im Eingang hinter ihr. Im Innern hatten Chan Ma'ax und die anderen alten Männer mit großer Feierlichkeit ihre letzten Zigarren angesteckt. Der Raum war angefüllt von ihrem Rauch. Zwei von Carlas Männern hatten Eddie aus dem Pilzhain hergetragen. Jetzt lag er in der Mitte des Bodens wie eine Leiche, die Hände auf der Brust überkreuzt.

Unten auf der Lichtung montierten ein paar Soldaten das Maschinengewehr aus Thomas' Hubschrauber und trugen es eilends davon. »Das hat Faustino mit Oscar ausgehandelt«, erläuterte Thomas. »Er nimmt das Maschinengewehr und zwei Soldaten mit. Faustino sagt, die braucht er zu seiner Verteidigung. Ich glaube, keiner zweifelt daran, daß es zu einer Schießerei kommen wird.«

»Wird es gutgehen?« fragte Lindsey.

»Wer soll das wissen, zum Teufel?«

Einige Minuten später hörten sie, wie der Motor von Oscars Hubschrauber gestartet wurde und anlief. Nach einigen weiteren Minuten erhob er sich aus dem Gestrüpp. »Ja!« flüsterte Thomas. »Es wird gutgehen.«

»Wenn sie Oscars Maschine nicht wieder hinbekommen hätten, hätten sie immer noch die da nehmen können«, sagte Lindsey und deutete mit einem Nicken in die Richtung des Hubschraubers auf der Lichtung. »Oder hättest du es dir doch noch anders überlegt?«

»Ich weiß nicht«, sagte Thomas. Sie hatte eine ironische oder wütende Bemerkung erwartet, doch statt dessen war er sehr ruhig. »Ich habe heute vielleicht einen Menschen umgebracht«, sagte er. »Durch einen Schlag mit einem Schraubenschlüssel.«

»O Gott!«

»Auf diese Weise bin ich Marsalis entkommen.« Er schwieg einige Sekunden lang. »Es war anders, als man sich das vorstellt. Ich war ungeschickt und angewidert und hatte entsetzliche Angst. Aber das Schlimmste war, daß ein Teil von mir es genoß.« Er spielte mit den Schnürsenkeln seiner Turnschuhe. »Immer, wenn meine Gedanken gerade mit nichts anderem beschäftigt sind, sehe ich das Gesicht des Kerls wieder vor mir. Deshalb weiß ich nicht, ob ich heute noch zu irgendwelchen Heldentaten in der Lage bin.«

Sie hatte nicht bemerkt, daß Chan Zapata hinter ihnen stand, bis er sagte: »Tomás. Mein Vater will mit dir sprechen.«

Lindsey drehte sich um. Da standen sie beide in ihren schmutzigen weißen Gewändern, Chan Zapata groß, mit glatten Gesichtszügen und ernst, Chan Ma'ax zerknittert und auf unbestimmte Art feindselig wie ein kosmisches Lumpenweib. »Mein Vater möchte, daß ich für dich übersetze. Damit du auf jeden Fall richtig verstehst.«

Thomas trat schnell aus dem Eingang, und Lindsey machte neben sich für ihn Platz. Sie alle saßen aufgereiht in den nachmittäglichen Sonnenstrahlen. In ihrer Nähe sah sie nur zwei Rebellen, die in der Frachtpforte des Hubschraubers saßen und aufpaßten, daß Thomas nicht einfach einstieg und davonflog.

»Mein Vater sagt, dein Bruder müßte eigentlich zurückkommen. Aber er kommt nicht zurück. Mein Vater sagt, jemand muß ihn holen.«

»Ihn holen?« wiederholte Thomas. Bis jetzt hatte Chan Ma'ax selbst noch nichts gesagt. Lindsey fragte sich langsam, ob das Ganze nicht eine abgefeimte Machenschaft von Chan Zapata war. Dann streckte Chan Ma'ax die Hand aus. Darin lag etwas Braunes und Runzeliges, wie ein Stück Marshmallow, das in den Dreck gefallen war.

Es sah sehr harmlos aus. Für Lindsey war es schwer vorstellbar, daß eine Handlung, die eine oder zwei Sekunden dauerte, das In-den-Mund-Schieben dieses kleinen Pilzstückchens, das Kauen und Hinunterschlukken, ihr Leben so entscheidend verändern könnte, daß es keine Rettung mehr für sie gäbe. Es war wie der Blick hinunter auf eine Grubenotter in einem Käfig ohne Dekkel.

Der Ausdruck in Thomas' Gesicht verriet ihr, daß er das gleiche empfand. »Zunächst einmal«, sagte er mit angestrengter Stimme, »warum sollte es mir möglich sein zurückzukommen, wenn Eddie es nicht kann?«

Chan Ma'ax murmelte etwas, und Chan Zapata sagte: »Du bist stark, und Eddie ist schwach. Du klammerst dich sehr fest an das, was du für die Realität hältst. Eddie ist dazu nicht mehr in der Lage.«

»Ich dachte, er wirkt nicht mehr, wenn man ihn von der Stelle wegnimmt, wo er wächst. Von den anderen Pilzen.«

Chan Zapata antwortete, ohne Rücksprache mit seinem Vater gehalten zu haben. »Dies hier ist ebenfalls ein geheiligter Ort. Ebenfalls ein Ort der Vollendung. Hier hat er Kraft.«

»Das ist verrückt. Wie soll es Eddie helfen, wenn *ich* die Droge nehme? Das ergibt keinen Sinn.« Lindsey hörte aus seiner Stimme heraus, wie sehr er wünschte, dazu überredet zu werden.

Chan Ma'ax sah Thomas an. »Nicht verrückt«, sagte er auf englisch.

Chan Zapata sagte: »Du weißt sehr wohl, daß es Sinn

ergibt. Das einzige Falsche daran ist, daß *ich* eigentlich den Pilz essen sollte.«

»Nur zu!« sagte Thomas. Er schob Chan Ma'ax' geöffnete Hand auf Chan Zapata zu. »Bedien dich!«

»Nein«, sagte Chan Ma'ax. Er schloß die Faust, zog die Hand zurück, streckte sie erneut Thomas hin und öffnete sie wieder.

»Warum nicht?« fragte Lindsey. »Chan Zapata, warum will er nicht, daß du ihn ißt?«

»Er sagt, mir ist etwas anderes bestimmt. Er sagt, das hier ist nicht meine Aufgabe. Mehr verrät er nicht.«

»Thomas?« sagte Lindsey. »Du erwägst doch wohl nicht, es zu tun, oder? Bitte sag mir, daß du nicht daran denkst.«

»Warum nicht?« sagte Thomas.

»Weil es Gift ist. Erinnerst du dich, wie du das gesagt hast? Sieh doch nur, was es Eddie angetan hat. Außer dir kann niemand diesen Hubschrauber fliegen, und du kannst ihn auch nicht fliegen, wenn du unter Drogen stehst. Du bist unsere einzige Hoffnung, um hier herauszukommen.«

Thomas schüttelte den Kopf. »Dieser Hubschrauber nützt uns gar nichts mehr. Es gibt absolut keinen Ort, wohin wir damit fliegen könnten, ohne abgeknallt zu werden. Es wird nicht geschehen.«

»Du glaubst doch nicht an diesen Blödsinn, daß du Eddie zurückholen kannst, oder?«

»Wer hat mir die Hölle heiß gemacht, weil ich nicht an Mechanismen geglaubt habe, die ich nicht verstehe? Erinnerst du dich?«

»Selbst wenn man davon nicht süchtig würde, selbst wenn man davon nicht krank oder wahnsinnig oder getötet würde, wäre es jetzt einfach nicht die richtige Zeit dafür. Eddie braucht einen Arzt.«

»Die Ärzte konnten damals vor zwölf Jahren dem Jungen, der weggetreten war, nicht helfen«, sagte Thomas. »Vielleicht hilft das hier Eddie auch nicht. Aber alles ist einen Versuch wert. Ich werde es überstehen. Es stimmt, was Chan Zapata sagte. Eddie ist zu schwach dafür. Aber ich bin seelisch und körperlich in guter Verfassung. Ich kann damit umgehen, wenn ich das Zeug nur einmal nehme. Und wenn ich tatsächlich die Dinge sehe, von denen er erzählt hat. Na Chan in seinen Anfängen.«

»Selbst wenn es so wäre, dann würde es sich um eine *Halluzination* handeln. Es wäre nicht die Realität. Nicht wie Marsalis Realität ist, nicht wie die Gewehre und Mörser und Bomben Realität sind.«

»Ich kann nichts gegen die Gewehre und Mörser und Bomben unternehmen. Und wenn auch sie nur eine Halluzination sind? Allein der *Glaube* daran, in jener alten Zeit herumzuwandeln, ist das entscheidende! Weißt du, wie oft ich davon geträumt habe?«

»Mehr wäre es auch nicht. Nur wieder ein Traum. In der Zwischenzeit verwandelt sich alles um dich herum in einen Kriegsschauplatz.«

»Vielleicht ...«, sagte Thomas, »vielleicht will ich das nicht sehen.«

Chan Ma'ax hatte die ganze Zeit schweigend dagesessen und das Pilzstück in der ausgestreckten Hand gehalten. Thomas nahm es und schritt über die breite obere Plattform der Pyramide. Er ging ganz bis an den Rand und starrte in den Wald.

Lindsey folgte ihm. Die am nächsten stehenden Bäume waren nur wenige Meter von ihnen entfernt, an dem Hang hinter der Pyramide. Sie konnte direkt in die oberen Äste sehen. Von weitem sahen sie wie dunkelgrüne Kumuluswolken aus, doch aus der Nähe wirkten sie wie ein chaotisches, finsteres und beängstigendes Gewirr.

»Du bist nicht anders als Eddie«, sagte sie.

»Was meinst du damit?«

»Du hast dein Labor und deinen Computer und Geld für deine Forschung, aber in Wirklichkeit suchst du nichts anderes als das Geheimnis des Lebens.« Die Sonne stand jetzt sehr tief, und die leichte Brise aus Norden frischte auf. »Also, weißt du was? Es gibt kein solches Geheimnis. Du lebst und arbeitest und hast Kinder oder hast keine Kinder, und irgendwann stirbst du. Das ist alles.«

Thomas schüttelte den Kopf. »Nein. Die Arbeit muß einen Sinn haben. Man muß in der Lage sein, seinen Platz in dem Ganzen zu finden, zu wissen, daß es etwas bedeutet. Man steht in Beziehung zu anderen Menschen. Was ist mit der Liebe, zum Teufel?«

Er bewegte sich am Rande all jener unausgesprochenen Dinge, die es immer noch zwischen ihnen gab. Dies schien eine ziemlich unangemessene Zeit zu sein, um sie aufzubringen. »Was soll damit sein?« sagte sie. »Für die Männer bedeutet die Liebe, mit jemandem ins Bett gehen. Für die Frauen ist Liebe der Wunsch nach Kindern. Der Rest besteht aus Egoismus und Machtspielchen und Selbsttäuschung. Das hat nichts mit einem Geheimnis des Lebens zu tun.«

Thomas schüttelte erneut den Kopf. »Ich meine kein Geheimnis in dem Sinn. Nur ein Gefühl. Wie manchmal, wenn man vollkommen bekifft ist und alles mit einemmal einen Sinn ergibt. Diese Art von Antwort. Das Erkennen des Musters. Davon spricht Prigogine im wesentlichen. Die Ordnung, die aus dem Chaos entsteht. Das Erkennen des Musters. Das ist entscheidend!«

»Was hat all das mit dem Verzehr eines giftigen Pilzes zu tun?«

»Unendlich viel«, sagte Thomas. Er rollte das Pilzstück zwischen den Fingerspitzen hin und her. Rötliche Sonnenstrahlen brachen sich funkelnd in seinen Brillengläsern. Er steckte sich den Pilz in den Mund und aß ihn.

»Nun«, sagte Lindsey. »Ich schätze, das war's dann.«

»Lindsey...«

»Einen angenehmen Trip!« sagte sie. Sie verschränkte die Arme und lehnte sich an die Steinmauer des Tempels. »Vergiß nicht, mir eine Postkarte zu schicken!«

»Lindsey, bitte, ich muß das tun!«

»Hör zu, mir ist es egal. Ich will nichts davon wissen.«

Er blieb noch einen Moment auf der Stelle stehen, dann ging er an ihr vorbei, zurück zu Chan Ma'ax und den übrigen Indianern und seinem im Koma liegenden Bruder.

Der Tempel bestand aus einem langgestreckten, schmalen Rechteck aus Kalksteinblöcken, das den größten Teil der oberen Plattform der Pyramide bedeckte. Es war durch Mauern in drei Räume unterteilt. Der mittlere befand sich im besten Zustand, mit einem sauberen, geebneten Boden und vollständig wiederhergestelltem Dach. Dort hielten sich die Lacandonen auf.

Lindsey saß draußen, so weit von ihnen entfernt, wie es ging, mit dem Rücken an die lange Schräge gelehnt, das Gesicht des Schlangengottes unter ihr. Sie beobachtete Thomas und Chan Zapata, die Eddie in eine der leeren Kammern trugen. Thomas sah sie ein paarmal an, doch sie wich seinem Blick aus und wandte sich ab. Sie gingen in den mittleren Raum zurück.

Es wurde allmählich dunkel. Der Wind zerzauste ihre Haare und brachte ihr den Duft von Dschungelblumen. Sie fragte sich, ob es immer so sein mußte, ob ihre Gefühle nur unter dem Einfluß einer tödlichen Bedrohung so intensiv sein konnten.

Nach einigen Minuten kamen Thomas und Chan Zapata wieder heraus. Thomas trug ein Maya-Gewand und lächelte unsicher, wobei er den Kopf zur Seite gedreht hatte und blinzelte, als ob er etwas im Auge hätte. Sie gingen in den Raum, wo Eddie lag, und Chan Zapata kam allein wieder heraus.

Es war jetzt vollständig dunkel, und es herrschte eine tiefere Stille als während der vergangenen Tage. Die Insekten, fiel ihr auf. Sie hörte keine Insekten mehr.

Sie stand auf, um sich wieder in die Sicherheit des

Tempels zu begeben. Ein Geräusch ertönte am Himmel. Es hörte sich an, als ob jemand mit einem Strohhalm das letzte bißchen aus einem Glas Mixmilch heraussaugen wollte, nur viel lauter. Sie wußte, was das war. Sie war damit aufgewachsen, hatte es ständig in den Abendnachrichten gehört. Herannahendes Mörserfeuer. Sie blickte nach oben, sah aber nichts. Das Geräusch wurde schwächer. Sie wartete, daß ihr Herz wieder anfangen würde zu schlagen. Eine Sekunde später zuckte ein Blitz auf dem Ballspielplatz auf, und ein dumpfes Knirschen war zu hören, als ob jemand eine Bierdose flachdrückte. Die Pyramide bebte unter ihren Füßen.

Es hatte begonnen.

EDDIE SAH CHAN MA'AX AN. Der alte Mann kam vom Ende des Kreises, aus der Zeit, in der die Stadt in Ruinen lag. Das einzige war, daß er jünger war, als Eddie ihn in Erinnerung hatte, um zehn oder fünfzehn Jahre. Und er sah nicht ganz genauso aus wie der andere Chan Ma'ax. Er war größer und hatte eine breitere Nase. Doch Eddie erkannte ihn trotz allem.

»Du heißt doch Eddie, oder nicht?« fragte Chan Ma'ax. »Chilam Sotz sagte, daß du dich am Anfang so genannt hast.«

»Dann kennst du mich also gar nicht?« fragte Eddie.

»Noch nicht«, sagte Chan Ma'ax. »Aber ich werde dich kennen. Ich werde dir in der anderen Zeit begegnen.«

»Ich kenne dich«, sagte Eddie. »Du heißt Chan Ma'ax. Nicht wahr?«

»Ja. Dies ist der Körper meines Vorfahrs, aber in diesem Moment bin ich, Chan Ma'ax, in seinem Innern. Eddie, du mußt zurückkehren.«

»Zurück?«

»Dorthin, woher du gekommen bist. Zurück in die andere Zeit.«

Eddie schüttelte den Kopf. »Setz dich hin, und hör mir zu«, sagte Chan Ma'ax. Eddie setzte sich mit untergeschlagenen Beinen auf die Erde. »Du hast einen Pilz gegessen. Du hast einen Traum. Er heißt *hach pixan,* der wahre Traum. In der anderen Zeit schläfst du jetzt. Dein Geist ist hierhergekommen und wandert in einem Körper dieser Zeit herum. Du träumst, aber du siehst wahre Dinge, verstehst du?«

»Und du? Träumst du auch?« fragte Eddie.

»Ja, ich träume auch. Aber jetzt mußt du aufhören zu träumen und die Arbeit verrichten, die du zu erledigen hast.«

»Ich verstehe nicht, was du meinst.«

»Es gibt Arbeit, die du in der anderen Zeit tun mußt. Du wirst es merken, wenn du sie vor dir hast.«

»Selbst wenn ich es merken würde, wüßte ich nicht, wie ich dorthin gelangen soll.«

»Das liegt daran, daß du ein *ts'ul,* ein Fremder, bist. Du verstehst die Zeit nicht.« Der alte Mann legte weitere Klumpen von Kopal ins Feuer. Das Harz schmolz und warf Blasen, und Wolken von beißendem Rauch stiegen auf. Die geraden, dünnwandigen Gefäße erschienen ihm gleichzeitig fremdartig und wohlbekannt.

»Alles bewegt sich im Kreis«, sagte Chan Ma'ax. »Verstehst du?« Er zeichnete mit den Fingern Kreise auf den Boden. Es waren zwei kleine übereinander und ein größerer. Er berührte den oberen kleinen Kreis und sagte: »Namen.« Er berührte den unteren kleinen Kreis und sagte: »Zahlen. Dreizehn Zahlen und zwanzig Namen. Ergibt zweihundertsechzig Tage. Sieh her. Ein Imix.« Er zeichnete einen Punkt über jeden Kreis. »Das könnte der Name eines Tages sein. Der nächste Tag ist dann zwei Ik.« Er bewegte sich im Uhrzeigersinn um die Kreise und beschrieb einen zweiten Kreis auf jedem. »Dann ist der nächste Tag drei Akbal. Die Namen sind immer in der gleichen Anordnung, verstehst du? Bis hin zu dreizehn Ben, und dann gibt es keine Zahlen mehr. Also fängt man mit den Zahlen von vorn an und macht mit den Namen weiter. Bei diesem Durchgang sind die Zahlen also mit anderen Nummern verbunden.«

»Langsam«, sagte Eddie. »Das begreife ich nicht.«

»Weil es mehr Namen als Nummern gibt. Sie erscheinen immer wieder in anderen Kombinationen. Eins Ix, zwei Men, drei Cib. Bis zu sieben Ahau, dann hat man alle Namen aufgebraucht. Und dann fährt man mit den Zahlen fort und fängt bei den Namen von vorn an. Acht Imix, neun Ix und so weiter. Verstehst du?«

»Ich glaube. Aber was hat das damit zu tun, wie ich meinen Weg zurück in die andere Zeit finden soll?«

»Sehr viel. Paß auf! Hier hast du diese beiden kleinen Räder. Das sind die Tage des Ritualkalenders. Dann hast du die Tage des Sonnenkalenders. Das ist der große Kreis. Der entspricht eurem Kalender. Achtzehn Monate von je zwanzig Tagen. Außerdem die fünf Unglückstage von Uayeb. Ergibt 365 Tage.«

»Warum habt ihr beide Sorten?«

»Man verbindet die Tage des Ritualkalenders mit denen des Sonnenkalenders. Dadurch bekommt man noch viel mehr Arten von Tagen. Auf diese Weise kehrt jeder Tag nur alle zweiundfünfzig Jahre des Sonnenkalenders wieder. Das bedeutet, wenn heute zwölf Ix neunzehn Yaxkin ist, dann dauert es zweiundfünfzig Jahre, bis wieder zwölf Ix neunzehn Yaxkin ist.«

»Warum kannst du mir nicht einfach sagen, welches Jahr gerade ist, ich meine *wirklich?* Welche Jahreszahl schreibt man jetzt, gerechnet nach der Art, wie man in der anderen Zeit die Jahre zählt?«

»Das besagt gar nichts. Jeder Tag ist anders, jeder Tag ist besonders. Jeder Tag ist wie eine Person. Siehst du, du weißt nicht einmal, welcher Tag ist.« Er wischte seine Zeichnung mit der Seite seiner Hand weg und lächelte. »Ich weiß es. Deshalb bin ich *t'o'ohil*. Wenn du ein *bara-*

cho bist wie Nuxi', oder wenn du *ts'ul* bist, dann weißt du nie, welcher Tag ist. Bald, in der anderen Zeit, wird sogar kein Mensch mehr die Namen der Tage kennen.«

»Warum ist das so wichtig?«

»Wenn zwei Tage denselben Namen haben, dann sind sie auch dasselbe. Das muß man wissen, um zu wissen, ob ein Tag gut oder schlecht werden wird. Man muß wissen, zu welchen Göttern man beten muß, und wann. Man muß wissen, wo man sich befindet, wenn man sich zwischen den Tagen hin und her bewegt.«

»Zwischen den Tagen?« sagte Eddie. »Meinst du so, wie ich es gemacht habe?«

»Ja. Wenn die Tage denselben Namen haben, kann man zwischen ihnen im *hach pixan* pendeln.« Chan Ma'ax berührte die Haut unter seinem rechten Auge mit dem rechten Zeigefinger. »Das ist bekannt.«

Eddie rieb sich die Stirn. Der Rauch und das Gewicht dieser neuen Gedanken bereiteten ihm Kopfschmerzen. Erinnerungen an die andere Zeit tauchten in ihm auf. »Was willst du von mir?« fragte er. »Du warst es, der mir die Pilze gezeigt hat. Du wolltest, daß ich das tat. Warum?«

»Das weiß ich nicht ganz genau. Denn, was mich betrifft, ich bin dir in jener anderen Zeit noch nicht begegnet. Ich habe dir die Pilze nicht gezeigt. Aber du bist hier, also muß ich sie dir gezeigt haben. Reicht das nicht als Begründung?«

»Nein«, sagte Eddie.

»Dann will ich dir folgendes sagen: Manche Menschen ruft der Pilz. Er kann sie von der anderen Seite der Welt herüberbringen. Sofern er Arbeit für sie hat. Vielleicht hat er dich hergeführt, um dir ein bestimmtes Wissen zu vermitteln.«

»Sieh mal, Chan Ma'ax, langsam fällt es mir ein bißchen schwer zu glauben ...«

»Denk mal darüber nach. Was hast du gelernt?«

Eddie blickte ins Feuer. Er erinnerte sich, daß er den Pilz zuvor schon einmal genommen hatte. Dunkel. Er erinnerte sich an Teilstücke eines anderen Lebens. »Gelernt ... eigentlich nichts.« Es gab etwas, das Chan Ma'ax früher einmal zu ihm gesagt hatte. »Oder vielmehr, ich weiß es nicht, es war wie ein Abschied. Von einem Teil von mir. Von Dingen, die mir wichtig erschienen.«

»Du hast dich von dem Teil von dir verabschiedet, der Eddie war. Und dich dem Teil geöffnet, der jemand anders ist.«

Eddie erschauderte. »Kukulcán«, sagte er.

Chan Ma'ax nickte. »Mein Volk nennt ihn Akyantho. Der Gott der Fremden. Der Gott mit der blassen Haut, wie ein Toter.«

»Ich bin kein Gott«, sagte Eddie.

»Nein«, bestätigte Chan Ma'ax. »Du bist *xiw.* Du nimmst den Platz eines Gottes ein. Du mußt dich selbst aufgeben.«

»Wie meinst du das?« sagte Eddie. »Sprichst du von einem Opfer? Hast du vor, mich auf einen Altar zu legen und aufzuschlitzen?«

»So nicht. Beruhige dich. Du mußt auch noch den restlichen Teil von dir, der Eddie ist, aufgeben. Du mußt aufhören, der zu sein, der du glaubst zu sein, und der sein, der du sein mußt.«

Eddie schüttelte den Kopf. »Wie bin ich denn bloß da hineingeraten? Ich bin ein ganz gewöhnlicher Mensch. Ich bin wie alle anderen. Du stellst es so dar, als ob ich ... für etwas ganz Großes bestimmt sei oder so.«

»Du wolltest doch wissen, wo du in der Welt hingehörst, oder nicht?«

Eddie zuckte die Achseln.

»Die Welt ist voll von uns. Wir alle haben einen Platz. Wir alle haben eine Aufgabe. Der Sinn der Welt ist es, sich in den Kreisen zu bewegen und besser zu werden. Sich zu erneuern. Du hast einen ureigenen Anteil daran.

Du kommst aus der Zeit des *xu'tan.* Das ist das Ende der Welt.«

»Soll das wieder ein Scherz sein?« fragte Eddie. »Wenn du vom Ende der Welt sprichst, willst du damit sagen, daß alle Menschen sterben?«

»Das Ende des Kreises. Nicht der kleinen Kreise, die ich vorhin aufgezeichnet habe, sondern des großen Kreises. Es gab vier Welten vor dieser. Dieses ist die fünfte. Kukulcán war dabei, als sie entstand. Er setzte sie in Bewegung.«

»Was wird geschehen?«

»Einige Menschen werden sterben. Diejenigen, die sich nicht ändern können. Wie ich. Vielleicht auch wie du. Ich kenne dich noch nicht. Die erste Welt war die Welt der Riesen. Sie wurden von Jaguaren getötet. In der zweiten Welt lebten Menschen, doch die meisten von ihnen wurden von einem gewaltigen Sturm getötet. Die Überlebenden wurden in Affen verwandelt. Dann entstand eine neue Welt mit verschiedenen Völkern, und die meisten davon wurden von einem Feuerregen getötet. Die Überlebenden wurden in Vögel verwandelt. Die Menschen der vierten Welt starben in einer Sintflut. Die Überlebenden wurden in Fische verwandelt.«

»Und diesmal? Was geschieht diesmal?«

»Diese Welt wurde in Bewegung geboren, sie wird auf dieselbe Weise sterben.« Er hielt die Hände mit nach unten gerichteten Innenflächen ausgestreckt vor sich und wippte damit auf und nieder. »Die Erde selbst wird sich bewegen.«

»Cabracan«, sagte Eddie.

»Ach«, sagte Chan Ma'ax. »Du kennst die Geschichte.«

»Du hast sie mir erzählt.«

Chan Ma'ax nickte. »Daran werde ich mich erinnern müssen. Ja, Cabracan wird aufwachen. Er wird die Berge erschüttern, und sein Bruder Kisin wird kommen und die Toten abholen. Und du wirst die Überlebenden von den Bergen hinunterführen in die Städte. Dann wirst du die Übriggebliebenen mit in die neue Welt hinübernehmen.«

»Das hört sich gar nicht nach mir an. Es fällt mir schwer, mir das vorzustellen.«

»Nicht Eddie. Kukulcán. Hör zu! Um den Feuerregen zu überleben, muß man ein Vogel werden und wegfliegen. Um die Sintflut zu überleben, muß man ein Fisch werden. Das ist die Lektion, die es zu lernen galt. Um das *xu'tan*, das Ende der Welt, zu überleben, muß man sich verwandeln.«

»In was verwandeln?«

»Ich weiß es nicht, vielleicht in etwas, das es noch nie zuvor gegeben hat. Etwas, das in der neuen Welt leben kann. Die neue Welt erfordert neue Dinge und neue Menschen. Vielleicht wird es eine Welt mit *computadores* sein, und auch mit Mahagoni. Eine Welt ohne *evangelistas* und ohne *bombas atómicas.* Wer weiß? In den Geschichten versuchte Kukulcán, die Leute von Krieg und Menschenopfern abzubringen. In dieser Welt wurde er ausgestoßen. Vielleicht wird es in der nächsten anders sein.«

Einer der Haawo' gab einen Pfiff von sich und trat ein. Er kniete vor Chan Ma'ax nieder und zeigte ihm eine Handvoll Pfeile. »Wir haben vierhundert, *t'o'ohil.*«

Chan Ma'ax hielt einen davon hoch, damit Eddie ihn sehen konnte. Er war ziemlich verbogen und mit zerzausten Federn versehen, die mit einem Faden festgebunden waren. »Man hält die Enden ins Feuer, um sie zu härten, verstehst du? Ich erlaube nicht, daß sie Pfeilspitzen besitzen, denn die weißen Männer in jener zurückliegenden anderen Zeit würden sie finden und verrückt werden.«

Eddie sagte: »Du hast ihnen gezeigt, wie man Pfeil und Bogen macht?«

»Natürlich. Ich will doch, daß sie gewinnen, verstehst

du?« Er reichte den Bogen zurück. »Sehr gut. Denkt daran, euch Zeit zu lassen! Benutzt sie mit Verstand!«

Der Haawo' nickte. »Wir sind bereit, *t'o'ohil.*«

»Kukulcán«, sagte Chan Ma'ax. »Du mußt noch eine Lektion lernen. Geh jetzt mit diesen Männern und tu ... tu, was dir richtig erscheint. Dann mußt du einen Weg finden, um dorthin zurückzugelangen, woher du gekommen bist.«

»Komm!« sagte der Hawoo'. »Es ist Zeit.«

Eddie blieb in der Tür stehen. Chan Ma'ax nickte ihm zu und sagte: *»Ki'iba' a wilik.«* Das war der Gutenachtgruß der Lacandonen. Er bedeutete »gib acht auf das, was du siehst«.

In der Nacht brannten überall Freudenfeuer. Eins war in der Mitte der festgestampften Erde zwischen den Hütten, andere loderten weiter in der Ferne, flackerten zwischen den Bäumen.

Eddie und der Haawo'-Krieger traten aus der Hütte und hielten inne. Der Haawo' hob beide Hände in die Luft und rief: »Kukulcán!«

Es waren wohl an die hundert Männer anwesend, die in einem Halbkreis auf der anderen Seite um das Feuer standen. Sie wiederholten den Namen »Kukulcán« wie ein Echo, immer wieder, bis es sich wie ein Wald voller Vögel anhörte. Die meisten von ihnen waren mit Bogen bewaffnet, die sie in die Luft streckten und schwenkten.

Der Mann führte Eddie an den Rand des Feuers. Er tauchte die Finger in die Asche und zeichnete sorgfältig eine Waschbären-Maske um Eddies Augen. »Jetzt bist du auch ein Haawo'«, sagte der Mann.

Er zerrte an Eddies Gewand, und Eddie legte es ab. Nun war er wie die anderen lediglich noch mit einem Lendentuch bekleidet. Sie fingen an, zu zweit und zu dritt in den Wald zu laufen.

Der Mann bot Eddie einen Bogen und fünf Pfeile an.

Der Bogen kam ihm vertraut vor. Ein Bekannter von Eddie fertigte Spielzeugbogen dieser Art an, mit dem gleichen Federschmuck und den Schnitzereien. Er verkaufte sie an Fremde und benutzte das eingenommene Geld, um sich zu betrinken. Das muß wohl, dachte Eddie, in der anderen Welt gewesen sein. Die Bogen waren von ausgewachsener Größe und mit milchiggelbem Darm bespannt.

Eddie schüttelt den Kopf. »Nein«, sagte er. »Vielen Dank. Behalte sie.«

»Komm!« sagte der Mann. Eddie trottete hinter ihm her, zurück nach Na Chan.

Im Dschungel wimmelte es von Haawo'. Ihre rennenden Füße verursachten ein dumpfes, klatschendes Geräusch, das von überallher gleichzeitig kam. Jemand fing an zu singen, und die anderen fielen ein. Eddie konnte nicht jedes Wort verstehen, aber es ging offenbar um Hunahpuund Xbalanque. Und um Kukulcán.

Anstatt den Hügeln über der Stadt zu folgen, schlugen sie einen Bogen nach Westen. Schließlich verließen sie den Wald und überquerten eine Straße aus festgestampfter Erde in Richtung des großen Platzes. Im Mondschein wirkten die Rot- und Gelbtöne der Tempel verwaschen, und die Fackeln waren weit heruntergebrannt.

Die Stadt schien verlassen, mit Ausnahme von zwei Wachtposten, die die Straße von einem Tempel an der Westseite des Platzes aus beobachteten. Eddie sah, wie sie starben. Auf zwei Pfeile, die ihr Ziel verfehlten, kamen jeweils zwei Treffer, doch jeder der beiden Männer wurde von dreien oder vieren erwischt, und das genügte.

Ein Mann mittleren Alters, der sie geführt hatte, stieß einen schrillen Pfiff aus. Die Haawo' hielten an und formierten sich zu einer unordentlichen Linie, die sich über die ganze Länge der einen Seite des Platzes erstreckte. Sie stießen ihre Pfeile in den Boden zwischen den Pflastersteinen, Hunderte gleichzeitig. Das Geräusch glich dem eines heftigen Regenschauers. Die meisten von ihnen hatten die Bogen über der Schulter getragen, jetzt nahmen sie sie ab und spannten die Sehnen mit Pfeilen.

Der Armee des Herrschers war soeben aufgefallen, daß etwas im Gange war. Die Soldaten erhoben sich mühsam, griffen nach ihren Speeren und versuchten, sich schnell irgendwo in Sicherheit zu bringen.

Sie hatten nicht die geringste Chance. Der erste Schwarm von Pfeilen flog wild durcheinander, doch er erzielte eine beachtliche Wirkung. Aus so kurzer Entfernung trafen sogar die derben Pfeile der Haawo' noch ziemlich genau. Einige der Haawo' hüpften vor Aufregung und Freude auf und ab. Überall erklangen Schreie. Der Anführer brüllte ihnen zu, sich Zeit zu lassen, sorgfältig zu zielen, die Pfeile nicht zu vergeuden.

Die zweite Ladung war gezielter und doppelt so tödlich. Die Männer des Herrschers hatten nicht einmal Zeit zurückzuschießen. Sie starben dort, wo sie lagen, und während sie starben, holten ihre Arme noch zum Wurf mit den Speeren aus. Sie starben, während sie ihre Waffen blindlings in eine Wand von Pfeilen schleuderten, und schließlich starben sie, während sie flohen. Sie kamen nicht dazu, allzuviel Speere zu werfen, und diejenigen, die sie warfen, trafen kaum jemanden. Die Haawo', die keine Pfeile hatten, nahmen die Speere und schleuderten sie zurück, um auf diese Weise zu dem Blutbad beizutragen.

Innerhalb von zehn Minuten war der Platz leer, abgesehen von den Toten und Verwundeten.

Es gab viele Verwundete. Sie lagen schreiend oder mit entsetztem, starrem Blick in ihrem Blut, und gefiederte Stäbe ragten aus ihren Körpern. Die Pfeile ohne Kopf drangen nicht sehr tief ein, und es waren eher der Schreck und der Schmerz, die die meisten von ihnen zu Boden geworfen hatten. Die Haawo' bewegten sich über den Platz und schnitten mit ihren Messern aus Obsidian Kehlen durch.

»Eddie?«

Er drehte sich um. Es war der Anführer, der lächelte und sich auf seinen Bogen stützte. Er wirkte irgendwie vertraut, auf die gleiche Art, wie es bei Chan Ma'ax der Fall gewesen war.

»Der *to'o'hil* hat mir von dir erzählt«, sagte er. »Er meinte, eines Tages würde ich dich besser kennen. In der anderen Zeit, weißt du? Ich heiße Nuxi'.«

Eddie versuchte, sich ihn als alten Mann vorzustellen. Es bestand eine gewisse Ähnlichkeit. »Auch du träumst das alles hier«, sagte Eddie.

Er deutete mit einer umfassenden Handbewegung auf die Haawo' rings um sie herum. »Viele von uns träumen das alles hier. Die anderen stammen aus einer Zeit vor deiner und meiner und der von Chan Ma'ax. Nach uns ist niemand mehr gekommen. Wir sind die letzten.«

»Was ist mit den Toten?« fragte Eddie. »Sind sie wirklich? Oder träumen sie nur, daß sie tot sind?«

Nuxi' lachte und trat gegen den Fuß einer Leiche, die direkt vor ihm lag. Dem Toten war die Kehle durchgeschnitten worden, und der Kopf war im Halbkreis weggerollt, wobei das lange schwarze Haar des Mannes die Blutlache darunter zu gekurvten Linien verschmiert hatte. Eddie sah den ausgefransten, gelblichen Klumpen eines Halsmuskels, mit Dreck verklebt.

»Der Traum dieses Kerls hier ist ziemlich *hach pixan,* was?« sagte Nuxi'. »Ich würde sagen, er ist ganz schön tot.«

Der Anblick war so grausig, daß Eddie die Augen abwandte. »Wenn ich hier sterbe, was passiert dann mit mir?«

»Ich schätze, dann wirst du träumen, daß du tot bist.«

»Ein Wirklichkeitstraum? Ein *hach pixan?*«

Nuxi' lachte wieder. »So etwas kann nur ein *ts'ul* fragen.« Er zog sich den Bogen über den Kopf und wandte sich in Richtung des Waldes. »Ich werde dich wiedersehen, doch dann wirst du dich nicht an mich erinnern.«

Eddie wanderte ziellos über den Platz. Er erinnerte sich an etwas, das Vietnam hieß. Er wußte nicht genau, was das Wort bedeutete, doch er hatte dabei die Vorstellung von Lichtungen, die dieser hier ähnelten, voller Toter und Sterbender und Menschen, die vor Schmerz schrien. Vietnam war etwas, das er einst zu beenden versucht hatte, und jetzt war er hier, inmitten von etwas, das kein bißchen besser zu sein schien.

Alles dreht sich im Kreis, hatte Chan Ma'ax gesagt. Alles geschieht immer wieder und wieder.

Aber Chan Ma'ax hatte auch gesagt, daß sich die Dinge verändern müssen. Daß sich Eddie verändern müsse. Irgendwo mußte es anfangen. Vielleicht fing es hier an.

Eddie rannte auf den Palast zu.

Die Wachen des Herrschers lagen in Blutlachen auf den Stufen. Eddie huschte an ihnen vorbei und stöhnte auf, als ihn etwas in die Seite stach. Er lief durch verqualmte, flackernde Korridore in den Innenhof. In einigen der Räume loderten Flammen; man hatte alles Brennbare aus dem Besitz des Herrschers in Brand gesteckt.

In dem Moment, als Eddie klar wurde, daß er eigentlich nicht wußte, wohin er eilte, hörte er einen schrillen Schrei. Er folgte ihm durch einen weiteren langen Korridor in das Schlafgemach des Herrschers.

Eine schmuckvolle Hängematte füllte den größten Teil des Raumes. Überall auf dem Boden lagen Scherben von grell bemalten Töpferwaren herum, und inmitten dieser Trümmer hielten fünf Haawo' den Herrscher auf dem Rücken ausgestreckt fest. Vier hielten ihn an Armen und Beinen fest. Ein fünfter zog eine schmale Linie aus Blut quer über die Leistengegend des Herrschers. Der Herrscher schrie und heulte. Der Haawo' mit dem

Messer wirkte eher peinlich berührt und ängstlich als alles andere.

»Laßt ihn los!« sagte Eddie.

Der Mann mit dem Messer hielt inne und sah zu Eddie auf.

»Kukulcán«, sagte er. Der Herrscher schrie immer noch, und der Mann versetzte ihm einen fast sanften Tritt. »Sei still!« fuhr er ihn an.

»Ihr braucht ihn nicht zu töten«, sagte Eddie. »Es ist vorbei.«

»Er hat noch Schulden«, sagte der Mann. »Er soll sie begleichen.«

»Warum?« sagte Eddie. »Wenn es euch darum geht, die Städte zu verlassen, dann tut es doch. Die Städte werden ohne euch zugrunde gehen. Die Priester und die Edlen werden niemanden mehr haben, der die Nahrungsmittel für sie anbaut oder für sie auf die Jagd geht oder ihnen ihre Kleidung näht. Reicht das nicht?«

Einer der anderen sagte: »Dann ist es vielleicht besser für sie, jetzt gleich zu sterben!«

»Eure Aufgabe ist es«, sagte Eddie, »neue Dinge zu schaffen.« Ihm standen nicht die richtigen Worte zu Gebote, um genau das zu sagen, was er eigentlich meinte. »Denkt über Neuerungen nach. Lebt euer eigenes Leben. Denkt nicht mehr an das Alte. Es wird für sich selbst sorgen.« Ihm kam es so vor, als hätte er selbst diesen Fehler an anderen Orten gemacht.

»Laßt ihn los!« sagte der Mann mit dem Messer. Sie gehorchten ihm, standen auf und wichen von dem Herrscher zurück. Der Herrscher kroch in eine Ecke und hielt sich die Knie an die Brust gedrückt. Seine Augen waren weit aufgerissen und starrten ins Leere, offenbar ohne daß sie etwas wahrnahmen.

Der Mann mit dem Messer verschränkte die Arme und verneigte sich vor Eddie. »Kukulcán«, sagte er und legte das Messer Eddie zu Füßen.

»Geh hin und sprich mit den anderen«, sagte Eddie.

»Sag ihnen, sie sollen mit dem Töten aufhören und zurück in den Wald gehen. Sag ihnen ... Kukulcán hat dir das aufgetragen.« Diesmal verneigten sich alle. »Geht jetzt!« sagte Eddie.

Sie ließen ihn mit dem Herrscher allein. Er verdient den Tod, dachte Eddie, wenn ihn je jemand verdient hat. Er hob das Obsidianmesser auf, um es in der Hand zu wiegen. Ich könnte mich umbringen, dachte Eddie. Doch übte diese Vorstellung keinen Reiz auf ihn aus. Töten ist leicht, sagte er sich, zu leben schwer.

Er ging zurück und blieb auf dem obersten Absatz der Palaststufen stehen. Seine Befehle wurden weitergegeben. Er sah, daß die Haawo' ihre Messer weglegten. Einige von ihnen standen unter dem heftigen Adrenalineinfluß ihrer Blutgier und mußten gewaltsam von ihrem Morden weggezerrt werden. Doch die meisten sahen erleichtert aus, weil sie einen Grund zum Innehalten hatten.

Eddie spürte die Macht in sich. Er hatte die Dinge geändert. Hatte dem Töten ein Ende bereitet. Genau wie Kulkucán.

Vielleicht *war* er tatsächlich Kulkucán.

Ein wenig von seinem früheren Ich lungerte noch immer in ihm herum. Er schickte es weg.

Er war Kukulcán. Er war dabeigewesen, als diese Welt geschaffen wurde. Chan Ma'ax hatte gesagt, er würde auch bei ihrem Ende dabeisein. Er hätte Gelegenheit, die neue Welt zu formen, die Menschen vom Töten abzubringen.

Wenn er nur den Weg zurück zu ihr fände!

CARMICHAEL HALF OSCAR DABEI, den Hubschrauber von Blättern und Zweigen freizuräumen. Alle paar Minuten sah Oscar zum Lager zurück, da er darauf wartete, daß Faustino mit der Benzinpumpe auftauchte. Carmichael machte keinen Versuch, eine Unterhaltung zu beginnen. Jetzt, da er Zeit dazu hatte, überdachte er das Ganze noch einmal.

Er kannte Oscar noch nicht einmal eine Stunde. Der Typ war alt genug, um einen Kugelbauch und Falten um die Augen zu haben, trotzdem gebärdete er sich immer noch wie ein jugendlicher Macho. Carmichael störte diese Rockstar-Aufmachung mit den schulterlangen Haaren, der verspiegelten Sonnenbrille und dem vor Lässigkeit strotzenden Gang. In L.A. wäre er eine Witzfigur gewesen. Carmichael versuchte, trotzdem Vertrauen zu ihm zu fassen. Hier unten galten nun mal andere Maßstäbe.

Doch das war keine Entschuldigung für den Zustand des Hubschraubers. Der, den sie aus Marsalis' Bestand entführt hatten, hatte im Innern wenigstens nach frischem Anstrich und Reinigungsmitteln gerochen. Oscar war mit Schichten klebrigen Drecks bedeckt, und die Farbe blätterte ab. Die Bespannung der Sitze war schon ziemlich abgewetzt, so daß die Fasern darunter sichtbar waren. Die Sitzgurte waren spröde, und sämtliche Dichtungsleisten waren brüchig und zum Teil losgerissen.

»Reich mir bitte den Werkzeugkasten hinauf, wenn ich oben bin, ja?« sagte Oscar. Er kletterte auf den Hubschrauber, bis ganz hinauf zum Rotorkopf. Carmichael reichte ihm das Werkzeug. Oscar hatte die Motorhaube geöffnet, als Faustino zurückkam. Er hatte die Benzinpumpe bei sich, eingewickelt in ölige Lumpen.

Oscar betrachtete sie prüfend, nickte und machte sich ans Werk. Er brauchte ungefähr zehn Minuten, um alles wieder an Ort und Stelle zu bringen. Er kletterte herunter, wischte sich die Hände ab und streckte die schwarz verschmierte Linke zu Faustino aus. »Ich brauche den Schlüssel«, sagte er auf spanisch.

»Warum?«

»Ich muß feststellen, ob er auch wirklich läuft.«

Carmichael beobachtete Faustino, der offensichtlich darüber nachdachte. Er versuchte wohl zu entscheiden, ob Oscar eine Flucht im Schilde führte. Schließlich sagte er: »Na gut.« Er hätte sein Gewehr in Anschlag bringen können, damit Oscar gar nicht auf solche Gedanken gekommen wäre, doch er tat es nicht. Carmichael fand, daß das von einem gewissen guten Stil zeugte.

Oscar ergriff den Schlüssel und nahm auf dem rechten Sitz Platz. »Aus dem Weg!« schrie er, und Faustino und Carmichael wichen zurück. Er fing an, allerlei Schalter zu bedienen. Nach ein paar Minuten zündete er den Motor, der beim ersten Versuch ansprang. Er ließ ihn laufen, die Rotoren wurden allmählich schneller, und die Turbinen dröhnten höher. Dann schaltete er ihn wieder aus.

»In Ordnung?« rief Faustino.

Oscar machte ihm das Okay-Zeichen mit nach oben gerichteten Daumen, sah sich jedoch noch ungefähr eine weitere Minute lang prüfend die einzelnen Instrumente an. Er wägt wohl seine Chancen ab, vermutete Carmichael.

Schließlich stieg Oscar aus und schloß die Tür. Zwei junge Rebellen kamen mit dem M60-Maschinengewehr aus Marsalis' Hubschrauber herangerannt. Sie befestigten es auf einer Plattform direkt vor der Ladeluke, während Oscar seine Überprüfung fortsetzte. Er schien nicht besonders zufrieden.

»Diese beiden *companeros* werden mit euch kommen«, sagte Faustino.

»*Claro*«, sagte Oscar.

»Wenn du versuchst, mit dem Hubschrauber abzuhauen, werden sie dich töten. Sie wissen, daß sie sterben müssen, wenn der Hubschrauber abstürzt. Sie sind sehr tapfer, und es macht ihnen nichts aus. Begreifst du, was das heißt?«

»Ja«, sagte Oscar.

»Okay«, sagte Faustino. »Viel Glück!« Er machte keine Anstalten zum Händeschütteln. Aber schließlich, dachte Carmichael, waren Oscars Hände auch sehr dreckig.

Faustino entfernte sich. Carmichael sagte: »Jetzt haben wir also auch Soldaten dabei.«

»Ja«, sagte Oscar. »So lautete die Abmachung.«

»Ich befürchte, ich habe das nicht richtig verstanden. Ich ging davon aus, daß wir nur ein paar Erkundigungen durchführen sollten und uns dann aus dem Staub machen könnten.«

»So einfach ist hier nichts.«

»Jetzt mußt du also, selbst wenn Carla beschließt, dich laufen zu lassen, wieder hierher zurückkommen, um diese beiden Kerle abzusetzen.«

»Bleib hier, wenn du willst!« Oscar zuckte die Achseln. »Vielleicht bist du gerade zur Stelle, wenn ich die beiden absetze, und kannst dann bei mir einsteigen. Aber wenn die beiden erschossen werden oder aus der Maschine fallen, dann, Bruder, bin ich weg von hier.«

Sie sahen einander ein paar Sekunden lang an. Auch er hat Angst, erkannte Carmichael. Dieser Gedanke machte ihn auch nicht gerade zuversichtlicher. »In Ordnung«, sagte Carmichael. »Ich bin dabei.«

»Dann wollen wir mal!« sagte Oscar.

Als sie sich über die Baumwipfel erhoben, entfaltete sich die Landschaft für Carmichael in ihrer ganzen Pracht. In den langen Strahlen der untergehenden Sonne waren alle Farben kräftig und eindringlich. Die Ebene im Westen zeigte sich in sattem Gelbgrün, gesprenkelt mit den dunkelgrünen Tupfen der Bäume. Der Wald selbst mit seinen Schattenstreifen war vom dunkelsten Grün, das bis an das tiefe Blau des Himmels heranreichte. Sie stiegen in östliche Richtung höher, über das silbern glitzernde Band des Flusses, und drehten dann nach Süden ab. Der Krater von El Chichón lag direkt vor ihnen, etwa zwanzig Meilen entfernt.

Carmichael hörte, daß Oscar mit den Rebellen sprach. In Carmichaels Kopfhörer war der externe Kanal auf Flüsterlautstärke heruntergedreht. Einen Moment lang verspürte er das heftige Verlangen, weg von hier zu sein, unterwegs nach Hause, außer Gefahr.

Fang nicht so an, ermahnte er sich selbst. Denk nicht mal so was!

Die Tür der linken Frachtluke war in geöffneter Position eingerastet, so daß die Rebellen jederzeit an das Maschinengewehr gelangen konnten. Das Innere des Hubschraubers war wie ein Windkanal. Als sich Carmichael nach hinten umsah, lehnten sich die beiden Rebellen durch die offene Tür hinaus wie Kinder auf der Ladefläche eines Lieferwagens.

Ein Klicken ertönte in Carmichaels Kopfhörern. »Ich drehe jetzt eine Beobachtungsrunde«, sagte Oscar auf englisch. »Es dürfte keine Schwierigkeiten geben. Jedenfalls nicht gleich. Bei diesem Licht können sie den Unterschied zwischen uns und einer ihrer Maschinen nicht ausmachen. Sie werden ihre eigenen Leute nicht abschießen.«

Carmichael fand den Fußschalter für den Intercom. »Was meinst du mit ›nicht gleich‹? Wann *wird* es Schwierigkeiten geben?«

»Wenn wir anfangen zu schießen, vermute ich.«

»Ich dachte, wir wären nur Kundschafter.«

»Siehst du die beiden Jungen da hinten? Sie waren früher mal bei der Guardia. Sie wissen, wie man eine M60 bedient. Sie sind nicht nur aus dem Grund mit hier oben, weil sie auf mich aufpassen sollen. Ich dachte, das hättest du begriffen. Die Frage ist nur, wie lange sie sich beherrschen können, bis sie mit der Ballerei anfangen.«

»Und was geschieht dann?«

»Wir müssen das Beste aus der Sache machen, Mann.«

Sie schwenkten in einer weiten Schleife nach Westen ab. Zunächst versuchte Carmichael, sich dagegenzulehnen, als sich der Boden unter ihm neigte. Doch das machte das Ganze nur noch schlimmer. Er sah, daß Oscar aufrecht in seinem Sitz saß, und zwang sich, es ihm gleichzutun.

»Wie sieht es mit dir aus?« fragte ihn Carmichael. »Thomas hat mir erzählt, daß du in Texas gelebt hast. Ist das nicht ... ich meine, hast du nicht ein etwas merkwürdiges Gefühl bei diesem Unternehmen?«

»Hör mal zu, Mann! Ich habe nichts gegen euch Kerle, jeden einzelnen, verstehst du? Aber verlang nicht von mir, daß ich mit diesen Arschlöchern da unten Mitleid haben soll. Es paßt mir nicht, daß sie hier sind, sie haben hier nichts verloren.«

Über der Ebene im Westen richtete der Hubschrauber sich wieder gerade auf. Der Wald hier war viele Jahre zuvor gerodet und verbrannt worden, um landwirtschaftliche Nutzfläche zu schaffen, und nachdem der Boden ausgelaugt war, waren die Bauern weitergewandert. Inzwischen war eine grasbewachsene Steppe entstanden. Erst in hundert Jahren würde es vielleicht wieder ein Dschungel sein.

Jetzt lag Na Chan ziemlich genau hinter ihnen, während sie in den Sonnenuntergang flogen. Es war schwer, in dem Zwielicht etwas zu erkennen. Das erste, was Carmichael von Marsalis' Armee sah, war ein Aufblitzen auf der rechten Seite, hinter Oscars Fenster. Oscar drehte rechtzeitig nach Norden ab, so daß Carmichael Feuer und Rauch aus den Ruinen aufsteigen sah.

»Mörser«, sagte Oscar. »Da haben wir die Bescherung!« Er sprach über Funk mit Carla. Seine Stimme klang in den Kopfhörern, als ob er sehr weit weg wäre. Ein weiterer Mörser eröffnete das Feuer, keine dreißig Meter von dem anderen entfernt.

Oscar sagte: »Du sprichst doch Spanisch, oder?«

»Ja.«

»Diese *vaqueros* da hinten haben keine Kopfhörer. Du mußt nach hinten klettern und ihnen beibringen, daß sie nicht schießen dürfen, bevor ich es ihnen sage. Es ist unbedingt nötig, daß sie das begreifen. Wenn sie wie wild herumballern, bedeutet das den Tod für uns alle.«

»Du meinst ... ich soll einfach aufstehen und da hinten reingehen?« Er malte sich aus, wie er ausrutschen und durch die offene Ladeluke hinausfallen würde.

»So habe ich mir das gedacht«, sagte Oscar und nickte. »Glaubst du, du schaffst das?«

Carmichael nahm den Kopfhörer ab und hängte ihn über sich an einen Haken. Er öffnete die Schnalle seines Gurts. Oscar sah zu ihm herüber, wobei die letzten Strahlen der untergehenden Sonne in den Spiegelgläsern seiner Brille funkelten. Dann nahm er die Brille ab und steckte sie in die Tasche. Er blinzelte Carmichael zu und wandte den Blick wieder nach vorn.

Carmichael kam zu dem Schluß, daß das Machogehabe nicht nur aufgesetzt war.

Er stand auf, umklammerte die Rückenlehne seines Sitzes und trat vorsichtig über die Schalterkonsole zwischen den Sitzen. Er fand Haltegriffe in dem freiliegenden Gerüst der Decke. Er mußte seine Hände zwingen, jeweils einen loszulassen und den nächsten zu ergreifen.

Die Sonne war jetzt nur noch ein Streifen am Horizont. Der Schwall feuchter Nachtluft trieb ihm unweigerlich Tränen in die Augen. Er beugte sich hinunter zu dem Rebellen, der ihm am nächsten auf einem der mit grünem Segeltuch bespannten Passagiersitze saß und gerade dabei war, Munitionsgurte aus ihren Kisten zu nehmen. Der andere Mann spähte bereits nach draußen, die Hände an den Griffen des Maschinengewehrs.

»Ihr müßt warten!« schrie er dem näheren Mann zu. »Ihr dürft noch nicht schießen, nicht bevor Oscar es euch sagt! Okay?«

»Okay«, antwortete der Mann. Er war so dürr, daß seine hohle Brust mit den eingefallenen Schultern eine tiefe Kuhle bildete. Er trug ein schmutziges weißes T-Shirt, Jeans und Turnschuhe. Er war dabei, sich einen Schnurrbart wachsen zu lassen, ohne nennenswerten Erfolg. Er schien Carmichael überhaupt keine Beachtung zu schenken.

»Es ist sehr wichtig«, sagte Carmichael. »Bis jetzt wissen sie noch nicht, wer wir sind, verstehst du? Und so soll es noch eine Weile bleiben, bis wir ganz nahe dran sind. Okay?«

»*Sí*«, antwortete der Mann. Er reichte dem Schützen einen der Munitionsgurte, der ihn mit kleinen Fingerschlägen in den offenen Einschub des Maschinengewehrs stieß.

»Du mußt es unbedingt *ihm* da auch sagen, okay?«

Endlich wandte sich der Mann an den Schützen und gab die Botschaft weiter. Jedenfalls hatte es den Anschein, als ob er es täte. Der Wind trug den größten Teil seiner Worte davon. Der Schütze sah Carmichael an, dann wieder den anderen Rebellen, und nickte.

Carmichael spürte ihre Ablehnung. Er hätte sich gern wieder auf seinen Platz gesetzt, aber er wollte vermeiden, daß die Rebellen seine Angst sahen. Also stand er da, harrte aus und blickte hinaus, wo das dunkle Blau des Himmels an die Schwärze der Landschaft grenzte. Der Mond stand bereits hoch am Himmel, etwas mehr als halb. Weiteres Mörserfeuer blitzte auf. Er konnte sie nicht hören, so laut war das Rauschen der Luft an der offenen Tür.

Oscar sah über die Schulter zurück und schrie: »Alles in Ordnung da hinten?«

Carmichael nickte und arbeitete sich wieder nach vorn. Er stand hinter den Sitzen, jeweils eine Hand auf die Rückenlehnen gelegt. Oscar griff mit der linken Hand nach oben und zog sich die Kopfhörer herunter um den Hals. »Ich werde jetzt eine Runde direkt über die Mörser drehen. Nur so, zum Gucken. Sag deinen Jungs, sie sollen gut aufpassen, aber nicht schießen. Nächstesmal wird es ernst.«

»Ich weiß nicht, was Mörser auf spanisch heißt«, sagte Carmichael.

»*Mortero.*«

Er gab die Botschaft nach hinten weiter. Diesmal fiel ihm der Weg dorthin leichter. Der Schütze hatte einen Munitionsgurt in seiner Waffe verriegelt und zog mit einem Finger die Form des Laufs in Achterschleifen nach, wobei er die Backen aufblies und Geräusche von sich gab, die Carmichael nicht hören konnte. Er sah auf, als Carmichael aufgehört hatte, auf ihn einzuschreien.

»*No voy a tirar*«, sagte er. Ich werde nicht schießen. Er lächelte. Sein Gesicht war sehr rund, die Augen standen dicht beieinander, seine Koteletten verliefen von den unteren Zipfeln der Ohrläppchen bis weit in die Wangen hinein.

Carmichael setzte sich auf den Platz neben dem Dünnen. »Wie nennt man dich?« fragte Carmichael ihn.

»*El Hambre.*« Der Hunger. Der Name paßte zu ihm.

»John«, sagte Carmichael und deutete auf sich selbst. »Und der Mann am Gewehr?«

»Er nennt sich Cantinflas«, sagte El Hambre, sichtlich empört darüber, daß sich jemand nach einem Komiker nannte, während es eine ernsthafte Revolution auszufechten galt.

Sie hatten einen vollen Kreis gedreht und näherten sich aus nördlicher Richtung der Mörserstellung. Carmichael saß angespannt auf der Kante seines Sitzes. Er sah zwanzig oder mehr US-Soldaten, die auf dem Bauch im hohen Gras lagen. Es waren zwei Mörser. Die anderen Männer waren mit Infanteriegewehren bewaffnet. Carmichael konnte nicht erkennen, ob einige der Waffen zum Abfeuern von Granaten ausgerüstet waren. Er versuchte nicht daran zu denken, wie das Innere des Hubschraubers nach einem Granattreffer aussehen würde.

Die Männer sahen zu ihnen herauf, und ein paar winkten. Carmichael war im Begriff zurückzuwinken, zog jedoch den Arm schnell zurück. Beim nächsten Durchgang würde der Junge mit dem spaßhaften Namen mit dem M60-Maschinengewehr das Feuer auf die da unten eröffnen.

Carmichaels Nerven spielten nicht mehr mit. Er stand auf und ging wieder in den vorderen Teil des Hubschraubers. Er fror und schwitzte gleichzeitig, und seine Blase brannte, so dringend hätte er vor Angst pinkeln müssen. »Hör zu!« sagte er zu Oscar.

Oscar hatte sich wieder die Kopfhörer aufgesetzt und hörte ihn nicht. Er sah ihn an und sagte: »Wir machen kehrt. Erklär ihnen, daß sie die Mörser erwischen müssen. Die Mörser zuerst, verstanden?«

»Ich ...«, setzte Carmichael an. Der Boden neigte sich unter ihm, und der Hubschrauber wendete. Er taumelte, suchte mit den Füßen Halt.

»Jetzt geht's los«, sagte Oscar. »Halte dich bereit!«

Carmichael wußte nichts zu sagen. Er konnte keinen Gedanken fassen. Er ging wieder in den hinteren Teil des Hubschraubers. Der Weg schien eine Ewigkeit zu dauern, und doch hatte er ihn viel zu schnell zurückgelegt. Er wies Cantinflas an, zuerst auf die Mörser zu zielen. El Hambre öffnete weitere Munitionskisten und legte die Gurte flach auf dem Boden aus. Carmichael stand ein paar Schritte von der offenen Luke entfernt und sah zu; vor Angst war ihm übel.

In zehn Jahren, dachte er, was werde ich dann wünschen, in diesem Moment getan zu haben?

Falls ich in zehn Jahren noch lebe, sagte er sich, wird es mir egal sein.

Sie kamen diesmal tiefer angeflogen und Cantinflas eröffnete das Feuer mit der M60. Das orangefarbene Mündungsfeuer wirkte in der Dunkelheit riesig, und der erste Schuß schlug ungefähr hundert Meter von den Mörsern entfernt im Boden ein. Cantinflas stieß so etwas wie ein Kriegsgeheul aus und stand aufrecht in der Öffnung. Er riß die Griffe des Gewehrs herum und feuerte erneut. Carmichael sah Körper, die wie Marionetten zuckten, als die Geschosse sie zerfetzten.

Er schloß die Augen. Er erinnerte sich, wie er am Boden im Laub gelegen hatte, während die Regierungshubschrauber über ihn hinwegdröhnten, in dem sicheren Bewußtsein, sterben zu müssen. Nein, dachte er. Dieses Bild wischen wir schnell wieder weg. Das brachte ihn den Männern da unten zu nahe. Denk an Marsalis, befahl er sich. Denk an Rich, seinen Freund bei der CIA. Denk an die Methoden, mit denen diese Schweine wehrlose Menschen ausquetschen und dann wegwerfen.

Es half alles nichts. Er fing an zu zittern. Nicht aus Angst, oder jedenfalls nicht nur aus Angst. Es war das übermächtige Gefühl, daß etwas nicht richtig war. Er krabbelte auf Händen und Knien zurück in den vorderen Teil des Hubschraubers. Die Rotoren trieben das Kordit von dem Maschinengewehr in die Kabine, und er bekam einen Hustenanfall. Er schob sich auf den linken Sitz und gurtete sich an. Er setzte die Kopfhörer auf, um das Rattern des Maschinengewehrs etwas zu mildern.

Oscars Stimme kam über den Intercom. »Bist du okay?«

»Ja.«

Ein neues Geräusch ertönte, ein kleineres Geräusch, eine Art Ticken, als ob Kies auf eine Windschutzscheibe rieselte. Plötzlich packte Oscar den Hebel neben seiner linken Hand, zog und drehte ihn mit einer einzigen Bewegung, und sie schossen in die Luft hinauf. Dann neigte sich die Nase des Hubschraubers nach unten, und Carmichael verspürte einen starken Drehschwindel.

»Was war das?« fragte Carmichael. »Dieses Ticken?«

Oscar sah ihn an, als ob er nicht ganz bei Verstand sei. »Wie die Tierärzte droben in Bell zu sagen pflegten ... uns hat es ein bißchen erwischt, alter Kumpel.«

»Herr im Himmel!« flüsterte Carmichael.

»Diese kleinen Geschosse sehen nach nichts aus«, sagte Oscar, »aber sie haben eine verdammt hohe Mündungsgeschwindigkeit.«

Das Geräusch hatte aufgehört. Carmichael hoffte, daß das daran lag, weil sie außer Reichweite waren. »Kehren wir jetzt zum Lager zurück oder was?« fragte er.

»Irgendwie«, entgegnete Oscar, »habe ich das Gefühl, daß du mit dem Herzen nicht ganz bei der Sache bist.«

»Ich verfasse Star-Porträts«, sagte Carmichael. »Das hier ist nicht mein Geschäft.«

»Heißt das, du machst Interviews mit den Größen des Rockgeschäfts und so was?«

»So ist es eigentlich gedacht.«

»Kennst du Linda Ronstadt?«

»Nur die Asse der Branche bekommen ein Interview mit Linda Ronstadt. Deshalb bin ich ja hier unten. Die ganze Story — Carla, Marsalis, CIA — das ist mein Einstieg in eine höhere Ebene. Um dahin zu kommen, wo man mich Interviews mit jemandem wie Linda Ronstadt machen läßt. Oder Dylan oder wem auch immer.«

»Viel Glück.«

»Mhm. Danke. Bring mich nur lebend aus diesem Schlamassel raus. Für den Rest sorge ich dann schon selber.«

Eine weißglühende Flamme loderte vielleicht hundert Meter vor ihnen zuckend auf. Carmichael war eine Sekunde lang geblendet. Als er wieder sehen konnte, wirkte der Dschungel wie die Landschaft einer Modelleisenbahn, die Bäume blaß und dürr, schwankende Schatten werfend, während der Flammenblitz zu ihnen herabschwebte.

Zwei weitere Mörser an der Nordseite der Ruine eröffneten das Feuer. Jetzt rannten Bodentruppen über die Ebene, mit gesenkten Köpfen, die Gewehre vor sich ausgestreckt. Etwas bewegte sich am äußersten Rand von Carmichaels Gesichtsfeld, und er drehte den Kopf nach links.

Ein Hubschrauber näherte sich ihnen mit großer Geschwindigkeit von Osten.

»Oscar, da ist ...«

Er nahm den Fuß vom Intercom-Schalter, und Oscars Stimme unterbrach ihn: »... schon gesehen.«

Hinter ihnen nahm das Maschinengewehr das Feuern wieder auf. Carmichaels Hände verkrampften sich um die Armlehnen seines Sitzes. Oscars Finger huschten über verschiedene Schalter und Hebel, und plötzlich befanden sie sich im freien Fall. Carmichaels Herz bäumte sich auf, und sein Magen wollte ihm aus dem Mund kriechen. Es half auch nichts sich einzureden, daß Oscar wußte, was er tat. Seine Zellen befanden sich in einem panischen Aufruhr, den er nicht mit dem Bewußtsein beherrschen konnte.

Er sah, wie Oscars Füße an den Ruderpedalen pumpten, wodurch der Schwanz des Hubschraubers wie der eines Hundes wedelte. Die Turbine heulte mit dem schrillen Ton gequälten Metalls auf, und ein bernsteinfarbenes Licht blitzte auf der Fußkonsole auf. Im Geiste sah Carmichael, wie sich der Hubschrauber in Stücke rüttelte, sah sich selbst durch die Luft fliegen, die Arme über den Kopf haltend, die Kleider um seinen Körper aufgebläht.

Der Boden raste ihnen im grellen Licht des Flammenblitzes entgegen. Marsalis' Soldaten schwärmten wie Insekten aus, schienen direkt aus der Erde zu kriechen. Da und dort leuchtete ein Mündungsfeuer von einem ihrer Gewehre auf. Da und dort stürzte einer von ihnen zu Boden, getroffen von einem unsichtbaren Feind. Der Kampf lief nicht nach einem Muster ab, es war ein Chaos aus wildgewordenen Individuen und wahllosem Sterben und zufälliger Verstümmelung. Dann vollführte Oscar eine schwungvolle Drehung, und sie stiegen wieder. Die M60 hinter ihnen ratterte unermüdlich.

Und mit einemmal war der andere Hubschrauber wieder da.

Er kam schnell heran, wieder von links. Carmichael stellte fest, daß sie auf Cantinflas zielten. Er hörte das Dröhnen des anderen Motors, das sogar das Rattern des Maschinengewehrs und ihres eigenen Motors übertönte. Sein Herz versuchte offenbar, es damit aufzunehmen. Aufgebrachte Stimmen sprachen in Carmichaels Kopfhörer durcheinander, und zwar auf englisch, doch sie waren nicht laut genug, daß er hätte verstehen können, was sie sagten.

Der andere Hubschrauber war mit vier Maschinengewehren bestückt, zwei auf jeder Seite, die mit einer Fernbedienung aus dem Cockpit gesteuert wurden. Carmichael beobachtete, wie die Laufmündungen lebendig wurden, zuckten und Flammen spuckten. Die Spurfeuer schwebten mit scheinbar unendlicher Langsamkeit auf ihn zu. Er trat mit aller Wucht auf den Fußschalter und brüllte Oscars Namen in den Intercom.

Oscar legte den Steuerhebel nach rechts und gleichzeitig nach vorn. Carmichaels Gesichtsfeld verengte sich, er schmeckte Galle in der Kehle. Mit einemmal drohte er im Cockpit zu ersticken, trotz des tobenden Windes. In seinem Kopf war ein heftiges Pochen, und seine Brust fühlte sich eingeschnürt und heiß an. Der andere Hubschrauber tanzte und verschwamm in dem Fensterrahmen auf seiner Seite.

Und dann, endlich, schoß Cantinflas zurück.

Carmichael hatte das Gefühl, selbst physisch mit den Geschossen hinauszuströmen. Verzweiflung erfüllte ihn, wenn sie ihr Ziel verfehlten, als ob es sein eigener Körper wäre, der nutzlos ins Leere fiele. Dann wurde eine weitere Salve hinausgeschleudert, und er merkte, wie er sich in seinem Sitz erhob und »bitte, bitte«, flüsterte. Er spürte die glühenden, orangefarbenen Stücke seines Ichs vorne an dem Hubschrauber vorbeiziehen, spürte die Erleichterung, als die Windschutzscheibe des Feindes unter ihm zerbarst, spürte die alles verzehrende Wonne, als sich der Rotor neigte und der US-Hubschrauber kopfüber zu Boden stürzte.

Er fiel in seinen Sitz zurück, erschöpft, am ganzen Körper zitternd. Drei oder vier Sekunden lang hatte er einen Blick auf eine andere Existenz erhascht, eine Existenz ohne Fragen. Das Leben der Männer in dem anderen Hubschrauber, seiner Landsleute, hatte keine Bedeutung gehabt. Wahrheit und Gerechtigkeit waren irrelevant. Carmichaels Leben hatte auf dem Spiel gestanden, und er hatte gesiegt.

Er begriff, was sich bis dahin immer seinem Verständnis entzogen hatte: Wie Menschen es schafften, in einem Krieg zu kämpfen, wie sie physisch dazu in der Lage waren. Dieses Begreifen war wie eine Neuordnung seines Bewußtseins. Es war eindringlich und ursprünglich, und er wußte bereits, daß es ihn verändert hatte. Es war eine Niederlage so intensiv wie Sex, so mächtig wie Drogen, und ebenso eine Selbstverleugnung. Er war zu seinem eigenen Haß geworden, und er hatte gesehen, wie sein Haß Wirkung zeigte.

Sie befanden sich jetzt wieder über den Ruinen. Oscar schwenkte die linke Faust durch die Luft und stieß ein Siegesgebrüll aus. In den Gräben unter ihnen sah Carmichael die Mündungsfeuer der FAL der Rebellen, ein unaufhörliches Funkeln, wie eine Linie aus weihnachtlichen Wunderkerzen. Westlich der Gräben war Niemandsland, eine leere Ebene, gesprenkelt mit US-Soldaten. Dahinter war eine Wellenfront, von der aus Marsalis' Angriff ausgegangen war.

Marsalis' Männer benutzten jetzt zweifellos Granatwerfer. Zwischen den Granaten und den Mörsern schufteten die Rebellen. Einige von ihnen krochen aus den Gräben und hasteten zurück in den Schutz der Ruinen. Carmichael begriff den Sinn dieses wirkungsvollen Versteckspiels, sah die Möglichkeiten für Hinterhalte.

Marsalis müßte die Ruinen dem Erdboden gleichmachen, um sie herauszutreiben.

Allerdings schien Marsalis willens zu sein, genau dies zu tun.

Carmichael drehte sich gerade in seinem Sitz um, als der zweite Hubschrauber aus dem Nichts auftauchte.

Sie hatten nie eine Chance gehabt.

Der zweite war jener Kampfhubschrauber vom Typ Cobra, bewaffnet mit mehreren M60 und Raketen und Geschützen. Er war unwahrscheinlich schmal und stromlinienförmig, wie ein seitlich flachgedrückter Huey. Bevor Carmichael Gelegenheit hatte, richtig Angst zu haben, war es vorbei.

Die Windschutzscheibe aus Plexiglas wurde von Spinnweben durchzogen, und etwas schlug ins Dach ein. Oscar zuckte vor offensichtlichem Schmerz zusammen. Es gab ein knirschendes Geräusch, und der Motor erstarb. Es hörte sich an wie ein langer, verebbender Schrei. Ein rotes Licht blitzte auf der Konsole auf, und ein Alarm ertönte schrill.

Carmichael sah zu Oscar hinüber. Er bewegte sich noch. Seine rechte Hand war am Steuerknüppel, und er streckte die linke aus und schob den Blattversteller neben seinem Sitz ganz nach vorn.

Sie schwebten glatt dahin und trudelten nicht etwa, wie Carmichael erwartet hatte. »Berühre nichts«, sagte Oscar durch die Kopfhörer. Seine Stimme klang gequält. »Wir haben Autorotation.«

Carmichael kannte das Wort. Es bedeutete, daß sich die Rotoren durch den Auftrieb der Luft im Fall von selbst drehten. »Bist du okay?« fragte Carmichael.

Oscar antwortete nicht. Er starrte zwischen seinen Füßen hindurch nach unten, während ihnen der Boden immer näher kam. Er zog den Knüppel zurück, und die Nase des Hubschraubers hob sich wieder. Im letzten Moment riß er die linke Hand hoch. Die Maschine holperte während des Bruchteils einer Sekunde, dann glitt sie mit den Kufen über eine Grasfläche und kam schließlich zum Stehen. Oscar ließ sich in seinen Sitz zurückfallen und schloß die Augen.

Carmichael löste sich aus seinem Gurt und kletterte zu Oscar hinüber. Auf dessen linker Seite war ein dunkler Fleck um das Schlüsselbein. Er war leichenblaß und atmete kaum.

Carmichael hob den Blick und sah Cantinflas, der sich angestrengt bemühte, das Maschinengewehr aus seiner Befestigung zu lösen. Durch die offene Luke sah er El Hambre, der zu den Gräben der Rebellen rannte. Plötzlich streckte der kleine Mann den Bauch vor wie ein Rennläufer, der das Zielband berühren möchte. Seine Arme fuhren in die Höhe, und seine Knie knickten zusammen. Eine Linie aus roten Punkten, in der Mitte dunkler, führte von seiner Taille bis zur rechten Schulter. Er taumelte noch ein paar Schritte weiter, dann fiel er zuckend ins Gras.

Auf dem Rumpf des Hubschraubers war wieder das Ticken der nordamerikanischen Geschosse zu hören. Carmichael kämpfte mit Oscars Gurt. Der Sitz bewegte sich unter ihm, und als er aufblickte, sah er Cantinflas, der irgendwie an dem Rahmen herumhantierte, auf dem er befestigt war. Plötzlich neigte sich der ganze Sitz nach hinten, und Cantinflas zog Oscar heraus auf den Boden der Kabine.

»Kannst du ihn nehmen?« fragte Cantinflas.

»*Creo que sí*«, sagte Carmichael.

»Gut. Dann nehme ich das Maschinengewehr.«

Carmichael kletterte aus dem Hubschrauber. Der Einstieg war ein paar Zentimeter höher als seine Knie. Er beugte sich hinein, packte Oscar am Kragen und zog ihn an die Türkante. Ihn fror an den Beinen, und er tanzte nervös von einem Fuß auf den anderen.

Die Cobra kreiste noch immer irgendwo über ihnen. Die Rebellen beschossen sie, doch das schien der Cobra nichts anhaben zu können. Carmichael erwartete, jeden Augenblick von einer Rakete getroffen zu werden.

»Komm schon, komm!« sagte er. Er drehte Oscar auf den Bauch und zog weiter an ihm. Er rutschte leichter, je mehr sein Blut den Boden glitschig machte.

Über ihnen erlosch flackernd eine Leuchtrakete, und alles wurde dunkel. Oscar gab ein Wimmern von sich, das höher wurde und verstummte, als ob die Tonlage zu hoch für das menschliche Gehör geworden wäre. Carmichael kniete sich nieder und lud sich Oscar mit einem ungeschickten Feuerwehrgriff auf den Rücken, wobei sich seine Schulter in Oscars Magen bohrte.

Er rannte zum Graben.

Er wußte, daß auf ihn geschossen wurde. Er kam so unendlich langsam voran! Er hatte viel Zeit, vor seinem geistigen Auge zu sehen, wie El Hambre getroffen wurde und zu Boden stürzte, immer wieder und wieder.

Endlich hatte er den Graben erreicht. Carmichael sprang hinein. Das Extragewicht auf seinem Rücken ließ ihn hart auf den Knien landen, und Oscar rutschte herunter in seine Arme. Der Boden des Grabens war vom Regen am Nachmittag noch matschig. Carmichael ließ Oscars todesschweren Körper in den Schlamm gleiten.

Am Himmel gab es eine laute Explosion. Carmichael schaute hinauf und sah, daß Flammen aus der Cobra schlugen. Die Rebellen hatten sie mit irgend etwas getroffen. »Erwischt, du Schwein!« flüsterte Carmichael. Die Cobra schlingerte davon und zog einen Rauchschweif hinter sich her. Er wartete drauf, daß sie zerbarst, doch das geschah nicht. Das war in Ordnung so. Damit waren zwei ihrer Hubschrauber ausgefallen, ganz zu schweigen von dem einen, den Thomas gestohlen hatte. Nun hatten sie also nur noch einen übrig, und mit dem mußten sie vorsichtig umgehen.

Erneut zuckte ein Feuer auf. Ein schroffer Schatten erschien an der hinteren Wand des Grabens und bewegte sich kaum merklich. Dieser Anblick und die nachwirkende Übelkeit vom Fliegen ließen Carmichael eine Zeitlang befürchten, daß er sich übergeben müßte. Es dauerte einige Minuten, bis er dieses Gefühl niedergekämpft hatte.

Seine Sinneswahrnehmungen waren scharf und klar, doch sein Gehirn konnte nicht so recht etwas damit anfangen. Die Erde rings um Carmichael zeigte ein ausgefranstes Muster schwarzer Brandspuren, etwa wie ein Kind die Sonne zeichnet. Granaten, dachte Carmichael. Der Schlamm unter seinen Füßen war rot vor Blut. Er sah einen Arm, steif und glänzend wie der einer Schaufensterpuppe. An seinem Stumpf hatten sich schwarze Knorpel gebildet, in der Art von krümeliger Kohle, wie man sie aus dem Aschekasten eines Ofens räumt.

Er blickte in die andere Richtung und sah, wie jemand auf ihn zukroch. Das Gesicht war mit Blut und Dreck in allen Schattierungen verschmiert, ein Auge war geschlossen und mit Schlamm verklebt. Carmichael konnte nicht genau sehen, ob der Mann noch Beine hatte oder nicht. Er wollte es nicht wissen. Der Mann fing an, über Oscar zu kriechen, und Carmichael mußte ihn wegstoßen.

»*Cálmase*«, sagte Carmichael. »Bleib jetzt ruhig.« Er zog Oscar unter dem kriechenden Mann hervor und schaffte es, ihn gegen die eine Wand angelehnt aufzusetzen. Ein Mörsergeschoß schlug ein paar Meter entfernt ein, und Carmichael umklammerte seine Knie und duckte sich. Brocken von Erde und Kalkstein prasselten auf ihn herab.

Etwas verbrannte ihm die Hand. Er öffnete die Augen und sah ein zerfetztes Stück Metall in der Form eines winzigen Bolzengeschosses, das direkt in der Beuge seines rechten Daumens lag. Ein Schrapnell, noch heiß von der Explosion. Er schüttelte es ab und saugte an der verbrannten Stelle, bis der erste durchdringende Schmerz etwas nachließ.

Der kriechende Mann lag mit dem Gesicht im

Schlamm. Carmichael rollte ihn auf die Seite und rieb ihm den Schmutz vom Mund. Er ächzte, als Carmichael ihn bewegte, und das schien sein Atmen wieder in Gang zu bringen.

Ich ertrage das alles nicht, dachte Carmichael.

Er kroch auf der hinteren Seite aus dem Graben, packte Oscar unter den Armen und zog ihn aus der Vertiefung. Er roch verbranntes Fleisch, und eine Sekunde später wurde ihm der Grund dafür klar. Mehr sind wir alle nicht, dachte er. Fleisch.

Er hievte sich Oscar auf die Schulter und rannte in den Schutz des Waldes. Wenige Meter vor dem ersten Baum stolperte er über etwas, und er fiel auf alle viere, wobei Oscars Kopf hart gegen die Erde stieß. Er stand wieder auf und rannte weiter. Etwas stimmte mit seinem rechten Fuß nicht. Er lief so lange weiter, bis er keine Granaten um sich herum mehr hörte. Dann legte er Oscar ab und hielt seinen Fuß hoch, um ihn zu betrachten.

Eine Kugel hatte den Absatz seines Wanderstiefels weggerissen. Der Fuß darunter war druckempfindlich und wies wahrscheinlich Prellungen auf, aber die Haut hatte nicht einmal Schrammen. Das kam ihm wie ein Witz vor. Carmichael befürchtete, wenn er anfing zu lachen, würde er nicht mehr aufhören können.

Auf allen Seiten waren Kalksteinblöcke so groß wie Beistelltischchen, doch keiner war geeignet, um sich dahinter zu verstecken. Er müßte also weitergehen. Eine Zeitlang hatte Carmichael das Gefühl, nie mehr aufstehen zu können. Die Blätter über ihm färbten die Lichtblitze in ein Aquariumgrün. Es war ein friedvolles Licht, und er lehnte sich an einen der Kalksteine und holte tief Luft.

Die Rebellen hatten sich offenbar von den Gräben zurückgezogen. Nur der kriechende Mann und die Toten waren zurückgeblieben. Auf jeden Fall würde Carla verlieren. Der Hubschrauber, den Thomas Marsalis gestohlen hatte, stand immer noch auf der Lichtung. Wenn es einigermaßen gutgegangen war, war er unbeschädigt. Die Rebellen wären nicht in der Lage, ihn aufzuhalten. Sie hatten zuviel mit ihrer Verteidigung zu tun. Er und Thomas und so viele der anderen Zivilisten, wie sie mitnehmen konnten, hatten die Möglichkeit zu entkommen.

Dieser Gedanke gab ihm genug neuen Schwung, daß er aufstehen konnte. Direkt vor ihm führte der Pfad um einen flachen Hügel herum. Auf dessen Kuppe erhob sich eine Wand von etwa einem Meter Höhe, der Anfang eines restaurierten Tempels. Die große Pyramide und der Hubschrauber befanden sich also in jener Richtung. Er legte sich Oscar über die Schulter und machte zwei Schritte, da sah er einen Gewehrlauf in dem gespenstischen grünen Licht schimmern. Er blieb mit gespreizten Beinen stehen, wobei er mit einer Hand Oscar festhielt und die andere über den Kopf hob. »Nicht schießen!« rief er auf spanisch. »Carla kennt mich, okay? Um Himmels willen, erschießt mich jetzt nicht!«

Gleich darauf spähte ein rundes Gesicht über die Wand. Cantinflas. Er grinste. »John! Hallo, John!« sagte er auf englisch. Er hielt die M60 mit einer Hand hoch und einen Munitionsgurt in der anderen. Sehr tapfer, hatte Faustino gesagt. Es würde ihm nichts ausmachen zu sterben.

Carmichael wußte nicht, ob er Mitleid mit ihm haben sollte oder nicht. Er nahm die Hand herunter und setzte sich wieder in Bewegung. Er humpelte wegen seines schmerzenden rechten Fußes. Jetzt hagelte es buchstäblich Mörsergeschosse. Der Pfad verlief nun in einer Biegung zurück in die entgegengesetzte Richtung, und Carmichael verließ den Wald und trat auf einen umschlossenen Platz. Vor ihm stand ein langer, flacher Tempel, aus dessen Mitte eine Art Turm ragte. Dahinter standen der Hubschrauber und die große Pyramide.

Er rannte in den Schutz des Tempels. Er war weiter weg, als es den Anschein gehabt hatte. Sein Fuß schmerzte, und seine Lunge wollte keine Luft aufnehmen. Oscar wog tausend Pfund. Die letzten paar Meter legte er mit äußerster Willenskraft zurück. Er lehnte Oscar an die Mauer des Tempels und warf sich mit dem Gesicht nach unten auf die Erde.

Der Boden bebte von den Einschlägen der Granaten. Das Rattern der Maschinengewehre steigerte sich zu Höhepunkten, die in Mörserexplosionen gipfelten, in einem Rhythmus wie Meereswellen, die gegen Felsen prallen. Unglaublicherweise hatte Carmichael das Bedürfnis zu schlafen, auf der Stelle, mitten in dem Lärm und dem Rauch und dem Sterben.

Er blickte über die Lichtung. Er sah die beiden Maya-Hütten am Fuß der Pyramide. Eine davon stand in Flammen. Der Boden zwischen Carmichael und der Pyramide war voller Krater, rauchverhangen und trostlos wie die Mondoberfläche. Überall um ihn herum waren Rebellenzelte, die eingestürzt oder zerfetzt waren oder brannten.

Jemand bewegte sich in der unversehrten Maya-Hütte. Thomas hoffte er. Er winkte mit einer Hand, doch die einzige Antwort, die er bekam, bestand in einem weiteren Mörsergeschoß. Er kroch zu der Tempelmauer hinüber und blieb dort liegen, während immer wieder Geschosse einschlugen, unaufhörlich. Es war erbarmungslos, niederträchtig und wahnwitzig. Sie zerbröselten die Stadt zu Kies.

Er versuchte, die Sekunden zwischen den einzelnen Explosionen zu zählen. Er konnte sich jedoch nicht genügend konzentrieren, daß es ihm gelungen wäre. Sie erfolgten bei jedem seiner Atemzüge, und ein paar entsetzliche Augenblicke lang dachte er, daß die beiden Dinge etwas miteinander zu tun hätten. Er bemühte sich, den Atem anzuhalten. Doch er hatte keine Luft in der Lunge, die er hätte anhalten können.

Als es endlich aufhörte, dauerte es eine ganze Weile, bis ihm das zu Bewußtsein kam. Er zog sich in einen Teil seines Ichs zurück, der so wenig wie möglich mit der Außenwelt Berührung hatte.

Seine Augen waren offen. Ein Baum stand vor ihm, und er lehnte mit dem Rücken an der Tempelmauer. Sein rechtes Bein verursachte beim Bewegen auf der Erde ein kleines scharrendes Geräusch und schlug mit einem langsamen, unbewußten Reflex aus. Sonst war nichts zu hören. Keine Mörser, keine Maschinengewehre, keine Insekten, keine Hubschrauber.

Er stand auf. Er mußte sich an dem Baum festhalten, als seine Knie unter ihm nachgaben. Laßt das! befahl er ihnen. Er stolperte zu Oscar hinüber und fühlte am Hals des Mannes dessen Puls.

Es gab keinen.

»Nein!« sagte er.

Er versuchte es am Handgelenk, hielt die Hand vor Oscars Nase, um den Lufthauch des Atmens zu spüren. Nichts.

Er riß Oscar das Hemd vom Leib. Ein dunkelpurpurner Fleck bedeckte seinen Bauch und seine Brust. Innere Blutungen. Ohne Zweifel dadurch verschlimmert, daß Carmichael ihn auf dem Rücken getragen hatte.

»Gottverdammt!« schrie Carmichael. »Das darf nicht sein!« Er hätte sich fast selbst umgebracht, um das Leben dieses Mistkerls zu retten, und jetzt war dieser Mistkerl trotzdem tot! Welchen Sinn hatte das Ganze?

Er schlug Oscar ins Gesicht. »Du verdammtes Schwein!« brüllte er. Er holte noch einmal aus, verfehlte sein Ziel und fiel auf die Knie. »Verdammtes Schwein! Verdammtes Schwein!«

Mit einemmal war ein neues Geräusch da. Stimmen. Kein menschlicher Laut, jedoch von menschlichen Stimmen erzeugt. Die Stimmen von Marsalis' Soldaten, die zu ihrem letzten Schlag ausholten. Es klang hoch und hohl, wie das Heulen von hundert Wölfen, und die einzelnen Töne prallten gegeneinander wie eine widerhallende Rückkopplung.

Es war das furchterregendste Geräusch, das Carmichael je gehört hatte. Es klang nach einem Monster aus einer schrecklichen Sage, das brüllend seinen Blutzoll verlangt. Er wich von Oscars Leiche zurück, immer noch auf den Knien, und drehte sich langsam um. Er hörte, wie Cantinflas' Maschinengewehr loslegte. Im Vergleich zu den heulenden Stimmen klang sein Rattern dünn und hoffnungslos.

Er konnte jetzt ihre Schritte hören. Sie bewirkten buchstäblich, daß die Erde bebte. Das Stampfen schien aus allen Richtungen zu kommen, es rüttelte Erde und Steine aus den Tempelmauern los und ließ sie rings um Carmichaels Kopf und Schultern niederprasseln.

Und dann wurde ihm klar, daß es nicht nur die Soldaten waren. Der Baum vor ihm wurde mit einem donnernden Krachen in zwei Hälften gespalten und er selbst mit den Splittern übersät. Der Boden vor ihm bäumte sich auf und warf ihn um. Er stand wieder auf und rannte in Richtung Pyramide los, in Richtung Hubschrauber, wohl wissend, daß er zu spät dran war.

Es waren nicht nur die Soldaten. Es war die Erde selbst. Die Erde selbst erhob sich gegen sie.

THOMAS LIEF DURCH DIE BRENNENDE STADT. Sein Gehirn fühlte sich hart und glitzernd an, wie eine Art Edelstein. Es geschah zuviel, als daß er es alles hätte in sich aufnehmen können, doch er versuchte, soviel wie möglich aufzusaugen. Es hatte eine Art Kampf stattgefunden, und jetzt war er vorbei. Leichen lagen auf dem zentralen Platz verstreut, Flammen loderten aus dem Palast und dem Tempel der Inschriften.

Eddie stand auf der Treppe des Palastes.

Er sah nicht ganz genau wie Eddie aus, seine Haut war dunkler, seine Nase länger und seine Stirn flacher. Trotzdem wußte Thomas, daß es Eddie war.

Er kletterte die Stufen zu ihm hinauf. »Eddie?« sagte er. »Eddie, bist du's?«

»Kukulcán«, sagte Eddie. »Mein Name ist Kukulcán.« Er gebrauchte die Maya-Sprache mit einem Akzent, den Thomas nie zuvor gehört hatte.

»Eddie«, sagte Thomas. »Du willst mich wohl verarschen, Mann. Komm jetzt, laß den Quatsch!« Er blieb eine Stufe tiefer als Eddie stehen und streckte die Hand aus. Eddie packte ihn am Handgelenk und stieß ihn zurück.

»Hau ab!« sagte Eddie.

»Was soll dieses Zeug um deine Augen?« fragte Thomas. Es sah aus, als ob er sich Asche ins Gesicht gerieben hätte oder so etwas. »Und sprich englisch, verdammt noch mal!«

»Englisch«, sagte Eddie.

»So ist es brav. Ich Thomas, du Eddie, okay?«

»Thomas?«

»Dein Bruder.«

»Ja«, sagte Eddie zögernd auf englisch. »Ich glaube, ich kenne dich. Was machst du hier?«

»Das gleiche wie du. Chan Ma'ax hat mir ein Stück von einem Pilz gegeben und mir gesagt, ich soll dich holen.«

»Mich holen?« sagte Eddie.

Thomas wurde langsam nervös. Die Nacht war durch die flackernden Feuer auf merkwürdige Weise erhellt, und das Flackern ließ alles Gegenständliche wie eine Projektion erscheinen. Er drehte sich um und betrachtete die Toten auf den Stufen.

»Es passiert genau in diesem Moment, nicht wahr?« sagte er. »Der Zusammenbruch. Direkt vor mir. Ich stehe wirklich hier und bin Zeuge des Niedergangs der alten Maya-Kultur.«

»Die Jungen haben das erreicht«, sagte Eddie. »Sie hatten die Schnauze voll vom Krieg. Hatten die Schnauze voll von den Priestern und Adligen, die immer reicher wurden, während die Bauern hungerten und für sie starben.«

»Wie in den sechziger Jahren«, sagte Thomas. »Die Jugend gegen die Welt.« Er hob einen Pfeil von den Stufen auf. »Erstaunlich«, sagte er. »Ich habe mich immer gefragt, ob sie so was wohl hatten.«

»Chan Ma'ax gab sie den Haawo'. Den Rebellen.«

»Chan Ma'ax?« sagte Thomas. »Ist er hier?« Er schüttelte den Kopf. »Natürlich ist er hier. Er nimmt seit Jahren schon die Pilze.«

»Er löst *xu'tan* aus. Das Ende der Welt. Sie beginnt hier. Sie endet in drei *baktuns.* In zwölfhundert Jahren.«

Thomas musterte ihn und schüttelte den Kopf. »Eddie, du bist in einer schlechten Verfassung. Wir müssen dich von hier wegbringen.«

»Ich weiß nicht wie. Chan Ma'ax will auch, daß ich zurückkehre. Aber ich kann nicht.«

»Wie hast du es die Male zuvor gemacht?«

»Ich weiß es nicht. Es ist einfach geschehen.«

Thomas blinzelte und hob dann die Hände zum Gesicht. »Es ist komisch«, sagte er. »Es fällt mir jetzt erst auf. Dieser Körper, in dem ich mich befinde ... ich brauche keine Brille. Zum ersten Mal seit zwanzig Jahren sehe ich klar.« Sein Gesicht fühlte sich anders an, länger, schmaler.

Er stieg die Stufen weiter bis oben hinauf und berührte das Steinrelief an der vorderen Mauer des Palastes. Die Darstellung war scharf und genau, doch die Farbe war schon etwas verblaßt. »Nicht zu fassen«, sagte er. »Jetzt habe ich wieder meine richtige Sehkraft, und es ist das Ende der Welt. Herrje, wie muß es hier vor hundert Jahren gewesen sein, vor den Kämpfen und dem Feuer. Können wir vielleicht reingehen?«

»Die Soldaten des Herrschers verbergen sich vielleicht noch dort drin. Ich weiß nicht, ob es ungefährlich ist.«

»Du hast recht«, sagte Thomas. »Wahrscheinlich nicht. Das Ganze ist nur so verdammt unfaßbar. Das ist der klassische Prigogine. Die Gesellschaft war zu weit aus dem Gleichgewicht geraten, und — peng! — es entsteht eine neue Ordnung. Da fragt man sich, was passiert wäre, wenn wir nicht alle sang- und klanglos in die siebziger Jahre abgeglitten wären. Wenn wir am Ball geblieben wären und wirklich die Welt verändert hätten.«

»Es ist noch nicht zu spät«, sagte Eddie.

»Machst du Witze? Ronald Reagan ist Präsident. Es gibt Bestrebungen, das Wort ›Evolution‹ aus den Schulbüchern zu streichen und die Frauen wieder an den heimischen Herd zu binden, mittellos und schwanger. In Nord Carolina kann man nicht einmal mehr den *Rolling Stone* kaufen. Die Schwarzen vegetieren an der Grenze zum Verhungern dahin, und die Verschmutzung von Luft und Wasser wird immer schlimmer. Die nationale Verschuldung steigt ins Unermeßliche, damit noch mehr Raketen gebaut und Kriege in Mittelamerika oder sonstwo angezettelt werden können.«

Eddie schüttelte den Kopf. Kaum etwas von dem, was Thomas sagte, kam ihm bekannt vor. »All die alten Vorstellungen«, sagte Eddie. »Es ist nicht mehr viel Zeit übrig. Die Leute halten daran fest, weil sie Angst haben. Trotzdem sterben diese Ideen. Man muß ... man muß sichergehen, daß man sich am richtigen Ort befindet, wenn das Ende da ist.«

»Komm jetzt«, sagte Thomas. »Du siehst aus, als ob du jeden Moment umkippen würdest. Ich bring dich hier raus.«

Hinter dem Tempel der Inschriften gab es eine Treppenflucht, die einen Hügel hinaufführte. Die Bäume waren zurückgeschnitten worden, um einen breiten, glatten Weg zu schaffen. Auf beiden Seiten standen kleinere

Tempel, gerade groß genug, damit ein einzelner Priester darin sitzen und Kopal verbrennen konnte.

Thomas blieb stehen, um sie zu betrachten. »Jetzt weiß ich also, was mit den Maya passiert ist. Und ich kann kein einziges Wort davon beweisen.«

»Was macht das schon?« sagte Eddie. »Hauptsache ist doch, du selbst weißt es.«

»Ja«, sagte Thomas. »Du kannst leicht reden. Du hast noch nie versucht, staatliche Gelder lockerzumachen.«

Der Weg wurde schmaler. Das Licht der Stadt war jetzt verschwunden, und der Mond war beinah bis auf den Horizont gesunken. Eine kurze Treppe führte aufwärts, und dann eine längere wieder hinunter, die in einer schmalen Schlucht endete. Am diesseitigen Ende gab es Steinbänke und Behälter mit Wasser und Weihrauch.

»Nein, Thomas«, sagte Eddie und betrachtete die Reihe von rotkappigen Pilzen. »Es wird nicht funktionieren. Du bist verrückt.«

Das war nichts weiter als eine Eingebung gewesen, doch irgendwie erschien es logisch. Thomas ging zu den Pilzen und brach zwei Stücke ab. Er nahm sie mit zu Eddie, der auf einer mit Steinmetzarbeit verzierten Bank saß. »Iß das«, sagte er.

»Wenn dies alles ein Traum ist«, sagte Eddie, »dann führt das nur dazu, daß wir einen Traum im Traum haben.«

»Laß den mystischen Scheiß und iß den verdammten Pilz!« sagte Thomas. »Sonst schlage ich dich zusammen.«

Eddie aß. Thomas aß sein Stück und setzte sich neben Eddie. »Ich kann es nicht fassen, daß du *mich* verrückt nennst«, sagte Thomas. »Du bist der verrückteste Mistkerl, der mir je begegnet ist. Manchmal kann ich es kaum glauben, daß du mein Bruder bist.«

»Du bist gekommen, um mich zu holen«, sagte Eddie. »Es ist wirklich seltsam, daß du so etwas tust. Ich hätte nicht gedacht … ich hätte nicht gedacht, daß du so etwas für mich tun würdest.«

»Na ja«, sagte Thomas. »Ich bin nun mal hier, oder nicht?«

»Es ist, als ob ich dich gar nicht mehr kennen würde. Wir haben … wir haben nie wirklich Gelegenheit gehabt, miteinander zu reden. Ich weiß nicht, was aus dir geworden ist, was du gemacht hast.«

»Ich war während der letzten beiden Jahre in Cuernavaca«, erklärte Thomas. »Ich arbeitete an einem Projekt zur Erforschung aller möglichen nutzbringenden Technologien. Alles ökologisch einwandfrei, verstehst du, Solarzellen, brauchbare Windenergie, all solches Zeug.«

Eddie nickte. »Das ist gut, Thomas. Das ist wirklich gut.«

»Es war kurz davor, gut zu sein. Der Hammer ist, daß ich gerade endlich beschlossen hatte, mich ganz und gar in die Sache reinzuknien. Du weißt schon, ich wollte total darin aufgehen. Das passierte mir so ziemlich zum erstenmal in meinem Leben. Und dann kam die Revolution und machte alles zunichte.«

»Es ist gut, so etwas zu machen«, sagte Eddie. »Ob du es dort machst oder sonstwo.«

»Kann schon sein«, sagte Thomas. »Mit meinen Erfahrungen könnte ich zurück nach Austin gehen, und ich weiß, daß dort Geld dafür zur Verfügung steht. Ich könnte mich dort einrichten oder mit meinem Wissen ins Ausland gehen, falls die Welt jemals zur Ruhe kommt.«

»Klar«, sagte Eddie.

Thomas spürte plötzlich einen Schwall von Wärme in sich. Er legte einen Arm um Eddies Hals. »Du wirst wieder gesund werden«, sagte er.

»Ich weiß nicht so recht«, entgegnete Eddie. »Ich fühle mich so seltsam. Ich kann dir gar nicht sagen, wie seltsam ich mich fühle.«

»Kannst du dich an irgend etwas erinnern?« fragte

Thomas. »Erinnerst du dich an die Ruinen? An Carla? An Oscar?« Er hielt eine Sekunde lang inne und fuhr dann fort: »An Lindsey?«

Beim letzten Namen zuckte Eddie zusammen. »Das sind Eddies Erinnerungen.«

»Ich habe eine Neuigkeit für dich«, sagte Thomas. »Du bist Eddie.«

»Kukulcán«, sagte Eddie. »Ich bin Kukulcán.«

Thomas gab auf. Ein paar Sekunden später stellte er fest, daß er keine greifbaren Gegenstände mehr sah, nur noch Lichtpunkte. »Laß uns spazierengehen«, sagte er.

Thomas richtete sich auf und blinzelte. Seine Sicht war wieder verschwommen. Er schritt quer durch den Raum aus Stein und zog seine Brille aus einer seiner Taschen.

Er erinnerte sich, mit Eddie aus dem Wald gekommen zu sein, während die Bäume funkelten und tanzten, als ob sie von einem stroboskopischen Licht erleuchtet wären, und so schnell flackerten, daß die Augen nicht folgen konnten. Sie waren die Pyramide hinaufgeklettert und hatten wieder den Raum aus Stein betreten, wo Thomas eine Sekunde lang von der Angst gepackt wurde, sie könnten ihre eigenen Leichen dort vorfinden, am Pilzrausch gestorben. Doch der Raum war leer gewesen.

Er erinnerte sich, daß er sich hinsetzte, um Luft zu holen. Eddie hatte sich ein Gewand über das Lendentuch gezogen und lag ausgestreckt neben ihm. Jetzt wußte Thomas nicht mehr, ob es wirklich geschehen war oder ob er es geträumt hatte.

Er steckte immer noch in einem Maya-Gewand. Er entsann sich nicht, es angezogen zu haben, aber er mußte es wohl getan haben. Dort lag seine Kleidung, ordentlich in einer Ecke aufgestapelt. Er zog sich an. Eddie war wieder eingeschlafen.

Oder, dachte Thomas, das Ganze hatte sich nicht wirklich ereignet, und er lag immer noch im Koma.

Er kniete sich neben Eddie nieder und berührte dessen Schulter. Eddie öffnete die Augen. »Thomas«, sagte Eddie.

»Ja«, sagte Thomas. »Hör mal, erinnerst du dich daran, was soeben geschehen ist? Wie ich zu dir gekommen bin und all das?«

»Geschehen?« fragte Eddie. Er war in schlechter Verfassung. Er sah aus wie der Wilde von Borneo. Draußen hatte der Krieg angefangen, und das machte die Sache auch nicht besser. Eddie wimmerte bei jedem Geräusch. Thomas ging es nicht ganz so schlecht. Er fühlte sich etwas ausgelaugt und zittrig, als ob er sich eine ganze Nacht um die Ohren geschlagen hätte, aber er war so energiegeladen, daß ihm das kaum etwas ausmachte.

»Weißt du, wovon ich spreche?« fragte Thomas. »Verstehst du überhaupt, was ich dir sage?« Eddie schüttelte lediglich den Kopf.

Thomas packte ihn unter einem Arm und führte ihn hinaus. Der Hubschrauber war noch da, wenigstens das, und er machte einen guten Eindruck. Die meisten Geschosse waren nördlich und östlich eingeschlagen, in der Nähe des Palastes, doch eins hatte das *ramada* erwischt, wo er und Lindsey geschlafen hatten. Es war zusammengebrochen, und das feuchte Stroh schwelte. Lichter brannten in dem Gotteshaus daneben, und Thomas hörte das Quäken eines Radios. Es hätte auch Oscars Stimme sein können; Thomas war sich nicht sicher.

Es tat ihm gut, Lindseys Gesicht zu sehen, als er und Eddie eintraten. Sie saß mit Chan Zapata in einer Ecke, und als sie aufblickte, sah sie die beiden im Eingang stehen. Ihr Mund klaffte auf, und sie sprach nicht zu Ende aus, was sie hatte sagen wollen.

»Hallo«, sagte Thomas. Er hatte den Arm um Eddies Taille gelegt. Eddie war bei Bewußtsein, allerdings war er sehr schwach. Er sah Chan Ma'ax an, und Chan Ma'ax erwiderte seinen Blick und nickte. Die anderen Maya, Nuxi' und Ma'ax García und der Rest, nahmen keine Notiz von ihnen. Sie alle saßen mit angewinkelten Knien an die Wand gelehnt und starrten ins Leere.

»Mein Gott«, sagte Lindsey. »Ich habe gesehen, wie du es dir in den Mund gesteckt und gekaut und hinuntergeschluckt hast.«

»Ich habe es genommen«, sagte Thomas.

»Hat es ... hat es nichts bewirkt?«

»Es hat alles bewirkt«, erklärte Thomas. »Es war genauso, wie Eddie gesagt hatte. Ich sah Na Chan und das Ende der Klassischen Periode. Es war so wirklich wie ... wie nur was. Ich habe Eddie gefunden, wie Chan Ma'ax gesagt hatte. Ich habe ihn zurückgebracht.« Er sah weg. »Ich weiß nicht. So habe ich es empfunden. Aber Eddie ist zu weit weg, um zu berichten, ob es sich seinem Gefühl nach genauso abgespielt hat wie für mich.«

Lindsey stand auf. Sie würde bestimmt als erstes zu Eddie gehen, dachte Thomas. Doch statt dessen kam sie zunächst dicht an ihn heran und blieb mit verschränkten Armen stehen. »Du kommst mir irgendwie verändert vor«, sagte sie.

»Die Umgebung hier ist ja nicht gerade das Normale.« Ihr Haar war strähnig und verklebt, und unter den Augen hatte sie halbmondförmige blaue Flecken. Sie roch nach Schweiß und Rauch. Schmutzstreifen zogen sich über ihren Hals. Thomas hatte das Verlangen, die Arme um sie zu legen und sie so fest, wie er nur konnte, an sich zu drücken. Er rief sich das Bild von ihr und Eddie ins Gedächtnis zurück, als sie zusammen am Fluß waren und Lindsey den Kopf von einer Seite zur anderen geworfen hatte. Das half ihm, Distanz zu bewahren.

»Und Eddie ist wieder da!« sagte sie. »Ich kann es gar nicht glauben.«

»Laß es«, sagte Thomas. »Er ist total im Arsch. Aber er ist in der Lage, herumzulaufen. Schon das grenzt an ein Wunder. Vielleicht erholt er sich.«

»Du glaubst nicht daran.«

»Nein.«

»Warum hat es dir nicht geschadet?«

»Ich weiß nicht. Vielleicht haben Eddie und ich irgendein Enzym, das uns schützt, und ich habe mehr davon als er. Vielleicht steckt etwas Großartiges, Mystisches dahinter, wie Chan Ma'ax gesagt hatte. Aber es ist auch eigentlich völlig egal. Hast du vor kurzem mal nach draußen geschaut?«

Lindsey erschauderte. »Ja.«

»Ich meine, zum Hubschrauber. Er wird nicht mehr bewacht. Du und ich und Eddie, wir könnten versuchen, von hier abzuhauen.«

»Bist du in der Lage dazu? Ich meine, nachdem du den Pilz gegessen hast und so?« Sie berührte seine Wange mit den Fingerspitzen. »Glaubst du, du kannst ihn fliegen?«

Er schob ihre Hand weg. »Mir geht es gut«, sagte er schroff, und ihm war klar, daß er zu heftig reagierte. Sie hatte ihn nur berührt, mehr nicht. Sie hatte nichts damit bezweckt. »Ich werde Eddie hinbringen und sehen, was sich machen läßt. Wenn du hörst, daß sich die Rotoren drehen, hast du noch ein paar Minuten Zeit, dich zu entscheiden. Wenn ich es soweit schaffe, daß sich der eigentliche Motor in Gang setzt, dann fliege ich los. Du kannst entweder hierbleiben oder mit uns kommen. Ganz wie es dir beliebt.«

Er sah ihr an, daß die Worte sie verletzten. Er redete sich ein, daß ihm das nichts ausmachte. »Nein«, sagte sie. »Ich möchte mitkommen.«

Eddie hatte dem Gespräch keine Beachtung geschenkt. Jetzt befreite er sich aus Thomas' Arm und kauerte sich neben Chan Zapata nieder. Thomas folgte ihm für den Fall, daß er ohnmächtig würde.

»... der Grund, weshalb dein Vater nicht wollte, daß du mit hierherkommst«, sagte Eddie in der Maya-Sprache. »Er hat versucht, dich zu retten. Er wollte nicht, daß du *xiw* wirst. Weißt du, was das ist? Das ist mit mir passiert. Es verändert einen zu sehr. Wenn du einmal damit anfängst, bist du für alles andere verdorben.«

»Das ist besser, als gar nichts zu sein«, erwiderte Chan Zapata.

»Du bist mehr, als du denkst. Du wirst der nächste *t'o'ohil* sein. Der letzte. Das ist sehr wichtig. Die neue Welt wird sich daran erinnern müssen, was vor ihr geschah. Du mußt dich für sie erinnern, verstehst du?«

»Los jetzt, Eddie!« sagte Thomas. »Chan Zapata, ich werde versuchen, uns hier rauszubringen. Trommle alle zusammen, die es mit mir versuchen wollen. Wenn du hörst, daß der Hubschrauber anspringt, dann führe sie alle hin. Okay?«

Chan Zapata sah seinen Vater an. »Ich weiß nicht, ob sie mitkommen werden.«

»Ja«, sagte Thomas. »Ich kann mir ungefähr vorstellen, wie es sein wird. Tu, was du kannst.«

Er packte Eddie und steuerte ihn in Richtung Tür.

Er verbarg Eddie im Schatten am Fuß der Pyramide und rannte zum Hubschrauber. Die Nordamerikaner hatten eine Leuchtrakete abgeschossen, die den Platz wie eine Bühne beleuchtete. Er kletterte durch die Tür auf der Copilotenseite und beugte sich tief über den Sitz. Die Leuchtrakete erlosch funkensprühend, und die Welt wurde dunkel. Er griff hinüber zur rechten Seite der Konsole und tastete den Rand ab.

Der Schlüssel war verschwunden.

»Scheiße«, flüsterte Thomas. Wenn Ramos ihn hatte, würde er ihn niemals wiederbekommen. Er wußte nicht einmal, wohin man Ramos gebracht hatte.

Er kletterte wieder aus dem Hubschrauber hinaus und schlich sich darum herum zu einer Stelle, von der aus er in das Gotteshaus sehen konnte. Faustino saß am Radio. Er hatte seine Mütze vom Kopf gezogen und fuhr sich mit den Fingern durch die wenigen Haare, die ihm geblieben waren. Carla saß nicht weit von ihm entfernt. Sie hielt ihre Krücke in der linken Hand und ein

Gewehr in der rechten. Sie sah aus, als ob sie geweint hätte.

Die anderen nicht am Kampf Beteiligten saßen zusammengekauert bei ihnen in dem Gotteshaus. Es waren zwei Frauen mittleren Alters und ein Dutzend Kinder, höchstens acht oder neun Jahre alt. Die älteren, vermutete Thomas, waren irgendwo draußen als Kämpfer, Kuriere oder Tote.

Die Frauen und Kinder verbanden die Verwundeten, die es bereits von der Front zurück geschafft hatten. Drei Soldaten hatte man auf Matten gebettet. Einer davon war offenbar bei einer Explosion verbrannt worden; sein ganzes Gesicht und die linke Seite seines Körpers waren purpurfarben. Ein anderer versuchte andauernd, sich aufzurichten, während man mit einem Loch in seinem Bauch beschäftigt war. Er gab hohe wimmernde Laute von sich, die am Ende anstiegen, wie Fragen. Eine der Frauen zog ihn ständig an den Schultern wieder herunter.

Zwei der zum Lager gehörenden Mischlingshunde tapsten unermüdlich im Kreis um die offene Hütte herum und winselten bei jeder Explosion oder jeder Maschinengewehrsalve. Einer blieb stehen, blickte zum Hubschrauber und fing an zu bellen.

Zum Teufel, dachte Thomas und trat auf den offenen Platz. Dann sah er, daß der Hund tatsächlich Eddie anbellte, der sich von der Pyramide entfernt hatte. Eddie holte gerade etwas vom Gebälk der Hütte herunter, was dort aufgehängt gewesen war. Es war ein Vogel, wie Thomas feststellte, ein Quetzal. Eddie machte sich daran, eine Handvoll nach der anderen der grellgrünen Federn von dem Vogelkörper abzurupfen. Die Hunde sprangen um ihn herum, machten hohe Sätze und versuchten, den Vogel zu schnappen.

Thomas näherte sich Eddie von hinten. »Eddie?« sagte er. »Was soll denn das? Was tust du da?« Als Eddie nicht antwortete, versuchte er es noch einmal. »Eddie?«

Eddie drehte sich langsam um. Seine Augen wirkten wie die eines Fremden. »Kukulcán«, sagte er.

»Erzähl mir nicht schon wieder diesen Scheiß. Du brauchst deine Gehirnzellen, damit du mir helfen kannst, von hier wegzukommen.«

Carla beobachtete sie ohne großes Interessse. Thomas ging ein wenig näher zu ihr hin. Er erkannte am Geruch, daß der Mann mit der Wunde im Bauch sehr schlecht dran war. »Was ist da draußen los?« fragte er Carla auf spanisch.

Wieder schlug ganz in ihrer Nähe eine Granate ein. Thomas warf instinktiv den Kopf herum, um sich zu vergewissern, daß der Hubschrauber noch an seinem Platz stand.

»Sieh selbst nach«, antwortete Carla.

»Es war von Anfang an hoffnungslos«, sagte Faustino. »Sie verlassen die Gräben und ziehen sich in die Ruinen zurück. Wir können hier allenfalls ein paar Stunden lang durchhalten, wenn wir uns in den alten Gebäuden verstecken.«

»Du solltest froh sein, daß ich sie herrichten ließ«, sagte Carla. Offenbar wollte sie ein Scherzchen machen, doch Faustino fand es nicht komisch.

»Warum laßt ihr uns nicht gehen?« fragte Thomas. »Wir nützen euch nichts mehr. Wir haben euch nie etwas genützt.«

»Es geht nicht mehr um euch«, sagte Faustino. »Es geht um den Hubschrauber. Mit dem Hubschrauber kannst du das Leben unserer Soldaten retten.«

»Nein, das kann ich nicht«, widersprach Thomas. »Ich könnte ihr Sterben ein wenig hinauszögern. Mehr nicht. Und unterdessen würden Lindsey und die anderen ebenfalls sterben. Für nichts und wieder nichts.«

»Er hat recht«, sagte Carla. »Gib ihm den Schlüssel, Faustino. Es ist vorbei. Sie brauchen nicht mit uns zu sterben.«

Faustino nahm den Zündschlüssel des Hubschraubers aus seiner Tasche. Er hatte ungefähr die Größe eines Schlüssels für ein Vorhängeschloß. Er betrachtete ihn einen Moment lang und warf ihn dann vor Thomas' Füßen zu Boden.

»Bitte verzeiht das schlechte Benehmen meines Freundes Faustino«, sagte Carla sanft. »Ich fürchte, wir alle haben heute keinen besonders guten Tag.«

Thomas hob den Schlüssel auf. Zum erstenmal seit Tagen empfand er einen Funken Hoffnung. Vielleicht würde er das alles tatsächlich überleben.

Faustino würdigte ihn keines Blickes. Es gab nichts, das Thomas hätte tun, das er hätte sagen können. Dies war nicht sein Krieg. Er hatte das Recht, einfach wegzugehen. Anderenfalls hätte er sein Leben verschleudert, und das von Lindsey und Eddie und Chan Zapata ebenfalls, durch eine völlig bedeutungslose Geste, von der nie jemand erfahren hätte. Das ließ ihm keine echte Wahl.

Er drehte sich um und wollte losgehen, um den Hubschrauber anzulassen. Chan Ma'ax und Eddie stellten sich ihm in den Weg. Eddie hatte überall Quetzalfedern in sein Gewand gesteckt und sich einige mit einem Band um den Kopf gebunden. Wenn er auch nur im geringsten den Anschein erweckt hätte, daß er sich seiner selbst bewußt war, hätte er lächerlich gewirkt mit seinen stümperhaft geschnittenen kurzen Haaren, dem fast zum Skelett ausgemergelten Gesicht und dem viel zu großen Gewand. Doch sein Äußeres schien sich verselbständigt zu haben.

Draußen in der Dunkelheit zerfleischten die Hunde knurrend die Überreste des Vogels. »Laßt uns gehen«, sagte Thomas.

Eddie ignorierte ihn. Er sah Carla an. »Ruf deine Leute her!« sagte er in holperndem Spanisch. In Eddies Spanisch klangen jetzt viele fremdartige Konsonanten und kehlige Zwischenlaute mit. Wie bei Chan Ma'ax.

»Bitte«, sagte Faustino, »nimm deinen übergeschnappten Bruder und verschwinde!«

»Ihr müßt das Schießen beenden«, sagte Eddie. Er ignorierte auch Faustino und hockte sich vor Carla auf die Fersen. »Ihr könnt nicht mit den gleichen Waffen, die eure Feinde benutzen, gegen sie kämpfen. Ihr müßt sie mit euren Ideen schlagen.«

»Ohne Gewehre«, sagte Carla, »haben Ideen keine Kraft.«

»Nein«, sagte Eddie. »Mit Gewehren werden alle Ideen gleich.«

»Wenn wir für die Revolution sterben«, sagte Faustino, »sterben wir als Helden. Dieser übergeschnappte Gringo will, daß wir alle als Feiglinge sterben. Carla, hör mir zu! Dieser Hang zum Mystischen ist deine große Schwäche. Es ist keine Schande, Angst vor dem Tod zu haben. Doch man darf sich davon nicht leiten lassen.«

Auch Carla schenkte Faustino keine Beachtung. Sie sah Eddie an. »Was sagst du da?« fragte sie. »Was soll ich deiner Meinung nach tun?«

»Werft die Waffen weg«, sagte Eddie. »Geht auf den Feind zu und nehmt ihm ebenfalls die Waffen weg.«

»Wenn sie Gewehre haben und wir nicht«, sagte Carla langsam, als ob sie einem Kind etwas erklären wollte, »dann werden sie uns erschießen. Wir alle werden sterben.«

»Einige der feindlichen Soldaten werden gar nicht schießen wollen«, sagte Eddie. »Es ist schwierig, sich dazu zu bringen, jemanden zu erschießen, wenn der andere unbewaffnet ist. Einige von ihnen werden es trotzdem tun. Einige von euch werden sterben. Doch euer Sieg wird größer sein.«

Chan Ma'ax hatte die ganze Zeit still dabeigestanden und zu Boden gestarrt. Jetzt beugte er sich zu Eddie und sagte etwas zu ihm, das Thomas nicht verstand.

»Was hat er gesagt?« fragte Carla.

»Er sagte: ›Ihr werdet Hilfe bekommen‹«, antwortete Eddie. »Er meint die Erde. Die Erde wird euch helfen.«

»Ich verstehe immer noch nicht.«

»Wenn man gegen die Götter handelt, ist es, als ob man in einem reißenden Fluß stromaufwärts schwimmt. Wenn man im Sinne der Götter handelt, ist alles ganz leicht. Götter bedeutet Erde.« Seine Hände beschrieben einen Halbkreis in der Luft. »Alles zusammen.«

»Natur«, sagte Thomas.

»Ja, *naa-tur*. Mein Bruder Thomas versteht das. Darum bemüht er sich zur Zeit; er versucht zu lernen, im Sinne der Götter zu handeln. Eure Waffen werden euch nicht helfen. Damit geht ihr im Wasser nur unter.«

»Carla?« sagte Faustino. Thomas sah sich um. Zehn oder fünfzehn Rebellensoldaten kauerten in der Dunkelheit vor der Hütte. Thomas erkannte unter ihnen Righteous mit seiner Reggae-Strickmütze, und die kleine, lebhafte Frau, die La Pequena genannt wurde. Einige von ihnen bluteten. Alle waren schwarz von Dreck und Rauch und Schießpulver, so daß sich ihre Augen unnatürlich weiß abhoben.

Auch Eddie sah sie. »Würdest du bitte auch die anderen rufen?« sagte er.

Carla starrte Eddie an. Thomas wußte, daß sie nach einem Grund suchte, etwas gegen ihr besseres Wissen zu tun und ihm zu glauben. Schließlich wandte sie den Blick ab. »Nein«, sagte sie.

Eddie nickte. Er ging an Chan Ma'ax vorbei auf die Soldaten zu. Thomas fiel plötzlich auf, wie still es war. Das Schießen hatte aufgehört. Vom Palast waren fast nur noch rauchende Bruchsteine übrig, und überall auf der Lichtung lagen Leichen verstreut. Aber es war vorbei, zumindest für den Augenblick, und der Hubschrauber war unbeschädigt.

Dann hörte er den Kriegsschrei von Marsalis' Armee. Am liebsten wäre er irgendwohin gekrochen und hätte vor Angst gezittert. Carla und Faustino sahen einander an, und in ihren Gesichtern war kein Funke Hoffnung mehr. Eddie schien es nicht einmal gehört zu haben. Er hat keinerlei Bezug mehr zur Realität, dachte Thomas. Er wird sich einfach davonmachen. Ohne ein Abschiedswort.

Und dann sah er, was Eddie tat. Eddie ging zu einer der Rebellinnen und nahm der Frau sanft das Gewehr aus den Händen. Er hielt es am Lauf und hob es über seinen Kopf, als wollte er es wegwerfen oder zu Boden schleudern.

»Ich habe nein gesagt!« kreischte Faustino. Das gespenstische Heulen von Marsalis' Männern brachte ihn zweifellos vollkommen aus der Fassung. Thomas erging es nicht viel besser. Faustino rappelte sich mühsam auf und schrie: »Gib ihr das Gewehr zurück! Gib es zurück, oder ich schwöre, dich zu erschießen!«

Faustino griff bereits nach seiner Waffe. Thomas nahm sich nicht die Zeit zum Nachdenken. Er warf sich mit dem ganzen Gewicht seines Körpers gegen Faustino, und sie stürzten gemeinsam und rutschten über den Boden des Gotteshauses. Thomas gelang es, nach oben zu kommen, und er saß rittlings auf Faustinos Brust und drückte die Schultern des Mannes mit den Knien nach unten. »Laß ihn in Ruhe«, sagte Thomas. »Er kann euch nichts tun. Er ist lediglich verrückt, das ist alles.«

Er blickte auf. Lindsey und Chan Zapata standen am Fuß der Pyramide. Lindsey hatte ihren Koffer bei sich. Sie starrte Eddie an, doch er bemerkte sie nicht.

»Steigt in den Hubschrauber!« schrie Thomas ihnen zu. »Nehmt Eddie mit und steigt ...«

Der Boden unter ihm bäumte sich auf. Als er aufblickte, sah er, wie sich die Pfeiler des Gotteshauses in vier verschiedene Richtungen bewegten. In der nächsten Sekunde war er unter verrotteten Palmwedeln begraben.

Thomas' Nase füllte sich mit moderigem Staub. Er nieste und kämpfte sich frei. Der Untergrund neigte sich, bäumte sich auf und bebte. Unter dem Dröhnen und Poltern der Erde hörte er, wie sich die massiven

Steinblöcke des Tempels der Inschriften aneinander rieben, ein schreckliches, unheilvolles, knirschendes Geräusch.

Und dann hing einen Augenblick lang alles in der Schwebe. Er sah Chan Ma'ax, der am Waldrand stand. Die anderen Lacandonen wichen zwischen die Bäume zurück und waren plötzlich außer Sicht. Chan Ma'ax sah Thomas mit vollkommen ausdruckslosem Gesicht an. Thomas versuchte, etwas daraus zu lesen, was ihm aber nicht gelang. Dann drehte ihm der alte Mann einfach den Rücken zu und folgte den anderen in den Wald. Gleich darauf waren sie verschwunden.

Der Boden unter Thomas sackte ab. Einer der Stützpfeiler des Gotteshauses stürzte polternd neben ihm zusammen, und er wurde davon in der Seite getroffen. Er rollte sich unter den Blättern und abgebrochenen Ästen hervor und richtete sich auf Hände und Knie auf.

Eddie stand immer noch. Er schritt zwischen den Soldaten hindurch, half ihnen auf und nahm ihnen sanft die Gewehre ab. Er sammelte die Waffen ein, trug sie zu einem Granatenkrater und warf sie hinein. Die Rebellen waren zu verblüfft, um sich dagegen zu wehren.

Chan Zapata half Lindsey beim Aufstehen. Sie war immerhin in so guter Verfassung, daß sie sich die Kleidung und das Haar zurechtstrich. Carla und Faustino hatten sich aus dem zusammengebrochenen Gotteshaus befreit und halfen denjenigen heraus, die noch darunter begraben waren.

Der Lärm von Marsalis' Soldaten war verstummt.

Thomas schaffte es, vollends auf die Beine zu kommen. Lindsey und Chan Zapata kamen zu ihm gerannt. »Wir haben den Hubschrauber nicht gehört«, sagte Lindsey. »Wir haben uns Sorgen gemacht.«

»Was ist mit den anderen?« fragte Thomas, der sich nicht mehr sicher war, ob er sie wirklich im Dschungel gesehen hatte oder nicht.

Chan Zapata sah sich um. »Sie waren bei uns, als wir herunterkamen. Ich weiß nicht, wohin sie gegangen sind. Aber das ist jetzt auch gleichgültig. Sie werden nicht mitkommen. Nuxi' sagte, sie werden selbst ihren Weg finden.« Er schüttelte den Kopf. »Ich werde *t'o'ohil* sein, aber keinen Clan haben.«

»Ich kann sie nicht zwingen, mit uns zu kommen«, sagte Thomas. »Ich bin nicht sicher, ob ich uns mit dem Hubschrauber in Sicherheit bringen kann oder nicht.«

»Ich weiß«, sagte Chan Zapata. »Ich denke, vielleicht sollten wir einfach nur uns selbst retten.«

Thomas sah nach rechts. »O Scheiße!« sagte er. Eddie hatte einen Vorsprung von hundert Metern in Richtung Front, wohin er sein zerlumptes Häuflein von Soldaten führte. Thomas rannte hinter ihm her, dicht gefolgt von Lindsey.

Überall lagen Leichen. Die meisten waren Rebellen, die aus den Gräben zurückgekrochen waren, aber es nicht bis zu den Hütten geschafft hatten. Einige waren Frauen und Kinder und alte Leute, die sich nicht aus der Schußlinie hatten retten können. Thomas zwang sich zum Wegsehen.

»Eddie!« brüllte er. Eddie beachtete ihn nicht, bis Thomas ihn an den Schultern packte und ihn umdrehte. »Wir müssen uns beeilen, zum Hubschrauber zu kommen«, schrie er ihn an. »Wir können nicht länger hier warten.«

»Geh du nur«, sagte Eddie auf englisch. Die Rebellen waren auf der Stelle stehengeblieben. Sie alle beobachteten Eddie und warteten darauf, daß er ihnen ein weiteres Zeichen geben würde.

»Hör auf, dich wie ein Idiot zu benehmen!« sagte Thomas. »Wir haben nicht den ganzen weiten Weg zurückgelegt, um dich hier zum Sterben zurückzulassen.«

»Ihr werdet alle sterben, früher oder später.«

»Du spinnst. Du könntest nicht einmal allein eine Straße überqueren, so beschissen bist du dran.«

»Hör auf ihn!« schaltete sich Lindsey ein. »Komm mit uns! Laß dir von uns helfen!«

Eddie berührte Lindseys Haar. »Kann sein, daß ich verrückt bin«, sagte er. Eine Sekunde lang erschien er fast wie der alte Eddie. Seine Augen waren wacher und aufmerksamer, als sie seit Tagen gewesen waren. »Vielleicht sterbe ich sogar heute nacht. Aber das ist mein gutes Recht. Ich habe das Recht, das hier so auszuleben, wie es mir richtig erscheint.«

»Wir können dir Ärzte besorgen«, sagte Lindsey. »Es muß etwas geben, das man dagegen unternehmen kann.«

»Ich weiß, daß es nichts gibt«, sagte Eddie. »Erklär's ihr, Thomas. Es ist die reine Zeitverschwendung. Ich lasse es nicht zu, daß ihr mich mitnehmt. Ich werde gegen euch kämpfen. Es würde sehr lange dauern, bis ihr mich in diesem Hubschrauber habt. Und ihr habt keine Zeit zu verschwenden.« Plötzlich legte er die Arme um Thomas und eine Hand hinten auf seinen Hals. »Paßt gut auf euch auf«, sagte er. Dann ging er um Thomas herum und entfernte sich. Die Rebellen schlossen dicht hinter ihm auf.

»Thomas?« sagte Lindsey. »Tu etwas!«

Thomas antwortete nicht. Es hatte angefangen zu schneien.

Die Schneeflocken waren winzigklein und körnig und fühlten sich warm an. Thomas streckte die Hand aus. Innerhalb weniger Sekunden war seine Hand grau. Thomas hob den Blick gen Himmel. Es gab keine Wolken, doch das Licht der Sterne war gedämpfter, als es hätte sein dürfen. Sie flackerten. Die Luft stank nach Schwefel, was ihn an die UT-Chemielabors erinnerte. Seine Augen brannten, und seine Kehle war so trocken, daß ihm das Atmen schwerfiel.

El Chichón. Er drehte sich zu dem Vulkan um und sah Blitze rund um den Krater zucken. Dicke Aschewolken brodelten zum Himmel hinauf. Ein Strom glühender brauner Lava floß träge den Gebirgshang herunter. Thomas deutete wortlos in diese Richtung, und Lindseys Augen folgten seinem Finger.

»O mein Gott!« sagte sie.

»Lauf, schnell!« sagte Thomas. Er bemerkte, daß der Gipfel des Vulkans schwankte, spürte den Boden unter seinen Füßen schwanken. Er packte Lindseys Hand und zerrte sie zum Hubschrauber.

»Was ist mit Eddie?« kreischte sie.

»Wir haben keine Zeit«, brüllte er zurück. »Er hat sich entschieden! Ich entscheide mich ebenfalls! Möchtest du hierbleiben und mit ihm sterben?«

Sie rannten los. Die Erde um sie herum verfärbte sich grau. Thomas fühlte, wie Asche sein Gesicht und seinen Hals bedeckte wie eine dicke Schicht Talkumpuder. Er reichte Lindsey sein Taschentuch und bedeutete ihr mit Gesten, daß sie es sich vor den Mund und die Nase binden sollte. Dann rannten sie weiter.

Chan Zapata wartete bereits beim Hubschrauber. Ebenso Carmichael.

Thomas blinzelte, um seine Augen von Tränen und Asche zu befreien. Carmichaels Hemd und sein Gesicht waren über und über mit Blut verschmiert. »Ich bin okay«, sagte Carmichael. »Es ist nicht mein Blut.«

»Oscar ...?« fragte Thomas.

»Tot. Der Hubschrauber hat allerlei abgekriegt.«

»O lieber Gott!« entfuhr es Thomas.

»Was ist passiert?« fragte Lindsey.

»Die Cobra — der große Kampfhubschrauber — hat uns in der Luft erwischt. Oscar wurde schlimm angeschossen. Er hat uns noch zu Boden gebracht, aber dann war Schluß.«

»O Gott!« wiederholte Thomas. Später, wenn er Zeit hätte, würde er sich damit auseinandersetzen müssen. Wenn es nicht wegen Thomas gewesen wäre, wäre Oscar nie hierhergekommen, hätte er nicht zu sterben brauchen.

»Das ist nicht gerecht«, sagte Lindsey fassungslos. »Er war mein Freund.«

»Wir haben jedoch einen der ihren«, sagte Carmichael mit einem merkwürdigen Lächeln. »Und die Rebellen haben die Cobra erwischt, während sie uns fertigmachen wollte. Ihr Bestand ist also jetzt auf einen einzigen geschrumpft.«

»Wen interessiert das noch?« fragte Lindsey.

»Uns«, entgegnete Thomas. »Das gibt uns eine Chance, hier herauszukommen. Wir wollen sie ergreifen!«

»Was ist das für ein Zeug?« sagte Carmichael. »Was ist los?«

»Vulkanasche«, erklärte Thomas. »El Chicón ist soeben aufgewacht. Der ganze Berg kann jeden Moment mit aller Wucht ausbrechen. Steigt jetzt also endlich in den gottverdammten Hubschrauber!«

Thomas sah sich nach hinten um und entdeckte Faustino, der sich in den Schutz einer Pyramide gekauert hatte. »Wo ist Carla?« schrie Thomas.

Faustino deutete nach Westen. Thomas sah, wie sie Eddies kleiner Lumpenarmee hinterherhumpelte.

»Das ist die letzte Gelegenheit«, sagte Thomas. »Wollt ihr mitkommen?«

Faustino schüttelte den Kopf.

Thomas blieb noch ein paar wertvolle Sekunden lang stehen, wohl wissend, daß er nichts mehr tun konnte. Es wäre sogar grausam gewesen, ihm Glück zu wünschen. Er drehte sich um und rannte zum Hubschrauber.

Thomas schob hastig den Zündschlüssel ins Schlüsselloch und drehte ihn nach rechts. Er ging die Kontrollen so schnell wie möglich durch. Gurte anschnallen, Sicherheitssperren lösen, Rotorversteller in die Mitte, Steuerhebel nach unten, AC-Leistungsschalter umlegen. Es war ihm unbegreiflich, was daran so lange dauerte.

Batterie. Treibstoffanzeigen. Motor im Leerlauf. Er

prüfte das Voltmeter. Bei 124 Volt zog er den Hebel am Steuer und hörte das segensreiche Geräusch des einsetzenden Triebwerks. Die Rotoren setzten sich in Bewegung und bespritzten die Windschutzscheibe mit einer frischen Ascheschicht.

Jetzt war der Moment, in dem sich herausstellen würde, ob sie noch fliegen konnten. Vielleicht verstopfte die Asche die Luftansaugstutzen. Vielleicht hatten die Erschütterungen durch die Mörser und das Erdbeben jede Menge Kabel empfindlicher Geräte gelockert. Vielleicht war ein Schrapnell in den Motor gelangt.

Thomas beobachtete, wie der Drehzahlmesser anstieg. Bei 40 Prozent ließ er den Zughebel los. Die Turbine lief ohne Unterstützung weiter. Er ging den Rest der Kontrollen durch und schob die Checkliste wieder in den Kartenbehälter zurück. Er beschleunigte auf 6000 Umdrehungen und ließ etwas nach. Über den Treibstoff und den Kurs und den Funk würde er sich Sorgen machen, wenn sie erst einmal in der Luft wären.

Der Boden schwankte. Er spürte, wie sich der Hubschrauber zu seiner Seite hin neigte. Ein Spalt öffnete sich in der Erde zwischen den Kufen und verlängerte sich blitzartig quer über die Lichtung. Dampf quoll aus dem Spalt. Der Hubschrauber neigte sich langsam nach links. Fünfzehn Grad war die äußerste Schräglage, die er verkraften konnte. Wenn sie darüber hinausging, würde er umkippen, und die Rotorblätter würden sich in die Erde graben.

Thomas zog den Steuerhebel mit einem Ruck hoch. Sie hoben ab, und der Drall zog die Nase nach links, obwohl Thomas am linken Pedal pumpte. Das Heck schlug in Richtung der brennenden Ruine des *ramada* aus. Er betätigte wieder wie wild das Seitensteuer, erhöhte den Schub nach vorn und den Auftrieb nach oben.

Der Boden fiel unter ihnen zurück.

Heiße, nasse Luft wirbelte vom Vulkan her und verhinderte, daß die Rotoren richtig packten. Thomas kämpfte an allen Hebeln, um den Wind hinter sie zu bringen und Höhe zu gewinnen. Der Rumpf gab tickende Geräusche von sich.

»Wir werden beschossen«, sagte Carmichael in den Intercom. Seine Stimme hatte etwas erzwungen Ruhiges, das an Thomas' Nerven zerrte. Thomas schüttelte den Kopf und deutete nach vorn hinaus. Steine von der Größe seiner Daumenkuppe fielen aus dem Himmel.

Thomas schaltete den Funk an und suchte alle Frequenzen ab. Es kam nichts in englisch. Marsalis sendete nicht. Thomas fragte sich, was das wohl zu bedeuten hatte.

Ein Durcheinander von Störgeräuschen drang aus den Kopfhörern, unterbrochen von einer schrillen Stimme: »*... el Distrito Federal, temblores los más fuertes en memoria. Y también en Chiapas y Yucatán ...*« Es folgte ein neuer Schwall von Störgeräuschen, und Thomas schaltete das Radio aus.

»Was war das?« fragte Carmichael. »Ich habe es nicht richtig verstanden.«

»Mexico City«, sagte Thomas. »Überall gibt es Erdbeben.« *Xu'tan,* dachte er, obwohl er es nicht laut aussprach. Das Ende der Welt. Genau wie Eddie gesagt hatte.

Der Wind drehte sich, und Thomas steuerte nach Westen. Das Schlachtfeld breitete sich vor ihnen aus.

Asche bedeckte den Boden. Die Bäume hatten ihre verschrumpelten Blätter abgeworfen und sich in knorrige schwarze Skelette verwandelt. Überall lagen Leichen, Halbreliefskulpturen in allen Schattierungen von Grau. El Chichón erhellte die Nacht mit zuckendem Lichtgeflacker, in dem die Schatten sich krümmten und verblaßten. Selbst im Innern des Cockpits war der Gestank von Schwefel übermächtig.

Die beiden Armeen zogen noch immer auf die Ebene hinaus. Thomas sah Eddie und zwanzig oder dreißig andere, die sich langsam nach Westen bewegten und sich gegen den Wind lehnten wie Wanderer, die sich in einem Schneesturm verirrt haben. Carla befand sich in ihrer Mitte, von den anderen umgeben und geschützt. Alle hatten sich Stoffetzen vor Mund und Nase gebunden.

Thomas ging so tief hinunter, wie er es wagte, und kreiste vor ihnen in der Luft. Die Rotoren wühlten einen Aschewirbel auf. Endlich blickte Eddie auf. Thomas war überzeugt davon, daß Eddie in das beleuchtete Cockpit sehen und ihn erkennen konnte. Eddie schob sich gerade so lange das Taschentuch vom Gesicht, um Thomas zu zeigen, daß er lächelte. Die Quetzalfedern in seinem Stirnband wurden aus seinem Gesicht geweht wie lange grüne Haarsträhnen. Er machte schnell ein Friedenszeichen zu Thomas hinauf, zog das Taschentuch wieder hoch und marschierte weiter.

Thomas ging auf zweihundert Fuß hoch. Er sah, wie einer der Rebellen innehielt und einem verwundeten US-Soldaten eins jener futuristisch wirkenden Plastikgewehre abnahm. Er drehte es in der Hand hin und her und warf es dann weg. Er beugte sich hinunter und half dem Soldaten beim Aufstehen. Dann marschierten die beiden zusammen in Reih und Glied mit den anderen weiter.

Mach's gut, Eddie! dachte Thomas. Viel Glück, Bruderherz!

Vor ihnen war der Boden an hunderten verschiedenen Stellen aufgerissen, und einige der Spalten waren bis zu fünf Meter breit und so tief, daß Thomas ihren Grund nicht sehen konnte. Die FIGHTING 666TH war vernichtet. Bruchstücke davon ragten überall in die Luft, wo die Erde sie nicht vollkommen geschluckt hatte: die Stoßstange eines Jeeps, ein Arm, ein Gewehrkolben.

Der Rest der Armee war aufgerieben. Thomas sah gelegentlich das Mündungsfeuer eines Schusses, doch die meisten Überlebenden wanderten ziellos am Rand der Spalten entlang. Die übrigen saßen einfach in der fallenden Asche und starrten das Spektakel von El Chichón an.

Es war, als ob der Vulkan nichts anderes getan hätte, als das zu Ende zu bringen, was Carla und Marsalis begonnen hatten. Die graue, zerklüftete Ebene war das Sinnbild jedes Schlachtfeldes der Geschichte schlechthin.

Thomas spürte, wie er im Innern von etwas losgelassen wurde. Es war das sonderbare Schuldgefühl, das er seit zwanzig Jahren mit sich herumgeschleppt hatte, das damals an der Highschool angefangen hatte, als er allabendlich die Meldungen der Zahl der in Vietnam Gefallenen im Fernsehen verfolgt hatte. Es war töricht, das wußte er, dieses Bedauern, an einem Krieg, den er für falsch hielt, nicht teilgenommen zu haben; einem Krieg, in dem er mit Sicherheit verwundet, wenn nicht gar getötet worden wäre. Aber so war es nun mal.

Er war mit der Vorstellung aufgewachsen, wie jeder männliche Zugehörige seiner Generation und aller Generationen davor, daß der Krieg die Selbstprüfung eines Mannes darstellte. Das war die Gelegenheit, um herauszufinden, aus welchem Holz man geschnitzt war. Jetzt erkannte er, daß die Menschen nichts anderes waren als winzigste subatomare Partikel. Die Kraft, derer es bedurfte, um sie zu messen, war größer als sie selbst. Sie konnten nicht auf diese Weise gemessen werden, ohne von Grund auf verwandelt zu werden.

Und natürlich hatte er all das viel zu spät erkannt. Er würde den Anblick von Asche und Rauch und Feuer für den Rest seines Lebens mit sich herumtragen. Ebenso wie das Bild des Piloten, der unter ihnen auf der Straße lag. Und blinzelte.

Thomas kletterte höher und schwenkte nach Norden ab. In der Ferne sah er den letzten der US-Hubschrauber, der sich von ihnen entfernte. Er flog nach Nordosten, in Richtung Veracruz. Auf der Flucht, dachte Thomas. Wer konnte es ihnen verübeln?

»Sieh mal!« sagte Carmichael und deutete nach unten. »Das ist Marsalis.«

Gewiß, dachte Thomas, während er die Maschine in der Geraden schweben ließ. Marsalis und Billy standen nebeneinander in der herabfallenden Asche; jetzt sahen sie zu Thomas herauf. Marsalis schwenkte beide Arme über dem Kopf, ohne sich klarzumachen, daß der schwebende Hubschrauber nicht mehr zu ihm gehörte. Thomas antwortete ihm, indem er um fünfzig Fuß höher stieg. Marsalis schrie etwas.

Thomas ließ den Hubschrauber langsam davongleiten. Billy zog Marsalis am Arm und versuchte, ihn zu beruhigen. Thomas beobachtete die beiden immer noch, als ihn etwas in seinem Gurt nach vorn warf.

Einen Augenblick später hörte er eine Explosion, die die Luft in Stücke zu zerreißen schien. Sein Kopf dröhnte, und er hatte das Gefühl, als ob seine Trommelfelle zerfetzt worden seien. Es dauerte eine ganze Sekunde, bis ihm bewußt wurde, daß der Knall von El Chichón gekommen war.

Er drückte das linke Seitenruder hinunter, und sie schwenkten nach Süden ab, gerade rechtzeitig, um einen riesigen Ball aus brennender Asche und Gas zu sehen, gelb in der Mitte und rot am Rand, der den Hang des Vulkans hinunterraste.

Der ganze Gipfel des Berges war verschwunden.

Thomas traute seinen Augen nicht. Er wandte sich in seinem Sitz um. Chan Zapata beugte sich vor und starrte voller Entsetzen nach unten. Der Feuerball spiegelte sich in dem geschwärzten Fenster neben seinem Kopf. Lindsey hatte nichts davon bemerkt. Sie hatte sich völlig erschöpft mit geschlossenen Augen in ihrem Sitz zurückgelehnt.

»Bring uns hier raus!« flehte Carmichael. »Schnell!«

»Ja«, sagte Thomas. »Das wird das Beste sein, schätze ich.« Er machte wieder eine Kehrtwendung, senkte die Nase des Hubschraubers und gab Vollgas.

Er sah nach unten, während sie an Höhe gewannen. Marsalis und Billy standen reglos da und blickten nach Osten über die verbrannte Ebene. Sie beobachteten die Staubwolke, die von Eddies unbewaffneter Armee aufstieg, während sie sich ihnen langsam, aber unaufhaltsam näherte.

Schließlich schrumpften die Gestalten zu nichts. Thomas flog in die Dunkelheit, zur Küste und den Überbleibseln dieser Welt.

LINDSEY STARRTE LANGE ZEIT zur Decke hinauf, ohne sich zu bewegen. Schließlich hob sie die linke Hand übers Gesicht, um auf die Uhr zu sehen. Zwei Uhr. An dem Licht, das durch die Türritzen hereinfiel, erkannte sie, daß es Nachmittag war.

Gegen Mitternacht war Thomas mit dem Hubschrauber auf einem Feld außerhalb von Villahermosa gelandet. Er verlangte von ihnen, daß sie fast zwei Kilometer auf dem Highway gingen, bevor er ihnen eine Ruhepause gestattete. Der Geruch des Asphalts und das Dröhnen der vorbeirauschenden Autos schienen Bestandteile eines Traums zu sein.

Thomas wies sie an, sich hinter eine Reklametafel zu setzen, dann ging er los, um ein Telefon zu suchen. Eine Stunde später holte er sie mit einem Taxi ab und brachte sie ins Hotel Villahermos Viva, ein Motel im amerikanischen Stil am Highway. Carmichael bezahlte für die Zimmer und erklärte, daß er das alles in seiner Spesenabrechnung unterbringen könnte.

Das Hotel war von einem Luxus geprägt, wie man ihn in dieser Art nur in Mexiko findet. Die Decken waren hoch, die Möbel wuchtig und massiv, und in jedem Zimmer gab es eine Getränkebar und einen Kühlschrank. Wenn man die riesigen Fenster mit Spiegelglasscheiben öffnete, bot sich einem der Ausblick auf eine Backsteinmauer. Der Teppich hatte einen hohen, zotteligen Flor und einen großen Wasserfleck in der Nähe der Tür. Die Klimaanlage funktionierte, erzeugte jedoch ein jämmerliches Quietschen.

All das störte Lindsey nicht. Es gab heißes Wasser, viel heißes Wasser. Danach krochen sie und Thomas in getrennte Doppelbetten und schliefen ein.

Sie war immer noch erschöpft, aber sie hatte das Gefühl, nicht mehr schlafen zu können. Thomas lag auf der anderen Seite des Zimmers; mit einem Arm hatte er sein Gesicht bedeckt, und er atmete stoßweise. Lindsey richtete sich im Bett auf und spürte, wie sich ihr Magen umstülpte. Die Schläfen schienen nach innen auf ihr Gehirn zu drücken. Sie taumelte ins Bad und gab ihrem Magen Gelegenheit, sich zu entleeren, obwohl nichts darin war. Als das vorbei war, wusch sie sich das Gesicht, putzte sich die Zähne und ging zurück zum Bett.

Thomas saß aufrecht da. »Alles in Ordnung?«

»Ja«, sagte sie. »Mir geht's gut. Es ist nur ...«

»Morgendliche Übelkeit«, sagte Thomas.

Lindsey nickte.

»Du lieber Himmel«, sagte Thomas. »Du bist schwanger.«

»Vielleicht«, sagte Lindsey. »Vielleicht ist es auch nur ... all das, was ich durchgemacht habe.« Oder, sagte sie sich, vielleicht ist es auch nur Einbildung, weil ich es mir so sehr wünsche.

»Wie lange geht das schon so?«

»Es hat jetzt erst angefangen«, antwortete sie. »Ich meine, ich müßte diese Woche meine Periode bekommen, falls ich sie bekomme. Aber ich glaube es nicht.«

»Ist das nicht ein bißchen früh für solche Übelkeit?«

»Kann schon sein«, räumte Lindsey ein. »Aber ich kannte mal jemanden, die mußte schon am Tag nach der Empfängnis kotzen.« Sie saß auf der Bettkante und hatte ihm das Gesicht zugewandt. »Mir wäre es fast lieber gewesen, du hättest es nicht gemerkt.«

»Früher oder später hätte ich es auf jeden Fall gemerkt, oder nicht?«

Bis jetzt hatten sie noch kein Wort darüber verloren, wie es weitergehen sollte. Lindsey ließ das Schweigen in der Luft hängen.

Thomas lehnte sich zurück, rieb sich die Augen und setzte die Brille auf. »Wer ist der Vater?« fragte er.

Sie hätte ihn anlügen können. Aber das wollte sie nicht. »Du oder Eddie«, sagte sie. »Ich weiß nicht, wer von euch beiden.«

»O Gott!« sagte er.

»Ich habe nicht vor, dich damit zu belasten, okay? Es ist mein Kind. Ich werde es aufziehen. Du brauchst nichts damit zu tun zu haben.«

»Wenn es mein Kind ist, dann *habe* ich etwas damit zu tun. Ich und Eddie, wir haben dieselbe Blutgruppe und alles. Es gibt wahrscheinlich auf der ganzen Welt keinen Test, mit dem man beweisen könnte, wer von uns beiden der Vater ist.«

»Du wirst einen Weg finden, damit zu leben.«

»Gibst du mir wenigstens eine Chance? Werde ich mit dir leben? Kommst du mit mir nach Austin?«

Sie fuhr sich mit der Zunge über die Lippen. »Nein ... jedenfalls noch nicht.«

»Soll es darauf hinauslaufen? Nach allem, was wir durchgemacht haben, wirst du zurückkehren nach San Diego und als alleinerziehende Mutter von der Sozialhilfe leben?«

Lindsey schüttelte den Kopf. »Ich weiß nicht, wie ich es dir erklären soll. Ich habe mich geändert. Ich kann für mich selbst sorgen.« Sie hatte sich bewiesen, daß sie für sich allein etwas lernen konnte. An ihrer Arbeitsstelle gab es kleine Macintosh-Computer, vor denen sie immer Angst gehabt hatte. Jetzt sah sie eine Möglichkeit, wie sie sich selbst beibringen konnte, damit umzugehen. Eine Möglichkeit, aus dem Trott auszubrechen, der während der letzten zehn Jahre ihr Leben bestimmt hatte.

Und noch mehr. Chan Ma'ax glaubte, daß die alte Welt am Ende sei und eine neue vor ihrem Anfang stünde. Sowohl Eddie als auch Thomas hatten davon gesprochen. Lindsey wollte beim Beginn dieser neuen Welt dabeisein. Sie spürte ihre Form bereits ebenso eindeutig, wie sie das wachsende Leben in ihrem Leib spürte. Sie mußte noch einiges lernen, so daß, wenn sie zu Thomas ginge, es nach ihren Vorstellungen geschähe.

»Du darfst mich nicht daran hindern«, sagte sie.

Thomas nickte. Er zog sich in sich selbst zurück, und seine Augen blickten in irgendeine Ferne. Sie wußte, daß sie ihn verletzt hatte. Nach einer Weile stand er auf und zog sich an, wobei er die ganze Zeit über ihr den Rücken zugekehrt hielt. »Wir sollten aufbrechen«, sagte er. »Wir haben noch einen weiten Weg vor uns.«

Chan Zapata erwischte einen Bus, der nach San Cristóbal fuhr. Alle versprachen, einander zu schreiben. Der Abschied war einfacher, wenn man sich das sagte, ob man es glaubte oder nicht.

Sie erreichten noch den Flug um einundzwanzig Uhr fünfunddreißig nach Mexico City am selben Abend. Die Fluggesellschaft besorgte Lindsey auch einen Anschlußflug um drei Uhr nachmittags nach LAX. Thomas würde bis sieben Uhr abends auf den regulären Flug nach Houston warten müssen.

Sie kamen mit nur einer Stunde Verspätung in Mexico City an. Die Zustände im Flughafen waren noch schlimmer, als sie zwei Wochen zuvor gewesen waren. Es gab Wartezeiten von zwei oder drei Stunden, um in die Bars oder Restaurants zu gelangen. Lindsey saß mit ihrem Gepäck in einem orangefarbenen Sessel mit einem aufgeschlitzten vinylbezogenen Polster. Carmichael ging weg, um seine Redaktion anzurufen. Thomas machte einen Getränkeautomaten ausfindig und kaufte ihnen Kaffee in Pappbechern. Der Kaffee war dunkel und heiß, schmeckte jedoch nach absolut gar nichts.

Carmichael kam nach einer halben Stunde zurück. »Es hat weitere Erdbeben gegeben«, verkündete er. »In Argentinien und Neuseeland. Es wurden auch weitere Erschütterungen im San-Andreas-Graben registriert«, erzählte er Lindsey. »Ich würde es mir gut überlegen, ob ich dorthin zurückkehren würde.«

Tatsächlich machte ihr die Vorstellung, sich in Kalifornien niederzulassen, allmählich immer mehr Angst. Jedesmal, wenn sie an Erdbeben dachte, machte sie sozusagen das Erlebte aufs neue durch. Ihr Magen krampfte sich zusammen, und der Schweiß brach ihr aus. »Ich muß wenigstens für einige Zeit noch mal hin«, sagte sie. »Meine Eltern sind dort, meine Wohnung ... ich muß ein paar Sachen erledigen.«

»Wenn du den Maya glaubst, haben wir immer noch fünfundzwanzig Jahre Zeit«, sagte Thomas. »Ich meine, es hat in Mexiko und Kalifornien schon immer Erdbeben gegeben. Vielleicht hat es gar nichts zu bedeuten.«

»Das glaubst du doch selbst nicht«, entgegnete Carmichael.

»Nein«, sagte Thomas. »Es wird schlimmer werden. Langsam, aber stetig schlimmer. In zwanzig Jahren ... na ja, ich denke, wir sollten uns alle nach einem festen Untergrund umsehen.«

»Die Leute in meiner Redaktion haben die Radiomeldungen dort oben verfolgt«, sagte Carmichael. »Es gab mindestens zwei unterschiedliche Berichte über eine — in Anführungsstrichen — Flüchtlingsarmee, die sich in Richtung Villahermosa bewegt. Es sind Hunderte von Menschen, vermute ich. Rebellen, Bauern, US-Soldaten. Es wird erzählt, daß sich unter ihnen eine Frau auf Krücken befindet sowie ein Nordamerikaner in einer Sänfte, angetan mit Federn und Maya-Gewändern.«

»Eddie«, sagte Lindsey.

»Na ja«, sagte Thomas. »Dann ist er also wenigstens noch am Leben.«

»Ich wußte, daß es so ist«, sagte Lindsey. »Ich konnte es fühlen.«

»Ich bleibe noch ein bißchen hier«, sagte Carmichael. »Vielleicht für einen oder zwei Tage. Nur um zu sehen, wie sich die Dinge weiterhin entwickeln.«

»Das sagst du andauernd«, bemerkte Lindsey.

»Ja, stimmt«, sagte Carmichael. »Es ergibt sich ja auch immer wieder etwas Neues.«

Sie begleiteten Carmichael bis zu einem Taxi und winkten ihm zum Abschied hinterher. Dann brachte Thomas Lindsey zu ihrem Flugsteig. »Geh nicht«, sagte Thomas. »Komm mit mir nach Austin.«

»Und was werden wir dort machen?«

»Neu anfangen. Ich überrede die Universität zu einem Projekt, wie wir es in Cuernavaca hatten. Wir können Shapiro und Geisler und alle anderen wieder zusammentrommeln. Es wird funktionieren.«

»Vielleicht wird es das«, sagte sie. »Aber nicht für mich, jetzt noch nicht. O Thomas, es ist nicht so, daß mir nichts an dir liegt. Ich mag dich, wirklich. Aber ich brauche zunächst etwas Zeit. Vielleicht in ein paar Wochen. Ich habe zuviel durchgemacht, um jetzt einfach mit einem anderen Mann wegzugehen.«

»Ich wünsche mir …«

Lindsey legte ihm einen Finger auf den Mund. »Keine Wünsche, Thomas. Dies ist die wirkliche Welt. Sieh mal, ich habe dich schon einmal gefunden. Ich werde dich wieder finden.«

Eine Stimme rief auf spanisch ihren Flug auf. Sie umarmte ihn und nahm ihren Koffer. Dann stellte sie sich auf Zehenspitzen, küßte Thomas ein letztes Mal und eilte davon, um sich bei ihrem Abflugschalter einzureihen.